W9-CUK-757

Le Dernier Secret du Vatican

du même auteur
au **cherche midi**

Le Troisième Secret, traduit de l'anglais (États-Unis) par Jean-Luc Piningre.

L'Héritage des Templiers, traduit de l'anglais (États-Unis) par Françoise Smith.

L'Énigme Alexandrie, traduit de l'anglais (États-Unis) par Françoise Smith.

La Conspiration du Temple, traduit de l'anglais (États-Unis) par Françoise Smith.

La Prophétie Charlemagne, traduit de l'anglais (États-Unis) par Diniz Galhos.

Le Musée perdu, traduit de l'anglais (États-Unis) par Gilles Morris-Dumoulin.

Le Mystère Napoléon, traduit de l'anglais (États-Unis) par Danièle Mazingarbe.

Le Complot Romanov, traduit de l'anglais (États-Unis) par Gilles Morris-Dumoulin.

Le Monastère oublié, traduit de l'anglais (États-Unis) par Danièle Mazingarbe.

Le Code Jefferson, traduit de l'anglais (États-Unis) par Danièle Mazingarbe.

Le Temple de Jérusalem, traduit de l'anglais (États-Unis) par Danièle Mazingarbe.

Le Secret des rois, traduit de l'anglais (États-Unis) par Danièle Mazingarbe.

L'Héritage occulte, traduit de l'anglais (États-Unis) par Danièle Mazingarbe.

Le Complot Malone, traduit de l'anglais (États-Unis) par Philippe Szczeciner.

La 14e Colonie, traduit de l'anglais (États-Unis) par Philippe Szczeciner.

L'Héritage Malone, traduit de l'anglais (États-Unis) par Philippe Szczeciner.

La Conspiration Hoover, traduit de l'anglais (États-Unis) par Philippe Szczeciner.

Steve Berry

Le Dernier Secret du Vatican

TRADUIT DE L'ANGLAIS (ÉTATS-UNIS)
PAR **SOPHIE ASLANIDES**

Vous pouvez consulter notre catalogue général
et l'annonce de nos prochaines parutions sur notre site :
www.cherche-midi.com

Ouvrage publié sous la direction d'Arnaud Hofmarcher
avec la collaboration de Roland Brénin

Titre original : *The Malta Exchange*
Éditeur original : Minotaur Books

30, place d'Italie
75013 Paris

Mis en pages par DVAG
Dépôt légal : juin 2019
ISBN : 978-2-7491-6183-9

Il n'est pas nécessaire de croire en Dieu pour être une bonne personne.
En un sens, la notion traditionnelle de Dieu est dépassée.
On peut être spirituel mais pas religieux.
Il n'est pas nécessaire d'aller à l'église et de donner de l'argent.
Pour beaucoup, la nature est une église.
Quelques-unes des meilleures personnes de l'histoire ne croyaient pas en Dieu, tandis que certains des pires actes l'ont été en Son nom.

Pape François

PROLOGUE

SAMEDI 28 AVRIL 1945

LAC DE CÔME, ITALIE
15 H 30

Benito Amilcare Andrea Mussolini savait que le destin était sur le point de le rattraper. Il en avait acquis la certitude au moment précis, hier, où des partisans de la 52e division de la brigade Garibaldi lui avaient barré la route pour arrêter le convoi allemand qui l'assistait dans sa fuite vers le nord, vers la Suisse. Le commandant de la Wehrmacht n'avait pas caché que, fatigué de se battre, il avait bien l'intention d'éviter la confrontation avec les troupes américaines qui arrivaient et de se replier sur le territoire du IIIe Reich sans encombre. Ce qui expliquait comment un arbre en travers du chemin et un groupe disparate de trente partisans avaient stoppé trois cents soldats allemands armés de pied en cap.

Pendant vingt et un ans Mussolini avait dirigé l'Italie, mais lorsque les Alliés s'étaient emparés de la Sicile, puis avaient envahi le continent, ses complices fascistes et le roi Victor-Emmanuel III avaient profité de l'occasion pour le dépouiller de tous ses pouvoirs. Il avait fallu qu'Hitler intervienne pour lui épargner la prison, puis l'installer à la tête de la République sociale italienne, dont l'administration se trouvait à Milan. Rien d'autre qu'un État fantoche – une manière d'entretenir l'illusion du pouvoir. Mais cela aussi était terminé. Les Alliés avaient avancé vers le nord, et pris Milan, ce qui l'avait contraint à fuir plus au nord jusqu'au lac de Côme et vers la frontière suisse, à quelques kilomètres de là.

« Cette journée est bien calme », lui dit Clara.

Il y avait eu d'innombrables femmes dans sa vie. Son épouse tolérait les maîtresses car le divorce n'était pas envisageable. Surtout pour des raisons religieuses ; mais que lui rapporterait le statut d'ex-femme du Duce ?

Pas grand-chose.

Parmi tous ses amours, Claretta Petacci avait une place particulière. Vingt-huit ans les séparaient, mais elle le comprenait. Sans jamais poser de question. Sans jamais douter de lui. L'aimant inconditionnellement. Elle était venue au lac de Côme de son propre gré pour partager son exil.

Mais le destin leur était contraire.

Les Russes bombardaient Berlin, les Britanniques et les Américains traversaient l'Allemagne sans rencontrer la moindre opposition ; le IIIe Reich était en ruine. Hitler s'était réfugié dans un bunker sous les décombres de sa capitale. L'Axe était anéanti. Cette guerre lamentable, qui n'aurait jamais dû être déclarée, tirait à sa fin.

Et ils l'avaient perdue.

Clara resta devant la fenêtre ouverte, plongée dans ses pensées. Depuis leur perchoir, ils avaient vue sur le lac au loin et les montagnes au fond. Ils avaient passé la nuit dans cette humble demeure, dans une chambre au sol dallé meublée d'un simple lit et de deux chaises. Pas de feu dans la cheminée, et pour toute lumière, une ampoule nue dont la lumière crue éclairait les murs blanchis à la chaux. Depuis longtemps, sa vie n'était que luxe et plaisirs.

Il voyait par conséquent une certaine ironie dans le fait que Clara et lui – qui autrefois cherchaient le réconfort de l'étreinte dans l'opulence du Palazzo Venezia – se retrouvent dans une petite maison paysanne perdue au milieu des collines italiennes.

Il alla jusqu'à la fenêtre pour se rapprocher d'elle. Le rebord était couvert d'une épaisse couche de poussière. Elle lui prit la main comme s'il était un enfant.

« Il y a sept ans, lui dit-il, j'étais une personne intéressante. Aujourd'hui, je suis à peine plus qu'un cadavre. »

Il avait dit cela d'une voix sinistre et détachée.

« Tu es toujours important », déclara-t-elle.

Il esquissa un sourire. « Je suis fini. Mon étoile ne brille plus au firmament. Je n'ai plus le courage de me battre. »

Récemment il s'était montré de plus en plus emporté, belliqueux et anormalement indécis. Sa force de commandement ne s'était manifestée qu'en de rares occasions. Tout le monde se fichait désormais de ce qu'il faisait, de ce qu'il pensait et de ce qu'il disait.

Sauf Clara.

Cet après-midi nuageux chargé de lointaines détonations laissait présager une grande moiteur. Ces fichus rebelles étaient en train de transformer la campagne en champ de tir et éliminaient tout ce qui avait trait au fascisme. Il aperçut en contrebas une voiture qui montait l'étroite route depuis Azzano. On les avait amenés, Clara et lui, dans cette maison aux toutes premières heures du jour. Pourquoi ? Il l'ignorait. Mais deux partisans barbus, portant des casquettes ornées d'une étoile rouge, montaient la garde, mitraillette en bandoulière.

Comme s'ils attendaient quelque chose.

« Tu n'aurais pas dû venir », lui dit-il.

Elle serra sa main. « Ma place est à tes côtés. »

Il admira sa loyauté et regretta que ses Chemises noires n'en possèdent ne serait-ce qu'une infime part. La fenêtre était à une hauteur d'environ cinq mètres. Mais il s'imagina être beaucoup plus haut, sur le balcon du Palazzo Venezia, en 1936, glorifiant l'immense victoire de l'Italie en Abyssinie. Quatre cent mille personnes s'étaient rassemblées sur la piazza ce jour-là, une foule déchaînée, fascinante. *Duce*, *Duce*, *Duce*, scandaient-elles de manière ininterrompue, et il avait senti la chaleur de leur hystérie collective.

Quel coup de fouet.

Mais il restait si peu du César en lui.

Il avait toujours son crâne chauve et sa bedaine si reconnaissables, mais ses yeux avaient jauni et paraissaient de plus en plus hagards. Il était en uniforme. Chemise noire, tunique grise, culotte avec des bandes rouges sur les côtés, bottes militaires et un simple calot gris. Hier, avant d'être emmené par les partisans, il avait pris à un soldat allemand son pardessus et son casque, espérant bêtement qu'ils suffiraient à le dissimuler.

Quelle erreur.

Son geste avait révélé sa peur.

Certains le traitaient de *bouffon*, d'autres d'*aventurier des jeux de pouvoir* ou de *flambeur dans une partie à gros risques englué dans le passé*. Les Européens l'avaient surnommé *l'homme grâce à qui les trains arrivent à l'heure*.

Mais il était surtout le Duce.

Le Chef.

Le plus jeune à avoir jamais dirigé l'Italie.

« J'attends la fin de cette tragédie, dit-il. Étrangement, je me sens détaché de tout. Je n'ai plus le sentiment d'être un acteur. Je suis plutôt le dernier des spectateurs. »

Cette dépression qu'il éprouvait ces derniers temps commença à l'envahir et il lutta pour la contenir.

Ce n'était pas le moment de s'apitoyer sur son sort.

La voiture poursuivit son ascension sur la route en lacets, disparaissant par intermittence derrière d'épais bosquets de cèdres et de sapins, le moteur plus sonore à mesure qu'elle approchait de la maison.

Il était fatigué, pâle, et il aurait eu bien besoin de se raser. Sa mise était loin d'être impeccable, contrairement à son habitude – son uniforme était froissé et négligé. Pire encore, il se sentait à la merci des événements. Un homme en fuite, en proie à la panique.

Il ne contrôlait plus rien.

La voiture s'arrêta en contrebas.

Le conducteur ouvrit la portière et sortit ; il portait l'uniforme bleu clair d'un capitaine de la Luftwaffe, membre du corps des transmissions, comme l'indiquait l'écusson sur son col marron. Depuis hier, Mussolini n'avait été en contact qu'avec la foule chaotique et échevelée des partisans. Il avait constaté leur manque d'autorité à la mairie de Dongo, où on l'avait d'abord emmené, sans qu'aucun de ses geôliers ne sache vraiment quoi faire de lui. Il était resté dans une pièce où tout le monde parlait et fumait, en écoutant Radio Milan proclamer la fin du fascisme et ordonner que tous les membres du gouvernement soient arrêtés.

Des imbéciles. Tous.

Mais ce n'était rien comparé aux Allemands.

Il avait retardé le plus possible le moment de signer un pacte avec l'Allemagne. Hitler était une brute, avec son charabia tout droit sorti de *Mein Kampf*. Il éprouvait à la fois du dégoût et de la méfiance à l'égard de cet Autrichien cinglé. Mais finalement l'opinion publique était devenue trop puissante pour qu'il l'ignore, et en 1940, il avait fini par entrer en guerre.

Une affreuse erreur.

Qu'ils aillent au diable, ces salopards d'aryens, il ne voulait plus jamais voir un seul de leurs uniformes.

Et pourtant, voici qu'il en arrivait un.

L'homme en uniforme entra dans la maison et monta l'escalier jusqu'au premier étage. Sans quitter la fenêtre, Clara et lui se retournèrent lorsque la porte de la chambre s'ouvrit et que l'homme entra. Mussolini attendit que le visiteur claque des talons et le salue. Mais l'inconnu ne fit preuve d'aucune marque de respect et se contenta de dire calmement en italien : « Je souhaite vous parler. Seul à seul. »

C'était un homme élancé et mince, au visage long. Il avait de grandes oreilles et le teint cireux. Ses cheveux noirs étaient lissés en arrière et sa bouche aux lèvres fines était ornée d'une moustache bien taillée. Mussolini évalua mentalement la situation pour savoir à quel point elle était désespérée, cherchant quels choix s'offraient à lui. Depuis deux décennies personne n'avait jamais osé le malmener ainsi. Pour être crainte, l'autorité doit être absolue, sans limites. Son premier instinct fut de dire à cet inconnu de sortir, mais l'immense incertitude qui l'entourait l'emporta sur sa fierté.

« Attends dehors », dit-il à Clara.

Elle hésita, s'apprêta à protester, mais il la fit taire d'un mouvement de la main. Elle renonça et se contenta d'incliner la tête avant de quitter la pièce.

L'inconnu ferma la porte derrière elle.

« Nous avons très peu de temps, dit l'homme. Le Comité de libération nationale et les hommes du Front révolutionnaire seront bientôt ici. »

Les deux signifiaient des ennuis, le second surtout puisqu'il était principalement composé de communistes qui voulaient depuis longtemps s'approprier l'Italie.

« Ils ont pris la décision de vous exécuter. J'ai réussi à arriver avant leur émissaire, mais je n'ai pas beaucoup d'avance.

– C'est grâce à vos compatriotes, qui m'ont abandonné. »

L'homme fourra sa main droite dans la poche de son manteau, il en sortit un objet.

Une bague.

Il l'enfila sur son majeur gauche et tendit la main ; elle était ornée d'un motif de quatre rangs de lettres gravées dans la surface en étain gris.

SATOR
AREPO
TENET
OPERA
ROTAS

Il comprenait maintenant.

Ce n'était pas un visiteur ordinaire.

Il avait eu affaire à deux papes pendant qu'il était leader suprême, Pie XI et Pie XII. L'un était plus accommodant que l'autre, mais les deux étaient très agaçants. Malheureusement, gouverner l'Italie signifiait avoir l'Église catholique à ses côtés, ce qui n'était pas une mince affaire. Mais il avait réussi à contenir l'Église, concluant avec elle une alliance difficile, qui elle aussi touchait à sa fin.

« Je suis certain que cette bague ne vous est pas inconnue, dit l'homme. Elle est identique à celle que vous avez volée à l'homme que vous avez tué. »

La situation devenait plus claire.

Après avoir fondé un hôpital à la frontière de la chrétienté dédié à saint Jean-Baptiste en 1070, un petit groupe venu d'Europe prit le nom de Frères hospitaliers de Saint-Jean de Jérusalem. Huit cent cinquante ans plus tard, leur dénomination officielle était d'une longueur obscène : Ordre souverain militaire hospitalier de Saint-Jean de Jérusalem, de Rhodes et de Malte.

Le comble de la vanité.

« Je parle au nom de Son Altesse Éminentissime, le prince et Grand Maître en personne, dit l'homme en uniforme. Il vous demande une fois encore de renoncer à ce que vous possédez.

– Êtes-vous réellement un officier allemand ? » demanda Mussolini.

L'homme acquiesça. « Mais j'étais chevalier de l'Ordre bien avant qu'apparaisse le IIIe Reich. »

Le Duce sourit.

Enfin, le voile était levé.

Cet homme n'était rien d'autre qu'un espion, ce qui expliquait pourquoi ses ennemis avaient permis à cet émissaire de venir.

« Vous dites que des gens vont arriver pour s'emparer de moi. Pour les partisans, je ne compte pas. Quant aux Allemands, ils me considèrent comme un fardeau. Seule ma mort a une certaine importance aux yeux des communistes. Alors, dites-moi, qu'avez-vous à offrir pour que leur soit refusé ce plaisir ?

– Vos ruses hier ont échoué. »

Il fut désolé de l'apprendre.

Fuyant Milan, il était allé d'abord à Côme en suivant l'étroite route sinueuse le long des berges du lac, traversant des douzaines de minuscules villages nichés au bord de l'eau. Cernobbio, Moltrasio, Tremezzo, Menaggio. Généralement le parcours se faisait aisément en une demi-journée. Cette fois, il avait été bien plus long. Il pensait trouver cinq mille Chemises noires en train de l'attendre. Ses soldats. Mais seule une douzaine d'hommes étaient venus. Puis était apparu un convoi allemand de trente-huit camions et trois cents soldats rompus au combat, progressant vers le nord en direction de l'Autriche ; alors il s'était glissé dans la caravane, espérant atteindre Chiavenna, où il s'en séparerait pour se diriger vers la Suisse.

Mais il n'avait pas réussi à aller aussi loin.

Ces salauds d'Allemands l'avaient vendu en échange de leur passage.

Heureusement, il transportait avec lui une forme de garantie. De l'or et des bijoux prélevés sur le trésor italien, ainsi que des réserves de devises et deux porte-documents en cuir remplis d'importants papiers, dossiers et lettres.

« Les partisans détiennent une partie de votre or, dit l'homme, mais la plus grande part a été jetée dans le lac par les Allemands. En revanche, vos deux serviettes en cuir ont disparu. L'une d'elles contient-elle ce que je veux ?

– Pourquoi vous le dirais-je ?

– Parce que je peux sauver votre misérable vie. »

Il ne pouvait nier qu'il aimerait vivre, mais plus important encore, Clara pourrait-elle avoir la vie sauve ?

« Je peux la sauver, elle aussi. »

Le Duce étira ses bras dans son dos et avança la mâchoire dans une grimace familière. Puis il se mit à faire les cent pas, les semelles de ses bottes frottant les dalles rugueuses. Pour la première fois depuis longtemps, une certaine force frémissait dans ses os.

« *L'ordre illustre jamais ne périra*, dit-il. *Il est comme la vertu, comme la foi.* Est-ce correct ?

– Oui. Le comte de Marcellus devant l'Assemblée nationale en France.

– Si je me souviens bien, il essayait d'obtenir que soit rendue aux chevaliers une grande étendue de terre que la Couronne britannique avait saisie. Il ne réussit pas, mais il parvint à obtenir un décret de souveraineté qui faisait des Hospitaliers une nation en tant que telle à l'intérieur des frontières de la France.

– Et nous n'avons pas péri, dit l'homme.

– Vous m'en voyez heureux. » Il lança un regard noir à son visiteur. « Mettez-moi à bonne distance de ces partisans et nous pourrons parler de *Nostra Trinità.* »

L'homme secoua la tête. « Peut-être n'avez-vous pas saisi la gravité de votre situation. Vous êtes un homme condamné qui tente de sauver sa vie en fuyant avec toutes les lires et onces d'or que vous avez pu voler. » Il marqua une pause. « Malheureusement, ces efforts ont été vains. Ils arrivent pour vous tuer. Je suis votre seul espoir. Vous n'avez pas de monnaie d'échange, vous pouvez seulement me donner exactement ce que je veux.

– Dans les deux porte-documents que vous avez mentionnés se trouve une correspondance que les Britanniques ne voudraient pas voir divulguée. »

L'homme haussa les épaules. « C'est un problème qui les regarde.

– Imaginez ce que les chevaliers pourraient faire d'informations aussi compromettantes.

– Nous avons d'excellentes relations avec Londres. Je ne veux que la bague et les documents que vous avez volés.

– La bague ? Rien qu'un bout de métal. »

L'homme leva la main. « Pour nous, elle est bien plus que cela. »

Mussolini secoua la tête. « Vous, les chevaliers, vous n'êtes que des parias. Chassés de Jérusalem, Chypre, Rhodes, Malte, Russie, maintenant vous vous réfugiez dans deux palais à Rome, en vous cramponnant à une gloire qui a disparu depuis longtemps.

– Alors, nous avons quelque chose en commun. »

Le Duce sourit. « C'est exact. »

Par la fenêtre ouverte lui parvint le bruit d'un autre moteur.

Son visiteur le perçut, lui aussi.

« Ils sont là », dit l'homme.

Une détermination soudaine s'empara du Duce, renforcée par le fait que des empereurs du Saint-Empire, Napoléon et même Hitler s'étaient tous vu refuser ce qu'il avait accompli.

Vaincre le pape.

La présence de cet homme ici était la preuve concrète de sa victoire.

« Demandez à Pie XII ce que ça lui a fait de s'agenouiller devant moi, dit-il.

– Je doute que ce soit arrivé.

– Pas littéralement. Mais métaphoriquement, il s'est mis à genoux. Il savait ce que je pouvais infliger à sa précieuse Église. Ce que je peux toujours lui infliger. »

Cela expliquait pourquoi le Vatican ne s'était jamais opposé frontalement à sa prise de pouvoir. Même après qu'il s'était assuré d'un contrôle total, l'Église avait continué à garder le silence, ne faisant à aucun moment usage de son énorme influence pour inciter le peuple italien à la révolte. Aucun roi, aucune reine, aucun empereur n'avait eu cette chance.

Il désigna la bague de l'homme. « Comme vous, je m'inspire de Constantin Ier pour trouver la force. Seuls lui et moi avons réussi là où tous les autres ont échoué. »

Dehors, la voiture s'arrêta et il entendit des portières claquer.

« Dites à votre Grand Maître qu'il regrettera de ne pas m'avoir sauvé, dit-il.

– Vous êtes un idiot. »

Il se raidit. « Je suis le Duce. »

L'homme vêtu de l'uniforme allemand demeura imperturbable ; il secoua la tête et dit : « Au revoir, grand chef. »

Et l'émissaire partit.

Il resta debout bien droit, face à l'entrée de la chambre. Combien d'hommes avait-il envoyés à la mort ? Des milliers ? Plutôt des dizaines de milliers. Maintenant il comprenait à quel point ils se sentaient démunis au moment de leur trépas.

Des pas lourds dans l'escalier.

Un homme entra – maigre et nerveux, les yeux noirs, l'humeur noire – armé d'une mitrailleuse. « Je suis venu vous libérer. »

Il n'en crut pas un mot, mais il joua le jeu. « Comme c'est heureux.

– Nous devons partir. Maintenant. »

Clara apparut, entra et s'approcha du lit ; elle se mit à fouiller les couvertures.

« Que cherchez-vous ? demanda l'homme.

– Ma culotte.

– Peu importe. On n'a pas le temps. Il faut partir. »

Mussolini l'attrapa doucement par le bras et lui fit signe qu'il était temps. Avait-elle conscience de ce qui se préparait ? Il en doutait. Comme toujours, elle paraissait plus soucieuse pour lui que pour elle.

Arrivés au rez-de-chaussée, ils sortirent de la maison et montèrent à l'arrière d'une Fiat en piteux état. Un chauffeur était déjà installé au volant et l'homme à la mitrailleuse resta à l'extérieur, perché sur le marchepied côté droit, son arme pointée sur les passagers.

La voiture descendit lentement la pente raide vers le village. Derrière, à pied, suivaient les deux gardes de la veille au soir. Ils s'engagèrent tous dans un virage en épingle à cheveux à la vitesse des piétons, mais la Fiat prit de la vitesse à la sortie du virage, les pneus crissant sur le revêtement humide. L'homme perché à l'extérieur ordonna au véhicule de s'arrêter en face d'un portail en fer forgé, là où la petite route s'élargissait d'environ cinq mètres sur deux mètres de profondeur. Le portail fermait l'entrée d'une allée bornée par deux gros poteaux en béton ; les murets adjacents faisaient moins d'un mètre de hauteur, arrondis vers l'intérieur et surmontés de buissons.

L'homme à la mitrailleuse sauta du marchepied et ouvrit les portières. Le chauffeur sortit. On cria divers ordres et les deux autres hommes armés prirent position, l'un au-dessus, l'autre en contrebas, sur la route. Les arbres et un virage serré cachaient la scène, invisible depuis les maisons d'Azzano.

« Sortez », lança-t-on.

Une expression affolée apparut sur le visage de Clara. Ses yeux lançaient des regards frénétiques, comme un oiseau terrorisé.

Mussolini sortit de la voiture.

Elle suivit.

« Là », fit l'homme en désignant avec le canon de son arme le portail en fer forgé.

Mussolini alla jusqu'au mur et s'y appuya. Clara le rejoignit et se planta à côté de lui. Il ne commettrait pas la même erreur qu'hier. Il n'aurait pas peur. Quand ces hommes raconteraient ce qui allait se produire, ils seraient obligés de mentir pour le décrire comme un lâche.

« Benito Mussolini, vous êtes un criminel de guerre. Une condamnation à mort a été prononcée pour rendre justice au peuple italien.

– Non, vous ne pouvez pas ! cria Clara. Vous ne pouvez pas faire ça ! »

Elle lui serra le bras.

« Écartez-vous de lui, lança l'homme. Écartez-vous ou vous mourrez, vous aussi. »

Elle ne s'enfuit pas et l'homme appuya sur la détente.

Mais il ne se passa rien.

Le tireur secoua le verrou de sûreté et essaya de désenrayer son arme. Clara hurla et bondit en avant, saisit le canon de la mitrailleuse à deux mains.

« Vous n'avez pas le droit de nous tuer, cria-t-elle.

– Donnez-moi une arme ! » brailla l'homme.

L'un des deux autres gardes accourut et lui lança son fusil. Leur bourreau lâcha celui auquel Clara était cramponnée et saisit l'autre arme.

Mussolini réalisa que son heure était arrivée.

Il fut submergé par une immense énergie.

Il ne fit aucun geste de fuite ou de défi.

Au contraire, il écarta les pans de sa veste à deux mains, tendant sa poitrine en avant comme la fière proue d'un navire. Derrière les trois hommes qui étaient venus l'assassiner, il aperçut le visiteur en uniforme allemand qui descendait la route. Tranquillement. Sans se presser. Sans être inquiété par les trois autres. Il s'arrêta et contempla la scène. Bien. Qu'il regarde.

« Magnus ab integro saeclorum nascitur ordo », lança Mussolini.

Il était certain qu'aucun de ces crétins ne parlait latin.

Seul le chevalier comprendrait.

Le grand ordre des siècles naît de nouveau.

La mitrailleuse se mit à crépiter.

Clara fut touchée la première et s'écroula sur le sol. Il eut le cœur brisé de la voir mourir. D'autres balles furent tirées sur lui. Trois d'entre elles le touchèrent à l'abdomen. Quatre autres atteignirent ses jambes. Ses genoux plièrent et il se retrouva en position assise.

Son regard alla se poser sur le chevalier et il rassembla le peu de force qui lui restait pour dire. « Ce... n'est... pas... terminé. »

Sa bouche cracha du sang.

Son épaule gauche tomba et il s'effondra sur les pavés mouillés. Il leva les yeux vers le ciel nuageux. L'odeur de poudre était lourde dans l'air humide. L'un des gardes se pencha sur lui, le canon de son arme pointée vers le bas.

Le Duce se concentra sur le point noir.

Comme un point à la fin d'une phrase.

Le garde fit feu.

De nos jours

1

MARDI 9 MAI

LAC DE CÔME, ITALIE

8 H 40

Cotton Malone examina le site de l'exécution. Un peu après 16 heures, le 28 avril 1945, Benito Mussolini et sa maîtresse Claretta Petacci avaient été abattus à quelques mètres à peine de l'endroit où il se trouvait. L'entrée de la Villa Belmonte, qui donnait sur une route étroite montant en pente raide depuis Azzano, à moins d'un kilomètre en contrebas, était devenue depuis l'exécution un sanctuaire. Le portail en fer forgé, le muret, même les haies taillées étaient encore là ; la seule nouveauté était une croix en bois clouée dans la pierre à côté du portail sur laquelle on pouvait lire le nom de Mussolini et la date de sa mort. De l'autre côté, il aperçut une autre nouveauté – une petite boîte en bois dont l'une des parois était en verre, qui contenait des photos de Mussolini et Claretta. Une énorme couronne de fleurs était accrochée au-dessus de la croix. Le ruban qui l'ornait disait EGLI VIVRÀ SEMPRE NEL CUORE DEL SUO POPOLO.

Il vivra pour toujours dans le cœur de son peuple.

Au village, on lui avait expliqué où trouver l'endroit que des loyalistes continuaient à vénérer. Ce qui était étonnant, compte tenu de la brutalité notoire de Mussolini et du nombre de décennies qui s'étaient écoulées depuis sa mort.

À quel dilemme avait été confronté Mussolini !

L'Italie s'étiolait dans un climat d'incertitude. Les Allemands qui battaient en retraite. Les partisans qui descendaient en masse des collines. Les Alliés qui remontaient du Sud, libérant une ville après l'autre. Seuls le Nord et la Suisse offraient un éventuel refuge.

Qu'il n'atteindrait jamais.

Malone resta là, à méditer dans la fraîcheur d'une délicieuse matinée de printemps.

Hier après-midi, il avait pris un avion de Copenhague pour l'aéroport de Milan Malpensa, puis piloté une Alfa Romeo de location jusqu'au lac de Côme. Il avait dépensé une fortune pour cette voiture de sport – mais qui aurait refusé de conduire un bolide dont le moteur de deux cent trente-sept chevaux pouvait passer de zéro à quatre-vingt-dix kilomètres par heure en quatre secondes ? Il était déjà venu à Côme et avait résidé dans la magnifique Villa d'Este lors d'une mission sous couverture pour la division Magellan, il y avait des années. L'un des plus beaux hôtels du monde. Cette fois, son hébergement serait sans commune mesure. Il avait été envoyé par les services secrets britanniques, en free-lance, à la recherche d'un Italien, un négociant en antiquités qui était récemment apparu sur les écrans radars du MI6. Au départ, sa mission était une simple transaction commerciale. En tant que spécialiste du commerce de livres rares, il avait une certaine expertise dans la négociation de documents anciens et potentiellement dangereux. Mais les nouvelles informations qu'il avait obtenues hier soir l'orientaient vers la possible existence d'une cachette, alors sa tâche s'en était trouvée modifiée. Si les renseignements se révélaient justes, les ordres reçus consistaient désormais à voler les objets.

Il connaissait la chanson.

Un achat laissait bien trop de traces, et jusqu'à hier, le MI6 n'avait pas d'autre choix. Mais si l'objet convoité pouvait être obtenu sans avoir à le payer, alors il valait mieux procéder ainsi. Surtout quand on savait que l'objet de la recherche n'appartenait pas à l'Italien qui le proposait à la vente.

Malone ne se faisait aucune illusion.

Après douze années passées à la division Magellan et quelques autres à travailler en free-lance pour diverses agences de renseignement, il avait retenu de nombreuses leçons. Dans le cas présent, il savait qu'il était payé pour effectuer une mission *et* porter le chapeau si ça se passait mal. Ce qui était une motivation suffisante pour ne pas commettre d'erreur.

Néanmoins, le projet était fascinant.

En août 1945, Winston Churchill était arrivé à Milan sous le nom d'emprunt de colonel Warden. Il avait prétendument décidé de prendre des vacances sur le bord des lacs de Côme, de Garde et de Lugano. La décision n'était pas forcément mauvaise – depuis des siècles, les gens venaient en villégiature près des eaux cristallines des Alpes. L'utilisation d'un nom de code lui garantissait une certaine tranquillité, mais à cette date, Churchill n'était plus le Premier ministre britannique, il avait été battu avec perte et fracas lors des dernières élections.

Son premier arrêt avait été le cimetière de Milan, où Mussolini avait été enterré à la hâte. Il s'était recueilli sur sa tombe, le chapeau à la main, pendant plusieurs minutes. Étrange, quand on pense que le défunt avait été un dictateur brutal et un ennemi de guerre. Il avait ensuite pris la route du Nord vers Côme, où il s'était installé dans une villa au bord du lac. Pendant les semaines suivantes, les habitants l'avaient vu jardiner, pêcher et peindre. Personne, sur le moment, n'y avait accordé tellement d'importance, mais des décennies plus tard, des historiens s'étaient mis à étudier ce séjour de près. Bien sûr, les services secrets britanniques savaient depuis longtemps ce que Churchill cherchait.

Des lettres.

Une correspondance entre Mussolini et lui.

Elle avait été perdue au moment de la capture de Mussolini ; au milieu de multiples autres documents transportés dans deux serviettes qui disparurent le 27 avril 1945. D'après la rumeur, les partisans locaux s'en étaient emparés. Certains prétendent qu'elle avait été donnée aux communistes. D'autres parlèrent des Allemands. D'autres encore affirmaient qu'elle avait été enterrée dans le jardin de la villa que Churchill avait louée.

Personne n'avait de certitude.

Mais quelque chose, en août 1945, avait poussé Winston Churchill à intervenir en personne.

Cotton remonta dans l'Alfa Romeo et poursuivit sa route. La villa où Mussolini et sa maîtresse avaient passé leur dernière nuit se trouvait encore quelque part, dans les alentours. Il avait lu de nombreux récits contradictoires sur ce qui s'était passé ce samedi fatidique. Les détails échappaient encore aux historiens. En particulier, le nom du bourreau s'était perdu. Plusieurs personnes prétendaient avoir eu cet honneur, mais personne ne savait avec certitude qui avait appuyé sur la détente. Ce qui demeurait encore plus mystérieux était ce qu'il était advenu de l'or, des bijoux, des devises et des documents que Mussolini avait eu l'intention d'emporter en Suisse. La plupart des gens s'accordaient à dire qu'une partie de ces richesses avait été jetée dans le lac, puisque, après la guerre, des pêcheurs trouvèrent de l'or dans l'eau. Mais pour ce qui était des documents, aucune cachette plausible n'avait jamais été suggérée. Jusqu'à il y a deux semaines. Un e-mail était arrivé à l'ambassade britannique à Rome ; il contenait l'image d'une lettre scannée.

Écrite par Churchill à Mussolini.

D'autres messages avaient suivi, avec quatre autres images. Aucun accord n'avait été trouvé sur le prix d'achat des cinq lettres. Cotton était payé cinquante mille euros pour se rendre à Côme, négocier la transaction et rapporter les cinq missives.

La villa qu'il cherchait était posée sur une crête, en retrait de la route qui allait jusqu'à la frontière suisse, à une petite dizaine de kilomètres de là. Tout autour de lui s'étendaient les forêts où les partisans s'étaient cachés pendant la guerre, pour mener sans relâche une guérilla implacable à la fois contre les fascistes et contre les Allemands. Leurs exploits étaient légendaires, et avaient culminé avec la capture triomphale bien que inattendue de Mussolini lui-même.

Pour l'Italie, la Seconde Guerre mondiale avait pris fin ici.

Il trouva la villa, nichée au milieu d'arbres hauts. Il s'agissait d'un modeste rectangle de deux étages, surmonté d'un toit de tuiles en pente et dont la façade en pierre était tachée de moisissure. Ses nombreuses fenêtres reflétaient les forts rayons du soleil matinal, et le calcaire jaune, ainsi baigné de lumière vive, semblait perdre sa couleur. Deux lévriers en porcelaine blanche flanquaient l'entrée principale. Le jardin bien entretenu était parsemé de topiaires et de cyprès, deux éléments apparemment obligatoires pour toutes les maisons autour du lac de Côme.

Il se gara devant la maison et sortit de la voiture. Il régnait un silence absolu.

La route sinueuse poursuivait son ascension dans les collines qui s'élevaient derrière la villa. Vers l'est, entre des arbres portant d'innombrables petites pousses vertes, il aperçut la couleur bleu foncé du lac, à environ huit cents mètres, et en contrebas d'un dénivelé de quatre cents mètres au moins. Des bateaux sillonnaient sans un bruit sa surface miroitante. L'air était sensiblement plus frais et il perçut des effluves de glycine provenant du jardin voisin.

Il se tourna vers la porte d'entrée et fut tout à coup sur le qui-vive.

L'épais vantail de bois était entrouvert.

Les graviers blancs crissèrent sous ses semelles lorsqu'il traversa l'allée. Il s'arrêta sur le seuil. Il poussa doucement la porte qui s'ouvrit, en prenant garde à ne pas s'exposer. Aucune alarme ne se déclencha à l'intérieur. Personne n'apparut. Mais il repéra immédiatement un corps étendu sur le sol de *granito*, face contre terre, une flaque rouge écarlate d'un côté.

Il n'était pas armé. Son informateur lui avait dit que la maison serait probablement déserte, son propriétaire étant absent jusqu'à la fin de l'après-midi. Le MI6 avait non seulement remonté la piste des e-mails, mais avait également réussi à réunir un rapide dossier sur le vendeur potentiel. Rien ne laissait supposer une menace quelconque.

Il entra, se pencha sur le corps et chercha le pouls.

Rien.

Il regarda autour de lui.

Les pièces étaient agréables et spacieuses, les murs – tendus de papier peint – décorés d'immenses peintures à l'huile, noircies par le temps. Des odeurs de fleurs moisies, de cire de bougie et de tabac flottaient dans l'air. Il remarqua un grand bureau en noyer, un harmonium en bois de rose, des canapés et des fauteuils en brocart de soie. Des armoires ornées de marqueteries fines et munies de portes en verre étaient placées contre les murs, l'une à côté de l'autre, chacune remplie d'objets qui étaient exposés comme dans un musée.

Il régnait partout un désordre indescriptible. Les tiroirs étaient ouverts et pendaient en formant des angles invraisemblables ; le plus grand désordre régnait sur les étagères, et sur quelques-unes des vitrines le verre avait été pulvérisé. Les fauteuils avaient été retournés et certains étaient déchirés, lacérés. Même quelques tentures avaient été décrochées de leur tringle et gisaient en tas informes.

Quelqu'un à la recherche de quelque chose avait fouillé les lieux.

Rien ne brisait le silence à l'exception d'un perroquet dans une cage dorée qui auparavant était posée sur un piédestal en marbre. Maintenant, elle était couchée sur le sol, le piédestal renversé, et l'oiseau poussait des cris perçants et frénétiques.

Malone retourna le corps et remarqua deux blessures par balles. La victime devait avoir autour de quarante-cinq ans ; il avait des cheveux noirs et le visage glabre. Le propriétaire de la villa avait à peu près le même âge, mais ce cadavre ne correspondait pas à la description qu'on lui avait donnée.

Un fracas.

Assourdissant.

Au-dessus.

Puis des pas lourds.

Il y avait encore quelqu'un dans la maison.

La cachette qu'il cherchait à atteindre se situait au deuxième étage, alors il se dirigea vers l'escalier, monta, dépassa le palier du premier. Un tapis recouvrait les marches en pierre et amortissait le bruit de ses semelles en cuir ; rien ne trahissait sa présence. Au second, il entendit à nouveau un grand remue-ménage, comme si on précipitait un meuble lourd sur le sol. La personne qui fouillait l'endroit ne semblait pas redouter d'être interrompue.

Il décida de jeter un rapide coup d'œil pour évaluer la situation.

Il avança à pas de loup.

Un étroit tapis vert recouvrait le milieu du plancher du couloir. Tout au bout, une fenêtre à moitié ouverte laissait entrer le soleil du matin et une légère brise. Il arriva à la pièce d'où provenait le bruit, précisément celle dans laquelle il était censé se rendre. La personne qui était arrivée avant lui était bien informée. Il s'arrêta sur le seuil et jeta un rapide coup d'œil.

Un ours de belle taille.

Plusieurs centaines de kilos, certainement.

Le fracas s'expliquait : une armoire gisait sur le sol, retournée. L'animal explorait les lieux, balayant d'un coup de patte tout ce qui était posé sur les tables, flairant tout ce qu'il jetait par terre. Il se tenait face à l'une des deux fenêtres entrouvertes, le dos à la porte.

Il fallait partir d'ici.

L'ours cessa de s'affairer et leva la tête, reniflant.

Pas bon du tout.

L'animal avait perçu son odeur ; il se tourna et se planta face à lui, en grognant.

Malone avait une demi-seconde pour prendre une décision.

Normalement, selon la procédure, on devait ne pas bouger, tenir tête à l'animal. Mais ce conseil avait clairement été donné par des gens qui ne s'étaient jamais trouvés aussi près d'un tel spécimen. Devait-il repartir vers l'escalier ? Ou foncer se réfugier dans la pièce en face ? Une erreur sur le trajet jusqu'au rez-de-chaussée et l'ours le rattraperait. Il choisit la pièce en face et partit en trombe vers la gauche, y entrant à l'instant précis où l'animal fonçait vers lui avec une détente surprenante pour sa taille. Malone referma la porte et découvrit une petite chambre à coucher, avec un énorme poêle en faïence dans un coin. Deux autres fenêtres, entrouvertes, ornaient le mur extérieur et donnaient sur l'arrière de la villa.

Il avait besoin d'une seconde pour réfléchir.

Mais l'ours avait d'autres projets.

La porte s'abattit vers l'intérieur.

Malone se précipita alors sur une fenêtre et regarda dehors. Le sol se trouvait à une bonne dizaine de mètres. Autrement dit, une entorse à la cheville au moins, voire une fracture, ou pire. L'ours hésita sur le seuil, puis rugit.

Ce fut décisif.

Malone remarqua qu'une margelle d'une largeur d'environ vingt centimètres courait juste en dessous de la fenêtre. Assez pour y tenir debout. Il enjamba le rebord, colla ses mains à plat sur la pierre chaude, le dos plaqué contre la façade. L'ours fonça droit sur la fenêtre, passa la tête, sortit une patte aux griffes redoutables. Malone se déplaça à petits pas vers la gauche jusqu'à ce qu'il soit hors de sa portée.

Il était peu probable que l'animal sorte lui aussi.

Mais cela ne résolvait pas son problème.

Qu'allait-il faire ensuite ?

2

Le chevalier abaissa ses jumelles.

Quelle étrange scène.

Un homme perché sur une étroite corniche au deuxième étage d'une villa, et un ours rugissant à la fenêtre et lançant des coups de patte griffue.

Il se trouvait sur un promontoire à environ quatre cents mètres au nord de la villa, qu'il observait entre les arbres et leurs feuilles printanières. Il avait vu l'Alfa Romeo monter le long de la route, une ascension régulière, abrupte, en lacets, et il avait bien remarqué qu'elle s'engageait dans l'allée de la villa. Lorsqu'il avait fait sa mise au point sur le conducteur au moment où celui-ci sortait de sa voiture, il avait immédiatement remarqué que c'était l'homme de Menaggio, celui qui posait des questions en ville la veille au soir. Il avait réussi à prendre avec son portable une photo de lui devant un café et avait pu obtenir son identité.

Harold Earl « Cotton » Malone.

Anciennement rattaché au ministère de la Justice américain, autrefois membre d'une unité spéciale du renseignement appelée la division Magellan, capitaine de frégate, pilote d'avion de chasse, diplômé en droit de l'université de Georgetown, Malone travaillait au JAG, l'Office de la Justice militaire, avant d'être transféré au ministère de la Justice, où il resta une douzaine d'années. Ce jeune retraité qui n'avait pas encore cinquante ans possédait aujourd'hui sa propre affaire, la librairie Cotton Malone, située à Copenhague, sur Højbro Plads.

Un étonnant changement de carrière.

Malone jouissait d'une réputation établie ; cet agent de renseignement compétent proposait encore occasionnellement ses services. Mais la raison exacte pour laquelle cet Américain aux talents évidents se trouvait ici, en Italie, à poser des questions sur des faits dont seules quelques personnes au monde étaient informées, restait un mystère.

Il se détourna du spectacle chaotique qui régnait en contrebas et regarda le propriétaire de la villa, recroquevillé sur le sol, les poignets attachés dans le dos, les chevilles entravées. Un bâillon empêchait le corpulent Italien d'émettre le moindre son. Un associé vigilant était posté sur le côté, montant la garde.

« Finalement, vous nous posez un problème important », dit-il à son prisonnier qui lui lança un regard terrorisé.

Il était arrivé à la villa deux heures auparavant. Le gardien était apparu sans prévenir et son associé l'avait abattu. Il aurait préféré qu'on ne versât pas de sang, mais cela avait été inévitable. Le propriétaire de la villa était déjà levé, habillé, prêt à partir. Le plan était de s'emparer de lui avant son départ. Il avait posé au propriétaire quelques questions, espérant qu'il coopérerait, mais il n'avait obtenu aucune réponse. Plusieurs autres tentatives pour le faire revenir à la raison avaient également échoué ; du coup, son associé et lui avaient amené le gros Italien ici, dans les bois, qui se trouvaient encore dans la propriété, où l'intimité fournie par les arbres lui donnait l'occasion d'expliciter leur propos. Comme si les deux balles expédiées au gardien n'avaient pas suffi à expliquer leurs intentions.

Il se rapprocha de son prisonnier et s'accroupit, l'odeur musquée de l'air frais du matin lui remplissant les narines. « J'imagine que maintenant vous regrettez d'avoir passé cet appel à l'ambassade britannique à Rome. »

Hochement de tête.

« Il vous suffit de me dire où se trouvent les lettres que vous vouliez vendre. »

Si l'on en croyait certaines rumeurs, en 1945, après la capture de Mussolini, le contenu de deux porte-documents qu'il transportait avait été inventorié par les partisans. Mais personne ne pensait vraiment que les listes qu'ils avaient produites étaient exactes. Le chevalier les avait examinées et elles ne contenaient rien ou presque rien d'intéressant. Plus probablement, ces efforts de pure forme n'avaient cherché qu'à donner le change et les documents de valeur n'avaient, en fait, jamais été consignés sur la liste. Et aucun item de la liste disponible n'était jamais réapparu depuis.

Cet Italien savait peut-être bien pourquoi.

« Vous allez tout me dire sur ces documents de Mussolini. »

Bien entendu, le propriétaire ne pouvait pas répondre et son cerbère n'avait aucune intention de lui ôter son bâillon.

Pas encore, en tout cas.

Il fit un signe et son complice attrapa une corde qui gisait dans les feuilles. Au-dessus de leur tête se trouvaient plusieurs branches épaisses. Il les examina, finit par en choisir une à environ dix mètres du sol. Il lui fallut deux tentatives pour réussir à lancer la corde par-dessus la branche. Puis il traîna le prisonnier jusqu'à la corde. L'autre résista, mais avec les mains et les pieds liés, l'effort était vain ; il ne put que se tortiller sur le sol tandis que l'on attachait une extrémité de la corde au lien qui enserrait ses poignets. Puis à deux mains, le bourreau saisit le bout de la corde qui pendait de la branche et tira suffisamment pour tendre les bras de l'Italien en arrière.

L'idée globale était claire.

Une fois qu'il serait soulevé de terre, l'homme aurait les bras étirés vers le haut dans son dos, à un angle que les articulations humaines ne pouvaient supporter. La douleur serait atroce, et le poids de son corps finirait par lui déboîter les épaules.

« Vous comprenez ce que je peux vous faire ? » demanda-t-il.

Le propriétaire de la villa hocha la tête vigoureusement.

Il fouilla à l'intérieur de sa veste et sortit son revolver. « Je vais vous enlever le bâillon. Si vous criez, ou même élevez la voix, je vous tire une balle dans la tête. Compris ? »

L'homme acquiesça.

On lui libéra la bouche.

L'homme prit une série de longues, profondes inspirations. Son tortionnaire lui laissa quelques instants, puis baissa les yeux et dit : « On a depuis longtemps des doutes sur le contenu des deux serviettes de Mussolini. Alors, dites-moi, comment avez-vous réussi à en acquérir des éléments ? »

L'Italien hésita, alors l'autre fit un signe à son associé, qui tira sur la corde ; les bras de l'homme furent tirés vers le haut. Toujours accroupi, il se retrouva tracté vers le ciel, son corps pesant de plus en plus lourd. L'Italien s'empressa de se mettre debout.

« Non, non. Arrêtez. S'il vous plaît.

– Répondez à ma question.

– Mon grand-père était présent. À Dongo, quand ils ont trouvé le Duce. Il a aidé à trier les documents contenus dans les serviettes et il en a gardé certains.

– Pourquoi ?

– Il s'est dit qu'un jour ils pourraient être vendus.

– Qu'est-ce qu'il en a fait ?

– Rien. Il les a gardés, c'est tout. Mon père les a récupérés ensuite, puis ils me sont revenus.

– Combien de documents possédez-vous ?

– Cinquante-cinq pages. Toutes se trouvent dans l'un des porte-documents d'origine, qu'il a gardé. »

L'homme fourra la main dans sa poche de pantalon et sortit la bague. « Et est-ce que votre grand-père a trouvé ceci aussi ? »

L'Italien acquiesça.

En arrivant dans la villa, l'homme avait été ulcéré de le voir dans l'une des vitrines, exposé à la vue de tout le monde comme une vulgaire curiosité.

Il s'était empressé de récupérer l'objet sacré.

« Avez-vous la moindre idée de ce que c'est ? » demanda-t-il en brandissant la bague sous le nez de son prisonnier.

SATOR
AREPO
TENET
OPERA
ROTAS

Pas de réponse.

« Ces cinq mots signifient-ils quelque chose pour vous ? Cette bague signifie-t-elle quelque chose pour vous ? »

Il fit signe à son complice de tirer deux ou trois fois sur la corde.

« Non, rien du tout ! s'écria l'homme, immédiatement. Je sais seulement qu'à l'intérieur il y a la croix de Malte. Mon grand-père m'a dit qu'elle provenait de l'un des porte-documents. C'est pour cela que je l'ai. Un souvenir. »

Seules quelques personnes dans le monde connaissaient la réelle signification de la bague et, clairement, ce cupide marchand n'en faisait pas partie.

Une rapide enquête avait révélé que cet homme avait vécu au-dessus du lac de Côme toute sa vie dans une villa que sa famille possédait depuis le XVIIe siècle. Elle n'avait rien d'extravagant, ressemblait à des centaines d'autres situées autour du lac. Son prisonnier faisait le commerce d'antiquités, les achetant généralement à des familles désargentées, mais il lui arrivait également de les voler. Pas surprenant qu'il fût en possession de documents datant de la Seconde Guerre mondiale disparus depuis toujours.

Il donna un ordre silencieux à son associé qui tira la corde. Les bras de l'autre étaient à la limite de leur étirement naturel avant que se déclenche une douleur épouvantable, et ses pieds étaient toujours en contact avec le sol.

« Un souvenir de quoi ? demanda-t-il en agitant la bague.

– Du Duce. Il l'avait sur lui. La croix de Malte est gravée à l'intérieur mais je ne sais pas ce qu'elle signifie.

– Vous n'avez jamais cherché à savoir ? »

Il secoua la tête. « Non, jamais. »

L'autre se demanda s'il devait le croire.

« Il y en a tellement qui vénèrent encore Mussolini, dit l'Italien. Je connais des gens qui pensent que c'était un grand homme. Mon espoir était qu'un jour ils seraient prêts à payer pour acquérir des souvenirs. »

L'Italien avait le souffle court, sa voix était faible et son débit, rapide.

« Et vous, qu'est-ce que *vous* pensez du Duce ?

– Je me fiche pas mal de la politique. Ces sujets me sont complètement indifférents. »

Son bourreau pointa un doigt. « Je suppose que votre dieu, c'est l'argent. »

Pas de réponse.

« Les Britanniques n'ont aucune intention d'acheter vos documents. C'était idiot de les contacter. Ils ont un homme qui se trouve en ce moment même dans votre villa, probablement pour les voler. »

Heureusement, cet agent était retenu par un spécimen de la faune sauvage locale.

« Où avez-vous caché le porte-documents contenant ces cinquante-cinq pages de documents, dont les lettres que vous aviez l'intention de vendre ?

– Dans la villa. Au deuxième étage. »

Enfin, il se montrait un peu coopératif.

L'Italien décrivit la cachette en détail.

« Ingénieux, fit l'autre à la fin de l'explication. Est-ce que tout y est ?

– Tout ce que j'ai, oui. »

L'homme se demanda si Malone avait cette information, lui aussi.

Il fit un geste et son associé relâcha la tension dans la corde. Les bras du propriétaire de la villa retrouvèrent leur souplesse. L'homme poussa un soupir de soulagement.

« Pourquoi n'avez-vous pas exposé les lettres dans les vitrines ? demanda l'autre. Comme vous l'avez fait pour la bague.

– Mon père m'a dit que ce serait peut-être risqué. Que nous devrions rester discrets sur le fait que nous les avions, jusqu'à ce que d'autres soient prêts à payer.

– Alors, pourquoi les vendre maintenant ?

– J'ai besoin d'argent. J'ai lu dans un magazine un article sur Churchill et Mussolini qui émettait des hypothèses au sujet des lettres. Je me suis dit : Pourquoi s'en tenir à des hypothèses. Je les ai. Alors j'ai contacté les Britanniques.

– Quel était votre prix ?

– Cinq millions d'euros. »

Car l'amour de l'argent est une racine de tous les maux ; et quelques-uns, en étant possédés, se sont égarés loin de la foi, et se sont jetés eux-mêmes dans bien des tourments.

La Bible avait raison.

Il détestait la cupidité.

C'en était assez.

Cette entreprise touchait à sa fin.

Il tendit le bras et tira une balle dans la tête de l'Italien.

Grâce à un silencieux au bout du canon, le tir n'attira pas l'attention. À peine un «pop» qui ne pouvait être entendu à quelques mètres. Cet idiot aurait dû se rendre compte que la seule monnaie d'échange qu'il avait était la cachette. Mais la peur annihilait la raison, et les gens croyaient toujours qu'ils pouvaient se sortir d'un mauvais pas par la parole.

«Allez-y», dit-il à son associé.

Le corps fut hissé, les bras du mort se tordirent brusquement en arrière. Il entendit un craquement tandis que les épaules se disloquaient. Puis la corde fut attachée autour du tronc, le cadavre suspendu lourdement en l'air. Un rappel, comme cela se faisait des siècles auparavant.

Le Deutéronome avait raison.

À moi la vengeance et la rétribution, Quand leur pied chancellera! Car le jour de leur malheur est proche, Et ce qui les attend ne tardera pas.

Il saisit les jumelles et retourna à l'endroit d'où il pouvait à nouveau voir la villa en contrebas. La seule perturbation provenait de la brise matinale qui sifflait dans les conifères et plaquait ses vêtements. Son deuxième problème était toujours perché sur la corniche au deuxième étage.

Pas d'ours en vue.

Il abaissa les jumelles.

Cet animal serait bientôt le cadet des soucis de Harold Earl «Cotton» Malone.

3

Cotton se tenait aussi immobile qu'une statue sur la corniche. L'ours avait disparu à l'intérieur de la villa, mais il entendait l'animal s'agiter. Il y avait une deuxième fenêtre ouverte, au-delà de celle par laquelle il s'était enfui, qui pourrait lui permettre de quitter son perchoir et retourner à l'intérieur. Mais cela signifiait passer devant la fenêtre de l'ours, ce qui ne lui paraissait pas être une bonne idée.

Il concentra son poids sur la plante des pieds, mains collées contre le mur, s'efforçant de ne pas perdre l'équilibre. À sa gauche, le sommet d'un toit à pignon sur une partie en saillie de l'étage en dessous. Le saut jusque-là faisait moins de trois mètres. Il pouvait y arriver. Comme il lui semblait que c'était la seule solution, il progressa en crabe le long de la corniche, s'accrocha au coin avec tous ses doigts pour assurer le virage et franchit l'angle de la maison en gardant le corps bien plaqué contre la paroi.

Il inspira profondément plusieurs fois.

C'était une bonne chose que Cassiopée ne soit pas là. Elle détestait se trouver en hauteur autant que lui haïssait les lieux clos. En s'efforçant de penser à elle, il réussit à oublier la situation périlleuse dans laquelle il se trouvait. Cassiopée lui manquait. Leur relation était sereine. Ils avaient enfin fait la paix avec tous leurs démons. Elle se trouvait en France, où elle travaillait sur la reconstruction de son château du XIIIe siècle. Ils avaient prévu de se retrouver la semaine prochaine pour quelques jours de détente à Nice, mais entre-temps, il avait accepté cette mission : du gâteau, lui avait-on dit. Cinquante mille euros facilement gagnés ! Or c'était tout le contraire qui s'était produit.

Arrivé au-dessus du pignon, il cessa d'avancer.

La seule chose qu'il ne pouvait pas faire, c'était d'atterrir à califourchon sur le faîte.

Sa vie s'en trouverait changée à jamais.

Il sauta, visant l'un des pans latéraux, et ses pieds heurtèrent l'ardoise. Il n'avait que très peu de temps pour assurer sa prise avant de rebondir et de commencer à glisser. Ses ongles ripèrent sur la pierre chaude, puis ses mains saisirent la crête à laquelle il se cramponna fermement.

Puis il lâcha, descendit la pente d'ardoise les jambes en avant, se servant des semelles de ses chaussures pour freiner jusqu'à ce qu'il rencontre les gouttières en cuivre. Elles gémirent et bougèrent sous son poids, mais elles tinrent bon. Il se retourna et, en s'y accrochant, descendit du toit, grimaçant à chaque grincement qu'émettaient les fixations métalliques. De là, il se laissa tomber sur le sol, où il atterrit à côté d'un massif.

Malheureusement, il lui fallait retourner à l'intérieur de la villa.

Attendre que l'ours s'en aille pouvait prendre du temps. Le propriétaire risquait de revenir et de découvrir le corps. On appellerait la police et la maison deviendrait une scène de crime, ce qui compromettrait toute tentative de mettre la main sur ces lettres.

Il fallait y aller, ours ou pas ours.

Mais il éviterait de se montrer imprudent.

Il contourna la maison jusqu'à la porte d'entrée. Tout à l'heure, il avait remarqué la présence d'un râtelier à fusils dans le salon du rez-de-chaussée. Il entra à nouveau dans la villa et entendit l'ours qui s'affairait en haut. Il trouva le râtelier, qui était verrouillé. Huit armes se tenaient au garde-à-vous à l'intérieur. Il attrapa une chaise et fit exploser la vitre, pour s'emparer d'un des fusils à canon simple. Dans un placard en dessous il trouva des munitions. Il chargea cinq balles et arma le fusil, se préparant à remonter au deuxième étage. Il ne voulait pas tuer l'animal, mais il le ferait si cela était nécessaire.

Il prit l'escalier jusqu'au palier du second.

L'ours se trouvait toujours dans la chambre d'où il s'était échappé par la fenêtre. À en juger par le bruit, l'animal continuait à ravager le décor. Il s'approcha du seuil. L'attention de l'ours était concentrée sur autre chose, ce qui lui permit de passer d'un bond de l'autre côté, près de la fenêtre ouverte au bout du couloir. Il était acculé, mais il lui semblait que c'était la seule manière de pousser l'animal vers l'escalier, puis vers la porte d'entrée, qu'il avait laissée grande ouverte.

Il compta rapidement jusqu'à trois et se posta sur le seuil, tirant un coup dans le mur en face. L'ours fit un bond puis rugit de terreur. Cotton se précipita vers la fenêtre au bout du couloir, tout en réarmant son fusil. L'ours sortit en courant de la chambre, lança un rapide coup d'œil vers lui, puis fit demi-tour et partit à grandes enjambées dans la direction opposée. Pour s'assurer que l'animal ne s'arrêterait pas, Malone tira à nouveau dans le plafond. Des éclats de bois et de la poussière de plâtre tombèrent en pluie.

L'ours disparut dans l'escalier. Malone alla jusqu'au palier et regarda l'animal sortir à toute vitesse par la porte.

Cela avait fonctionné.

Mais au prix d'un bruit que quelqu'un avait peut-être entendu.

Le chevalier entendit deux coups de feu.

Le propriétaire de la villa lui avait dit que ce qu'il cherchait se trouvait à l'intérieur d'un petit bureau au deuxième étage. Il avait regardé Malone descendre de sa corniche, retrouver le plancher des vaches, puis retourner dans la maison. Les deux coups de feu avaient probablement été tirés par Malone, son adversaire était désormais armé.

Au moins, l'ours avait décampé.

L'animal s'était enfui de la villa en courant aussi vite que sa corpulence le lui permettait et avait disparu parmi les arbres.

Il était satisfait. Il était peut-être bien tout près du but.

Tous les indices convergeaient vers le même lieu.

Dans sa tentative de fuite, Mussolini avait emporté beaucoup de documents avec lui, *a priori* les plus importants étaient ceux qui pourraient être utilisés pour obtenir un avantage politique. Il avait cherché à se réfugier dans un pays neutre, un pays qui avait tout fait pour rester en dehors de la guerre. Hitler avait voulu envahir la Suisse, mais Mussolini s'était attribué le mérite de l'en avoir empêché. Le Duce avait parié que les autorités suisses lui seraient suffisamment reconnaissantes et lui accorderaient le refuge politique. Les historiens s'accordaient tous pour dire qu'il avait probablement emporté avec lui les preuves écrites de ses efforts pour sauver les Suisses des Allemands. Mais apparemment il avait également emporté sa correspondance légendaire avec Churchill, qui avait tant éveillé l'intérêt des Britanniques.

Qu'espérait-il ?

Peut-être, peut-être seulement, y avait-il autre chose dans la cachette du propriétaire de la villa. Quelque chose de spécial. Qu'il recherchait depuis longtemps. L'apparition de la bague l'avait encouragé. C'était peut-être bien le bon endroit.

Il n'y avait qu'un moyen de le savoir.

Cotton posa le fusil et souleva un coin du tapis persan qui recouvrait le plancher du bureau. Il examina les lames du parquet, qui étaient toutes grêlées et patinées ; à première vue, rien ne semblait inhabituel.

Tout était cloué, bien en place.

Il se mit à genoux et entreprit de tapoter doucement la surface, à la recherche de la cachette dont on lui avait dit qu'elle se trouvait là. Il finit par détecter un creux. Il continua à tapoter et repéra le contour d'une cavité de forme carrée. Pour l'ouvrir, il avait apporté un couteau de poche qu'il avait acheté la veille en venant de l'aéroport.

Il déplia la lame.

Il lui fallut quelques minutes mais il réussit à faire sauter un panneau composé de lames soudées. À en croire l'absence de poussière et de saletés dans les rainures, il semblait avoir été enlevé récemment, puis remis en place. Sous le plancher, il découvrit une petite cavité qui contenait un porte-documents très usé, en peau d'éléphant, lui avait-on dit, dont le fermoir était cassé, tenu par un cordon.

Il le sortit.

Gravé sur le flanc, on voyait un aigle sur un perchoir, les ailes déployées, serrant un fagot de bâtons avec une hache.

C'était un symbole antique datant de la Rome impériale, signifiant le pouvoir de vie et de mort. Des organisations politiques italiennes au XIXe siècle et au début du XXe l'avaient régulièrement adopté comme emblème. Finalement, il était apparu sur le drapeau du Parti national fasciste, qui tirait son nom du symbole : *fasces*, ou faisceaux.

Il ouvrit le porte-documents.

À l'intérieur se trouvait un trésor parfaitement préservé de documents protégés par une épaisse toile cirée. Il lisait parfaitement l'italien et plusieurs autres langues – un des avantages de posséder une mémoire eidétique. Il put ainsi faire un rapide inventaire du contenu en feuilletant les pages fragiles. La plupart d'entre elles traitaient de la guerre, d'activités des partisans et de manœuvres militaires. Il y avait quelques lettres tapées à la machine signées d'Hitler, des originaux, avec des traductions en italien attachées, et des copies carbone de courriers envoyés en Allemagne. Quelques-unes comportaient des post-scriptum et des annotations manuscrites dans la marge. À la fin de la pile se trouvait un paquet de lettres d'avant la guerre, échangées entre Mussolini et Churchill.

Mais il y en avait plus de cinq.

Onze, au total.

Apparemment, le vendeur en gardait quelques-unes en réserve.

Jackpot.

Il rangea les papiers et referma le porte-documents. Tout était resté calme dans la villa. L'ours était parti depuis longtemps. Il ferait bien de l'imiter. Il sortit du bureau, prit la direction de l'escalier, passant devant plusieurs portes ouvertes du deuxième étage. Il avait pour ordre de retourner en voiture à Milan et de livrer le plus vite possible ce qu'il avait réussi à trouver.

Soudain, il reçut un coup violent par-derrière.

Son corps fut projeté vers l'avant, comme s'il avait été touché par une explosion au niveau de son oreille droite.

Des gerbes de lumière décrivirent de grands arcs devant lui. Ses jambes cédèrent. Il se rendit compte rapidement qu'il n'y avait pas eu d'explosion, seulement un coup à l'arrière de sa tête. Il essaya de rester debout, mais s'écroula, perdant progressivement connaissance. Il tomba lourdement sur le sol, sur son épaule droite.

Puis la lumière du jour disparut.

4

Malte
9 h 50

Luke Daniels adorait la mer, ce qui était étrange pour un ancien Ranger de l'armée américaine. L'essentiel de son temps consacré au service de son pays avait été passé à l'intérieur des terres. Mais depuis qu'il avait quitté l'armée et qu'il avait été recruté par la division Magellan, il se trouvait plus souvent sur l'eau que sur terre. La première fois qu'il avait rencontré Cotton Malone, c'était dans la mer froide et agitée de l'Øresund au large du Danemark, et récemment, il avait accompli des missions risquées dans l'océan Indien et la mer de Java. Là, il voguait au large de la côte nord de l'île de Malte, assis à la proue d'un bateau à coque en V profond, d'une longueur de huit mètres, ses cheveux courts et sa chemise ouverte humides d'eau salée. Hier il avait découvert, dans le coin, la publicité d'une entreprise de sports nautiques, l'une des innombrables affaires qui fleurissaient dans les nombreuses stations balnéaires, chacune pourvoyant aux besoins des milliers de touristes qui venaient ici tout au long de l'année.

Montez dans les airs ! Imaginez-vous planer avec un parachute ascensionnel, grâce à notre bateau spécial. Nos clients décollent du bateau et montent jusqu'à quatre-vingts mètres au-dessus de la mer ; de là, ils jouissent de panoramas d'une beauté à couper le souffle. À la fin de cette expérience inoubliable, ils atterrissent en douceur sur le bateau. Vivez cette aventure seul ou à deux. Vous pouvez choisir le matin, ou l'après-midi, pour bénéficier des célèbres couchers de soleil à Malte. Une expérience inoubliable que vous ne devez pas laisser passer. Essayez avec vos amis. La durée du vol est de dix minutes.

Il avait choisi de se passer d'amis et avait réservé le bateau pour toute la matinée, payant un supplément parce qu'il voulait voler plus de dix minutes, et à un endroit particulier au-dessus de l'île, à une heure précise.

« Préparez-vous, lui lança le timonier. Nous y sommes presque. »

Luke partait à la pêche au gros, mais pas le genre de gros qui occupait les eaux bleues alentour. Il suivait les traces de Son Éminence le cardinal Kastor Gallo, l'un des deux cent trente et un « princes » actuels de l'Église catholique romaine, dont il savait à peu près tout.

Gallo était né et avait grandi à Malte, aux côtés d'un père pêcheur professionnel et d'une mère institutrice. Il avait quitté l'île avant l'âge de vingt ans et était entré au séminaire en Irlande, mais il avait terminé ses études à l'université pontificale grégorienne de Rome. Jean-Paul II l'avait ordonné prêtre à Saint-Pierre. Il avait ensuite servi dans différentes paroisses du monde entier, mais avait fini par retourner à Rome pour étudier le droit canonique et soutenir un doctorat. Benoît XVI l'avait fait cardinal et l'avait nommé préfet du Tribunal suprême de la Signature apostolique, le tribunal de dernier ressort pour tous les jugements ecclésiastiques. Il avait occupé ce poste pendant les deux derniers pontificats, jusqu'à ce que son franc-parler provoque sa chute, et il avait été déclassé. Maintenant, il n'avait plus que le titre de patron de l'Ordre souverain militaire de Malte, un poste de représentation le plus souvent attribué à un cardinal proche de la mort ou en disgrâce. Gallo qui, à cinquante-six ans, était encore plein de vie, paraissait clairement relever de la deuxième catégorie.

Le bateau ralentit.

Luke quitta la proue, passa à côté du pilote au visage hâlé et rejoignit la plateforme arrière, pour s'asseoir sur une banquette basse. Un second membre d'équipage lui tendit un harnais en nylon léger, qu'il enfila. En tant que Ranger, il avait sauté d'avions en vol à toutes les altitudes, plusieurs fois pour atterrir sur des zones de combat, deux fois dans l'océan. Il n'avait aucun problème de vertige, mais la pensée de se retrouver suspendu à un parachute au bout d'une corde de cent mètres de long, maintenu seulement par un mince treillis de nylon, ne le mettait pas à l'aise. Comme il le disait toujours, si voler était si dénué de danger, pourquoi appelait-on l'aéroport un terminal ?

Il enfila l'équipement.

L'employé vérifia les attaches, tirant par endroits pour s'assurer que tout était bien solidement fixé et serra les courroies autour de la poitrine de son client. Des mousquetons en acier inoxydable furent passés dans des anneaux de métal pour l'accrocher au parachute.

« Mettez-vous en position assise. Essayez de ne pas vous balancer, cria le gars. Ne vous accrochez à rien et amusez-vous bien. »

Il leva les pouces.

Le moteur du bateau rugit.

La proue se leva en vrombissant, fendant l'eau en ouvrant un sillage blanc. La voile aux couleurs vives, qui claquait au-dessus de sa tête, prit le vent. Les suspentes se tendirent. Le bout de ses baskets décolla du sol tandis qu'il montait dans les airs. Une épaisse corde de nylon se dévidait d'un enrouleur hydraulique à mesure qu'il prenait de l'altitude.

Lentement et sûrement.

Il trouva ses repères ; il était à environ quatre cents mètres de la côte nord.

Malte était située au centre d'un passage étroit, à cent kilomètres de la Sicile, à moins de trois cent vingt kilomètres du nord de l'Afrique, une île de moins de trois cents kilomètres carrés, dont le point culminant ne dépassait pas les deux cent quarante mètres d'altitude. Les Romains l'avaient appelée Melita, qui signifiait « miel », en l'honneur du riche miel local. Sa position géographique avait façonné son histoire. Les Phéniciens, les Carthaginois, les Grecs, les Romains, les Byzantins, les Arabes, les Normands, les Souabes, les Angevins, les Aragonais, les Hospitaliers, les Français et les Britanniques, tous en avaient réclamé la propriété à un moment ou à un autre. Maintenant, c'était une république démocratique indépendante, membre des Nations unies, de l'Union européenne et du Commonwealth britannique. Un rocher nu sans ressources en eau, aride en été, trempé en hiver, régulièrement dévalisé au cours des siècles par une succession d'envahisseurs. La côte sud se dessinait, imprenable, formée essentiellement d'imposantes falaises en dents de scie, de collines striées et de corniches dentelées, impossibles à franchir. Mais ici, sur la côte nord, de grandes baies creusaient la terre comme des fjords et offraient des ports merveilleux.

À l'hôtel, hier soir, il avait lu une brève histoire dans l'un des livres touristiques qu'il avait trouvés dans sa chambre. Depuis l'Antiquité, les autochtones de l'île avaient toujours vécu à distance des côtes pour se protéger des caprices du temps, des pirates et des marchands d'esclaves. L'Ordre souverain de Rhodes, cependant, avait été une puissance maritime. Une fois que les chevaliers étaient arrivés au XVIe siècle et qu'ils étaient devenus les chevaliers de Malte, pour combattre la menace de l'invasion et consolider leur mainmise sur l'île, ils avaient bâti, avec le calcaire d'un brun orangé trouvé sur place, des tours de guet, disposées stratégiquement tout le long de la côte de manière à pouvoir relayer des messages de l'une à l'autre. Certaines étaient petites, d'autres de véritables forteresses miniatures. Celle que Luke, en ce moment précis, observait de sa position à cent mètres au-dessus du remorqueur avait été érigée en 1658, et elle était encore robuste et utilisable.

La tour de Madliena.

Il l'avait découverte la veille lors d'une courte visite sur place et avait aussi appris qu'elle avait servi comme batterie d'artillerie pendant la Seconde Guerre mondiale. Il avait monté l'escalier en spirale jusqu'au parapet et contemplé la mer, le point exact où il se trouvait maintenant. Comme ses sœurs, Madliena était posée sur un promontoire rocheux nu. Abri, zéro. Le grand large. Ce qui rendait impossible toute surveillance digne de ce nom depuis la terre.

Alors, il avait improvisé.

Il jeta un coup d'œil à sa montre.

10 heures.

Dans peu de temps, le cardinal Gallo serait sur le chemin de guet de la tour de Madliena.

Ce qui, en soi, posait question.

Le pape était décédé treize jours plus tôt. D'après la Constitution apostolique, le corps devait être enterré dans un délai de quatre à six jours. Puis suivait un deuil de neuf jours, les *novemdiales*. Un conclave devait être réuni quinze jours après le décès. Mais alors qu'il commençait dans moins d'un jour, le cardinal Gallo avait soudain quitté Rome pour revenir à Malte. Cette décision avait attiré l'attention de Washington, et Luke avait été envoyé pour espionner les activités de Gallo. Pourquoi ? Il n'avait pas accès à la réponse à cette question.

On lui avait juste ordonné d'aller là-bas et d'observer.

Il se trouvait maintenant suffisamment haut pour qu'aucun son ne lui parvienne. Un vent chaud, soutenu, lui soufflait au visage. Des vagues écumeuses se brisaient contre les rochers de la côte. Il n'était plus un bleu de la division Magellan, ou un bizuth, comme Cotton Malone se plaisait à l'appeler. Plutôt un agent expérimenté. Sa patronne, Stéphanie Nelle, semblait avoir de plus en plus confiance en lui. Même sa relation avec son oncle, Danny Daniels, l'ancien président des États-Unis devenu sénateur, avait fini par s'apaiser. Il se trouvait bien au ministère de la Justice et il avait l'intention d'y rester un peu.

Mais bon, il était temps d'aller gagner sa croûte.

Il tendit la main et défit la bande velcro sur la poche de son short pour en sortir un récepteur high-tech qu'il avait trouvé à son hôtel la veille, quand il était arrivé sur l'île. Il suivit le conseil du marin et s'assit dans son harnais, avant de fourrer les écouteurs dans ses deux oreilles. Il alluma l'appareil et dirigea le laser vers la tour, située à environ quatre cents mètres de lui. En scrutant la côte, il découvrit avec satisfaction que sa cible était arrivée.

Et il entendait tout ce qui se disait.

5

Le cardinal Kastor Gallo atteignit le sommet de la tour de Madliena et se laissa caresser par le soleil. Les vents frais soufflant du nord-est, courants en janvier et février, s'étaient calmés, remplacés par un sirocco qui arrivait d'Afrique, et l'air chaud et sec emportait l'humidité printanière. Le temps d'aujourd'hui aurait été qualifié de *sain* par sa mère ; il se souvenait qu'enfant il attendait impatiemment chaque année l'arrivée du sirocco.

Il se délecta des parfums de terre, de pourrissement, montant du sol humide, accentués par la brise salée qui venait de la mer. Il était ennuyé d'être loin de Rome – l'intrigue précédant un conclave était un mal nécessaire qu'il fallait endurer. Qu'est-ce qu'avait dit un jour l'un de ses professeurs ? *Le doute peut pourrir l'esprit.* C'était vrai. Mais il n'y avait pas meilleure manière de soulager l'angoisse de la paranoïa que d'être présent et vigilant. Cette fois-ci, apparemment, les hostilités commençaient plus tôt que d'habitude.

Le droit canonique interdisait formellement de faire campagne pour la papauté, mais personne ne prêtait grande attention à cette interdiction. Kastor avait participé à deux conclaves depuis son accession au rang de cardinal. À aucun des deux, il n'avait été un concurrent sérieux. Au premier, à cause de sa relative jeunesse et inexpérience, au deuxième, à cause de son franc-parler. La seule voix en sa faveur, dans les deux cas, était venue de lui, lors du premier tour de scrutin ; la tradition voulait, semblait-il, qu'on reconnaisse d'emblée ceux qui ne seraient jamais papes.

Quatre cents ans auparavant, un chevalier portant une cape rouge ornée d'une croix blanche aurait été posté sur cette tour, guettant aussi bien les amis que les ennemis. Il n'avait pas choisi le lieu de ce rendez-vous, quelqu'un d'autre l'avait fait. Mais il appréciait le symbole.

Amis et ennemis. Et de ce côté-là, il était bien servi.

Le conclave à venir serait son dernier. Les cardinaux âgés de plus de quatre-vingts ans n'avaient plus le droit de voter. Et bien qu'il eût encore vingt ans devant lui avant d'être frappé de cette interdiction, il savait que, selon l'identité de celui qui serait élu, la prochaine papauté pouvait être longue. Alors, si quelque chose de favorable devait lui arriver, les prochains jours seraient peut-être bien le meilleur moment pour agir.

Un homme arriva en haut de l'escalier et apparut sur le chemin de ronde ensoleillé. Il était basané, avait le nez crochu et affichait un air impassible. Son visage, son cou et ses mains avaient la texture du sable du désert, brunis par le soleil. Très certainement indien, mais il pouvait être hindou, musulman ou chrétien. Il portait un treillis kaki, un polo noir et des bottes. Des cheveux noirs en bataille partaient d'un crâne allongé en touffes irrégulières qui se hérissaient dans le vent. Un anneau d'or de pirate étincela dans un rayon de soleil.

« Je suis honoré de faire votre connaissance », dit l'homme dans un maltais impeccable qu'il n'avait pas entendu depuis un moment.

Une main calleuse fut tendue, et il accepta de la serrer.

Kastor n'était pas venu habillé en cardinal, avec une simarre noire magnifique ornée de passepoil rouge, la poitrine ceinte d'une écharpe écarlate, comme il en avait l'habitude lorsqu'il apparaissait en public. Aujourd'hui, il était en civil, tel un homme ordinaire sorti pour profiter du paysage. Heureusement, il n'y avait pas d'autres visiteurs au sommet de la tour.

« Comment vous appelez-vous ? demanda-t-il à l'homme, en maltais lui aussi.

– Que pensez-vous de *kardinali* ? »

La réponse lui déplut. Mais comme il ne savait rien de cet émissaire, il décida de ne pas manifester son irritation. Néanmoins, il se sentit obligé de faire remarquer : « J'avais l'impression que j'étais le seul à porter une barrette rouge ici. »

L'homme sourit, l'air suffisant et sûr de lui. Il pointa son doigt en direction de Kastor. Un doigt long, un peu tordu vers le haut au-delà de la phalange du milieu. « Tout à fait exact, Éminence. C'est juste que vous ne portez pas l'habit d'un cardinal. Vous n'avez même pas une bague à embrasser. Mais je comprends l'impératif de discrétion. Après tout, vous êtes une personne tristement célèbre, pourrions-nous dire. »

Comme s'il avait besoin qu'on le lui rappelle.

Quatre ans auparavant, le pape aujourd'hui décédé avait décidé que le poste de préfet du Tribunal suprême de la Signature apostolique exigeait une personnalité plus modérée, quelqu'un de moins direct, de plus complaisant, un homme qui pouvait *inspirer la confiance, pas la controverse*. C'était vrai, il avait été alerté à propos de ses commentaires en public. Et vrai aussi, il avait ignoré les conseils. Alors son limogeage n'avait pas été une surprise. Mais ce qui s'était passé ensuite l'avait fait réfléchir. Il avait été réprimandé en public par des collègues, et en privé, on lui avait donné l'ordre d'obéir au Saint-Père ; la curie lui avait demandé de garder ses opinions pour lui. Il détestait cette bande d'évêques et de bureaucrates, des ingrats qui administraient l'Église comme ces eunuques qui avaient autrefois régné sur la cour de Chine, insensibles à la subtilité, imperméables à toute morale, toute émotion. Ils étaient censés être concernés par l'essence du catholicisme, pratiquer l'obéissance aux supérieurs et le respect des traditions.

Malheureusement pour eux, ils étaient tout le contraire.

Une phrase qu'il avait entendue un jour avait pris tout son sens pendant cette épreuve.

La guerre ne dit pas qui a raison, seulement qui lui survit.

Et il n'avait pas survécu.

Pour la première fois dans sa vie professionnelle, il avait eu l'impression d'être un pion, impuissant à arrêter ou changer ce qui était en train de se passer. Il n'était qu'un observateur muet. Que lui avait dit le cardinal secrétaire d'État ?

Celui donc qui sait faire ce qui est bien, et qui ne le fait pas, commet un péché.

Jésus aux pharisiens.

Mais ils avaient considérablement sous-estimé l'indignation que leurs rationalisations mesquines ne pouvaient pas étouffer. Dieu merci, sa réputation en tant qu'homme qui respirait la foi catholique était demeurée intacte.

Ses croyances n'avaient jamais été mises en doute.

Il était fermement opposé au féminisme radical de l'Église, et c'était la raison pour laquelle il avait critiqué en public une récente décision du pape autorisant les filles à devenir enfants de chœur. Pour lui, le mariage ne pouvait exister qu'entre un homme et une femme, et l'homosexualité ne devait jamais être tolérée. L'avortement n'était rien d'autre qu'un meurtre, quelles que soient les circonstances. La recherche sur les cellules-souches d'embryon était une hérésie abominable. L'euthanasie et le suicide assisté lui faisaient horreur. Les catholiques divorcés et remariés ne devraient jamais être autorisés à recevoir la communion.

Et l'islam.

On ne pouvait rien espérer de bon à réduire ce fléau à une forme de croyance.

Heureusement, il n'était pas seul à professer pareille orthodoxie. Pour lui, et beaucoup d'autres au sein de l'Église, il n'y avait que le noir et le blanc, et le travail du pape consistait à orienter la population vers le blanc. Mais récemment, les papes préféraient le gris. Ils évitaient les extrêmes, se complaisaient dans des positions moyennes, et cherchaient à être aimés et admirés plutôt qu'être craints.

Grossière erreur.

Mais il avait lui aussi commis un certain nombre d'erreurs.

Et il en avait payé le prix.

On lui avait retiré sa charge. On l'avait ostracisé. Qualifié de *menace pour tous les croyants dans toutes les paroisses de tous les pays.* Il était devenu radioactif, les autres cardinaux prenaient leurs distances – même son secrétaire l'avait évité. Il s'était retrouvé en chute libre, contraint à faire très peu de choses, voire rien, depuis quatre ans. Rien d'autre qu'attendre.

L'injustice ne faisait qu'attiser son indignation.

Mais regarder l'Église se prosterner devant les masses l'avait écœuré plus que tout.

Puis le destin avait basculé.

Treize jours auparavant, un vaisseau sanguin avait éclaté dans le cerveau du pape, provoquant sa mort instantanée. On avait prévu que le pontificat serait de longueur moyenne, entre cinq et dix ans, au mieux. On venait d'entrer dans la cinquième année et le projet du pape avait été de profiter du temps qui lui restait pour imposer en douceur le soutien nécessaire au prochain conclave. Les cardinaux étaient par nature influençables. Malléables. Ils formaient aussi des groupes. Mais il fallait un mélange subtil de persuasion et d'intimidation pour les réunir autour d'un engagement sérieux. Heureusement, Kastor avait déjà réuni une quantité impressionnante d'informations accablantes sur nombre de ces prétendus princes de l'Église. De nombreux secrets savoureux.

Mais il lui en fallait plus.

« Quel est votre nom ? demanda-t-il à mi-voix à l'homme en face de lui.

– Arani Chatterjee. »

Il hocha la tête, puis se plongea dans la contemplation de l'immense étendue scintillante de la Méditerranée, admirant l'azur immaculé du ciel. Les flots roulaient et venaient se casser sur la côte, comme ils l'avaient toujours fait. Il compta quatre parachutistes ascensionnels.

« Les hommes cherchent depuis longtemps ce que je cherche, dit-il à Chatterjee.

– *Nostra Trinità* se révèle insaisissable, comme elle est censée l'être. »

Cet homme était informé. « Que savez-vous exactement ?

– J'en sais assez long. Les Turcs ont essayé de la trouver. Les empereurs du Saint-Empire ont essayé aussi, sans succès. Napoléon est venu avec une armée, a occupé l'île, fouillé les églises de fond en comble, mais sans la trouver, lui non plus.

– Et Mussolini ? »

Chatterjee inclina la tête. « C'est précisément pour répondre à cette question que nous sommes ici. »

Kastor n'avait d'autre choix que de supporter l'effronterie de cet homme. Mais de quel droit se permettait-il de juger ? Lui aussi s'était comporté ainsi en plus d'une occasion, face à plus d'un supérieur.

Le pire avait été le pape François.

Ils ne s'étaient jamais vus. Comment cela aurait-il été possible ? L'Argentin fou se préoccupait bien plus des gens qui le vénéraient que de protéger la foi. *Il n'est pas nécessaire de croire en Dieu pour être une bonne personne.* Quelle affirmation insensée de la part du vicaire du Christ. *En un sens, la notion traditionnelle de Dieu est dépassée.* Comment François pensait-il qu'un milliard de fidèles réagiraient à de telles balivernes ? *Il n'est pas nécessaire d'aller à l'église et de donner de l'argent.* Vraiment ? Quelle naïveté. *Pour beaucoup, la nature est une église.* N'importe quoi. *Quelques-unes des meilleures personnes de l'histoire ne croyaient pas en Dieu, tandis que certains des pires actes l'ont été en Son nom.*

C'était la seule affirmation pour laquelle François avait raison.

« Heureusement, dit Chatterjee, je suis là pour vous assister dans votre quête. Je travaille là-dessus depuis un certain temps. »

Première nouvelle. « Qu'avez-vous appris ? »

Son interlocuteur s'approcha du parapet. « Avant que nous en parlions, il y a un détail à régler. » Chatterjee désigna un point dans la mer. « Vous voyez le bateau rouge et noir. »

Kastor observa le remorqueur en question qui tanguait sur l'eau, en tractant un seul parachutiste porté par le chaud sirocco, qui continuait à susurrer, de plus en plus fort, autour de la tour.

Chatterjee agita les bras en l'air.

« Que faites-vous là ? demanda-t-il.

– Je résous ce problème. »

6

Luke entendit les mots «Je résous ce problème» et vit l'un des hommes au sommet de la tour de Madliena agiter les bras.

Zut.

Il était démasqué.

Il jeta un coup d'œil vers le remorqueur et vit, cent mètres plus bas, l'employé qui l'avait aidé à passer le harnais brandir une machette.

C'est pas vrai!

«À l'homme qui est là-bas, suspendu en l'air, dit une voix en anglais dans son oreille. Si vous m'entendez, levez le bras.»

Il décida de ne pas être plus prévisible qu'il l'avait été apparemment et ne dit rien.

«Vraiment? dit la voix dans son oreille. Je sais que vous m'entendez.»

Et merde. Il leva le bras.

«Beaucoup mieux. La technologie n'est-elle pas merveilleuse? Bien sûr. Je suppose que vous ne parlez pas maltais, c'est pour cela que j'ai utilisé cette langue jusqu'à présent. Je n'apprécie pas que vous épiiez mes conversations privées.»

La voix avait un accent britannique.

Comment s'était-il fait repérer? Bonne question. On lui avait brusquement confié une nouvelle mission, et il avait reçu l'ordre de partir directement pour Malte, avec des infos concernant une rencontre à la tour de Madliena aujourd'hui. Il était arrivé hier, s'était installé dans un hôtel et s'était immédiatement mis à reconnaître les lieux ; sur place, il avait remarqué les parachutistes ascensionnels au large. Il avait donc discrètement réservé le bateau pour le lendemain, mais entre-temps, quelque chose avait fuité.

Carrément fuité.

« Vous ne ferez pas de rapport à vos supérieurs, dit la voix dans son oreille. On me dit que vous faites partie des renseignements américains. Cette affaire ne concerne en aucune manière les États-Unis. »

On me dit ? Qui ça, on ?

Mais il n'était pas là pour poser des questions.

« D'après une intéressante légende locale, les Maltais peignent leurs bateaux de couleurs vives pour éloigner les mauvais esprits et attirer la bonne fortune. Malheureusement pour vous, celui qui se dirige vers vous ne vous sera d'aucune aide. »

Luke porta son regard sur l'eau et repéra un bateau, dont la coque était peinte d'éclatantes bandes bleues et jaunes, qui arrivait à vive allure droit sur lui. Il aperçut deux hommes, l'un aux commandes, l'autre épaulant un fusil, tous deux concentrés sur un objectif droit devant eux.

Nouveau grand geste de bras au sommet de la tour de Madliena.

L'homme du remorqueur monta sur la plateforme arrière et s'attaqua à la corde en nylon tressé. Chaque coup de machette s'accompagnait d'une vibration pénible qui se transmettait jusqu'en haut. Puis l'homme cessa de frapper le cordage et se mit à le scier.

La corde de halage se rompit.

L'accélération cessa et, l'espace d'un instant, Luke se trouva suspendu en l'air, flottant à la merci des puissants vents du Sud. Le nouveau bateau avec les deux hommes s'approcha tandis que le remorqueur s'empressait de quitter les lieux. D'autres bateaux tractant des parachutistes s'étaient écartés.

Il commença à descendre.

Plus vite que la normale. Pas étonnant. Ces parachutes étaient super légers et pleins d'ouvertures puisque le but était de rester en l'air, pas d'atterrir en douceur.

La Méditerranée se rapprochait à toute allure.

Il ne portait pas de bottes et ses chevilles n'étaient pas protégées en prévision d'un atterrissage brutal. Il ne portait qu'un short et un T-shirt ainsi que des baskets, le tout acheté dans un magasin à La Valette le matin même. Il n'avait emporté que quelques euros, le récepteur laser et les clés de sa voiture de location.

L'eau se trouvait à moins de vingt mètres.

Le moment était venu de redevenir un Ranger.

Il défit les boucles du harnais, une main au-dessus de sa tête, cramponnée au mousqueton qui soutenait son poids. Une fois dans l'eau, il lui faudrait se libérer rapidement, puis s'occuper des nouveaux arrivants.

La chute fut brutale, et il s'enfonça dans l'eau dont la température le choqua brièvement ; il se débarrassa du harnais puis battit des pieds pour remonter. Sortant la tête de l'eau, il constata que le bateau avec les deux hommes à bord s'était rapproché. Il se trouvait à quatre cents mètres de la côte et les courants lui étaient contraires. Pas question de nager jusqu'au bord. Il vit l'homme au fusil lever son arme et viser. Il prit une grande inspiration, ramena ses genoux contre sa poitrine pour rouler sur lui-même et plongea le plus profond possible.

Les balles s'enfoncèrent dans l'eau avec un sifflement, ralenties par la densité de l'eau.

Il cessa de descendre et, tout en restant à cette profondeur, il leva les yeux vers la surface. Il ne pourrait pas retenir indéfiniment sa respiration. C'était quoi, le vieux proverbe ? *La meilleure défense, c'est l'attaque.*

D'un énergique battement de pieds, il remonta d'une traite et se mit à nager sous la coque noire du bateau. L'angle des balles lui indiquait de quel côté les hommes l'attendaient. Il garda les yeux rivés sur la quille, sans s'éloigner de la coque. Le hors-bord oscillait, au point mort, et dérivait avec le courant. S'ils décidaient de mettre des gaz et de filer, il pourrait se trouver en bien mauvaise posture, si près de l'hélice.

Il remonta à la surface et, silencieusement, prit une bouffée d'air, attendant que le bateau s'incline vers lui, puis il posa ses paumes à plat sur le pont et profita du mouvement de balancier provoqué par la houle pour s'extraire de l'eau.

Son corps était prêt, tendu vers l'action ; son esprit était calme, sous contrôle. Il n'avait qu'une seconde pour profiter de l'effet de surprise et il s'en servit à son avantage ; prenant appui sur le plat-bord, il flanqua un coup de pied au pilote en pleine poitrine et l'envoya valser de l'autre côté du bateau.

Le type au fusil se retourna brusquement.

Luke bondit en avant et, d'une droite puissante, cogna le type dans la mâchoire, puis se jeta sur lui et lui arracha son arme avant de lui asséner un coup de crosse violent sous le menton.

Quelque chose craqua et l'homme s'écroula.

Il poussa le corps qui tomba à la mer.

Facile.

Maintenant, il dominait la situation.

Il se tourna vers la tour de Madliena. Gallo et l'autre homme se trouvaient toujours là-haut et regardaient. Il posa le fusil et donna des gaz. Le moteur rugit. Il opéra un demi-tour pour se diriger vers la côte et entendit un coup de feu.

Derrière lui.

Il se retourna.

Un autre bateau arrivait à toute vitesse.

Une seule personne à bord, portant une casquette de base-ball, pilotait le bateau et tirait au pistolet. Luke avait un fusil, mais il ne pouvait pas manier à la fois l'arme et les commandes. Il se mit à zigzaguer sur l'eau, pour compliquer la tâche de son poursuivant.

Deux autres coups de feu dans sa direction.

Il vira vers le sud, vers La Valette. L'autre bateau tourna aussi, décrivant une grande courbe pour se rapprocher.

Quelques secondes plus tard, ils étaient sur des trajectoires parallèles.

Il lâcha le volant et s'empara du fusil à deux mains.

Son agresseur se rapprochait.

Il se tourna, prêt à caler ses pieds et tirer assez rapidement pour que le gouvernail, libre, ne dévie pas de sa position.

Mais l'autre ne semblait pas vouloir tirer.

Soudain, le bateau ralentit, puis s'arrêta, et le pilote leva les mains en l'air, comme s'il se rendait. Luke reprit la barre et opéra un demi-tour. Une fois qu'il fut tout près, il récupéra le fusil qu'il tint d'une main, le doigt sur la détente, tandis que de l'autre il maniait le volant et la commande des gaz.

Son poursuivant ôta sa casquette et une cascade de cheveux blonds tomba sur ses épaules.

« Qui êtes-vous ? lança-t-il.

– Laura Price.

– Et pourquoi vous me tirez dessus ?

– J'essayais juste d'attirer votre attention. »

Leurs deux bateaux sautillaient sur l'eau agitée par la houle.

« Ça a marché.

– Si j'avais voulu vous abattre, je l'aurais fait. »

Il sourit.

« Vous avez toujours autant d'assurance ?

– Je suis venue vous aider.

– Vous allez devoir faire mieux que ça.

– Vous me permettez de prendre mon portable ? »

Il haussa les épaules. « Allez-y. »

Il garda le canon du fusil pointé sur elle tandis qu'elle cherchait quelque chose dans sa poche. Sa main sortit un téléphone à clapet. Il n'avait pas vu un tel modèle depuis un bout de temps. Elle le lui lança depuis son bateau, et il l'attrapa.

« Appuyez sur 2 », cria-t-elle.

Sans abaisser le canon de son fusil, il appuya sur la touche de l'autre main et porta l'appareil à son oreille, les yeux rivés sur Laura Price.

Deux sonneries.

On décrocha.

« Ici, Stéphanie Nelle. »

7

Lac de Côme

La douleur lui vrillait la tête, elle partait de la nuque et montait jusque derrière ses yeux. Mais il réussit à s'extirper du brouillard, retrouva ses esprits et vit un homme s'éloigner en courant dans le couloir pour se diriger vers l'escalier.

Il se redressa et se précipita à sa suite.

Le gars avait de l'avance et s'apprêtait déjà à amorcer le virage sur le palier du premier. Malone décida de prendre un raccourci : il bondit par-dessus la lourde balustrade en pierre et se jeta dans le vide entre les volées de marches. Il intercepta son assaillant et le plaquage fut brutal. Heureusement, l'autre prit l'essentiel de l'impact ; ils dégringolèrent les marches jusqu'au palier suivant. L'homme lâcha le porte-documents qui tomba par-dessus la balustrade et atterrit dans le hall d'entrée, en bas. Cotton se dégagea et, se redressant d'un bond, il envoya un coup de pied à son adversaire en plein visage. Ce dernier se jeta sur lui et ils s'écrasèrent contre la balustrade et ses épais barreaux en pierre. Le palier en lui-même était plutôt un étroit couloir reliant les deux ailes de la maison, dont le mur extérieur était percé de deux fenêtres, toutes deux fermées.

Il se dégagea et procéda à une rapide évaluation de la situation.

Costaud, blond, portant un jean et un polo.

Esquivant un nouveau coup de poing, le type se jeta sur lui et encercla sa poitrine de ses deux bras. Ensemble, ils partirent vers l'arrière et allèrent se fracasser contre une fenêtre. La vitre éclata sous l'impact. Malone essaya de se libérer, mais l'autre ne cessait de le pousser vers la fenêtre en miettes. Il parvint toutefois à lancer un coup de pied en arrière. Le talon de sa chaussure toucha l'homme juste au-dessus de la cheville. Un grognement de douleur se fit entendre et la pression autour de sa poitrine diminua. Il envoya un coude dans le ventre du gars et réussit à intervertir leurs positions ; il passa le bras de son adversaire à travers le cadre de la fenêtre et le poussa contre les arêtes de verre brisé. L'homme hurla de douleur et essaya de se dégager, mais Cotton appuya de tout son poids et le bras fut entaillé du coude au poignet.

Un nouveau cri de douleur et son adversaire brandit son bras en lambeaux, bouche bée devant les chairs déchiquetées qui pendaient comme des rubans rouges.

Le sang coulait à flots.

L'homme battit en retraite en direction de l'escalier et de la balustrade, essayant de s'enfuir.

Une détonation fit sursauter Malone.

Son assaillant eut un mouvement brusque sous l'effet de l'impact, comme tout à coup pris d'un spasme. Une balle lui avait traversé la poitrine. Le sang se mit à jaillir de son torse.

Une autre détonation.

D'autres spasmes.

Malone comprit ce qui était en train de se passer. Quelqu'un tirait depuis le rez-de-chaussée. Une troisième balle propulsa le gars en avant et il tomba, droit comme un arbre qu'on abat, face contre terre, cherchant sa respiration, grognant de douleur. Cotton s'accroupit, caché derrière la balustrade, et glissa un œil à travers les barreaux. Personne en bas. Le fusil qu'il avait utilisé avec l'ours était toujours en haut, dans le couloir du deuxième étage.

Il entendit un autre coup de feu provenant de l'extérieur, au-delà de la porte d'entrée.

Son agresseur ne bougeait plus, n'émettait plus le moindre son. Malone se releva, dévala l'escalier et se précipita dehors. Il avait toujours des taches noires devant les yeux, suite au coup qu'il avait reçu à la nuque. Heureusement, l'adrénaline qui coulait dans ses veines contribuait à réduire sa sensation de vertige. Une fois dehors, il ne vit toujours personne. Le terrain montait dans trois directions, vers les hauteurs boisées. Il entendit le grondement assourdi, lointain, d'un moteur qu'on démarrait, amplifié par le silence.

D'où provenait-il ?

L'écho rendait la localisation difficile.

Il leva les yeux vers les arbres mais ne vit aucun véhicule. Par chance, il n'y avait qu'une voie d'accès qui montait du lac. Il pourrait peut-être couper la route à la personne qui était venue.

Il se tourna vers son Alfa Romeo.

Et se figea.

Le pneu avant droit était à plat.

Maintenant, il comprenait pourquoi le quatrième coup avait été tiré.

Il n'irait nulle part. Pas immédiatement, en tout cas. Quelqu'un était venu ici avant lui, avec la préparation nécessaire, apparemment très bien informé.

Un autre acheteur ?

Peut-être.

Il retourna dans la villa et monta au deuxième étage. Il examina le corps, cherchant un pouls, sans le trouver. Il passa en revue le contenu des poches de l'homme et ne trouva ni pièce d'identité ni portefeuille. Peut-être que le MI6 pourrait lui fournir un nom.

Il remarqua quelque chose à un doigt.

Une bague.

En étain.

Ancienne, apparemment.

Avec des lettres gravées sur le dessus.

SATOR
AREPO
TENET
OPERA
ROTAS

Il l'enleva et l'examina attentivement. Il n'y avait rien d'autre sur l'extérieur, mais à l'intérieur, il découvrit un minuscule dessin.

Les quatre pointes de flèches se rencontrant au centre. Pas la moindre ambiguïté.

Une croix de Malte à huit pointes.

Il glissa la bague dans sa poche.

Puis il se souvint du porte-documents qui était passé par-dessus la balustrade. Il descendit au rez-de-chaussée et le chercha à l'endroit où il aurait dû se trouver.

Rien.

Apparemment, le tireur l'avait emporté.

Formidable.

Les Britanniques allaient adorer.

8

MALTE

L'attention de Luke ne cessait de se porter alternativement sur le portable et la femme dans le bateau en face de lui. Il la tenait toujours au bout de son fusil. Le bruit du hors-bord était tel qu'il préféra couper le moteur pour entendre son interlocutrice.

« Qui est cette femme ? demanda-t-il à Stéphanie.

– Elle a voulu que je la mette sur la mission, disant que vous pourriez bien avoir besoin d'aide. Je lui ai demandé comment elle était au courant, mais elle ne m'a rien dit. Je lui ai répondu que vous pouviez vous en sortir sans son aide.

– Et pourquoi vous ne m'avez pas transmis ces informations avant ?

– Elle m'a appelée il y a une heure à peine. J'ai essayé de vous joindre, sans succès. »

Il avait laissé son portable dans la voiture de location.

« Et je viens de décrocher parce que c'est le même numéro qu'il y a une heure », dit-elle.

Il s'éloignait de l'autre bateau en dérivant ; il regarda Laura Price qui manœuvrait pour rester près de lui. Il abaissa le fusil, décidant qu'elle ne constituait plus une menace directe. Mais cela ne signifiait pas pour autant qu'elle était totalement inoffensive.

« Parlez-moi d'elle, dit-il.

– Qu'est-ce qui vous fait penser que je sais quelque chose ?

– Nous aurions déjà raccroché si vous ne saviez rien. »

Il travaillait depuis assez longtemps avec Stéphanie pour savoir qu'elle ne laissait jamais rien au hasard. Elle dirigeait la division Magellan avec une efficacité militaire, n'acceptant que la perfection de la part de ses agents. Grâce à sa relation personnelle avec son oncle, l'ancien président Danny Daniels, Luke aimait à penser qu'il jouissait d'un lien plus personnel avec sa patronne, même s'il savait qu'elle ne manifesterait jamais de favoritisme. Stéphanie attendait des gens qu'ils fassent leur boulot. Point. Peu importait qui vous étiez. Les erreurs étaient rarement tolérées. Elle voulait des résultats, c'était tout. Et elle l'avait envoyé ici pour avoir des résultats.

Mais il avait foiré.

Et bien foiré.

« Elle travaille pour les services de sécurité de Malte, dit Stéphanie.

– Cette petite île a une agence de renseignement ?

– Intégrée aux forces armées de Malte. Peu importante, mais elle existe. Elle a travaillé à la CIA pendant quelques années. Ils se souviennent d'elle à Langley. Apparemment, elle n'aime pas trop suivre les ordres. Une junkie de l'adrénaline. Une franc-tireuse, mais qui tire généralement dans la bonne direction.

– Je me reconnais assez dans ce portrait.

– Exactement ce que je me suis dit.

– Une idée sur la raison pour laquelle les Maltais sont impliqués là-dedans ?

– Aucune. Mais elle vous suit apparemment depuis le début. »

Et il n'en savait rien.

Encore une erreur.

Il observa la jeune femme. Blonde, d'une beauté saisissante avec des pommettes hautes et une bouche bien dessinée. Une frange impeccablement droite soulignait son front étroit. Elle portait un jean ajusté et une chemise dont le col entrouvert laissait voir un décolleté très bronzé. Une fille superbe, c'était indiscutable. Et elle semblait être dans une forme éblouissante, dotée d'une musculature dont il apprécia les formes. À l'évidence, elle savait piloter un bateau, tirer et se rendre utile. Tout ça combiné au culot d'un chat de gouttière, il voyait bien pourquoi elle pouvait être considérée comme une franc-tireuse.

« Que voulez-vous que je fasse ? demanda-t-il.

– Je n'aime ni les ambitieux ni les menteurs. Débarrassez-vous d'elle. »

Il sourit intérieurement. « Avec plaisir.

– Dites-moi ce qui s'est passé avec Gallo.

– Un petit problème. Mais je vais y remédier.

– Je compte sur vous. »

Et la communication s'arrêta là.

Il continua à parler dans le téléphone, faisant croire que la conversation se poursuivait, le temps d'évaluer la situation. Il tenait toujours le fusil. Laura Price patientait à environ sept mètres sur son côté bâbord. Il fit semblant de mettre fin à l'appel et fit signe qu'il devait lui rendre l'appareil. S'il se débrouillait bien, il pourrait peut-être tout simplement la prendre par surprise. La situation était mal partie avec le cardinal, mais il retrouverait sa piste. Les pépins, ça arrivait. Le truc, c'était de ne pas les laisser compromettre l'ensemble de la mission.

Le fusil était pointé vers le pont.

Il fit signe à la jeune femme et elle rapprocha son bateau. Il lui lança le portable. Elle l'attrapa au vol et il en profita pour lever son fusil et tirer trois balles dans son moteur.

Elle s'aplatit sur le pont.

Le moteur cracha de la fumée accompagnée d'une gerbe d'étincelles.

Il retint un rire.

Ses trois cents chevaux étaient désormais inutiles.

Il tourna la clé et mit en route son bateau, prit le volant, donna des gaz et projeta une gerbe d'eau en partant qui trempa l'autre bateau. Lançant un regard derrière lui, il vit Price se redresser d'un bond, mais il était déjà trop loin pour qu'elle puisse tirer efficacement, vu le tangage de son hors-bord.

Il agita la main en guise de salut, espérant ne jamais la revoir.

Il était temps de trouver Gallo et de reprendre sa mission.

Il jeta un coup d'œil vers la côte et la tour de Madliena. Le cardinal et l'autre homme avaient disparu. Il se concentra sur son volant et évita les plus grosses vagues, naviguant le long de la côte, vers l'est, pour regagner La Valette où l'attendait sa voiture de location. Les vibrations du moteur qu'il percevait dans le pont lui donnaient de l'énergie.

Personne ne le suivait.

À l'évidence, Laura Price serait obligée de trouver quelqu'un pour la ramener sur la terre ferme.

Mais c'était les risques du métier.

Il essayait de se persuader, à tort, qu'il comprenait les femmes. Mais en vérité, ce n'était pas le cas. Il aimait afficher une attitude désinvolte et leur laisser croire qu'il était une sorte de mauvais garçon qu'elles pourraient apprivoiser. Cela avait joué en sa faveur plus d'une fois, mais de temps en temps, cela tournait au désastre.

En fait, il était un fils à sa maman ; il appelait sa sainte mère tous les dimanches, où qu'il se trouvât dans le monde. Elle savait qu'il était un agent du renseignement. Stéphanie l'avait autorisé à le lui révéler et elle avait adoré. De ses quatre enfants – Matthew, Mark, Luke et John – il était le rebelle. Les autres avaient un emploi respectable, une famille, une maison, un emprunt à la banque. Lui seul était célibataire, voyageait dans le monde entier, faisant ce que la division Magellan exigeait de lui.

Il n'avait pas encore trouvé la femme parfaite qui allierait l'amoureuse, la compagne, la confidente et la partenaire. Peut-être cela arriverait-il un jour. Les femmes épousent un homme avec l'espoir de le changer, mais en vain. Les hommes épousent une femme avec l'espoir qu'elle ne changera pas, mais en vain. Voilà le problème. Que lui avait dit une prétendante ? *Les maris sont comme les voitures. En parfait état la première année seulement.*

Beaucoup de vérité, là.

Sa carrière, la réussite, l'indépendance et les voyages étaient, en ce moment, ses priorités. Le mariage et les enfants, pas vraiment. Le fait que Danny Daniels soit son oncle avait peut-être entrouvert quelques portes qui auraient sans doute été fermées autrement, mais ces portes étaient restées ouvertes parce qu'il était carrément bon dans ce qu'il faisait. Bien entendu, la dernière demi-heure n'avait pas été son moment le plus glorieux.

Il maintint le cap vers le sud, se remémorant d'autres éléments qu'il avait lus hier soir.

Après le Grand Siège de 1565, lorsque les Turcs tentèrent de prendre Malte par la force, le Grand Maître Jean Parisot de Valette décida de bâtir une ville fortifiée sur une péninsule de calcaire aride de la côte nord. Ce serait la première ville planifiée d'Europe depuis l'époque romaine, suivant un plan quadrillé, avec des douves au sud et des fortifications tout autour. Des ports qui offraient des mouillages parfaits la protégeaient à l'ouest et à l'est. Pour une puissance maritime comme les chevaliers de Malte, l'endroit constitua un quartier général idéal, et ils finirent par transformer l'île en une base navale imprenable.

D'une longueur de trois kilomètres et d'une largeur d'un kilomètre et demi, la ville de La Valette, avec ses bâtiments serrés les uns contre les autres, hébergeait depuis longtemps les chevaliers et tout ce qu'il fallait pour les faire vivre. La ville demeurait le seul témoin de quatre siècles de dur labeur et de magnificence. Ses églises, boutiques, résidences, palazzi, entrepôts, forts et le palais du Grand Maître avaient réussi à survivre, même après qu'Hitler en avait fait bombarder sans relâche le moindre centimètre carré pendant la Seconde Guerre mondiale.

Ses constructions se dressaient en lignes droites, rapprochées intentionnellement pour que les rues soient abritées du fort soleil méditerranéen et que la brise marine puisse circuler sans obstacle. Au total, environ deux mille structures d'une noble élégance avaient été bâties en cinq ans. Mais il avait fallu vingt-cinq années supplémentaires pour les fignoler. Peu de choses avaient changé depuis le XVIIe siècle. Luke aimait tout particulièrement ce que de Valette avait dit de sa création.

Une cité bâtie par des gentlemen pour des gentlemen.

Les remparts blancs du fort Saint-Elme apparurent, montant la garde en surplomb à l'extrémité de la péninsule, d'où on avait une vue sensationnelle sur la mer. Il imagina son canon envoyant un boulet vers le port, repoussant les assaillants turcs. Le Grand Siège tout entier ressemblait à un scénario hollywoodien. Soliman le Magnifique – quel nom ! – envoya quarante mille guerriers et plus de deux cents navires pour annexer Malte à son territoire islamique. De Valette commandait cinq cents chevaliers, mille cents soldats et six mille hommes des milices locales. Malgré ses appels, aucun roi chrétien ne leva le petit doigt pour l'aider ; ils étaient trop occupés à s'entre-tuer.

Alors, de Valette se défendit seul.

Les assaillants déferlèrent, déchaînés, et l'invasion fut sanglante, pendant un été atrocement chaud. Le fort Saint-Elme résista un mois avant de se rendre. Mais les rangs turcs étaient décimés par le manque de provisions, d'eau potable et la dysenterie. La terreur la plus extrême régnait des deux côtés. Les chevaliers morts étaient mutilés, leurs corps sans tête flottaient dans le port, cloués sur une croix, jusqu'aux forts occupés de l'autre côté du port. La réponse du Grand Maître de La Valette fut de décapiter les prisonniers turcs et d'utiliser leurs têtes comme boulets de canon.

C'était de bonne guerre, comme on dit.

Finalement, en septembre 1565, des renforts arrivèrent de Sicile, et les Turcs battirent en retraite. Si l'issue avait été différente, la flotte musulmane aurait contrôlé la Méditerranée depuis une base maltaise, et toute l'Europe aurait été en danger.

Mais les chevaliers sauvèrent la chrétienté.

Luke manœuvra le bateau pour contourner le fort Saint-Elme et se dirigea vers le Grand Port, toujours entouré de forts et de tours de guet. Des drapeaux colorés flottant au vent sur les remparts et de l'autre côté du port, dans les Trois Cités, accueillaient le visiteur. Un bateau de croisière amarré contre l'un des longs quais déchargeait ses passagers sur le port. Un autre était à l'ancre au large. Luke se dirigea vers la marina. Le remorqueur qu'il avait pris plus tôt ne se trouvait nulle part. Le bruit sourd et régulier du moteur s'atténua et l'embarcation ralentit, se préparant à retrouver le havre plein de yachts qui oscillaient paisiblement, à l'ancre.

Sa voiture l'attendait dans le petit parking à quelques rues de là.

Il approcha le bateau tout près du quai, coupa le moteur et attacha les amarres sur deux taquets disponibles.

Il sauta à terre et partit au petit trot.

Deux hommes lui coupèrent la route.

9

Lac de Côme

Le chevalier quitta la villa et retrouva la route qui descendait vers le lac. La serviette en peau d'éléphant était posée sur le siège passager à côté de lui. Il l'avait récupérée alors que la bagarre se poursuivait au premier étage. Malone avait apparemment découvert l'objet dont le propriétaire de la villa avait avoué la présence. Même son contenu était exactement tel qu'il avait été décrit.

Dieu merci, il n'avait pas perdu de temps.

Il avait ordonné à son associé de mettre Malone hors d'état de nuire, puis de prendre le porte-documents. La tâche était simple. Il lui fallait l'Américain vivant. Apparemment, pourtant, quelque chose s'était mal passé. Il ne pouvait pas laisser son adversaire faire parler son associé. Alors il avait réglé le problème, récupéré la serviette et s'était assuré que Malone n'aurait pas le moyen de le poursuivre. L'idée de départ était de faire en sorte que l'ex-agent se croie sur une fausse piste et retourne chez les Britanniques les mains vides. Voilà qui était fait, mais le coût s'était révélé plus élevé que prévu.

Il rejoignit la grande route qui serpentait le long des berges dentelées du lac et prit la direction du nord. Quatre kilomètres plus tard, il entra tranquillement dans Menaggio.

Ses rues pittoresques étaient bordées de bâtiments en stuc coloré. Le soleil du matin tapait, implacable, ajoutant aux façades des nuances contrastées de brun doré. Sur les montagnes escarpées, un demi-cercle de banc de brume voilait les feuillages printaniers qui se dressaient derrière les toits aux pentes raides. Il se gara juste après la piazza Garibaldi, prit le porte-documents et partit d'une démarche lente, la tête basse, tranquille, sans attirer l'attention, utilisant ses oreilles plutôt que ses yeux pour surveiller les alentours.

Il entra dans l'hôtel et monta l'escalier en bois jusqu'à sa chambre. Une fois à l'intérieur, il étala le contenu du porte-documents sur la table. Incroyable qu'il soit resté secret depuis 1945. Il passa rapidement l'ensemble en revue ; des copies carbone, des originaux et des notes manuscrites. Surtout des rapports et des bilans, des ordres à l'armée. Mais la correspondance entre Churchill et Mussolini était le vrai trésor. Il parcourut les onze lettres, ce qui était facile pour lui puisqu'il parlait couramment l'allemand et l'italien. Une lettre en particulier, un original en anglais écrit par Churchill au Duce, le fit sourire.

> J'écris pour vous implorer que nous mettions fin à l'agacement que notre comportement déplacé a pu provoquer, ainsi qu'à l'opportunisme obstinément perfide avec lequel nos gouvernements successifs ont essayé de dénaturer notre relation. Ces derniers temps, les circonstances nous ont obligés à mener des tractations, et nous ne pouvons guère le faire dans un climat d'indignation morale. Nous devons donc nous montrer méfiants, précis, et avoir un peu confiance l'un dans l'autre. Je crains que, malgré une tentation persistante, il ne soit guère avantageux pour nous d'être désagréables. Alors, abordons en bonne et due forme le sujet de ce qui pourrait suffire à vous éviter d'entrer dans une collaboration militaire sur le long terme avec l'abject chancelier allemand.
>
> Depuis combien d'années souhaitez-vous intégrer Malte dans la sphère italienne ? Vous avez maintes fois proclamé que les Maltais appartiennent à la race italienne, que même

leur langue est dérivée du dialecte italien. Votre rhétorique est claire : historiquement Malte faisait partie d'une grande Italie, et devrait en faire partie aujourd'hui. Et si une telle chose était possible ? Et si vous seul pouviez réussir là où d'innombrables dirigeants italiens avant vous ont échoué ?

Une fois cette carte dans votre main grâce à notre amitié, à savoir la capitulation possible de cette île d'un grand prix, nous serions prêts à accepter en contrepartie que l'Italie reste neutre dans le conflit qui s'annonce. Qu'aucun accord politique ou militaire ne soit passé avec les Allemands. Qu'aucune assistance ne soit offerte à la cause allemande. Nous reconnaissons que cette position entraînera peut-être des difficultés dans les relations entre l'Italie et l'Allemagne. Hitler ne tolérerait jamais une alliance ouvertement assumée de la part de l'Italie avec la Grande-Bretagne. Alors, pour que votre neutralité se manifeste d'une manière qui ne puisse être contestée, nous ne reconnaîtrions pas publiquement l'Italie comme une alliée dans le conflit actuel. Sans pour autant vous traiter comme un ennemi. Pour nous, vous deviendriez une nation ayant un « statut hostile » envers la Grande-Bretagne. Ni ami ni ennemi, juste un pays dont il faudrait se méfier. Ceci vous permettrait de pouvoir nier de manière crédible devant les Allemands que vous avez passé un accord avec nous, puisque ce n'est pas le cas. Mais un tel statut garantirait à l'Italie une place à la table des négociations une fois que les Allemands seront battus, parce qu'ils le seront. À ce moment-là, les prétentions territoriales de l'Italie sur Malte pourront être discutées et réglées définitivement.

La lettre se poursuivait ainsi, chantant d'autres vertus qu'il y aurait à défier Hitler et à s'acoquiner en secret avec l'Angleterre.

Elle était signée d'un épais trait d'encre noire.

Churchill.

Il nota la date.

18 mai 1940.

Churchill venait de devenir Premier ministre. Apparemment, le « *bulldog* britannique » n'avait pas perdu de temps pour proposer un accord, voulant désespérément empêcher l'Italie d'entrer formellement dans le conflit aux côtés d'Hitler. La lettre avait été envoyée en réponse à un courrier de Mussolini qui était arrivé quelques jours auparavant, dont un carbone se trouvait dans le porte-documents.

Cela fait plusieurs années que je clame que l'Italie devrait avoir un accès incontesté aux océans et voies maritimes du monde. C'est vital pour notre souveraineté nationale. La liberté d'un pays est proportionnelle à la force de sa marine. Nous sommes aujourd'hui prisonniers de la Méditerranée, et nous le sommes depuis longtemps. Hitler est convaincu que pour briser la domination britannique, vos bases à Chypre, Gibraltar, Malte et en Égypte doivent être neutralisées. L'Italie ne sera jamais une nation indépendante tant que sa prison méditerranéenne aura la Corse et Malte comme barreaux et Gibraltar et Suez comme murs. La politique étrangère d'Hitler tient pour acquis qu'il faudra un jour avoir raison de la Grande-Bretagne et de la France. Il m'a fait remarquer que, par le biais de la conquête armée, l'Afrique du Nord italienne et l'Afrique de l'Est italienne, aujourd'hui séparées par le Soudan anglo-égyptien, pourraient être reliées. Encore mieux, la prison méditerranéenne serait détruite. Comme vous vous en rendez certainement compte, à ce stade, l'Italie aurait la capacité de se déployer soit jusqu'à l'océan Indien par le Soudan et l'Abyssinie, soit jusqu'à l'Atlantique en passant par l'Afrique du Nord française. Cela signifie beaucoup pour moi. Ce qu'Hitler propose est une alliance pour rendre cela possible. Que m'offrez-vous, monsieur le Premier ministre ?

Churchill avait fait miroiter Malte.

Mais intelligemment, seulement après que la guerre serait gagnée, à un moment où elle pourrait être cédée dans la discrétion. Ce qui à l'évidence n'avait pas suffi à séduire Mussolini.

Le chevalier connaissait l'histoire militaire.

Les Anglais s'étaient inquiétés de savoir si Malte pouvait être correctement défendue. On n'était pas au XVIe siècle. Les armes modernes ne ressemblaient en rien à celles que les Turcs avaient utilisées pour tenter de forcer les défenses de l'île. Les bombardiers et les bateaux équipés de canons de gros calibre pouvaient causer des dégâts considérables. Il leur faudrait beaucoup d'hommes et d'armes pour tenir l'île.

Peut-être cela ne valait-il pas la peine.

C'étaient les Français, en mai 1940, alors que leur pays était envahi, qui avaient suggéré que Mussolini serait peut-être apaisé si on lui donnait Malte. Ainsi, l'Italie resterait en dehors de la guerre, et les Alliés pourraient se concentrer sur la France. Mais Churchill persuada le cabinet de guerre que de telles concessions territoriales ne devraient pas être envisagées, bien que d'autres se fussent prononcés en faveur d'un accord.

Maintenant, il comprenait pourquoi.

Churchill savait que l'offre serait refusée.

Le 10 juin 1940, l'Italie déclara la guerre à la Grande-Bretagne, puis s'empressa le lendemain d'attaquer Malte, avant de l'assiéger. Rommel avertit que *sans Malte, l'Axe, en perdant le contrôle sur l'Afrique du Nord, n'existerait plus.*

Leurs attaques furent impitoyables.

Pour finir, Hitler fit lâcher plus de bombes sur Malte que sur Londres. Pendant cinq années, les Maltais passèrent l'essentiel de leur vie sous terre, utilisant les tunnels datant de l'époque des chevaliers comme abris antiaériens, entrepôts et réservoirs d'eau.

Ils souffrirent terriblement.

Plus de trente mille bâtiments furent rasés.

Les gens mouraient de faim, car les convois alimentaires étaient constamment interceptés par les U-Boots.

Un navire de guerre, deux avions-cargos, trente-huit sous-marins et cinq croiseurs alliés furent coulés en essayant de la défendre. Plus d'un millier de Maltais moururent. Les blessés furent encore plus nombreux. Churchill dit au monde que *les yeux de tout l'Empire britannique étaient rivés sur Malte dans sa lutte, jour après jour.*

Et ils gardèrent leur île.

Après la guerre, le roi accorda à toute la population la croix de Saint-Georges. Pas étonnant que Churchill ait voulu s'assurer que ces lettres ne voient jamais la lumière du jour. Imaginez ce que les Britanniques auraient pensé de leur chef adulé s'ils avaient su qu'il avait proposé de céder cette précieuse terre.

L'excitation monta en lui.

Il avait découvert l'essentiel de ce qu'il était venu chercher.

Mais la chose qu'il avait espéré trouver ne se trouvait pas là. Est-ce que Malone l'avait prise ? Possible. Mais peu probable.

Peu importait.

Les Britanniques allaient prendre contact avec lui. Il en était certain.

Il regarda par la fenêtre et observa les gens qui se promenaient sur la vaste étendue de la piazza. Il caressa la bague en étain qui ornait sa main droite, lisant silencieusement les cinq mots.

Sator. Arepo. Tenet. Opera. Rotas.

Le temps était venu, à nouveau, pour eux de montrer le chemin.

10

MALTE

Kastor avait écouté tout ce que Chatterjee avait dit au parachutiste. Ensuite, il avait vu l'inconnu tomber dans l'eau et finalement se débarrasser des deux hommes arrivés par bateau. Puis un autre bateau l'avait pris en chasse, lui avait tiré dessus tandis qu'il s'éloignait à grande vitesse, avant de l'intercepter plus bas. La dernière chose qu'il avait vue, c'était le parachutiste naviguant vers La Valette.

Seul.

« Qu'est-ce qui vient de se passer ? demanda-t-il à Arani.

– Les gens s'intéressent à ce que vous faites, Éminence. »

En voilà une nouvelle. « Qui sont ces gens ? »

Pas de réponse.

Alors il posa une autre question. « Qui était ce parachutiste ?

– Un agent américain, envoyé pour vous espionner. Nous avons été informés de sa présence hier. Heureusement, j'ai pu le prendre de vitesse et j'ai soudoyé l'équipage du remorqueur. Ces deux autres hommes auraient dû lui régler son compte, mais comme vous l'avez vu, il s'est enfui.

– Qui était la femme dans l'autre bateau ?

– Bonne question. J'ai un appel à passer. »

Chatterjee s'isola à l'autre bout du chemin de ronde et sortit son téléphone portable.

Kastor n'aimait pas du tout ce qu'il venait d'entendre et il était contrarié d'être ainsi traité comme un inférieur. Et qui était ce *nous*, dans *nous avons été informés* ?

Il se plongea dans la contemplation de la mer.

La côte nord lui avait toujours paru différente. Son frère et lui étaient nés dans la partie sud de l'île, sur une terre qui donnait sur une autre côte de la Méditerranée. La vieille ferme avait été construite en calcaire corallien, un composé intéressant qui, lorsqu'il sortait de terre, était mou et humide, mais qui, après avoir été longtemps exposé au soleil, devenait dur et blanc.

Comme lui. Malléable, enfant. Inflexible à l'âge adulte.

Son père avait été pêcheur en Méditerranée toute sa vie, à l'époque où il était encore possible de vivre de cette activité. Ses parents étaient des gens bien, jamais aucun de leurs agissements n'aurait pu leur créer des ennemis. Malheureusement, ils étaient morts dans un accident de voiture alors qu'il avait douze ans. Cela s'était produit en avril, juste après que la luzerne avait fleuri, recouvrant le sol de sa couleur et remplissant l'air de puissants arômes.

Aujourd'hui encore il détestait le printemps.

Sans famille prête à le prendre en charge, son frère et lui avaient été envoyés à l'orphelinat Saint-Auguste, dans la partie est de l'île, un endroit triste, sans saveur, dirigé par les Ursulines. C'est là qu'il apprit à connaître l'Église. Sa stabilité. Ses règles. Son histoire. Ainsi que les nombreuses opportunités qu'elle offrait. Et alors que certains à l'orphelinat se rebellaient, il en était venu à apprécier l'insistance des sœurs sur la discipline. Ces femmes froides, insipides, avaient de la constance, à défaut d'autre chose. Elles ne se prononçaient qu'une seule fois et il n'était pas question de ne pas obéir. Trois ans auparavant, il avait oublié quelques-unes des leçons que ces femmes inflexibles lui avaient apprises et péché par excès d'assurance, ce qui avait donné au pape l'occasion de lui couper l'herbe sous le pied.

Une erreur stupide, tout à fait stupide.

Il avait occupé une position de grand pouvoir, de grande influence. Préfet du Tribunal suprême de la Signature apostolique. Chargé de la plus grande autorité judiciaire de l'Église catholique. Pour ce qui était des questions ecclésiastiques, seule la parole du pape avait la primauté. Grâce à cette position, il avait également eu accès à quantité d'informations confidentielles sur des novices, des prêtres, des évêques et des cardinaux. Il avait amassé un véritable trésor de dossiers secrets. Le projet était d'utiliser ces connaissances un jour pour gagner discrètement de l'importance au sein du collège des cardinaux. Et s'il jouait bien, il pourrait peut-être orienter la gratitude de ses collègues vers un soutien actif de sa candidature à la papauté.

N'importe quel homme de religion catholique qui avait atteint l'âge de raison, qui n'était ni hérétique, ni schismatique, ni connu à cause de sa pratique de la simonie, pouvait être élu pape. Mais en réalité, seuls les cardinaux avaient une chance. Le dernier élu qui n'était pas cardinal remontait à 1379. Et indubitablement, la probabilité d'être choisi était plus élevée pour certains cardinaux que pour d'autres. Le mot chic était *papabile*. Capable d'être élu pape. Autrefois, cela signifiait être nécessairement italien. Ce n'était plus le cas, grâce à une succession de papes étrangers. Néanmoins, on ne pouvait jamais savoir qui émergerait comme favori. Que disait la maxime ? *Qui entre pape au conclave en sort cardinal.* L'histoire avait montré que neuf fois sur dix, le gagnant n'était pas favori au départ. Ce qui était logique. Chaque soi-disant favori avait son groupe de soutien rassemblé avec soin. Nombre d'entre eux se formaient peu de temps avant ou pendant le conclave, et il était rare qu'un groupe change de camp et accepte le candidat d'un autre. Autrement dit, l'homme qui finissait par être élu n'était jamais le favori de tout le monde.

Il n'était que le compromis sur lequel deux tiers des cardinaux pouvaient s'accorder.

Cela lui convenait parfaitement.

Il ne tenait pas à être le favori de qui que ce soit.

Contra mundum.

Contre le monde.

Sa devise.

Chatterjee revint après avoir terminé sa conversation. «Je vais m'occuper de notre espion américain.

– De quelle manière ?»

L'homme laissa échapper un rire. «Vous voulez vraiment le savoir ? Contentez-vous d'accepter que je sois à votre service, Éminence.»

Il sentit une nouvelle poussée de colère devant le ton condescendant de son interlocuteur. Mais ces dernières années lui avaient tout au moins appris un peu la patience.

«Et la femme ? demanda-t-il.

– J'y travaille aussi.

– Êtes-vous hindou ?

– Je suis athée.»

Il fallait qu'il se calme et qu'il fasse taire la rancœur grandissante qui commençait à bouillir en lui. Cette conversation n'avait aucun sens. Mais il avait besoin de savoir. «En quoi êtes-vous particulièrement qualifié pour répondre à mes besoins ?»

Chatterjee le toisa. «Je sais me battre, tirer et cela ne me dérange pas de tuer quelqu'un si cela se révèle nécessaire.

– Sommes-nous en guerre ?

– C'est à vous de me le dire, Éminence. Comme vous l'avez souligné, les gens cherchent *Nostra Trinità* depuis longtemps.

– Et que savez-vous exactement ?

– Pas mal de choses. J'ai un doctorat en histoire médiévale de l'université de York. Ma thèse portait sur Jérusalem à l'époque des Juifs, des musulmans et des chrétiens, du Ier au VIIe siècle, avec un accent particulier sur les fraternités européennes et leur effet sur l'occupation conjointe. L'Ordre souverain militaire hospitalier de Saint-Jean de Jérusalem, de Rhodes et de Malte en faisait partie. Je suis également assez bon pour ratisser les archives, les bibliothèques et les vieilles collections de journaux, et y voler ce qu'il me faut. Je n'ai aucune morale, ou très peu, et je n'hésiterai pas à faire ce qui sera nécessaire pour accomplir ma tâche. J'ai écrit un livre sur les Hospitaliers. Il ne s'est pas très bien vendu, mais il a attiré l'attention de certaines personnes également intéressées par les chevaliers.

– Pouvez-vous me donner quelques noms ? »

Chatterjee gloussa. « Je ne révèle aucun secret d'alcôve. Première règle dans mon domaine. »

Le cardinal voyait bien que cet homme cachait une intelligence retorse et inflexible sous une faconde émaillée de grossièretés soigneusement travaillées. En temps ordinaire, il ne perdrait pas de temps avec une telle arrogance. Mais rien dans cette situation n'était ordinaire.

Il prit quelques instants pour réfléchir en regardant le vol alerte d'une mouette, ailes déployées, qui, se laissant porter par les courants ascendants, partit en planant vers le large. Quelle sensation extraordinaire ce devait être, d'avoir si peu d'entraves. Il finit par se tourner vers Chatterjee. « Vous réalisez que le conclave commence dans un peu plus de vingt-quatre heures. On n'a pas de temps à perdre en bêtises.

– Et si je vous ouvrais l'appétit avec quelque chose que vous ignorez ? Une offrande marquant ma bonne foi, si vous voulez. »

On lui avait dit de se rendre sur la tour et que *tout lui serait expliqué.*

Il devait donc avoir confiance et croire que ce n'était pas une perte de temps.

« Je vous écoute. »

11

JUIN 1798

Napoléon Bonaparte ignora les échos des cris qui emplissaient les couloirs et admira le palais. Depuis deux cent vingt-cinq ans, de Grands Maîtres avaient vécu dans ces murs, arpentant les larges coursives de marbre, admirant les galeries de tableaux, festoyant dans la grande salle des banquets. Il y avait même un observatoire dans la tour au-dessus. Le bâtiment était tout en longueur, comme le Louvre, et comportait un étage. Ses murs étaient faits de deux parois et le vide entre elles avait été comblé avec des gravats, comme dans une forteresse, et une bonne centaine de mètres de sa façade élégante donnait sur la piazza dei Cavalieri, la place des Cavaliers.

Une terre sacrée, lui avait-on dit.

Jamais Maltais n'avait été autorisé à pénétrer sur cette place, ni dans le palais, sans un permis. Il avait déjà décidé de s'attirer les bonnes grâces des habitants en abolissant cette loi et en renommant la place « place de la Liberté ».

Une bonne initiative.

La prérogative du conquérant.

Il était ravi. Tout s'était parfaitement bien passé.

Il était arrivé de France un mois auparavant avec des centaines de bateaux et sept cent mille hommes, tous en partance à la conquête de l'Égypte. En chemin, il avait décidé de prendre Malte, et il était arrivé à La Valette trois jours auparavant. Depuis le pont de son vaisseau amiral dans le port, il avait été impressionné par les fortifications, la ville s'étageant en terrasses depuis le sommet de la colline, les bâtiments couleur miel empilés les uns sur les autres, semblant avoir été ciselés dans une seule pierre. Il avait été informé que les innombrables dômes et tours donneraient une touche exotique et il avait pu constater de ses propres yeux la vérité de cette affirmation.

Comment les chevaliers l'avaient-ils appelée ?

Humilissima Civitas.

La ville la plus humble.

On n'avait jamais vu autant de navires au large de la côte maltaise depuis le débarquement des Turcs en 1565. À cette époque, les chevaliers avaient été prêts à défendre jusqu'à la mort ce qu'ils considéraient comme leur île. Cette fois, l'envahisseur les avait pris par surprise. Heureusement, ses espions avaient prouvé leur valeur, identifiant seulement trois cent trente-deux chevaliers, dont cinquante étaient trop âgés pour combattre, tous sous-équipés et manquant d'un commandement fort. Le canon de la forteresse n'avait pas tiré un boulet depuis un siècle, la poudre avait moisi, le tir serait forcément défectueux. Puis, lorsque les chevaliers français, soit près de deux cents sur les trois cent trente-deux, refusèrent de combattre, tout se termina au bout de deux jours par une reddition totale, le Grand Maître renonçant d'un trait de plume à l'île et à toute souveraineté.

Il contempla à nouveau les murailles du palais.

Il ne restait pas grand-chose du grand héritage de l'île. De ses murs qui résonnaient et de ses vestibules déserts émanait plutôt un air de mélancolie, d'abandon. Qu'était-il advenu de tous ces Grands Maîtres ? Ces quelques privilégiés qui avaient failli un jour jouir du pouvoir absolu. Ils vivaient comme des rois, portant une couronne, recevant des ambassadeurs et envoyant des émissaires dans les cours étrangères. Ils entretenaient une troupe d'aumôniers et de médecins, des armées de domestiques, gardes-chasses, fauconniers, tambours, trompettes, valets, palefreniers, pages, perruquiers, remonteurs d'horloges, et même chasseurs de rats. Ils avaient des fonds illimités à leur disposition. Les papes et les empereurs se pliaient à leurs désirs.

Mais c'était terminé.

Une fois que la menace des infidèles de l'Orient déclina, les chevaliers se trouvèrent sans objectif. Ils ne firent plus que boire et s'affronter dans des duels, leur discipline légendaire se désintégrant littéralement. Plus personne ne parlait l'allemand ou l'italien. Quant aux autres langues, elles étaient menacées de disparition. L'institution avait perdu sa grandeur d'antan. Elle n'était plus qu'un refuge pour les jeunes gens de certaines familles privilégiées s'abandonnant à l'oisiveté. Pire encore, les révolutions en Europe, en particulier celle qui avait eu lieu en France, avaient causé la saisie de leurs terres, au point que, selon ses informations, les revenus des chevaliers avaient été amputés de près des deux tiers.

Maintenant, tout ce qu'ils possédaient appartenait à la France.

Il entendit un bruit de pas et se retourna. Un de ses aides de camp arrivait par le large couloir, les talons de ses bottes résonnant en écho sur les murs de marbre. Napoléon savait ce que l'homme voulait.

Ils l'attendaient dans la salle du Conseil suprême.

Il hocha la tête et le suivit dans le labyrinthe, entre les hauts murs nus, maintenant que toutes les tapisseries et tous les tableaux avaient été réquisitionnés par ses soldats et embarqués sur son vaisseau amiral avec le reste du butin. Ses hommes avaient pillé tant La Valette que le reste de l'île, emportant des armures, des instruments chirurgicaux en argent, des échiquiers en ivoire, des meubles, des coffres remplis de pièces et de lingots d'or. Même l'épée et la dague de Valette, ces trésors offerts à ce Grand Maître d'autrefois par le roi d'Espagne pour son courage pendant le Grand Siège, avaient été emportés.

Il avait tout pris.

*Son navire, l'*Orient*, était chargé de butin.*

Mais il n'avait pas trouvé ce qu'il était vraiment venu chercher, la seule chose qui pourrait se révéler plus précieuse que tout cet or et tout cet argent.

Il entra dans la grande salle. Tout au fond, à presque trente mètres, sur un dais surmonté d'un baldaquin en velours écarlate bordé d'une frange dorée se trouvait le trône du Grand Maître. Voici l'endroit où le Conseil suprême et le Chapitre général se réunissaient depuis des siècles, le cœur du pouvoir des chevaliers. Sur les murs couraient douze frises magnifiques qui racontaient le Grand Siège. Un mémorial dédié à une époque noble et sanctifiée. Une manière de s'assurer que le souvenir de ce moment de gloire ne s'efface jamais.

Il était capable d'apprécier ce genre de propagande.

La salle était vide, à l'exception d'une table sur tréteaux au centre. Un homme était assis devant, attaché à une chaise en bois, les mains posées à plat devant lui, un clou enfoncé dans chaque main pour les maintenir en place. Le pauvre hère était en tenue de nuit, à l'évidence soustrait au sommeil par ses soldats. Il gémissait, dodelinant de la tête, le menton dégoulinant de bave. Du sang coulait de ses blessures. Napoléon s'approcha. Il éprouva beaucoup de mal à respirer, tant était grande la puanteur environnante causée par le relâchement de la vessie et des boyaux du prisonnier.

« Vous vous infligez tellement de souffrance, et pour rien, dit-il. Votre chef vous a abandonné. »

Ce qui était vrai.

Ferdinant von Hompesch, le Grand Maître, avait cédé Malte sans se battre, ouvrant les portes de La Valette spontanément. Le serment de ne pas prendre les armes contre des chrétiens qu'avaient fait les chevaliers n'avait rien arrangé.

« Votre Grand Maître a pris la main de saint Jean et l'icône de la Vierge de Philerme, et il est parti, toutes voiles dehors. »

Napoléon vit la terreur grandir dans le regard de l'homme à mesure que celui-ci comprenait à quel point sa situation était désespérée.

« Avant le départ de Hompesch, cependant, j'ai retiré la bague de la main de saint Jean. » Il tendit son doigt. « Un joli bijou, que je vais garder. » Il haussa les épaules. « Que peut bien en faire un saint défunt ? »

Pas de réponse. Mais il n'en espérait aucune.

« Votre Grand Maître vous a laissé face à moi. Seul.

– Je... ne vous ai... rien dit. Je ne vous dirai... rien. »

Napoléon fit un geste de la main, et son aide de camp apporta un bol en céramique et le posa sur la table. L'Hospitalier torturé leva les yeux et sembla reconnaître les plantes qui se trouvaient dedans.

« Cela vient du rocher des Champignons, dit-il. On m'a parlé de ses propriétés curatives, alors je m'en suis fait apporter pour vous. »

Juste au large de la côte de Gozo, au nord de Malte, se trouvait un petit îlot calcaire. De toute éternité, ses flancs gris et nus étaient battus par les vagues écumantes. Sur ce rocher poussait une plante rabougrie, inconnue partout ailleurs dans le monde. Il avait entendu des histoires sur ses qualités astringentes, sur le fait qu'elle pouvait faire cesser une hémorragie lorsqu'on la plaçait en emplâtre sur une plaie. Cinquante années auparavant, un Grand Maître avait mis le rocher sous contrôle militaire et posté des gardes, de manière à ce que la plante soit réservée aux chevaliers. Toute violation de la loi était punie de trois ans passés à ramer sur une galère. Napoléon avait pour projet de mettre fin à cette interdiction tout à fait égoïste, après avoir fait d'amples provisions de la fameuse plante.

« Vous sentez ? » demanda-t-il.

L'odeur était forte, âcre, et se mêlait d'une manière désagréable aux effluves nauséabonds des déjections de l'homme. Il avait très envie de sortir un mouchoir et d'y enfoncer son nez, mais il se ravisa. Un général en chef ne recule jamais.

« Dites-moi ce que je veux savoir et le cataplasme pourra apaiser votre souffrance », dit-il.

Pas de réponse.

« Vous n'avez pas trahi votre serment, vous n'avez rien révélé. Je dois l'admettre, c'est fort admirable. Mais votre vie de chevalier de Malte est terminée. L'Ordre lui-même est terminé. Il n'est plus besoin de tenir votre promesse. Soulagez votre souffrance et dites-moi où je peux trouver Nostra Trinità. *»*

L'homme écarquilla les yeux à l'évocation de ce nom.

« Comment... êtes-vous... informé de ça ?

– Son existence n'est pas un secret pour l'Église et certains cardinaux sont au courant. Ils m'en ont parlé, ou du moins, m'ont dit ce qu'ils savaient. Je suis intrigué et curieux. Alors, oubliez votre serment et dites-moi où elle est cachée. »

Le chevalier secoua la tête. « Les serments... sont tout... ce qui nous reste. »

La tête de l'homme retomba sur la table.

Napoléon ne pouvait qu'imaginer la souffrance infligée par les clous. Il s'approcha et remarqua la bague sur la main droite.

Et les lettres.

SATOR
AREPO
TENET
OPERA
ROTAS

Il se pencha et retira le bijou du doigt du prisonnier.

L'homme leva la tête à cette violation. « Elle... ne vous... appartient pas. »

Napoléon dévisagea longuement l'homme au regard éperdu de douleur. « On m'a parlé de cette bague aussi. Le signe de Constantin. Le symbole de vos Secreti. *Une fraternité honorée depuis longtemps. » Il laissa durer l'effet de la louange puis annonça : « Je suis venu chercher les Fondements de Constantin. Ne vous méprenez pas, cher chevalier ; selon que je les obtiens ou non, vous aurez la vie sauve, ou non. »*

Kastor dévisagea Chatterjee. « Comment savez-vous tout cela ?

– Comme je l'ai dit, Éminence, je travaille depuis un certain temps sur ce dossier. »

Lui aussi, en écumant la bibliothèque du Vatican. En tant que préfet de la Signature apostolique, Kastor avait eu accès aux parties fermées des archives que l'on disait secrètes uniquement parce qu'une autorisation papale était exigée pour les consulter. Il avait judicieusement utilisé son temps à explorer ces dossiers, apprenant tout ce qu'il pouvait sur *Nostra Trinità*.

Notre Trinité.

« Napoléon est venu à Malte chercher le précieux bien des Hospitaliers, dit Chatterjee. Ce chevalier avec les mains clouées sur la table n'a jamais rien révélé. J'ai lu des récits de son héroïsme dans de vieux documents. Ceux qui dorment dans des greniers, ou dans des caves, oubliés de tous, dont personne ne sait s'ils racontent la vérité ou une fiction. Pour finir, Napoléon a transpercé l'homme en pleine poitrine, ce qui a couvert le sol de la salle du Conseil suprême de tout le sang que son cœur a pu déverser avant de mourir.

– Ce qui veut dire que Napoléon n'a absolument rien appris.

– Ai-je dit une chose pareille ? »

Maintenant, Kastor était intrigué.

« Seriez-vous en train de dire que nous pouvons la trouver ? »

Chatterjee sourit.

« Il nous faut partir.

– Où allons-nous ?

– Quelqu'un veut vous parler.

– Je croyais que vous étiez la personne que j'étais censé voir.

– Je n'ai jamais dit ça, Éminence. Vous l'avez supposé. »

Effectivement.

« Un conseil, ajouta Chatterjee, ne supposez rien. Cette posture vous rendra service dans les heures qui viennent. »

12

Cotton entra au Four Seasons à Milan. Il avait couvert les cinquante kilomètres depuis le lac de Côme en un peu plus d'une heure.

Sa montre indiquait presque 13 heures.

Il ressassait toujours la perte des documents.

Ce n'était pas son style d'échouer.

Avant de monter dans l'avion au Danemark, il avait effectué une petite recherche. Il semblait unanimement admis que toutes les lettres hypothétiquement échangées entre Churchill et Mussolini avaient révélé que Churchill cherchait soit à empêcher une alliance de l'Italie avec l'Allemagne, soit à y mettre fin. Après avoir conquis l'Éthiopie en 1936, Mussolini avait ouvertement souhaité raviver son amitié avec la Grande-Bretagne. Personnellement, il n'appréciait pas Hitler et ne voulait pas voir l'Europe tomber sous l'influence de l'Allemagne. Mais les Britanniques pensaient qu'apaiser Hitler, et s'opposer à Mussolini, était la meilleure stratégie, alors ils repoussèrent ses avances. Il fallut attendre 1938 et les accords de Munich. Mais à ce stade, il était trop tard. L'Italie avait déjà choisi le camp d'Hitler.

Les spéculations des historiens sur le contenu des échanges épistolaires entre Churchill et Mussolini allaient bon train. Malheureusement, Malone n'avait pu lire aucune des lettres contenues dans le porte-documents. Il avait prévu de le faire une fois qu'il aurait été de retour à son hôtel à Menaggio, même si les Britanniques lui avaient solennellement demandé de ne pas céder à une telle curiosité.

Il avait réussi à remplacer son pneu crevé par la roue de secours fournie avec la voiture de location, et il avait atteint Milan sans encombre. L'homme qui l'avait embauché l'attendait dans une salle à manger élégante et ensoleillée qui donnait sur une cour intérieure. Son nom était sir James Grant, actuellement membre du MI6, le célèbre service du renseignement britannique. Avant-hier encore, il n'avait jamais entendu parler de Grant, un gentleman raffiné et élégant d'environ cinquante-cinq ans, dont les yeux noirs étaient sans expression, une caractéristique typique des espions professionnels. Il remarqua que Grant portait le même costume trois-pièces bleu marine à trois boutons que la veille. Cotton avait appelé pour dire qu'il arrivait avec une histoire intéressante, informant spécifiquement son employeur de la présence de deux cadavres à la villa.

Cet hôtel de Milan, un ancien couvent situé au cœur du quartier commerçant à la mode, était impressionnant. Apparemment, l'indemnité journalière des services secrets britanniques était bien plus généreuse que celle du ministère de la Justice américain. Il entra dans la salle à manger, s'assit à la table et expliqua plus en détail ce qui s'était passé.

Grant rit en entendant l'épisode de l'ours. « Voilà une histoire inédite. Cela fait vingt ans que je suis dans la profession et je n'ai jamais eu un agent dans une telle situation.

– Le porte-documents était-il vraiment en peau d'éléphant ? demanda Malone.

– On dit que c'est Mussolini lui-même qui a abattu l'animal. D'après vous, il se trouvait combien de pages à l'intérieur ?

– Une cinquantaine. Mais seulement onze lettres. Je suis désolé de les avoir perdues. Celui qui se trouvait là voulait la serviette.

– Après votre appel, tout à l'heure, j'ai envoyé un homme enquêter. Il a trouvé le corps dans la villa, comme vous l'avez décrit. Apparemment, il s'agit du gardien de la villa. Nous avons aussi retrouvé le mort à l'étage. Deux balles et un bras déchiqueté. Vraiment horrible, a dit mon agent. Ensuite, il a découvert le propriétaire, pendu à un arbre dans les bois, au nord de la villa. » Grant marqua une pause. « Il avait les bras tirés dans le dos, les épaules disloquées, une balle dans la tête. »

Cotton s'installa plus confortablement. « Avez-vous identifié l'homme qui m'a attaqué ?

– Pas encore. Ses empreintes digitales ne sont répertoriées dans aucune base de données. Ce qui est inhabituel, à tout le moins. Mais nous saurons bientôt qui il est. » Grant désigna une assiette de viennoiseries posée sur la table. « Je vous en prie. Servez-vous. Je les ai commandées au cas où vous auriez faim. »

Malone comprit la tentative de diversion, une manière d'infléchir la discussion vers un autre sujet.

Stéphanie Nelle était coutumière de cette tactique. Mais comme il avait faim, il se servit en croissants. Un garçon approcha d'un pas nonchalant et il lui commanda un jus d'orange.

« Des oranges pressées, s'il vous plaît, précisa-t-il.

– Bien entendu. »

Il sourit. Parfait. Grâce à sa mère, qui l'avait vivement découragé d'en consommer, il n'aimait ni l'alcool ni le café. Mais il adorait le jus de fruits fraîchement pressés, surtout de ces oranges espagnoles acidulées à souhait.

Le meilleur.

La bague pesait dans sa poche. Il décida de pratiquer lui aussi la dérobade et de garder la chose pour lui tandis qu'il évaluait ce que ce Britannique évasif savait de plus que lui. Mais il décida de lui révéler une information. « Il y avait onze lettres échangées entre Churchill et Mussolini. Cinq d'entre elles devaient vous être vendues. Peut-être les six autres avaient-elles été proposées à un autre acheteur. Le vendeur voulait obtenir de vous cinq millions d'euros. Et il en espérait probablement plus de l'autre acquéreur. Alors vous avez tous les deux décidé qu'il était plus économique de les voler.

– Je l'admets, on s'est joué de nous. Je ne devrais pas en être surpris. La réputation du vendeur le précède, et de loin. »

Malone mangea une autre viennoiserie et désigna l'assiette. « Ils sont bons.

– Connaissez-vous l'histoire du croissant ? » demanda Grant.

Nouvelle dérobade.

Il accepta de jouer le jeu et secoua la tête.

« En 1686, un boulanger travaillait soi-disant toute la nuit pendant que les Turcs faisaient le siège de Vienne. Il entendit des grondements souterrains, sous sa boutique, et alerta les autorités. Ils découvrirent que des Turcs tentaient de creuser un tunnel pour passer sous les murs de la ville. Bien entendu, le tunnel fut promptement détruit. En guise de récompense, le boulanger demanda qu'on lui attribue à lui seul le droit de fabriquer des petits pains en forme de croissant commémorant l'incident, le croissant étant le symbole de l'islam. Un pain que les masses pourraient manger, pour ainsi dévorer l'ennemi. Voilà comment naquit le croissant. »

Cotton en beurra un quatrième.

« Pendant la récente guerre civile en Syrie, poursuivit Grant, les fondamentalistes islamiques interdirent aux musulmans de manger des croissants. Ils citaient l'histoire que je viens de vous raconter comme argument. Il n'était pas question d'accepter un symbole qui célébrait une défaite des musulmans.

– Vous savez que cette histoire de croissant, c'est de la connerie. »

Grant rit. « Sans aucun doute. Une fiction totale. Mais elle est jolie. Tout comme l'histoire selon laquelle Winston

Churchill aurait voulu vendre la Grande-Bretagne pendant la Seconde Guerre mondiale. Elle est jolie. Séduisante. Mais elle n'est pas vraie non plus.

– Alors pourquoi étiez-vous prêts à payer une fortune pour récupérer ces lettres ?

– La famille Churchill est lasse d'entendre des mensonges. Notre espoir était qu'en les reprenant on classerait l'affaire. »

Malone réfléchit un bon moment à ce qu'il venait d'entendre, repensant à ce que Matthieu disait de la naïveté dans la Bible. *Voici, je vous envoie comme des brebis au milieu des loups. Soyez donc prudents comme des serpents, et simples comme des colombes.* Les Proverbes étaient instructifs, eux aussi. Les simples ont en partage la folie. *Et les hommes prudents se font de la science une couronne.*

Rien de plus vrai.

« Ces mensonges sur Churchill ont plus de soixante-dix ans », remarqua-t-il.

Le garçon revint avec son jus d'oranges et il savoura quelques gorgées pleines de douceur et de sucre.

« À l'évidence, fraîchement pressées.

– Nous sommes au Four Seasons, dit Grant. À quoi vous attendiez-vous donc ? »

Le serveur repartit.

« Je suppose que celui qui m'a embauché est honnête, fit remarquer Malone. Trois types sont morts. Vos lettres se sont envolées. Pourtant, vous ne manifestez pas la moindre inquiétude. Ce qui signifie, soit que les lettres n'ont aucune importance, soit que vous courez après autre chose. Soit, les deux. Je choisis la troisième option. Et vous, laquelle choisissez-vous ? »

Pas de réponse.

Il était temps de sortir son atout.

Il prit la bague dans sa poche et la posa sur la table. Grant la contempla un moment avant de la prendre pour l'examiner de près.

SATOR
AREPO
TENET
OPERA
ROTAS

Cotton se pencha vers lui. «Je l'ai prise au mort dans la villa, celui qui m'a attaqué.

– Et c'est un détail que vous n'avez pas mentionné immédiatement.»

Malone attrapa un cinquième croissant. «Ouais, je l'ai remarqué, moi aussi.

– Vous l'avez enlevée sur le cadavre ? demanda Grant.

– Je suis curieux de nature.»

Grant sourit. «Je suis sûr que vous avez observé que les mots peuvent être lus de la même manière dans toutes les directions. De bas en haut, de haut en bas, de gauche à droite et de droite à gauche. C'est un palindrome. *Sator. Arepo. Tenet. Opera. Rotas.*

– Pouvez-vous traduire ? Mon latin est un peu rouillé.

– Dans sa forme la plus pure, *sator* veut dire fermier, planteur, créateur. *Arepo* ? Inconnu. Ce n'est pas un mot latin. *Tenet* signifie tenir, garder, préserver. *Opera*, c'est le travail, l'effort, l'acte. *Rotas* ? Les roues.»

Malone assembla les mots.

Le fermier Arepo travaille des roues.

«Cela n'a aucun sens, fit-il.

– Le sens de ces mots fait l'objet de débats depuis des siècles. Personne n'a jamais proposé d'hypothèse convaincante. Ce que nous savons, c'est que ce palindrome a été autrefois l'insigne personnel de Constantin Ier.»

Il se remémora quelque chose de similaire datant de quelques années.

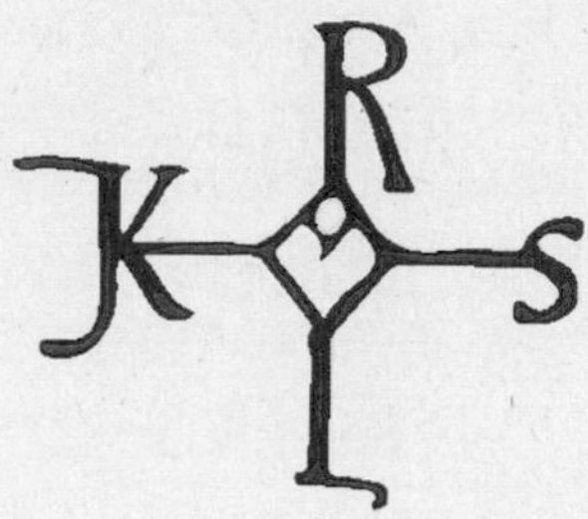

Le monogramme de Charlemagne. Une marque d'identité royale, généralement construite en combinant des initiales. Lorsque Charlemagne avait été couronné empereur d'Occident, le pape lui avait attribué un nom composé d'un seul mot.

Carolus.

Charles le Grand.

Et un monogramme avait été dessiné autour de ce nom.

Celui de la bague paraissait bien plus complexe, et il datait de quatre cents ans avant Charlemagne.

« Que savez-vous de Constantin ? » demanda Grant.

Sa mémoire eidétique contenait quelques détails. Constantin avait régné sur l'Empire romain au IVe siècle, en l'emportant sur tous ses rivaux, et avait unifié l'empire sous une seule tête. Il avait fondé une nouvelle capitale sur le Bosphore, où l'Europe rencontrait l'Asie, qui devint Constantinople, une ville distincte de Rome. Elle allait donner naissance à la culture byzantine. Il fut également le seul dirigeant romain à avoir *le Grand* attaché à son nom.

Malone montra la bague. « Il y a un dessin à l'intérieur. »

Grant l'examina. « La croix de Malte à huit pointes.

– Est-ce qu'on pourrait commander du bacon ? »

Malone avait plus faim qu'il ne l'avait cru.

« Tout ce que vous voulez », répondit Grant.

Il lui fallait du temps pour réfléchir ; un nouveau plat pourrait le lui donner. « Du bacon et des œufs, ce serait formidable. Bien cuits, les œufs. Je déteste quand ils sont coulants.

– Je suis tout à fait d'accord. Même si en tant qu'Anglais je trouve cette préférence étrange. »

Grant fit signe au garçon et passa commande, puis revint à Malone et le regarda droit dans les yeux. « Et si on arrêtait les faux-fuyants ? »

Cotton acquiesça ; il était temps de tomber le masque. « Vous m'avez payé une somme obscène, puis vous m'avez envoyé sur le site sans me briefer, juste pour voir ce qui se passerait.

– Et si c'était effectivement le cas ?

– Si j'étais encore agent du ministère de la Justice, je vous démolirais de mes propres mains.

– Et maintenant que vous êtes à la retraite ?

– Je pourrais toujours le faire. »

Après cette dernière phrase, Malone laissa le silence s'installer, gardant les yeux fixés sur la paroi vitrée qui les séparait de l'espèce de cloître au cœur de l'hôtel. Puis il revint au Britannique. « Je vais manger le petit déjeuner qui m'est offert, prendre mes cinquante mille euros et rentrer chez moi. Cette affaire n'a rien à voir avec moi.

– Que savez-vous des chevaliers hospitaliers ? Ou, comme on les appelle aujourd'hui, les chevaliers de Malte ?

– Pas grand-chose.

– Heureusement, ce n'est pas mon cas. »

***

Aux alentours de 1070 un petit groupe de marchands amalfitains fonda l'hospice de Saint-Jean l'Aumônier près de l'église du Saint-Sépulcre à Jérusalem. C'étaient de bons samaritains, brancardiers pour les pèlerins qui avaient survécu au pénible voyage jusqu'à la Terre promise. Ils finirent par construire des hôpitaux partout sur le territoire conquis par les croisés. En 1113, le pape Pascal II leur accorda la légitimité papale, leur habit caractéristique – une tunique noire avec un capuchon, une croix à huit pointes en tissu blanc accrochée sur le côté gauche de la poitrine. En 1150, ils étaient devenus des moines-soldats, chevaliers errants de la Croix, appartenant à l'Ordre de l'hôpital de Saint-Jean de Jérusalem.

Leur premier devoir demeura toujours l'assistance aux malades, mais le second était tuitio fidei. *La défense de la foi. Les parents intéressés inscrivaient leur enfant à leur naissance et payaient une somme considérable. Ils étaient admis à l'âge de dix-huit ans. Pour être éligible, le jeune homme devait être fort, bien bâti, et assez solide pour supporter la vie de soldat. Et sa généalogie devait être parfaite.*

Au début, il suffisait que le candidat fût l'enfant légitime d'une famille noble. Au XIVe siècle, cette disposition s'était durcie ; les deux parents devaient appartenir à la grande bourgeoisie terrienne. Cent ans plus tard, les candidats devaient établir la preuve de leur noblesse sur quatre générations d'ancêtres masculins. Enfin, au XVIe siècle, les quatre grands-parents devaient être de noble naissance. Les frais de scolarité correspondant à ce qu'il fallait pour faire vivre un chevalier pendant un an en Terre sainte devinrent le montant de l'initiation. Une fois consacré, chaque chevalier recevait une formation d'un an, puis jurait de garder la foi, de se repentir de ses péchés, et de vivre dans l'humilité en demeurant miséricordieux, sincère, dévoué, et suffisamment brave pour endurer la persécution.

Avec la chute de la Terre promise en 1291, l'époque du moine-chevalier se termina. Les Templiers ne survécurent pas à ce changement et disparurent en 1307. Les Hospitaliers s'adaptèrent, gardant leur première mission de charité mais en évoluant ; leur force de cavalerie basée sur terre évolua en puissance maritime. Ils conquirent Rhodes en 1310. Puis ils devinrent l'Ordre des chevaliers de Rhodes et trouvèrent une nouvelle raison d'être.

Tenant à distance à la fois les Ottomans et les corsaires.

Après la chute de Constantinople en 1453, Rhodes devint le dernier avant-poste de la chrétienté à l'Est. Les chevaliers jouaient le rôle de tampon entre le monde occidental chrétien et les infidèles de l'Est. Leurs navires de combat et leurs galères dominaient la Méditerranée, leur croix blanche sur fond rouge semant la terreur chez leurs ennemis.

Les membres s'organisèrent en huit « langues », groupements régionaux de prieurés, la Provence, l'Auvergne, la France, l'Italie, la Castille, l'Angleterre, l'Allemagne et Aragon, qui représentaient les grandes divisions politiques de l'époque. Elles étaient elles-mêmes subdivisées en bailliages et commanderies. Les langues disposaient chacune d'une « auberge » dédiée aux réunions, aux repas pris en commun ainsi qu'à l'hébergement. Cependant, les rivalités nationales traditionnelles ne s'atténuèrent jamais et conduisirent à des conflits de régiment entre les langues, mais la discipline impitoyable qui leur était imposée avec une poigne de fer finit par réunir les langues en une force de combat coordonnée, resserrée.

En 1522, les Turcs réussirent à reprendre Rhodes.

Les chevaliers chargèrent leurs navires et partirent, pour dériver sept années durant. En 1530, Charles V d'Espagne leur accorda Malte, et ses douze mille habitants, en échange d'un seul faucon, qui devait être offert chaque année au vice-roi de Sicile le jour de la Toussaint.

L'île n'était pas franchement une bonne affaire. Un bout de calcaire de sept lieues de long et quatre de large. Son sol caillouteux ne convenait guère à des cultures autres que le coton, les figues, les melons et quelques autres fruits. Le miel était sa principale exportation et son principal titre de gloire. La seule eau potable provenait de la pluie, ou de quelques sources près du centre de l'île. Le bois était si rare que les gens de l'île cuisinaient sur des feux de bouse séchée au soleil. La côte sud était tout l'opposé, offrant de nombreux ancrages, y compris deux ports naturels convenant à n'importe quelle flotte. Ce qui était parfait, puisque les chevaliers étaient un ordre maritime. Mais le don de cette île n'était pas seulement gratuit. Charles avait l'intention de les voir employer leurs forces et leurs armes contre les perfides ennemis de

re souverain militaire
civiques et d'impôts,
pape.

l'Ordre souverain
Jérusalem, Rhodes
re de chevalerie au
à Rome. La croix à
r emblème. Quatre
tre, chaque pointe
les quatre flèches
ce, le courage et la
pureté. »
con de Cotton, qui
de Grant. « A-t-elle

remarquant que les
rs, le mort serait un

une gorgée de café. « Vous ne me croirez peut-être pas, mais j'espérais sincèrement qu'il ne s'agissait que des lettres. Une partie de moi voulait que ce soit simple. Mais dans ce genre d'affaires, rien n'est jamais simple. » Grant marqua une pause. « Les Hospitaliers possèdent la collection la plus importante, la plus complète au monde des écrits et objets personnels de Mussolini. Ils en font l'acquisition en secret depuis des dizaines d'années. Drôle d'obsession, ne trouvez-vous pas ? Mais ils refusent de confirmer ou de nier la chose. Comme ils se plaisent à le dire, ce qu'ils possèdent éventuellement ou non est une affaire privée.

– Comme si cela allait arrêter le MI6. » Mais il reliait bien les points entre eux. « Vous pensez que les Hospitaliers étaient ceux qui cherchaient à récupérer les lettres de Churchill ? »

Grant plongea la main dans la poche intérieure de sa veste et sortit un téléphone portable. Il appuya sur l'écran, puis le tendit à Cotton, qui vit un homme pendu à une corde, les bras retournés vers l'arrière, le cou tordu dans la mort.

Cotton lui rendit l'appareil. « Le propriétaire de la villa ? »

Grant hocha la tête. « Quand les croisés ont envahi la Terre sainte, les Hospitaliers sont devenus une bande de brutes. Ils combattaient un ennemi tel qu'ils n'en avaient jamais vu. Les Arabes étaient durs, acharnés et sans merci. Pour montrer à leur adversaire qu'ils pouvaient rivaliser, ils inventèrent de nouvelles tortures et de nouveaux châtiments. » Grant agita son téléphone. « L'un d'eux consistait à suspendre leur prisonnier de cette manière. C'est devenu leur marque de fabrique. Alors oui, je pense que les chevaliers de Malte sont impliqués. »

Cotton continua à déguster son petit déjeuner, attendant le point d'orgue.

« Nous avons besoin de quelqu'un qui n'appartienne pas à nos services pour creuser cette affaire, dit Grant. C'est la raison pour laquelle j'ai engagé l'un des meilleurs agents du renseignement au monde. »

Malone sourit. « Et maintenant, vous me léchez le cul.

– Je me contente de dire la vérité. Vous savez, n'est-ce pas, qu'il y a des gens du MI6 qui vous en veulent toujours ? »

Il savait à quoi Grant faisait allusion. Un incident qui impliquait son fils, Gary, et un ancien chef du renseignement britannique. « J'ai fait ce que j'avais à faire.

– Ce qui est exactement la raison pour laquelle je vous veux sur cette affaire. J'ai un gros problème, Cotton.

Qui est peut-être bien plus important que je ne l'avais cru au départ. J'ai besoin de votre aide. Je double vos émoluments. »

La proposition était alléchante, et par chance, il avait quelques jours devant lui. Mais il voulait en savoir davantage. « Qu'attendez-vous de moi ?

– Que vous preniez contact avec les chevaliers de Malte. » Grant posa la bague sur la table. « Commencez par essayer de savoir pourquoi le mort de la villa portait ceci. Ensuite, découvrez tout ce que vous pourrez sur leur collection Mussolini. Et je ne veux pas savoir comment vous atteignez cet objectif. »

Ce qui signifiait qu'il n'était pas obligé de respecter le code pénal local. Mais Malone voulut en avoir le cœur net. « C'est tout ce que vous me donnez ? C'est franchement vague.

– Je vous demanderai de m'accorder le luxe de garder pour moi les autres informations tant que je ne me suis pas assuré de quelques petits détails. Il est possible que ce ne soit rien du tout. Que nous soyons sur une mauvaise piste.

– Mais nous cherchons quoi ? »

Grant ne répondit pas.

Malone haussa les épaules. « OK. Pour cent mille euros, je peux être un bon chien d'arrêt. Je vais flairer un peu partout et je verrai où cela me mènera.

– Excellent. Avec un peu de chance, j'aurai très bientôt des éclaircissements que je pourrai partager avec vous.

– Puis-je au moins savoir ce que vous attendez ?

– La résolution d'un problème à Malte. »

13

Kastor sortit de la voiture.

Il avait effectué le trajet de la tour de Madliena avec Chatterjee, sur la grande route côtière du Nord, jusqu'à la ville de Saint-Paul. Autrefois, c'était un village de pêcheurs endormi, sur l'un des endroits de la côte les plus faciles pour accoster. Aujourd'hui, c'était un lieu touristique à la mode, dont les bâtiments en béton sans caractère abritaient une multitude de restaurants, cafés, boutiques, et dont les hôtels grand public et les appartements quelconques étaient habités toute l'année.

Il aperçut au-dessus l'une des tours de guet, montant la garde sans faillir. Elle datait de 1610 et avait été créée par Wignacourt, un Grand Maître, qui en avait bâti six face à la mer. Il avait entendu parler du célèbre Français. chevalier toute sa vie, y compris pendant le Grand Siège, c'était une figure populaire auprès des Maltais, ce qui était rare pour les Grands Maîtres. Le viaduc qu'il avait construit avait distribué l'eau à La Valette jusqu'au XIe siècle.

Dans la baie paisible, les bateaux dansaient à l'ancre, si nombreux qu'ils formaient comme un tapis sur l'eau. Au-delà, il repéra la petite île sur laquelle les croyants pensaient que saint Paul lui-même avait accosté. Quelle légende ! En 60 après J.-C., deux cent soixante-quinze prisonniers étaient emmenés vers Rome pour y être jugés, y compris Paul. Leur navire fut très endommagé dans une terrible tempête et dériva pendant deux semaines avant de se briser juste au large de la côte. Alors qu'ils ne savaient pas nager, tous les prisonniers, par miracle, réussirent à toucher terre. La Bible elle-même raconte l'événement, notant qu'*une fois sauvés, nous reconnûmes que l'île s'appelait Malte. Les barbares nous témoignèrent une bienveillance peu commune ; ils nous recueillirent tous autour d'un grand feu.* D'après l'histoire, pendant que Paul était à terre, un serpent venimeux le mordit mais il survécut, ce que les habitants prirent pour la preuve qu'il n'était pas un homme ordinaire.

Effectivement, ce n'était pas un homme ordinaire.

Plutôt un brillant rebelle.

Comme lui.

Kastor se trouvait devant une église impressionnante, l'une des trois cent soixante qui existaient sur l'île. C'était un grand édifice d'ocre brûlée, orné d'une flèche gracieuse et d'une jolie coupole, qui contrastait avec la grisaille de la rue ombragée. En trente ans, elle n'avait guère changé. Quand il était jeune prêtre, dans sa première paroisse, il y avait dit la messe de nombreuses fois. Il remarqua que les deux mêmes pendules demeuraient dans la flèche. L'une réelle, l'autre en trompe-l'œil, installées là par des habitants excessivement superstitieux pour, prétendait-on, tromper le diable lorsqu'il venait collecter les âmes.

Chatterjee et lui entrèrent par les portes principales. À l'intérieur, le même plafond bas supporté par des arches, tout en sobriété, où les ombres étaient les uniques ornements. Une seule silhouette se tenait à côté du premier rang.

« Venez, mon ami. Je vous en prie. Nous avons tant de choses à nous dire. »

Un homme âgé de grande taille, corpulent, au ventre imposant, descendit d'un pas ostentatoire l'allée centrale. Il était doté d'une solide constitution et avait des cheveux épais d'un blanc très pâle et un visage rond encadré par des rouflaquettes blanches hirsutes. Sa peau était zébrée de veines jaunes et violettes, peut-être les traces laissées par des années de consommation de tabac.

Danjel Spagna.

Les quelques fois où Kastor l'avait vu au Vatican, Spagna portait la soutane noire, la calotte violette et la croix pectorale en argent de l'archevêque. Aujourd'hui, il était en civil, et rien ne trahissait son statut d'ecclésiastique.

Kastor ne l'avait jamais rencontré en personne, il ne connaissait que les rumeurs répandues sur son compte.

La presse parlait généralement du Vatican, mais le Saint-Siège n'était pas l'État de la Cité du Vatican. Ce dernier n'était devenu territoire souverain qu'en 1929 à la suite du traité de Latran. Il consistait en chapelles, halls, galeries, jardins, bureaux, appartements et musées. Le Saint-Siège, le siège épiscopal de Rome et du pape, remontait au Christ, et était une entité souveraine indépendante qui ne cessait pas d'exister lors de la mort d'un pontife. Le Saint-Siège agissait et parlait au nom de l'ensemble de l'Église, et entretenait des relations diplomatiques avec cent quatre-vingts nations. Les ambassadeurs étrangers étaient officiellement accrédités non pas auprès de l'État du Vatican, mais auprès du Saint-Siège. Le pape était son chef incontesté, mais le Saint-Siège était administré par la curie, avec le secrétaire d'État agissant comme Premier ministre, une sorte d'interface entre les deux mille et quelques employés et le pape. Une vieille plaisanterie remontait à Jean XXIII. Quand on lui avait demandé combien de personnes travaillaient au Vatican, il avait lancé malicieusement : « Environ la moitié. »

Comme dans toute autre nation, la sécurité avait toujours été un enjeu majeur.

L'agence la plus secrète au sein du Saint-Siège existait depuis le XVIe siècle, et avait été créée spécifiquement par Pie V pour mettre fin à la vie d'Elizabeth Ire, reine protestante d'Angleterre, et aider sa cousine catholique, Marie, reine d'Écosse, à accéder au trône. Bien qu'elle eût failli dans cette mission, la Sainte Alliance au départ fondée pour lutter contre l'hérésie sous toutes ses formes avait toujours aidé les papes à traverser schismes, révolutions, dictatures, persécutions, attaques, guerres mondiales et même tentatives d'assassinat. Au XXe siècle, elle avait changé de nom pour prendre celui d'Organisme.

Son mot d'ordre ?

Par la Croix et par l'Épée.

Le Saint-Siège n'avait pas une seule fois reconnu son existence, mais ceux qui étaient au courant le considéraient comme la plus ancienne agence de renseignement du monde, et l'une des meilleures. Un modèle de confidentialité et d'efficacité. Respectée, crainte, chapeautée depuis trente-six ans par l'archevêque Danjel Spagna.

Le chef des services secrets du pape.

Spagna, qui était belge, s'était fait remarquer par Jean-Paul II quand, jeune prêtre, il avait appris que le Vatican était peut-être truffé de micros. Huit appareils d'écoute furent découverts à l'intérieur du Palais apostolique, tous d'origine soviétique. Le monde ne le sut jamais, mais le pape reconnaissant éleva Spagna au rang de chapelain de Sa Sainteté et lui confia l'Organisme. Alors il devint l'émissaire personnel du pape, un intermédiaire entre Rome et Varsovie, effectuant de nombreuses visites clandestines en Europe de l'Est. Certains prétendirent que c'était lui qui travaillait secrètement avec les Américains pour contribuer à démanteler l'Union soviétique, faisant transiter les informations entre Washington et le Vatican. Mais à nouveau, rien ne fut jamais confirmé ou infirmé. Après la chute de l'Union soviétique, Spagna fut nommé archevêque et se vit donner le contrôle opérationnel total sur l'Organisme. Un cardinal était placé à sa tête à titre honorifique, mais c'était Spagna qui faisait tourner l'agence au quotidien. Il n'y avait jamais la moindre publicité autour de son nom. Jamais de scandale, de controverse. Jean-Paul II avait toujours su s'entourer des meilleurs, et Spagna avait peut-être bien été le plus fort d'entre eux. Il avait même un surnom.

Domino Suo.

Son Maître.

« Qu'attendez-vous de moi ? demanda Kastor. J'ai travaillé longtemps au Vatican, et nous ne nous sommes pas une seule fois adressé la parole.

– Ne soyez pas offensé, dit Spagna, dont les yeux avaient la couleur du plomb. Je ne parle à un cardinal, un rapace rouge comme je les appelle, que lorsque c'est absolument nécessaire. Ils m'ignorent et je les ignore. En revanche, vous, je vous ai étudié en détail. » Les lèvres de Spagna se déformèrent en un sourire ironique. « Vous êtes né et vous avez grandi sur ce rocher aride. Un vrai Maltais. Il n'en reste pas beaucoup dans ce monde. Vous avez dit la messe ici même, dans cette église, quand vous étiez jeune prêtre, à l'époque où vous étiez un débutant tout frais émoulu – et discret. »

Kastor perçut la pique.

« Vous avez des références académiques provenant des institutions les plus prestigieuses. Preuve de votre intelligence supérieure. Vous êtes beau, photogénique et vous vous exprimez bien. Toutes ces qualités sont rares chez vos collègues cardinaux. De multiples manières, vous êtes presque trop bien pour être vrai. Cela a éveillé ma curiosité. Alors, j'ai pris le temps de creuser. » Spagna pointa un index. « C'est là qu'on apprend la vérité sur les gens. »

Kastor acquiesça.

« J'ai parlé avec l'une des sœurs qui vous a élevé. C'est une vieille dame aujourd'hui, qui a pris sa retraite au Portugal, mais elle se souvient de vous à l'orphelinat. C'est drôle comme certaines choses peuvent rester gravées dans la mémoire. » À nouveau, il brandit son index. « Vous êtes resté gravé dans la sienne. Elle m'a raconté une histoire sur le festival de Notre-Dame-des-Lys. Chaque village dans cette île organise au moins une grande célébration chaque année. Des festivités remarquables, à ce qu'on me dit. Une bien jolie tradition. Vous aviez treize ans, je crois. Cette nonne vous a regardé voler trois *pasti* chez un des vendeurs ambulants. Le propriétaire n'a absolument rien vu. Mais elle, si. *Halliel ftit*, vous a-t-elle appelé. Petit voleur. »

Kastor ne dit rien.

« Elle m'a tout raconté. Que vous avez pris les gâteaux, que vous êtes parti et que vous les avez dévorés comme un voyou. Curieusement, à l'orphelinat, toutes les sœurs savaient que vous aimiez voler. Étiez-vous au courant ? »

Non, il l'ignorait.

« Certaines voulaient vous punir. Mais la mère supérieure l'a interdit. »

Kastor fut surpris par cette marque de générosité. Il se souvenait que cette vieille dame grincheuse était d'une dureté épouvantable.

« La vieille nonne m'a dit que la mère supérieure voulait voir jusqu'où vous iriez, dit Spagna. Et vous lui avez montré. Vous voliez des babioles, des vêtements, des livres, de l'argent, et pas une fois vous n'avez manifesté une once de remords. La vieille nonne a dit que la mère supérieure voulait que vous vous détruisiez. Que vous soyez pris, puni, disgracié, ridiculisé. Elle voulait que vous vous infligiez votre propre châtiment. Sauf que cela n'est jamais arrivé. Vous avez quitté l'orphelinat et vous êtes devenu prêtre. La mère supérieure s'est dit que peut-être Dieu lui-même avait décidé d'intervenir, alors elle vous a laissé partir et n'a jamais dit un mot. Maintenant vous voilà, prêt à vous attribuer la papauté. »

L'intérêt que lui portait cet homme était effrayant. Alors, pour une fois, il décida de ne pas ouvrir la bouche et de voir où tout ceci allait mener.

« Cette mère supérieure avait raison, nota Spagna. Vous êtes bien votre pire ennemi. Adulte, vous avez réussi à faire ce que vous avez échoué à accomplir quand vous étiez enfant. Vous vous êtes infligé votre propre châtiment. Il faut reconnaître que vous avez atteint une position que seuls quelques rapaces rouges ont atteinte. Préfet de la Signature apostolique. En voilà un poste prestigieux. Assorti de tant de pouvoirs. Mais votre bouche, cette bouche infâme, exécrable qui est la vôtre, vous a fait limoger. Pour une raison étrange, vous pensiez que les gens accordaient de l'importance à ce que vous aviez à dire.

– Peut-être que moi, j'y accordais de l'importance. »

Spagna rit. « Aucun doute là-dessus. Je suis certain que vous y accordiez une grande importance. Ce qui, cher Kastor Gallo, est un autre de vos problèmes.

– Éminence. C'est mon titre, *archevêque.* »

L'homme agita la main, comme s'il repoussait la rebuffade. « Vous êtes un idiot. Rien de plus. Rien de moins. Juste un idiot, pur et simple, ordinaire. »

Kastor n'avait pas risqué ce voyage depuis Rome pour se faire réprimander par un subordonné. Mais il était sacrément curieux de savoir ce qui se passait. On lui avait dit d'aller à Malte immédiatement et de rencontrer quelqu'un à la tour de Madliena. Comme la personne qui avait envoyé le message était fiable et comprenait ce qui était en jeu, il n'avait pas mis en question la requête. Mais jamais il n'avait pensé que la personne qu'il irait voir serait le chef des espions.

« Dites donc ce que vous avez à dire.

– Je veux trouver *Nostra Trinità*, déclara Spagna. Vous la cherchez depuis longtemps. Maintenant, je veux m'associer à vous. Je sais des choses que vous ignorez. »

Il n'avait aucun doute sur ce point et il fut surpris par la demande. Cet homme gardait les secrets du Vatican depuis tellement longtemps. Trop longtemps, s'il fallait en croire les bruits qui couraient à la curie.

« Pourquoi la voulez-vous ?

– C'est le secret ultime de l'Église. Celui qui nous échappe depuis très longtemps. Toutes les organisations ont des secrets. Le nôtre a mille sept cents ans. Avant de mourir, ou d'être limogé comme vous, je veux que ce secret soit mis à l'abri. »

Kastor décida d'être franc. «Je veux m'en servir pour devenir pape.»

Spagna hocha la tête. «Je sais. Vous voulez être pape. Je veux que vous soyez pape.»

Avait-il bien entendu? «Pourquoi?

– Est-ce important? Contentez-vous d'être reconnaissant que je le veuille.»

Insuffisant. «Pourquoi m'aider?

– Parce que vous avez réellement une chance de l'emporter.»

Vraiment? «Comment? Comme vous venez de le noter, je suis un voleur et un idiot.

– Ces deux attributs sont courants chez les rapaces rouges, alors, aucun n'est rédhibitoire. Je sais également avec certitude que vos positions ultra-orthodoxes sont partagées par un très grand nombre. Je suppose que, en tant que préfet de la Signature apostolique, vous avez amassé les informations compromettantes nécessaires sur vos collègues.»

C'était vrai. Il acquiesça.

«Je m'en doutais, dit Spagna. Je suis au courant de certaines de ces informations.»

Cela ne surprit pas Kastor.

«Jean-Paul II voulait que le monde voie en lui un réformateur, mais en fait, c'était un radical. Il n'y avait rien de progressiste chez ce Polonais, dit Spagna. Les Soviétiques ont essayé de le tuer, mais il a survécu. Il a tenu le cap et a mis Moscou à genoux. Je l'appréciais. Il aimait dire une chose en public et faire autre chose en privé. Il était vraiment bon à ce jeu-là, et j'ai beaucoup appris de lui. L'Église était plus forte à cette époque-là. Nous étions craints. Nous étions également beaucoup plus efficaces sur la scène internationale. Nous avons détruit le rideau de fer et écrasé l'Union soviétique. Nous étions une puissance. Ce n'est plus le cas. Nous avons décliné et nous ne sommes plus rien. Et bien que je vous considère comme un idiot, vous serez *mon* idiot, Kastor.»

Il n'apprécia guère cette déclaration. «J'en doute.

– Attendez avant de dire ça. J'ai quelque chose que vous n'avez pas.»

Il était tout ouïe.

«J'ai le moyen de convaincre les cardinaux hésitants de vous soutenir. En assez grand nombre pour vous assurer les deux tiers magiques.

– *Nostra Trinità* peut faire ça.

– Peut-être. Mais on est un peu dans l'inconnu. Et tout dépendra de votre réussite ou de votre échec. Je peux apporter quelque chose de plus tangible. De plus récent. Quelque chose que vous pouvez utiliser soit en plus, soit à la place de ce que vous cherchez.»

Kastor apprécia ce qu'il entendait.

Pourtant...

«Et *vous*, que voulez-vous ?

– Ce vaisseau sanguin qui a éclaté dans le cerveau du pape nous offre à tous les deux une belle occasion», dit Spagna.

Ce n'était pas une réponse.

Il fallait que Kastor puisse passer un coup de fil. On lui avait apparemment caché beaucoup de choses. Pourquoi ? Il ne savait pas trop. Avoir Spagna comme allié pourrait effectivement tout changer. D'une certaine façon, ils se ressemblaient. Tous deux étaient des parias. Tout le monde évitait l'Organisme, sauf le pape et le secrétariat d'État, qui n'avaient pas d'autre choix que de travailler avec lui.

«Ça fait quoi, d'être seul ? demanda-t-il à Spagna.

– À vous de me le dire.

– Je ne suis pas seul. J'ai des amis. Des soutiens. Comme vous l'avez dit, il y en a beaucoup qui sont d'accord avec moi. Vous, vous n'avez personne.

– Il m'a, moi, intervint Chatterjee.

– Et quel est votre travail ? demanda Kastor.

– J'assiste l'archevêque, de temps en temps, dans des affaires au sujet desquelles j'ai une certaine expertise.»

Kastor se rappela leur conversation à la tour. « Par exemple, ratisser les archives, les bibliothèques et les vieilles collections de journaux, faire ce qui sera nécessaire pour accomplir la tâche ?

– Absolument.

– En ce cas, nous avons de la chance de vous avoir. Qu'en est-il de ce parachutiste ? Les Américains savaient ce que vous faisiez.

– Non, Kastor, répondit Spagna. Ils savaient ce que *vous* faisiez. Ce qui est la raison pour laquelle je me trouve ici. »

C'était agaçant d'entendre ça pour la deuxième fois.

« Une crise agite l'Organisme en ce moment, dit Spagna. Beaucoup de mes collaborateurs pensent qu'il est temps que je me retire. J'ai des subordonnés qui veulent ma place. Le rapace rouge responsable me méprise. Mais le pape défunt m'aimait bien, alors personne ne pouvait rien contre moi. Cela ne sera peut-être pas le cas après le prochain conclave, cela dépendra de l'identité du nouveau pape. Je ne veux pas me retirer. Je ne veux pas être *forcé* de me retirer. »

Kastor regarda fixement l'homme à la carrure d'ours, un peu débraillé en tenue civile, mais visiblement pas gêné du tout de son pouvoir.

« Votre problème, dit Spagna, est que vous avez toujours voulu les choses trop vite. Depuis l'enfance, la notion de patience vous est inconnue. C'est la raison pour laquelle vous vous retrouvez avec le titre douteux de patron de l'Ordre souverain militaire de Malte et pas celui de préfet de la Signature apostolique. Sept cardinaux ont occupé ce poste sur les soixante dernières années. Sept ratés. Maintenant, vous êtes le huitième. J'ai été surpris quand j'ai appris qu'après votre limogeage vous aviez demandé un poste aussi banal... que le pape s'est fait un plaisir de vous accorder. Mais c'était précisément là que vous vouliez être. C'est à ce moment-là que j'ai commencé à m'intéresser à vos faits et gestes. Mais comme toujours, vous étiez impatient.

Vous avez causé de gros dégâts chez les Hospitaliers. Ils se retrouvent en état de guerre civile, se battant entre eux, sans savoir ce qui leur arrive. Tout cela grâce à vous.

– Ce qui me donne une grande liberté de mouvement. C'est moi qui ai créé cette pagaille. Je la contrôle. Et je sais également comment l'éviter. »

Spagna laissa échapper un petit rire. « Tiens, le voici. Le menteur et voleur qui se dévoile dans toute sa gloire. Voilà pourquoi vous ferez un bon pape. Au moins pour moi. Je peux travailler avec vous, Kastor, comme je l'ai fait avec le Polonais. Nous nous comprenons. J'ai sauvé votre peau tout à l'heure, avec ce parachutiste américain, en témoignage de ma bonne foi.

– Et si je ne veux pas de votre aide ?

– Eh bien, je m'adresserai à un autre candidat. Un qui appréciera le genre d'aide que je peux offrir. »

Il comprit le message. « Je vous écoute. »

Spagna retourna au premier rang et se pencha ; il prit une mince liasse de papiers dans un classeur. Il s'approcha de Kastor et les lui tendit. La première page, visible sous le plastique transparent, était blanche.

« Je n'ai pas mis de titre. Peut-être pourriez-vous m'en proposer un. Une fois que vous l'aurez lu. »

Il accepta le dossier et tourna la feuille pour voir la deuxième.

« Attendez », dit Spagna.

Kastor leva les yeux, peu habitué à recevoir des ordres.

« Je vous offre ceci comme un deuxième témoignage de ma bonne foi, dit le chef des services secrets. Cependant, en lisant, vous acceptez de travailler avec moi, et selon les termes que je fixe. Si vous n'êtes pas prêt à le faire, rendez-moi le document et nous ne nous reparlerons jamais. »

Le moment du choix était arrivé.

Il avait peu d'alliés dans le monde. Quand il était enfant, il était plus proche de son frère que de n'importe qui d'autre. Et pour une bonne raison. Ils avaient grandi dans le même ventre, des vrais jumeaux, Pollux un peu plus âgé, d'une bonne minute. Quand ils étaient petits, il était très difficile de les distinguer. Cette ressemblance les avait suivis à l'âge adulte, bien qu'ils fassent aujourd'hui tous les efforts possibles pour se distinguer. Ses cheveux étaient courts et collés sur son crâne, tandis que ceux de Pollux descendaient plus bas que ses oreilles. Il était glabre, son frère avait toujours gardé les vestiges d'une barbe de moine. Bien que leur taille, leur corpulence, leur silhouette, leurs traits demeurent identiques, Kastor portait des lunettes pour voir de près et le rouge du cardinal, tandis que Pollux avait une vue parfaite et n'avait jamais envisagé les ordres. Leur père les avait nommés d'après la constellation des Gémeaux, et ses deux étoiles les plus brillantes, Castor et Pollux. Il était pêcheur et les étoiles étaient importantes pour lui. Mais son père était parti et il était seul à prendre la décision. Quelle était cette vieille expression ?

À cheval donné on ne regarde pas la bouche.

« Je le garde. »

Spagna sourit. « Nous vous recontacterons avant la nuit.

– Comment saurez-vous où me trouver ? »

Spagna eut un petit sourire narquois.

« Je vous en prie, Kastor. Avec ces questions ridicules, vous faites seulement étalage de votre ignorance. »

14

Luke était assis dans le noir, le dos collé contre une paroi rocheuse. Il jura. C'était une bonne chose que sa mère ne soit pas dans le coin. Son short et son T-shirt étaient encore humides après son bain de mer, ses baskets, trempées et lourdes. Sa montre à cadran lumineux indiquait 14 h 20. Il n'était ni tendu ni effrayé. Il n'éprouvait que de l'agacement. Il avait fait fort, aujourd'hui : trois interventions, trois erreurs.

Il avait essayé d'éviter les deux hommes qui l'avaient intercepté sur le port, multipliant les esquives et les zigzags dans le dédale ininterrompu des rues de La Valette. Mais ils avaient fini par le coincer. Un bras s'était enroulé autour de son cou, une main l'avait bâillonné, puis le bras autour de son cou avait serré sa trachée si fort que des étoiles s'étaient mises à scintiller devant ses yeux.

Il n'avait qu'une idée sommaire de ce qui s'était passé ensuite.

Il se rappelait vaguement avoir été emmené dans un bâtiment, descendu dans un escalier jusqu'à un endroit frais, puis posé sur un sol de terre battue. Lorsqu'il avait retrouvé ses esprits, il se trouvait dans des ténèbres si épaisses qu'il ne pouvait pas voir sa main devant son visage. Du bout des doigts il avait examiné les murs grossiers de sa prison, qui était circulaire, d'un diamètre d'environ cinq pas. En tendant les bras, il s'était rendu compte que le trou était plus large au sol, et que le diamètre se rétrécissait vers le haut. Une manière astucieuse d'empêcher toute tentative d'évasion en escaladant les parois, puisqu'on tombait bien avant d'être arrivé à mi-hauteur.

L'air ambiant était humide et rance, comme s'il n'avait pas été renouvelé depuis une éternité.

La sueur lui dégoulinait dans le dos. Il avait la bouche pâteuse. Que ne donnerait-il pas pour une bouteille d'eau. Pour ce qui était des ratages, ce jour était vraiment en haut de la liste.

Que dirait Malone ?

Bien joué, le bizuth.

Difficile d'être à la hauteur d'une légende. Et cette expression collait parfaitement à Cotton Malone. Mais quand on voulait faire tout son possible pour être le meilleur, il fallait connaître les meilleurs. Papi était peut-être à la retraite et bouquiniste au Danemark, il demeurait néanmoins au sommet de sa forme, ou pas loin. Bien entendu, Luke n'avait jamais dit cela à Malone. Il avait travaillé deux fois avec lui et, les deux fois, il avait appris des choses. Son objectif ? Travailler dur encore une dizaine d'années, et les nouvelles recrues parleraient peut-être de lui dans les termes où celles d'aujourd'hui parlaient de Malone. C'était possible. Pourquoi pas ? Tout le monde avait besoin d'objectifs. Et le temps était effectivement le meilleur formateur.

L'ennui, c'était qu'à la fin le temps tuait tous ses apprentis.

Il se demanda où se trouvait Papi. Probablement dans sa librairie à Copenhague, occupé à faire ce que font les libraires.

Quelle journée.

Il s'accroupit et joua avec une poignée du sable qui constituait le sol de la fosse. Depuis combien de temps existait-elle ? Combien d'autres avaient crevé dans ce trou ? Il se dit qu'il se trouvait quelque part sous La Valette – il se rappelait vaguement que le trajet jusque-là n'avait pas été très long. Mais où, exactement ? Impossible de le savoir.

Un bruit vint rompre le silence.

Comme une porte qu'on ouvre, au-dessus.

Des rais de lumière apparurent en haut de la fosse.

Il pouvait maintenant constater de ses yeux qu'il avait raison. La fosse était en forme de cloche. D'environ trois mètres de profondeur. Et se rétrécissait jusqu'à une ouverture d'une largeur d'environ un mètre vingt.

Il leva les yeux et aperçut Laura Price.

Il en fut surpris. Il s'était demandé pour qui les deux gars travaillaient. Selon lui, probablement pour le type qui se trouvait au sommet de la tour avec le cardinal.

Une corde descendit du haut et elle s'en servit pour venir le rejoindre. À la seconde où ses pieds touchèrent le sol, il la fit tomber d'un coup de pied cisaillant dans les genoux et elle se retrouva assise dans le sable.

Il se redressa et la toisa.

Elle secoua la tête. « Franchement, c'était un coup bas... Vous vous sentez mieux ?

– Où suis-je ?

– Dans un lieu historique. Vous devriez vous sentir honoré. Autrefois, les chevaliers de Malte ont creusé ces cachots partout dans l'île. On les appelle des *guvas.* Ce qui veut dire "cage à oiseau". Les vilains petits chevaliers y étaient jetés et laissés pendant des jours, ou des semaines. Quelques-uns y restèrent jusqu'à la fin de leurs jours. La seule *guva* que connaissent la plupart des gens se trouve sous le fort Saint-Ange, pas loin d'ici. Mais il y en a une autre – la preuve. Comme vous le voyez, il n'y a pas d'autre sortie possible qu'avec une échelle ou une corde. »

Elle se leva. Il remarqua ses cheveux blonds retenus par une lanière de cuir. Tout, chez elle, respirait la liberté. Il était incapable de deviner à quoi s'attendre. Il la regarda ôter la poussière de ses vêtements et examina les murs.

« Avez-vous remarqué ceci ? » demanda-t-elle en désignant la paroi.

Il s'approcha et, dans la lumière diffuse, distingua des lettres gravées.

Ad meliores.

« *Pour le mieux*, traduisit-elle. À l'évidence, la requête d'un précédent occupant. »

Il remarqua la présence d'autres éléments gravés. Des noms. Des dates. Des blasons.

« Tout ce qu'ils pouvaient faire, c'était graver des choses à longueur de journée et espérer que quelqu'un au-dessus leur témoignerait de la pitié. Cet endroit est très ancien. Probablement fin XVIe ou début XVIIe. »

Il se fichait pas mal de la leçon d'histoire. « Pourquoi suis-je ici ?

– Vous avez fourré votre nez dans une affaire qui ne vous regardait pas.

– Je faisais mon travail. »

Puisque cette emmerdeuse savait pour qui il travaillait, ce n'était pas la peine de jouer au plus malin. Par ailleurs, la tactique qu'il utilisait le plus souvent était de forcer le destin.

« Avez-vous la moindre idée du pétrin dans lequel vous vous êtes fourré ? lui demanda-t-elle.

– Et si vous éclairiez ma lanterne ? »

Le bras droit de la fille tournoya dans la pénombre, son poing se dirigeant droit vers sa mâchoire. Mais il se tenait sur ses gardes. De sa main gauche, il arrêta le coup en lui bloquant le poignet.

« Pas mal, fit-elle.

– J'essaye.

– Après que vous avez fusillé mon moteur, j'ai été obligée de voler le bateau d'un type qui passait par là. »

Il sourit. Qu'est-ce qui l'attirait tellement chez les chieuses ?

« Avez-vous la moindre idée de ce qui va se passer demain ? »

Parce qu'il parlait avec un accent montagnard du Tennessee, qu'il n'avait pas fait d'études supérieures et ne manifestait pas beaucoup d'intérêt pour l'actualité, les gens pensaient toujours qu'il n'était pas informé. En vérité, il lisait plusieurs journaux par jour, en ligne bien sûr, et il dévorait les mises à jour de sécurité quotidiennes que recevaient tous les agents de la division Magellan. Une fois assigné à Malte, il avait lu tout ce qu'il avait pu sur le cardinal Kastor Gallo et ce qui était sur le point de se dérouler au Vatican.

« Un conclave, lui dit-il.

– Et un conclave qui restera dans les livres des records. Ça vous ennuierait de me lâcher le bras ? »

Il s'exécuta.

« Je parie que votre mâchoire a déjà encaissé pas mal de coups. »

Elle essayait de se servir de lui et il le savait. Mais en même temps, il aimait bien. « Elle prend des claques mais poursuit son tic-tac.

– Ça ne m'étonne pas. Comme je l'ai dit, ce conclave va être un beau merdier. Il n'y a pas de favori. Pas de candidat solide. Pas de chouchou. Cent cinquante cardinaux vont se retrouver dans la chapelle Sixtine pour voter. Qui vont-ils choisir comme pape ? » Elle haussa les épaules. « Je n'en ai pas la moindre idée. Eux non plus, en fait. Voilà ce qui arrive quand un pape meurt subitement. Mais je sais avec certitude qui certaines personnes ne veulent pas. Le cardinal Kastor Gallo. »

Intéressant. « Quelles personnes ?

– C'est une information que je vais garder pour moi.

– Est-ce que vous me suivez depuis hier ? »

Elle hocha la tête. « Je suppose que lorsque Stéphanie Nelle vous a dit de vous débarrasser de moi, elle vous a dit aussi pour qui je travaillais.

– Pourquoi une île de cette taille a-t-elle besoin d'une agence de renseignement ?

– Nous sommes sur la frontière la plus au sud de l'Union européenne. Nous sommes aux premières loges entre l'Europe et l'Afrique. En passant par cette île, il est très facile de faire entrer quelque chose dans l'Union européenne. Voilà pourquoi nous avons besoin d'une agence de renseignement.

– Pourquoi ne pas avoir dit à Stéphanie qui vous étiez dès le départ ?

– Nous espérions ne pas avoir à le faire.

– Qui est *nous* ?

– Mon patron. Il m'a donné un ordre. Je fais ce qu'il me dit.

– Comment saviez-vous que j'allais avoir des ennuis ?

– Même réponse. Mon patron me l'a dit. L'homme qui se trouvait sur la tour de Madliena avec Gallo travaille parfois avec le renseignement du Vatican. Nous l'avons déjà vu. Il a éveillé notre curiosité et m'a conduit jusqu'à vous. »

Le renseignement du Vatican. Ces mots magiques ne lui avaient pas échappé. « L'Organisme travaille avec le cardinal Gallo ?

– C'est possible. »

La réponse était incomplète, et il voyait bien qu'elle souffrait d'une contraction des mâchoires de plus en plus marquée, une affection répandue chez les agents de terrain, puisque l'idée était d'obtenir toujours plus que ce qu'on lâchait. « Une raison pour laquelle vous ne m'avez pas aidé avant que l'autre idiot ne sectionne le câble de traction ?

– J'aurais alors manqué le plaisir de vous voir en pleine action. Ça valait son pesant de cacahuètes. Mais j'ai quand même dit à votre patronne que vous aviez des ennuis. »

Il haussa les épaules. « Que demander de plus ?

– Et pour que les choses soient claires, si vous n'aviez pas flingué mon moteur, je vous aurais épargné le plaisir de vous retrouver dans cette fosse. Sur le coup, tout ce que j'avais pour trouver une solution, c'était mon téléphone.

– Que j'ai eu la correction de vous rendre.

– Oui. Il faut que nous partions.

– Nous ?

– Je préfère travailler seule, mais on m'a dit que vous êtes dans l'équipe, maintenant, que ça me plaise ou non.

– Qu'est-ce qu'on va faire ?

– S'occuper du cardinal Gallo. »

15

15 HEURES

Kastor passa à côté du presbytère à l'extérieur de la cathédrale. D'après la légende, l'apôtre Paul avait été l'invité du gouverneur local, un Romain du nom de Publius. Après avoir guéri la fièvre et le rhume de poitrine du père du gouverneur, Paul convertit celui-ci au christianisme. Ensuite, il désigna la maison du gouverneur comme première église de Malte et fit du Romain son évêque. Depuis ce jour, une église avait toujours occupé ce même endroit à l'intérieur des fortifications de Mdina. Elle devint finalement une cathédrale au XIIe siècle et sert encore aujourd'hui de siège à l'archidiocèse de Malte.

Mdina se trouvait presque au centre de l'île, entourée d'épaisses murailles ; c'était l'une des dernières villes fortifiées du monde. Elle avait servi de capitale à l'île jusqu'au XVIe siècle, avant que les chevaliers n'arrivent et ne bâtissent La Valette. Chatterjee avait ramené Kastor à la tour de Madliena, où il avait retrouvé sa voiture de location et s'était rendu à Mdina. Le fait que Danjel Spagna était là et observait tous ses faits et gestes le dérangeait. Comme le fait que les Américains le suivaient aussi.

Chatterjee lui avait assuré qu'ils s'occupaient du parachutiste. Il avait remarqué que la femme du bateau n'avait pas été citée, mais il supposait qu'ils géraient également ce problème. S'il s'était agi de n'importe qui d'autre que l'Organisme, il serait inquiet, mais Spagna était connu pour sa capacité à obtenir des résultats. Il avait servi cinq papes, survivant à chaque purge lors du départ de l'ancien et l'arrivée du nouveau. Même si la curie trouvait que c'était une stratégie thérapeutique, d'une certaine façon, cela pouvait être une mauvaise idée dans le domaine du renseignement. La continuité était le maître mot dans cette affaire. L'Organisme fonctionnait grâce à la mémoire institutionnelle de Spagna et à sa poigne. Qu'il voulût le faire pape était à la fois gratifiant et effrayant.

Kastor avait besoin de toute l'aide qu'il pouvait rassembler.

Il tenait le mince classeur en plastique que Spagna lui avait donné. Il avait résisté à l'envie pressante de parcourir les pages rapidement, préférant trouver un endroit calme pour les lire posément, dans un effort pour faire preuve de cette patience que Spagna lui avait conseillée avec tellement de désinvolture.

Il évita le presbytère de la cathédrale et continua à marcher dans la ville fortifiée, savourant les effluves des pierres chauffées par le soleil. Il entendait la voix de l'histoire, qui remontait depuis l'Antiquité, exigeant de ne pas être oubliée. Parfois, il apercevait les chats silencieux, le plus souvent orange fauve et d'un noir sinistre, qui rôdaient encore dans tous les coins, comme dans son enfance.

Les plus vieilles familles de Malte habitaient toujours dans les demeures aristocratiques et imposantes de Mdina. Pendant des siècles, les habitants l'avaient appelée la Ville silencieuse, car les seuls sons qu'on entendait à l'intérieur des remparts étaient les bruits de pas. Mais c'était ici que la révolte contre les envahisseurs français avait commencé en 1800. Napoléon avait pillé toutes les églises, avait profané tous les sanctuaires, vidé toutes les auberges. Ensuite, le petit général était parti pour l'Égypte, laissant une garnison de mille hommes pour maintenir l'ordre. Les Maltais, même s'ils furent d'abord heureux de voir partir les chevaliers, apprirent rapidement à détester encore plus les Français. L'insulte finale fut lancée ici même, lorsque les envahisseurs organisèrent une vente aux enchères des objets que contenait l'église carmélite de Mdina. Une émeute se déclencha et le commandant français fut assassiné. Les cloches des églises sonnèrent sur toute l'île, pour appeler le peuple à prendre les armes. En quatre-vingt-dix jours, la garnison tout entière avait fui l'île.

La leçon ?

Ne jamais sous-estimer les Maltais.

Il suivit un labyrinthe de rues tortueuses, si étroites qu'on pouvait, en tendant la main depuis la fenêtre d'un bâtiment, toucher le voisin. Beaucoup de fenêtres étaient protégées par des grilles en fer forgé, un vestige d'une époque où ces habitations devaient se défendre seules. Il passa à côté d'un groupe de touristes qui appréciaient la visite et s'abritaient du soleil dans la fraîcheur des ruelles ombragées. Il perçut également un brouhaha de voix.

Les Maltais étaient fiers. Ils l'avaient toujours été. C'était des travailleurs acharnés, qui ne rêvaient que de se marier, avoir des enfants et profiter de la vie. L'Église autrefois dominait tout, mais ce n'était plus tellement le cas aujourd'hui. Malte était devenue internationale, était entrée dans l'Union européenne, prenant ses distances à l'égard de la Grande-Bretagne et des générations plus âgées. Le divorce avait même été légalisé par un référendum national. Quatre cent cinquante mille personnes vivaient aujourd'hui sur l'île. Il était vrai que les autochtones pouvaient se montrer mesquins les uns avec les autres, jaloux, et même prêts à se battre. Que disait-on, déjà ? *Les Maltais aiment croiser le fer*. Peu importait, Malte, c'était chez lui, malgré tous ses défauts et ses habitants.

Il retrouva son restaurant préféré, caché dans un coin paisible à l'ombre des remparts. Deux salles en pierre voûtées datant du XVIIe siècle servaient de restaurant, mais la place qu'il aimait avant tout se trouvait dehors, dans une cour fermée ornée de verdure et d'une fontaine qui faisait entendre son murmure. Il n'y était pas venu depuis quelques années.

Il commanda son plat préféré, du ragoût de lapin, puis posa le classeur en plastique sur la table. Il contenait peut-être vingt pages tapées à la machine. Il jeta un coup d'œil autour de lui. La cour était déserte, personne attablé devant un déjeuner tardif, ou un dîner avant l'heure. Le serveur lui apporta un verre de vin rouge, italien, car il n'avait jamais apprécié les raisins maltais. Il attendit que le jeune homme retourne à l'intérieur pour ouvrir le classeur et commencer à lire le document.

Il y a deux ans, le Saint-Père a ordonné que je mène une mission confidentielle et, si possible, un audit de certains départements du Saint-Siège. Avant de devenir pape, alors qu'il était cardinal, le Saint-Père avait servi dans un certain nombre de départements et il était préoccupé par ce qu'il appelait « le gaspillage, les escroqueries et les abus de pouvoir systématiques ». On me demanda de faire une enquête approfondie mais totalement secrète, sans attirer la moindre attention sur mes agissements. Après une étude de vingt mois dans la plus complète clandestinité, je peux maintenant fournir le résumé suivant :

1. Il y a très peu transparence, si ce n'est aucune, dans les diverses comptabilités tenues au Saint-Siège. En fait, il est courant dans les départements de tenir deux livres de comptes. Un qui pourrait être montré à toute personne demandant des informations, l'autre détaillant les revenus, dépenses et coûts réels. Cette pratique est bien connue des cardinaux qui dirigent actuellement ces départements, puisqu'elle se fait directement sous leur supervision. D'ailleurs, ils sont nombreux à conserver eux-mêmes la deuxième série de livres.

2. Les contrats de services signés par le Saint-Siège avec des fournisseurs extérieurs (qui représentent des dizaines de millions d'euros chaque année) sont régulièrement signés sans appel d'offres et sans considération pour les coûts. La corruption est endémique

concernant l'attribution de ces contrats. Les dessous-de-table sont monnaie courante. Bien souvent, le Saint-Siège paie deux cents pour cent de plus que le prix du marché pour ces biens et services, à cause de la corruption;
3. Des souvenirs détaxés sont systématiquement volés dans les boutiques du Vatican. Cette marchandise est volée par palettes entières, puis revendue en secret à des marchands extérieurs à des prix considérablement réduits. Aujourd'hui, trois cardinaux au moins se partagent les profits générés par ces pratiques;
4. Une transaction particulière conclue avec une troisième partie extérieure est tout à fait remarquable. Il s'agit d'un contrat passé avec une entreprise américaine permettant que les cigarettes de cette entreprise soient vendues dans les magasins du Vatican, mais seulement grâce à une redevance secrète payée à deux cardinaux au moins. Une partie de cet accord permet aussi à plusieurs autres cardinaux de bénéficier de réductions considérables sur au moins deux cents paquets de cigarettes, au total, qu'ils achètent chaque mois, pour leur consommation personnelle;
5. Une institution caritative italienne œuvrant pour un hôpital pédiatrique de la région a récemment (et en secret) payé deux cent mille euros pour la rénovation de l'appartement personnel d'un cardinal à Rome;
6. La caisse de retraite du Vatican présente actuellement un déficit de presque huit cents millions d'euros et se trouve au bord de la banqueroute, bien que les actuels bilans financiers présentent un chiffre parfaitement contraire;
7. Il n'y a aucun inventaire détaillé des presque cinq mille édifices que le Saint-Siège possède dans la ville de Rome. Selon les bilans actuels, la valeur totale des biens immobiliers du Saint-Siège en France, Angleterre, Suisse et en Italie serait de quatre cents millions d'euros. La valeur réelle de ces propriétés est *a priori* plutôt supérieure à trois milliards d'euros. La meilleure explication de cette étrange sous-estimation est que la curie voit des avantages clairs en termes de relations publiques à minimiser la valeur nette des biens de l'Église;
8. Les retraites accordées à au moins trois douzaines de cardinaux sont absolument exorbitantes, bien au-delà du raisonnable;
9. Il est très courant que des cardinaux actuellement en poste à la curie se voient offrir des appartements dans des endroits

très recherchés de Rome à des loyers très bas, parfois plus de quatre-vingt-dix pour cent inférieurs aux prix du marché. Il arrive même que ces appartements leur soient laissés gratuitement. Un exemple : un appartement de cent mètres carrés à côté de la basilique Saint-Pierre est actuellement loué à un cardinal pour trois cents euros par mois. Si les prix du marché étaient appliqués à tous les appartements loués par le Saint-Siège, des revenus d'environ vingt millions d'euros seraient générés chaque année, contre la somme de moins de six millions qui entre aujourd'hui. Le même écart se retrouve avec l'immobilier commercial du Saint-Siège : beaucoup des baux actuels sont bien en dessous de la valeur du marché et pourraient rapporter une somme supplémentaire avoisinant les trente millions d'euros.

Kastor ne pouvait en croire ses yeux.

C'était incroyable, d'autant plus incroyable que ces informations provenaient de l'intérieur du Vatican. Fournies par l'Organisme.

Par la curie.

Le mot *curia* signifiait assemblée, cour, mais dans le sens de cour royale, pas cour de justice. Ses départements principaux étaient le secrétariat d'État, neuf congrégations, trois tribunaux, cinq conseils et onze bureaux et commissions. Ensemble, ils constituaient l'appareil administratif du Saint-Siège, sa fonction publique, agissant au nom du pape, avec son autorité, et ils étaient l'organisation centrale gouvernante. Sans elle, l'Église ne pouvait pas fonctionner. Les papes adoraient tout à la fois se plaindre et jouer avec la curie.

Mais elle avait rarement changé.

Elle était actuellement contrôlée par la Constitution apostolique *Pastor Bonus*, publiée par Jean-Paul II en 1988, révisée ensuite par François.

Le serveur arriva avec son ragoût de lapin présenté dans un bol en vaisselle épaisse et le posa sur la table, avec une panière de pain chaud et un autre verre de vin. Kastor prit le temps de humer les arômes du plat, se souvenant de la manière dont sa mère cuisinait le même lapin. Elle passait ses soirées du vendredi à chercher le meilleur lapin, le tuait elle-même, puis elle parait et découpait la carcasse avant de la mettre à mariner dans le vin rouge. Son frère et lui suivaient les préparatifs, fascinés, perchés sur la pointe des pieds pour voir ce qui se passait sur le plan de travail.

Et les sons.

Ils étaient restés gravés dans son âme.

Le tic-tac de basse d'une pendule accrochée sur le mur de la cuisine. Les *dong* graves des cloches de l'église au loin. L'eau qui bouillait. Le bruit d'un os qu'on brise.

Le samedi matin, toute la maisonnée se réveillait dans une odeur d'ail pendant que le ragoût mijotait. Il reconnaissait tous les ingrédients. Purée de tomates, huile d'olive, sucre, laurier, carottes, pommes de terre, petits pois.

Un mélange merveilleux.

Il prit une cuillerée de celui qui se trouvait devant lui.

Pas mal.

Ce restaurant servait un ragoût admirable, mais rien de comparable avec celui que sa mère avait inventé.

Ces week-ends lui manquaient.

Avant qu'il rejoigne l'orphelinat où il n'y avait pas de ragoût.

Quand sa mère n'était plus là.

Spagna avait raison. Il était devenu un voleur et un menteur. Pourquoi la mère supérieure n'avait-elle rien fait ? Pourquoi avait-elle permis que cela arrive ? Il ne croyait absolument pas que Dieu était intervenu pour l'envoyer au séminaire afin qu'il commence une nouvelle vie. La foi n'était pas quelque chose qu'il avait totalement embrassé. Bizarre, pour un cardinal. Mais il ne pouvait rien y faire. Sa vie avait été une série d'événements fatidiques, chacun d'eux le faisant avancer sur le chemin apparemment prédéterminé qui menait à cet instant. Est-ce qu'il avait foiré avec le dernier pape ? Oui, absolument. Mais qu'est-ce qui aurait dû lui peser sur la conscience ? D'après ce qu'il venait de lire, le Saint-Siège aussi paraissait peuplé de voleurs et de menteurs.

Il continua à manger.

L'Église catholique romaine avait pour caractéristique remarquable d'être la plus ancienne institution pérenne du monde. Elle pouvait gérer à peu près n'importe quoi, sauf l'inattendu – et la mort soudaine d'un pape était certainement inattendue.

Les papes étaient alternativement jeunes et vieux.

Pie XII avait été jeune, puis Jean XXIII plus âgé. Paul VI était plein de vie, et le fragile Jean-Paul Ier lui avait succédé. Jean-Paul II le lion avait été remplacé par Benoît XVI, bien plus âgé. L'alternance remontait à des siècles et variait rarement. Le dernier Vicaire du Christ, qui reposait maintenant dans la crypte dans les sous-sols de Saint-Pierre, était plus âgé. *A priori*, son règne était destiné à être court, environ une décennie, pour donner à d'autres concurrents le temps de rassembler des soutiens. Le pape au règne le plus long était le premier. Pierre. Certains disaient trente-quatre, d'autres trente-sept années. Personne ne savait, en réalité. Alors, si on devait se fier à l'histoire, le prochain pape serait plus jeune, régnerait plus longtemps et aurait potentiellement un plus grand impact.

Il aimait cette idée qu'il ne créerait pas de hiatus dans le cycle naturel.

Il finit son ragoût et le serveur revint pour débarrasser la table. Kastor redemanda du vin. Le jeune homme qui le servit n'avait aucune idée de l'identité de son client. Kastor aimait pouvoir se déplacer incognito dans le monde. Peu de personnes en dehors du Vatican savaient qu'il existait, ou se préoccupaient de son existence. De toute manière, qui était-il ? Juste un curé venu d'un caillou dans la Méditerranée qui avait acquis une certaine stature, pour se voir immédiatement privé de tous ses privilèges. Heureusement, ils ne pouvaient pas lui retirer sa barrette rouge. Ni les amis qu'il s'était faits. Des hommes qui demeuraient dans des positions de pouvoir et d'influence et qui, bientôt, chercheraient un leader.

Il y avait eu des papes grecs, syriens, espagnols, français, allemands et hollandais. Un seul Anglais, un seul Polonais, deux laïcs et une ribambelle d'Italiens. Tous étaient des nobles, des paysans, ou des aristocrates. Mais jamais il n'y avait eu de pape portugais, irlandais, scandinave, slovaque, slovène, bohémien, hongrois ou américain.

Ni maltais.

Heureusement, avec ce vaisseau sanguin qui avait éclaté, les cardinaux auraient peu de temps pour comploter. Et ne vous méprenez pas, les cardinaux complotaient. L'idée même de les enfermer et de les isoler avait été conçue pour limiter les occasions d'alimenter la corruption et réduire le temps disponible pour passer des accords. Le mot « conclave », dérivé du latin *cum clave,* littéralement « sous clé », signifiait « une pièce qui peut être fermée à clé ».

Autrement dit, peu de cardinaux seraient prêts pour la bataille. Mais heureusement, cela ne serait pas son cas.

Il jeta un coup d'œil au classeur.

Dieu merci, une vérité demeurait intacte.

Les hommes qui détenaient du pouvoir ne voulaient qu'une chose.

Garder leur pouvoir.

16

Cotton prit une suite à l'Hôtel d'Inghilterra à Rome, au dernier étage. Un balcon agrémenté de pots dans lesquels fleurissaient des géraniums courait sur toute la longueur du bâtiment. Il était grassement payé, alors, comme avec l'Alfa Romeo, il décida de se faire plaisir. Il s'assit sur le lit et se mit à regarder à travers les portes-fenêtres. Le soleil projetait des paquets de lumière à travers les baies vitrées. Au-delà du garde-corps, il apercevait les toits aux formes irrégulières caractéristiques de la ville avec leurs tuyaux tordus et leurs cheminées couronnées de céramique – les paraboles étant les seuls clins d'œil au XXIe siècle.

Il était venu de Milan avec sir James Grant en jet privé ; durant le court vol de soixante-dix minutes, il n'avait presque rien appris de nouveau sur ce qui était en train de se passer. Leur conversation avait porté sur les livres et l'actualité du monde. Il avait également eu confirmation du virement de cent mille euros sur son compte au Danemark. Non pas qu'il se méfiât des Britanniques. C'était juste qu'il valait toujours mieux être payé d'avance.

Il avait besoin d'une douche et de vêtements propres. Aussi, il avait profité de la salle de bains, décorée de marbres étincelants et de miroirs. Il avait choisi l'Inghilterra non seulement pour sa réputation, mais également pour sa localisation. Il ne se trouvait qu'à une courte distance de la Via Condotti, la rue commerçante la plus connue de Rome, un panorama interminable de vêtements haut de gamme, de cuir, d'argent, de verre, de joaillerie et de papeterie. Sur la Via Condotti, également, au numéro 68, se trouvait le Palazzo di Malta.

En 1798, lorsque les Hospitaliers avaient été chassés de Malte par Napoléon, ils errèrent de par le monde à la recherche d'un lieu qui les accueille. Finalement, en 1834, ils en trouvèrent un à Rome. Deux villas, une ici, l'autre – Villa del Priorato di Malta – à quelques kilomètres, au sommet de l'Aventin. Un hectare environ séparait les deux villas, indépendantes l'une et l'autre, ne prêtant allégeance à personne et constituant un pays catholique romain indépendant : la plus petite nation souveraine du monde.

Pendant le vol vers le sud, il avait également utilisé la connexion wifi à bord pour en apprendre le plus possible sur les Hospitaliers. Chose incroyable, ils existaient toujours, plus de neuf cents ans après leur création. Ils étaient gouvernés par le chapitre général de l'Ordre qui se réunissait une fois tous les cinq ans pour choisir un Conseil souverain de six membres et six hauts fonctionnaires qui administraient l'organisation au quotidien. Le Grand Maître supervisait le tout, élu à vie, avec le rang de cardinal, mais sans droit de vote au conclave. Ce n'étaient plus aujourd'hui des moines-soldats, ils constituaient une organisation humanitaire pieuse, paisible, qui œuvrait en faveur des services de santé dans le monde, gérait des camps de réfugiés en zone de guerre, s'occupait des enfants des bidonvilles sud-américains, soignait la lèpre en Afrique et en Asie, dirigeait des cliniques de premiers secours au Moyen-Orient, des banques de sang, des services ambulanciers, des soupes populaires et des hôpitaux de campagne dans le monde entier. Leur aide concernait tout le monde, quelles que soient la race, la croyance ou la religion. Mais l'affiliation ne se faisait que sur invitation, avec un effectif actuel de plus de treize mille hommes et femmes répartis en deux classes de chevaliers et de dames. Les protestants, les Juifs, les musulmans et les divorcés n'étaient pas admis. Plus de quarante pour cent des membres étaient liés d'une manière ou d'une autre aux plus vieilles familles catholiques d'Europe. Plus de cent mille personnes travaillaient pour l'organisation, dont quatre-vingts pour cent étaient bénévoles.

Cependant, cinquante-cinq membres étaient spéciaux.

Les chevaliers de justice.

Des membres *profès* qui ont fait profession de foi, engagés par des vœux de pauvreté, chasteté et obéissance ; c'étaient les derniers vestiges des anciens Hospitaliers. Ils constituaient également la classe dirigeante de l'Ordre et occupaient les postes de commandement les plus importants.

L'Ordre en lui-même était impressionnant.

Cent quatre pays maintenaient des relations diplomatiques formelles, y compris l'échange d'ambassades. Il possédait sa propre Constitution et était actif dans cinquante-quatre nations. Il avait la capacité de transporter des médicaments et des vivres dans le monde entier sans inspection des douanes ni ingérence politique. Il possédait même un statut d'observateur aux Nations unies, avec ses propres passeports, plaques minéralogiques, timbres et pièces. Sans être un pays, puisqu'il n'y avait ni citoyens ni frontières à défendre, il agissait plutôt comme une entité souveraine, concentrant tous ses efforts sur l'aide à apporter aux malades et la protection de son nom et de son héritage, mission que ses membres s'appliquaient à défendre avec zèle.

Mais les chevaliers étaient en difficulté.

En grande difficulté.

Cotton avait lu plusieurs articles dans *L'Osservatore Romano* sur de récents conflits internes. Du sérieux. Le pape aujourd'hui défunt avait même été attiré dans une guerre civile interne à la hiérarchie des chevaliers qui impliquait un cardinal, Kastor Gallo, et le Grand Maître, un Français. Gallo servait d'ambassadeur du Vatican auprès des chevaliers, un poste essentiellement honorifique avec *a priori* peu d'influence, voire aucune, dont la définition était de promouvoir les intérêts spirituels de l'Ordre, ses membres, et ses relations avec le Saint-Siège. Mais Gallo s'était immiscé dans les affaires internes de l'Ordre. Le contentieux portait sur un obscur programme des Hospitaliers qui avaient distribué des préservatifs dans certaines parties du monde pour contribuer au combat contre les maladies sexuellement transmissibles et le sida. Le problème était que cette initiative était en contradiction explicite avec la politique très claire du Vatican, qui avait interdit l'utilisation de contraceptifs. Gallo avait utilisé cette erreur pour monter le pape contre le Grand Maître, qui avait fini par démissionner. Cela avait donné lieu à un conflit parmi les chevaliers *profès*, obligeant les cinquante-cinq chevaliers à choisir leur camp. Ils s'étaient répartis de manière presque équivalente entre les deux camps. La moitié en soutien à leur Grand Maître, l'autre moitié en désaccord avec lui. Le pape avait tenté de contenir le conflit, ordonnant le refus de la démission du Grand Maître, mais sa tentative avait échoué. Et tout en se battant entre eux, les chevaliers avaient collectivement peu apprécié l'ingérence du pape autant que celle de Gallo. Un article datant de quelques mois l'affirmait dans les termes les plus clairs :

> Le Saint-Siège a une relation unique avec les chevaliers : le pape nomme un cardinal pour promouvoir des relations amicales entre l'Ordre et le Vatican. Le cardinal Gallo a été choisi pour ce poste, après que le pape lui a retiré la présidence du Tribunal suprême du Vatican. Mais Gallo et le pape n'ont jamais été amis. En fait, Gallo est apparu comme l'un des critiques les plus virulents du pape et les chevaliers de Malte se retrouvent maintenant au milieu de ce conflit. Formulant un reproche extraordinaire vis-à-vis de Gallo et du pontife, les Hospitaliers dirent que le remplacement de leur Grand Maître

était un « acte relevant de l'administration gouvernementale interne de l'Ordre souverain de Malte et que, par conséquent, il relevait exclusivement de sa compétence. Le Saint-Siège, ou tout représentant du Saint-Siège n'a pas son mot à dire. »

Toute l'affaire sentait mauvais.

Mais il supposait que c'était partout pareil, la politique ne changeait jamais, quel que soit le contexte.

Selon d'autres articles, il y avait eu récemment une purge à grande échelle parmi les chevaliers ; de nombreux officiers occupant les plus hautes fonctions avaient été remplacés et l'organisation tout entière n'était pas encore remise après la tourmente. Tout le monde semblait attendre les conseils du nouveau pape, puisque le Vicaire du Christ actuel était mort avant que l'effervescence soit retombée. Ce qui demeurait obscur, au moins aux yeux de Cotton, c'était comment une querelle avec une organisation caritative moderne, bien qu'elle existât depuis neuf cents ans, avait pu devenir un enjeu de sécurité pour le Royaume-Uni.

Cotton entra dans le Palazzo di Malta par une haute porte voûtée qui le mena dans une cour intérieure fermée où étaient garées des voitures, surtout des coupés Mercedes noirs, tous avec la même plaque minéralogique.

SMOM, suivi d'un seul chiffre.

Sovereign Military Order of Malta. Ordre souverain militaire de Malte.

Une croix de Malte blanche géante à huit pointes ornait les pavés de couleur sombre. Les bâtiments autour de lui s'élevaient sur deux étages, et à toutes les fenêtres, les volets étaient fermés. James Grant lui avait dit qu'il s'agissait du quartier général administratif des Hospitaliers – son palais magistral, où siégeait le Grand Maître et où se réunissait le Conseil souverain.

Un homme l'attendait, l'air guindé en costume trois-pièces de couleur sombre. Cotton ne portait qu'une chemise bleu clair avec les manches roulées, un pantalon en toile et des mocassins. Vraiment pas assez habillé. Mais au moins, il avait pris une douche et il était rasé de frais. Grant avait pris les dispositions par téléphone et s'était assuré qu'il avait bien les autorisations nécessaires pour entrer dans la cour. Il était pile à l'heure et un peu surpris par l'absence de dispositif de sécurité, mais l'endroit tout entier incarnait la sobriété. Seule une petite plaque sur le portail en bois sous l'arche voûtée révélait qui occupait le bâtiment.

Il s'approcha de l'homme en costume. « Je m'appelle Cotton Malone. J'ai rendez-vous. »

L'homme inclina la tête dans un modeste geste de bienvenue. « J'ai été envoyé pour vous accueillir. »

Malone s'interrogea sur cette politesse. « Est-ce une habitude ?

– Seulement pour des visiteurs que le MI6 nous demande de recevoir, en nous prévenant très peu de temps à l'avance. »

Il perçut dans le ton l'irritation manifeste que son interlocuteur ne se donnait pas la peine de retenir. « Savez-vous pourquoi je suis ici ?

– Assurément. Puis-je la voir ? »

Il chercha la bague dans sa poche et la sortit.

« Un remarquable ouvrage de bijouterie, dit l'homme.

– Auriez-vous autre chose à me dire ? »

L'homme qui avait les bras dans le dos les ramena devant lui et tendit sa main droite. Sur l'un de ses doigts, Malone vit une bague identique, avec le même palindrome.

« C'est un insigne, dit-il. D'un autre temps. Qui n'est plus pertinent.

– Et pourtant, j'ai récupéré celle-ci et vous en portez encore une. Deux la même journée – provenant de quelque chose qui n'est plus pertinent, dites-vous. »

Pas de réponse.

« Êtes-vous un chevalier ? demanda-t-il.

— Oui.

— Un chevalier *profès* ? »

L'homme hocha la tête. « Vous connaissez notre organisation ?

— En fait, il y a encore quelques heures, je ne savais à peu près rien. Et je ne sais toujours absolument rien de cette bague. »

Il la montra à nouveau à l'homme.

« Et où l'avez-vous trouvée ? » demanda l'homme.

Il était venu chercher des réponses, et parfois, pour en recevoir, il fallait en donner. « Sur un mort.

— Avait-il un nom ?

— Le MI6 y travaille. Il n'avait pas le moindre papier sur lui. » Il sortit son portable et montra une photo de la tête du cadavre que Grant avait envoyée. « Serait-il l'un des vôtres ?

— Je vais me renseigner. Pouvez-vous me donner cette photo ?

— Absolument. Est-ce que j'ai l'autorisation de parler au Grand Maître ?

— Nous n'en avons pas actuellement. Nous n'avons qu'un lieutenant par intérim. Un remplaçant temporaire. Nous attendons le conclave et le nouveau pape pour choisir un chef permanent. »

Malone avait lu que les Grands Maîtres étaient élus par les chevaliers *profès*, en secret. Mais avant qu'ils prennent leur fonction, l'élection devait être annoncée par écrit au pape. Ce qui, bien entendu, supposait qu'il y ait un pape.

« Est-ce que j'ai l'autorisation de parler au lieutenant par intérim ? »

L'homme acquiesça. « Il vous attend. » Puis il désigna l'escalier en pierre sur leur droite. « Suivez-moi. »

Douze années durant, Malone avait travaillé pour la division Magellan. Stéphanie Nelle l'avait recruté dès sa sortie de la marine et il était arrivé avec une formation quasi inexistante, apprenant tout sur le tas. En chemin il avait acquis un certain nombre d'instincts qui lui avaient permis de rester en vie, de quitter Magellan en imposant ses conditions, de prendre sa retraite de bonne heure et d'acheter une librairie ancienne au Danemark – un de ses rêves depuis toujours. Ainsi, c'est son instinct qui s'était manifesté plus tôt à Milan, quand il avait obtenu de James Grant qu'il double ses émoluments sans broncher et que l'argent soit viré si rapidement. Maintenant, son instinct l'empoisonnait avec les mauvaises vibrations qu'il percevait en provenance de son interlocuteur. Heureusement, ce n'était pas le premier buisson de ronces qu'il rencontrait et il savait comment se frayer un chemin à travers.

Il s'approcha de l'escalier. Son compagnon le précédait de deux marches.

« Au fait, dit-il, quelle position occupez-vous chez les chevaliers ?

– J'ai plusieurs titres, l'un d'eux étant d'assurer la sécurité de l'organisation. Avec d'autres chevaliers, je m'assure que rien, ni les lieux ni les gens, ne soit jamais en danger. »

Ces paroles furent émises avec l'assurance qu'on éprouvait lorsqu'on portait un costume. Mais elles étaient logiques.

Ils montèrent l'escalier.

Il entendit le bruit caractéristique d'un rotor brassant l'air.

Un hélicoptère. Proche. De plus en plus proche.

« Qu'est-ce que c'est ? demanda-t-il.

– Votre véhicule. »

17

Luke sortit de la *guva*.

Laura le suivit, s'aidant de la même corde. Il remarqua sa maîtrise technique et le fait qu'elle n'avait pas besoin de reprendre son souffle après l'effort. Sa première évaluation était correcte. Elle était dans une forme éblouissante.

Il vit qu'il se trouvait dans une pièce souterraine aux murs de pierre brute, et dont le sol était en terre battue humide. Des ampoules puissantes enfermées dans des grilles métalliques étaient alignées sur le plafond bas et lui faisaient mal aux yeux. Une porte ouverte donnait sur un corridor éclairé.

« Ces tunnels ont été creusés par les chevaliers, dit-elle. Ils creusaient sous la ville comme des marmottes. Ces tunnels servaient principalement aux livraisons d'eau et aux installations sanitaires. Mais ils permettaient aussi de déplacer des hommes et des armes sans que personne ne s'en aperçoive. Il en existe des kilomètres. Pendant la Seconde Guerre mondiale, les Maltais s'abritaient ici des bombardements allemands. Certains sont praticables et faciles d'accès. D'autres, pas tellement. Ce complexe-ci et la *guva* ne sont connus que du gouvernement. »

Elle se dirigea vers la sortie. Le boyau dans lequel elle entrait semblait ne pas avoir de fin. Il ne bougea pas. Elle s'arrêta et revint sur ses pas, remarquant son hésitation.

« Vous savez ce que je veux », lui dit-il.

Elle ne broncha pas. «Je n'insisterais pas trop, à votre place. Ça ne me plaît pas d'avoir un coéquipier. Cette affaire ne concerne absolument pas les Américains.

– Sauf que maintenant, je suis sur le coup.

– Seulement parce que Stéphanie Nelle vous a envoyé ici. Et mon patron me dit que vous allez rester.

– D'après ce que j'entends, vous n'aimez pas beaucoup qu'on vous donne des ordres.

– Je fais mon travail.»

Il y avait quelque chose qui clochait. «Pourquoi avez-vous appelé Stéphanie, pour commencer ?

– Pour lui dire que vous étiez un idiot. Les services secrets du Vatican vous ont repéré à la minute où vous êtes arrivé sur l'île.

– Pourquoi ne vous êtes-vous pas contentée de ça ?»

Elle haussa les épaules. «Je ne suis pas complètement bouchée. Clairement, elle ne voulait pas de mon aide. Alors, je n'ai rien proposé.

– Est-ce que l'Organisme savait que je venais ?

– S'il n'y a que ça pour que vous vous sentiez mieux, oui, ils savaient.»

Il y avait une intensité dans son regard, dans ses yeux d'une teinte marron proche du noir. Elle avait aussi une mâchoire carrée superbe qui suggérait la ténacité.

Et cela lui plaisait.

«Écoutez, reprit-elle. Contrairement à ce que les croyants pensent, un conclave n'est pas régi par le Saint-Esprit. Rien ne descend du ciel pour inspirer ces vieux bonshommes et leur dire comment voter. L'Église a été créée par des hommes et elle est gérée par des hommes. Ce sont des hommes qui éliront le pape. Ce qui signifie que les choses peuvent mal se passer. Notre cible est Kastor Gallo, le *kappillan* de Malte.»

Il eut un petit sourire narquois. «Je ne parle pas la langue des espions de Malte.

– Un prêtre, qui ensuite est devenu évêque, puis cardinal, puis un emmerdeur de première. Il a causé beaucoup de problèmes et il s'est fait beaucoup d'ennemis. Maintenant, il tente de devenir pape.

– Et qui veut l'en empêcher ?

– Comment le saurais-je ? C'est important pour moi parce que mon patron dit que ça l'est. Notre problème est que Kastor Gallo est beaucoup de choses, mais il n'est pas stupide. Malheureusement, *vous* l'êtes. Et grâce à vous, il sait maintenant qu'il est surveillé. »

Elle avait raison. Il avait vraiment tout fichu en l'air en se faisant repérer, et elle était visiblement très contrariée. Il le serait aussi s'il avait été à sa place. Alors, il décida de détendre un peu l'atmosphère. « Tout ne va pas si mal. Qui sait ? Vous pourriez peut-être apprendre quelque chose de cette opération conjointe. »

Elle secoua la tête. « Par exemple être surpris en train d'épier une conversation ?

– Vous ne lâchez donc jamais ?

– Non. J'ai un boulot à faire et l'heure tourne. Dans l'immédiat, il faut que nous prenions de l'avance sur Gallo. » Elle secoua la tête. « J'étais censée observer et faire mon rapport. Simple. Facile. Mais maintenant, grâce à votre intervention, nous devons changer d'approche. Il me reste moins d'un jour pour tenir ma parole. Et contrairement à vous, je la tiens toujours. »

Sa voix, basse, gutturale, était étrangement érotique. Mais elle avait aussi une tonalité bizarre, comme si elle essayait de s'attirer la confiance d'un petit chien qu'elle étranglerait à la seconde où elle le tiendrait dans ses bras.

Peu importait.

Il décida de renoncer à enfoncer le clou.

« Pour votre information, dit-il, il y a des millions de gens dans les rues de La Valette. Je n'avais aucun moyen de savoir que j'avais l'Organisme sur le dos.

– Votre problème est que vous ne connaissez pas les parties en présence. Un peu de familiarité avec le terrain, c'est très utile. Je suppose que c'est la raison pour laquelle ils veulent que nous collaborions maintenant.

– Tout ce que vous aviez à faire, c'était de le dire à Stéphanie d'emblée. »

Elle le gratifia d'un large sourire. « OK. Je veux bien vous accorder celle-là. Mais j'espérais vous abandonner là-bas, sur l'eau. »

Enfin. La vérité.

Compréhensible.

Il jeta un coup d'œil autour de lui. « Comment on sort d'ici ?

– Au bout de ce tunnel, il y a un escalier qui monte.

– Et après ?

– Nous avons un rendez-vous à honorer. »

18

Kastor poursuivit sa lecture.

Apparemment, Spagna avait fait une enquête approfondie, surtout sur la tradition connue sous le nom de *denier de Saint-Pierre.*

Les deniers de Saint-Pierre étaient des donations faites directement à Rome, plutôt qu'à des paroisses. Cette tradition remontait au IXe siècle quand le roi anglais Alfred collectait un *penny* auprès des propriétaires terriens pour soutenir financièrement le pape. La pratique avait fini par se répandre partout en Europe avant de connaître un certain recul avec la Réforme. En 1871, Pie IX l'avait réinstaurée, mais il en avait changé la destination. L'argent n'était plus destiné uniquement au pape, il était désormais consacré à aider les pauvres partout dans le monde. Il était collecté chaque année dans toutes les églises, le jour de la Saint-Pierre et de la Saint-Paul. Personne en dehors de la curie ne savait exactement quelle somme était recueillie annuellement.

Sauf Spagna.

Il se pose un problème sérieux et pérenne concernant le denier de Saint-Pierre. Actuellement, le total annuel se situe entre deux cents et deux cent cinquante millions. L'an dernier, le Saint-Père en a appelé à tous les catholiques pour qu'ils pratiquent la charité. Il les a encouragés à « ouvrir les yeux pour voir la misère du monde, les blessures de nos frères et sœurs qui sont privés de dignité ; reconnaissons que nous sommes obligés d'écouter leurs appels à l'aide déchirants ». D'après le site web du Vatican, le denier de Saint-Pierre « nous unit dans la solidarité avec le Saint-Siège et ses œuvres de charité envers les nécessiteux. Votre générosité permet au pape de répondre à nos frères et sœurs qui souffrent ». Rien ne pourrait être plus éloigné de la vérité. Sur les cinq dernières années, soixante-dix-huit pour cent de ce qui a été perçu *via* le denier de Saint-Pierre a été utilisé pour financer certains déficits budgétaires du Saint-Siège. Ces déficits résultent directement de gaspillages, escroqueries et abus de pouvoir, comme cela est détaillé dans ce rapport. Un groupe choisi de cardinaux est dans le secret de la fausse publicité et du détournement du denier de Saint-Pierre. Quatre cardinaux, pas moins, sont impliqués dans cette fraude.

Il pouvait à peine contenir sa fureur.

Nombreux parmi ces rapaces rouges, comme Spagna aimait à les appeler, pompeux et arrogants, s'étaient délectés de sa chute. Pourtant, apparemment, certains d'entre eux étaient coupables du plus abominable des crimes. Ce que beaucoup de gens, y compris lui, soupçonnaient depuis des décennies, semblait maintenant se confirmer.

La corruption sévissait de manière endémique dans la curie.

En fait, il apparaissait qu'elle était institutionnalisée.

Pire, les responsables semblaient résolus à la fois à couvrir l'affaire et à poursuivre leurs pratiques frauduleuses.

Contrairement à ce que les gens pensaient, la parole du pape n'était pas absolue quand il s'agissait de diriger l'Église. La curie existait depuis plus de mille ans, et, depuis le temps, elle avait parfait son art de la survie. Le système était tellement enraciné, tellement tordu, que personne n'avait jamais réussi à mettre en place une réforme significative. Les derniers papes avaient essayé, Jean-Paul Ier et

François surtout. Les deux avaient échoué. Et l'un d'eux, Benoît XVI, avait démissionné tant était grande sa frustration de ne pas pouvoir mener à bien des changements, car ils auraient impliqué le renvoi de nombreux amis de longue date. Des rumeurs sur des enquêtes internes et des audits secrets circulaient de manière persistante depuis longtemps. François avait même confié à deux commissions prétendument indépendantes la mission d'enquêter sur les abus et de recommander des réformes, mais rien ne s'était jamais concrétisé.

Ce qui, à nouveau, n'était pas une surprise.

La curie savait s'y prendre lorsqu'il s'agissait de faire traîner les choses et détourner l'attention. Des magiciens extraordinaires. Comme Spagna venait de le confirmer, les jeux de comptes parallèles et les livres fantaisistes étaient monnaie courante. Ils étaient si experts en la matière qu'ils pouvaient même résister à la pression que le pape en personne exerçait sur eux. Pourquoi ? Parce qu'au final un pape ne pouvait se passer de la curie. Il fallait du monde pour faire tourner une entreprise de plusieurs milliards d'euros et, si dépensière qu'elle fût, la curie faisait tourner le Saint-Siège. Comme les alliés après la Seconde Guerre mondiale qui se pincèrent le nez et utilisèrent des ex-nazis sur tout le territoire allemand. Pas le meilleur choix, seulement le seul possible.

Il fallait qu'il termine la lecture des dernières pages.

Il reporta son attention sur le résumé.

Il y a un incident qui illustre précisément le niveau et l'étendue des abus. Un cardinal, qui bénéficie d'un appartement gratuit situé à côté du Vatican, voulait un espace de vie plus grand. Lorsque son voisin, un prêtre âgé qui recevait une allocation logement pour des raisons de santé, fut hospitalisé, le cardinal ordonna des rénovations et ouvrit une cloison entre les deux appartements, s'appropriant l'espace supplémentaire, et allant jusqu'à conserver les meubles du vieux prêtre. À sa sortie de l'hôpital, le prêtre découvrit l'intrusion. Mais il ne put rien faire. Personne au Saint-Siège ne voulait affronter le cardinal. Le prêtre décéda peu de temps après (raison pour laquelle l'incident ne fut pas ébruité) et ce cardinal a toujours la jouissance gratuite de son appartement agrandi.

Gallo fouilla dans son esprit, essayant de mettre un nom sur le cardinal anonyme. Il en connaissait plusieurs qui habitaient au Vatican et dans le périmètre proche. Peu importait qui il était, il allait adorer détruire cet homme.

Une autre anomalie curieuse a été découverte. Jean-Paul Ier est décédé en septembre 1978, après avoir été pape pendant trente-trois jours seulement. Mais à la banque du Vatican, il existe un compte à son nom sur lequel il y a aujourd'hui une somme de cent dix mille euros. Encore plus curieux, on observe une activité continue sur ce compte, aujourd'hui encore. Le nom d'un cardinal y est associé. Il y a au moins huit autres comptes associés à des personnes décédées sur lesquels apparaît une activité financière inexpliquée. La meilleure explication réside dans des vols et détournements institutionnalisés.

Ensuite, il y a le procès en canonisation, où la corruption semble avoir augmenté pour atteindre des sommets inédits. La canonisation est ancrée dans le secret depuis des siècles. Pour ouvrir un dossier de canonisation, il est exigé des frais s'élevant à cinquante mille euros. En plus, il est demandé quinze mille euros supplémentaires, au titre de compensation pour des « coûts d'exploitation ». Cet argent va non seulement au Saint-Siège, mais aussi aux experts, théologiens, docteurs et évêques qui examinent la cause du candidat en facturant des sommes terriblement élevées. Auxquelles s'ajoutent les dépenses dévolues au paiement des chercheurs, à la rédaction du curriculum vitae du candidat et aux travaux du « postulateur », celui qui propose la nomination du candidat. Le coût moyen par candidat à la canonisation s'élève à presque cinq cents euros. Mais ce n'est pas tout. À chaque étape du processus, il y a des festivités où les prélats sont invités à parler des actes et miracles du futur saint. Des cadeaux sont régulièrement offerts à ces prélats, en plus des dépenses détaillées ci-dessus. Finalement, le coût total pour devenir un saint se situe quelque part entre six cent mille et sept cent cinquante mille euros.

Pour illustrer l'importance de cet énorme afflux de revenus, sous le pontificat de Jean-Paul II, il y a eu mille trois cent trente-huit béatifications et quatre cent quatre-vingt-deux canonisations. Les montants générés par ces mille huit cent vingt célébrations ont dépassé le milliard d'euros. Chose incroyable, en 1983, Jean-Paul II a ordonné que tout cet argent soit géré non pas par l'Église, mais par les postulateurs, qui reçurent l'instruction de tenir « des livres de comptes réguliers » concernant chaque saint potentiel, détaillant toutes les dépenses engagées avec cet argent. Mais aucune supervision de ces personnes extérieures ne fut ordonnée. Aucun audit ne fut jamais commandé. Les postulateurs – qui avaient les coudées franches – opéraient en dehors du Saint-Siège, et c'est encore le cas aujourd'hui. Inutile de préciser que leurs malversations sur cette somme de plus d'un milliard d'euros dépassent le cadre de ce résumé. Mais je suis au courant de leur corruption et de leurs détournements, qui sont énormes, tout cela se faisant sous l'œil attentif d'au moins six cardinaux en poste, qui ont également participé à ces agissements dans le plus grand secret.

Il cessa de lire, le souffle coupé devant tant d'hypocrisie. Quelle arrogance chez ces voleurs pontifiants et menteurs ! Lui n'avait jamais rien volé à l'Église. Pas de rétributions. Pas de voyages gratuits. Pas de « cadeaux spéciaux », comme certains cardinaux appelaient cette pratique. Rien. Étrange, car Spagna avait dit vrai. Dans sa jeunesse, il avait été très différent. Le vol était pour lui chose commune. Mais plus il prenait de l'âge, moins les choses réelles avaient de l'importance. Il était à la recherche de quelque chose de bien plus séduisant. Bien plus satisfaisant.

Le pouvoir absolu.

La cour du restaurant demeurait déserte. Il serait bientôt 16 heures. Il sirota un troisième verre de vin, un tourbillon de pensées confuses dans la tête. Il n'avait aucun doute sur le fait que toutes les allégations de Spagna pouvaient être prouvées. L'Organisme savait forcément comment suivre le parcours de sommes d'argent, comment débusquer de faux comptes et des escroqueries, comment briser le mur du silence pour découvrir qui contrôlait quoi, et jusqu'à quel point.

Tout ce qu'il avait lu était vrai.

C'était tout l'intérêt de le transmettre. Comme l'absence de noms. Pas un seul contrevenant n'avait été identifié. Ce document avait été conçu pour lui ouvrir l'appétit.

Et il avait réussi.

Un mouvement sur sa droite attira son attention.

Il vit Arani Chatterjee sortir de l'ombre, entrer dans la cour et s'approcher de sa table avant de s'asseoir sans y avoir été invité.

«Je constate que j'étais facile à trouver.

– Votre intérêt pour cet endroit est consigné dans nos dossiers, précisa Chatterjee. Alors, vous l'avez lu ?»

Gallo opina. «A-t-il des preuves ?

– Oh oui.» Chatterjee fouilla dans sa poche et sortit une clé USB. «Tout est là-dessus. Des enregistrements audio, des documents, des scans de bilans, des relevés de comptes bancaires, des rapports de surveillance. Tous les détails sur toutes les accusations, ainsi que les noms de tous les contrevenants. Une liste impressionnante d'évêques, d'archevêques et de cardinaux, me dit-on, dont la plupart devraient être jetés en prison. Heureusement pour eux, le Saint-Siège n'a pas de prison.»

Il ne pouvait qu'imaginer cette liste de noms. Elle devait

inclure les chefs de l'Institut pour les œuvres de religion, un titre sophistiqué pour désigner la Banque du Vatican, qui contrôlait tous les actifs de l'Église. Également l'Administration du patrimoine du Siège apostolique, qui gérait les holdings immobilières, et encore le Gouvernorat, qui gérait les musées et toutes les activités commerciales à but lucratif comme les boutiques de détail. Ainsi que la préfecture pour les affaires économiques du Saint-Siège qui supervisait tous les bureaux du Vatican. C'étaient les quatre plus importants, et les cardinaux qui les dirigeaient venaient des quatre coins du monde : Chili, Honduras, États-Unis, Inde, Allemagne, Congo, Australie. Pas un seul d'entre eux n'avait levé le petit doigt pour l'aider.

Leurs têtes allaient tomber. Toutes.

Mais seulement après qu'ils auront voté pour lui, car chacun de ces escrocs allait écrire son nom sur son bulletin de vote.

« Que dit l'Apocalypse, déjà ? demanda Chatterjee. Qu'*une église corrompue est assise sur la ville aux sept collines* ? »

C'était le nom qu'on donnait à Rome depuis longtemps.

« Et sa corruption grandira et elle finira par être détruite », ajouta Chatterjee en remettant la clé USB dans sa poche.

Tout cela était bien gentil, mais... « J'ai besoin de savoir ce que Spagna veut en retour pour cette aide inestimable.

– Tout de suite ? Simplement que vous trouviez *Nostra Trinità*. Comme il vous l'a dit, il veut s'assurer de cela d'abord. Il comprend que vous vouliez vous en servir pour devenir pape. Si on en croit les légendes, elle pourrait bien avoir une certaine valeur. Mais mille sept cents ans ont passé depuis sa création. Néanmoins, ce que vous venez de lire est plus immédiat et a une valeur bien plus grande. Alors, il veut un échange. Laissez-lui la Trinité et vous récupérez tout ceci... » Chatterjee montra le dossier – plus la clé.

« Détruira-t-il *Nostra Trinità* ?

– Absolument. »

Kastor ne s'opposait pas forcément à cette décision. Telle avait été aussi son intention. Une fois pape, il ne souhaitait laisser aucune trace de ses manœuvres, aussi la disparition de *Nostra Trinità* serait-elle la bienvenue.

« D'autre part, reprit Chatterjee, après avoir laissé passer un temps approprié, mais moins de quatre-vingt-dix jours après votre couronnement, vous élèverez l'archevêque au rang de cardinal. Il veut mourir avec une calotte rouge sur la tête.

– Il n'a pourtant pas l'air d'aimer les "rapaces rouges".

– Il les méprise. Mais il veut quand même en devenir un.

– Il est un peu âgé.

– Vous le nommerez aussi chef de l'Organisme, en renvoyant le cardinal qui supervise actuellement le département. Ce n'est pas un ami de l'archevêque et, soit dit en passant, pas un des vôtres non plus.

– Cela poserait beaucoup de questions, si je faisais de Spagna un cardinal.

– Et alors ? Seul le pape est habilité à nommer un cardinal, et ce n'est soumis ni à question ni à examen. La décision vous appartient exclusivement. Et pas de rendez-vous secrets. Cette nomination sera tout à fait publique. »

C'était comme si cet homme démoniaque lisait dans ses pensées. Les papes avaient le pouvoir de nommer des cardinaux *in pectore*, dans la poitrine : seul le pape avait connaissance de la nomination, au fond de son cœur. Mais les cardinaux *in pectore* ne pouvaient entrer en fonction qu'une fois leur nomination rendue publique. De nos jours, cette procédure était utilisée pour protéger un nominé dans des contextes politiques hostiles, dans des pays comme la Chine, l'Ukraine, la Lettonie et la Russie. Une fois que le pape rendait la nomination publique, le cardinal qui avait jusque-là officié dans la « clandestinité » commençait à exercer ses devoirs et à siéger au collège des cardinaux dans la position définie par sa nomination. Cependant, si le pape mourait avant de révéler le nom du cardinal *in pectore*, la nomination mourait avec lui.

« Jean-Paul II accorda à l'archevêque Spagna une nomination *in pectore*, mais il mourut avant de la dévoiler, dit Chatterjee. Cette fois, ça n'arrivera pas. Il veut la barrette et la cérémonie d'investiture. Il veut que tous les rapaces rouges soient présents et le regardent rejoindre leurs rangs. La seule chose sur laquelle vous êtes d'accord, lui et vous, c'est une haine mutuelle de la curie. »

Il avait à la bouche le goût amer de l'échec depuis si longtemps. S'il devenait pape, d'un coup de baguette, il retrouverait tout ce qu'il avait perdu. Il avait dit un jour que le plus grand péché de l'Église aux temps modernes était une réticence à s'impliquer.

Le péché d'omission.

Les papes étaient devenus tendres, leur voix avait perdu de leur puissance.

Il changerait cela.

Au départ, il avait pensé que ce qu'il cherchait était peut-être la meilleure arme à utiliser dans le conclave à venir pour faire basculer le vote. Maintenant, il lui paraissait que c'était seulement un moyen pour mieux arriver à sa fin. Et il n'avait aucun problème avec les exigences de Spagna. Mais il y avait deux choses.

La première...

« En tant que chef de l'Organisme, Spagna fera ce que j'ai besoin qu'il fasse. Pas de question. Pas de débat. Il le fait, c'est tout.

— Bien sûr, cela va sans dire.

Et deuxièmement...

« Qu'est-il arrivé à la femme dans le bateau et au

parachutiste américain ? »

Chatterjee hocha la tête. *« Alea jacta est. »*

Kastor sourit devant l'ironie.

Les dés sont jetés.

19

Cotton sentit l'hélicoptère descendre en piqué vers la campagne italienne. L'homme qui l'avait accueilli l'avait emmené sur le toit du Palazzo di Malta, où un AgustaWestland AW139 noir et blanc portant une immatriculation civile avait atterri sur un petit héliport. Il avait eu l'impression fausse que le Grand Maître par intérim se trouverait au palazzo. Sur place, on l'avait informé que le lieutenant par intérim l'attendait à la Villa Pagana, une résidence de bord de mer à Rapallo, à environ quatre cents kilomètres vers le nord.

Le soir approchait, le soleil de la fin de l'après-midi prenant un air solennel dans le ciel de l'Ouest. Le fait d'être ainsi transporté loin de Rome ne faisait que déclencher d'autres signaux d'alarme dans son esprit déjà soupçonneux. Le pessimiste avait peut-être raison sur le long terme, mais il avait fini par comprendre qu'au bout du compte il valait mieux rester optimiste. Il décida donc de garder l'esprit ouvert.

Il se mit à contempler Rapallo, qui ressemblait à une station balnéaire italienne typique. Un amphithéâtre de collines face à la mer, sur lesquelles s'entassait un fatras de maisons blanchies à la chaux coiffées de toits de tuiles rouges qui se succédaient jusqu'à une bande de sable nu. Une promenade courait le long de la plage, flanquée d'un petit château. Des bateaux et des yachts ballottaient, à l'ancre, sur les eaux bleues de la mer ligurienne.

L'hélico ralentit en arrivant au-dessus de la côte et se dirigea vers l'intérieur des terres, plus précisément vers une des villas, un bâtiment fortifié impressionnant de deux étages, en pierre ocre, installé dans un épais bosquet de pins maritimes dominant un promontoire rocheux. Un drapeau rouge orné d'une croix de Malte blanche flottait au-dessus de ses parapets.

« La villa a été bâtie dans les années 1600, lui dit son accompagnateur. Mais elle n'est devenue la résidence d'été des Grands Maîtres que dans les années 1950. »

Ils étaient installés dans des fauteuils en cuir noir, dans un compartiment confortable à l'arrière, à l'abri des vibrations. Une isolation phonique suffisante leur permettait de s'entendre malgré le bruit du rotor.

Il jeta un coup d'œil par la fenêtre et remarqua les jardins bien entretenus, avec leurs cactus, palmiers et tapis de fleurs. À l'extrémité du promontoire, il aperçut une fortification en ruine. Une petite clairière herbue, proche de la maison, semblait servir d'héliport ; le pilote fit descendre l'hélicoptère et le posa tout en douceur.

Un coupé Mercedes noir attendait à l'abri des pales du rotor, et il suivit son hôte jusqu'à la voiture. À l'arrière, en face de lui, était assis un homme aux larges épaules, dont les cheveux noirs étaient impeccablement peignés. Il était bien bâti et vigoureux, d'une raideur militaire ; avec sa mâchoire tendue en avant, son visage taillé à la serpe était complètement indéchiffrable. Comme son escorte venue de Rome, cet homme portait un costume sombre, avec veste à trois boutons, et une cravate rayée ; une pochette bleu clair formait un contraste discret en haut de la poche poitrine.

« Je m'appelle Pollux Gallo, le lieutenant par intérim. »

Pas de main tendue pour saluer, mais une esquisse de sourire pour lui souhaiter la bienvenue.

« Cotton Malone. Je suis envoyé par sir James Grant. »

La voiture roula sur l'herbe pour retrouver une allée pavée, qui s'éloignait de la villa.

« Où allons-nous ?

– Obtenir les réponses que vous cherchez. »

Il avait immédiatement remarqué la bague que Gallo portait à la main droite. Il sortit de sa poche celle qu'il avait prise sur le mort.

« J'ai été informé par les Britanniques de ce qui vous est arrivé plus tôt aujourd'hui, dit Gallo. Ils m'ont parlé de cette bague. Je crois que je peux vous éclairer sur ce sujet.

– Vous a-t-on montré une photo du mort ? »

Gallo acquiesça. « Ce n'est pas un des nôtres. Mais nous avons déjà vu ces copies de bagues. Il y a des bijouteries en France et en Italie qui les vendent. Le palindrome s'appelle un carré Sator, d'après le premier mot de la série de cinq. Il existe depuis très longtemps ; ses origines remontent à Rome.

– Pourquoi y a-t-il une croix de Malte à l'intérieur ? »

Gallo haussa les épaules. « Bonne question.

– Je parie que celle qui se trouve à votre doigt a une croix à l'intérieur, elle aussi. Je suppose que les copies ne l'ont pas. »

Enfin, un léger haussement de sourcils révélant de l'irritation. Bien. Il fallait que ce type sache qu'il n'avait pas affaire à un amateur.

Cotton avait toujours détesté les enterrements et n'y assistait que lorsque c'était absolument nécessaire. Pour le premier, il était adolescent ; le mort était son grand-père. Son propre père avait disparu quand il avait dix ans, perdu en mer dans un sous-marin de la marine. Quand il était adolescent, sa mère et lui étaient retournés en Géorgie pour vivre à la ferme où la famille produisait des oignons. Son grand-père et lui étaient devenus proches, et finalement, le jour où il vit le vieux monsieur dans son cercueil, il avait éprouvé plus de douleur qu'il ne l'avait jamais imaginé. Il se rappelait aussi l'entrepreneur des pompes funèbres. Un homme austère, pas très différent quant à l'apparence et l'attitude de la statue assise en face de lui, qui énonçait des paroles totalement prévisibles.

Alors, il s'ordonna de rester vigilant.

« En 1957, commença Gallo en baissant la voix, un procès eut lieu à Padoue, en Italie, où certains des partisans impliqués dans la disparition de l'or de Mussolini en 1945 furent poursuivis. Les rumeurs couraient depuis des années sur le fait que les gens du coin avaient dû garder l'or. Au terme de douze années d'enquête, trente-cinq accusés furent condamnés pour vol. Trois cents témoins furent cités à comparaître. Le procès devait durer huit mois, mais il fut brusquement interrompu par le président du tribunal après qu'on eut entendu vingt-six témoins seulement. Le procès ne reprit jamais et on cessa toute investigation officielle sur la disparition de l'or. Le juge donna sa démission en 1958. Fait assez intéressant, il vécut par la suite dans une villa en menant grand train. Le petit-fils de ce juge est l'homme qui a été tué ce matin. Le propriétaire de la villa près du lac de Côme.

– Il est clair que le juge a été acheté.

– Je n'en ai pas la moindre idée. Je peux seulement vous dire ce qui s'est passé. Nous savons que le 25 avril 1945, les forces alliées se trouvaient à moins de quatre-vingts kilomètres de Milan. Mussolini convoqua une réunion d'urgence de son cabinet et informa les membres qu'il fuyait vers le nord, vers la Suisse. Il ordonna ensuite qu'on lui apporte ce qui restait du trésor de l'Italie. Il était constitué de lingots d'or, d'argent liquide et des joyaux de la couronne italienne. Il distribua les joyaux et l'argent à ses ministres et leur donna l'ordre de quitter la ville avec leur butin. Il garda l'or, une partie de l'argent et quelques bijoux. Selon la meilleure estimation dont on dispose, un trésor d'une valeur approximative de cent millions de dollars américains, selon le cours de 1945, serait parti avec lui vers la Suisse. La majeure partie de l'argent ne vaudrait plus rien aujourd'hui. Mais concernant l'or et les bijoux, c'est autre chose. Aujourd'hui ils vaudraient probablement plus d'un milliard d'euros.»

Le trésor était effectivement impressionnant.

«Ce qui répond à votre question, dit Gallo. Le système de la justice en Italie laisse beaucoup à désirer. La corruption est partout. Le juge a très certainement été acheté. Mais encore une fois, nous ne connaîtrons jamais la vérité, puisqu'il n'y a jamais eu d'enquête. Pourtant, dans les minutes du procès de 1957, on trouve des dépositions détaillant l'inventaire de deux porte-documents en peau d'éléphant, qui ont été pris à Mussolini lorsqu'il a été fait prisonnier. Les deux avaient le symbole du parti gravé sur le dessus. Un aigle serrant une *fasce.*»

Il en avait tenu un entre ses mains plus tôt ce jour-là.

«Ces deux porte-documents ont disparu, dit Gallo. On ne les a pas vus depuis 1945. En 1960, presque toutes les personnes associées à ce qu'on avait trouvé sur Mussolini étaient mortes ou avaient disparu. Depuis, des hommes ont cherché. Et aujourd'hui, semble-t-il, vous avez retrouvé un des porte-documents.»

Ils suivaient une étroite route en lacet qui descendait du promontoire. L'homme qui l'avait amené de Rome était assis à la place du passager, un troisième homme en costume sombre conduisait. Aucun d'eux n'avait ouvert la bouche ni semblé enregistrer qu'il y avait quelqu'un d'autre dans la voiture.

«Que savez-vous des lettres échangées entre Mussolini et Churchill? demanda Malone.

–Je suis au courant des spéculations à ce sujet. Les Britanniques croient depuis longtemps que Mussolini avait emporté tout ou partie de sa correspondance avec Churchill quand il a tenté de s'enfuir. C'est possible. Nous avions un émissaire présent à Dongo et à la villa où Mussolini et sa maîtresse ont été retenus la nuit précédant leur mort. Mussolini a parlé de documents qu'il détenait et que les Britanniques risquaient de trouver compromettants.

Il a même offert de les céder en échange de sa sécurité pour quitter l'Italie. Mais il n'a pas donné de détails et lorsqu'il en a parlé, ils n'étaient déjà plus en sa possession. À Dongo, c'étaient les partisans qui les détenaient.

– Pourquoi un émissaire des Hospitaliers était-il allé parler à Mussolini ?

– Nous voulions que nous soit rendu quelque chose qu'il avait volé. Nous espérions qu'il l'avait emporté également. »

Cotton désigna la bague. « Quelque chose comme ceci ? »

Gallo hocha la tête. « Une de ces bagues en faisait partie, oui. Prise à un chevalier *profès* que Mussolini avait fait assassiner. Nous voulions absolument qu'elle nous soit rendue. »

Malone attendit la suite, mais son interlocuteur n'ajouta pas un mot. Alors, il tenta autre chose. « Il faut que j'en apprenne davantage sur cette bague.

– Elle représente une secte qui existait autrefois chez nous, qui s'appelait les *Secreti.* Ils remontent aux croisades et à l'époque où nous étions à Jérusalem, et ils étaient des nôtres à Rhodes et à Malte. Seuls les chevaliers de très haut rang étaient invités à en faire partie et ils étaient très peu nombreux. Pendant longtemps, les Grands Maîtres eux-mêmes n'étaient pas au courant de leurs activités. C'était parce que les Grands Maîtres ne vivaient que quelques années ou même quelques mois. Beaucoup d'entre eux étaient incompétents et corrompus. Les *Secreti* duraient plus longtemps et restaient fidèles à leurs vœux. Ils devinrent une entité indépendante, ne faisant confiance à personne, appliquant leurs propres méthodes, leurs propres règles, leur propre justice pour protéger les secrets de l'Ordre. Ces hommes n'avaient foi qu'en Dieu. Cependant, ils disparurent presque complètement lorsque Napoléon a pris Malte. Les chevaliers se dispersèrent autour du globe, et nos secrets partirent avec eux. Ils furent formellement dissous juste après la Seconde Guerre mondiale.

– Et pourtant, vous, le type assis devant et le mort à Côme portez encore cette bague. »

Gallo sourit. L'effort paraissait presque douloureux. « Un simple accessoire d'apparat, monsieur Malone. Un rappel d'une autre époque. Nous, les Hospitaliers, sommes attachés au passé. Nous aimons le rappeler. Et pour répondre à la question posée plus tôt, une croix de Malte est gravée à l'intérieur de ma bague. Mais les *Secreti* n'existent plus. Nos bagues ne sont que des copies, fabriquées par un bijoutier de Rome. Je peux vous donner son nom et son adresse, si vous le souhaitez. »

Tout paraissait si innocent, si correct, mais rien chez cet homme ne sonnait juste. Cette manière qu'il avait de parler très bas était tout à fait agaçante, une façon de prendre de l'ascendant, d'abaisser les autres et de contrôler la conversation.

« Vous êtes temporairement chargé des Hospitaliers ? » demanda Malone.

Gallo acquiesça. « J'ai été choisi pour occuper ce poste après que le Grand Maître a été obligé de démissionner. Nous projetions de faire un choix définitif il y a deux semaines, mais la mort du pape a modifié le calendrier. Nous nous réunirons après le conclave pour choisir un nouveau leader. »

Malone était curieux. « Votre nom, Gallo... Avez-vous un lien avec le cardinal Gallo ?

– C'est mon frère. »

Voilà qui était pratique. D'après les comptes rendus qu'il avait lus dans les journaux, le cardinal avait causé des dégâts chez les Hospitaliers, notamment en orchestrant le renvoi du Grand Maître. Et maintenant, son frère se retrouvait l'homme temporairement responsable ? Quelle était la probabilité pour qu'une telle chose arrive ? Il se rappelait aussi ce que James Grant souhaitait qu'il creuse.

« On m'a dit que les chevaliers éprouvaient une certaine fascination pour Mussolini ? »

Gallo hocha discrètement la tête. « Pas une fascination. Plutôt un intérêt historique. Mais c'est une affaire privée, dont nous ne parlons pas à l'extérieur. »

Exactement la réponse annoncée par James Grant.

Son hôte bougea légèrement sur son siège en cuir. Cela permit à Cotton d'apercevoir ce qu'il crut identifier comme un holster d'épaule sous la veste de costume.

Surprenant.

Pourquoi un homme de Dieu ayant fait ses vœux portait-il une arme ? Certes, les Hospitaliers étaient autrefois des moines-soldats, qui défendaient l'honneur du Christ et de l'Église, mais ce n'était plus le cas.

Ils se dirigeaient vers le sommet d'une crête sur une deuxième route sinueuse. La mer ligurienne, pâle et paresseuse dans la lumière rougeoyante du soleil couchant, s'étirait vers l'horizon ouest. Les lumières de Portofino étaient visibles au loin. Devant lui, il repéra un groupe irrégulier de constructions, perchées sur un promontoire rocheux escarpé, en face de l'eau. Elles avaient une apparence de forteresse, avec leurs murs crénelés et leurs tours caractéristiques, semblant avoir été découpées dans le roc par le vent et la pluie.

« Nous nous rendons dans ce monastère ? demanda Malone.

– Autrefois, c'était un lieu sacré. Mais nous avons acquis le site il y a environ soixante ans. »

La voiture continuait à grimper.

« Lorsque nous avons été chassés de Malte par Napoléon, dit Gallo, nous avons emporté certaines de nos archives avec nous. Elles étaient stockées dans différents lieux en Europe, pas toujours dans les meilleures conditions de sécurité. Finalement, nous avons acquis ce site, rénové les vieux bâtiments et consolidé le tout. Il y a toujours un petit entrepôt à Malte, mais la majorité de nos archives et artefacts sont conservés ici. »

La voiture emprunta une courte allée, puis franchit un portail qui donna accès à une cour fermée. Des projecteurs éclairèrent les pavés pour faire apparaître une autre croix de Malte blanche gigantesque dessinée sur leur surface.

La Mercedes s'arrêta.

« Vous devriez vous sentir privilégié, dit Gallo.

– Ah bon ?

– Rares sont les personnes admises à pénétrer dans ce lieu à part les chevaliers. »

L'honneur en question ne lui apporta aucun réconfort.

Le chevalier baissa ses jumelles.

Depuis son poste caché au milieu des arbres, il avait une vue parfaite du vieux monastère devenu un sanctuaire pour les archives des chevaliers de Malte. Il avait regardé la voiture entrer dans la cour éclairée et Cotton Malone en sortir.

Il était venu de Côme tranquillement avec le porte-documents en peau d'éléphant et son contenu bien à l'abri dans sa voiture. Avant de quitter Menaggio, il avait lu les onze lettres échangées entre Churchill et Mussolini, prenant connaissance de suffisamment de détails pour pouvoir en parler intelligemment.

Ce qu'il avait fait.

Il avait eu les Britanniques au téléphone. Il les avait informés de ce qu'il détenait et de ce qu'il voulait. Eux-mêmes lui firent savoir ce qu'ils souhaitaient en retour.

Il avait été surpris.

Mais c'était faisable.

Il jeta un coup d'œil à sa montre.

Il était temps d'y aller.

Il avait rendez-vous.

20

17 H 40

Luke sortit du bâtiment pour rejoindre une des petites rues plus calmes de La Valette. En fait, il s'agissait plutôt d'un boyau entre deux murs de pierre. Il constata qu'il y avait de la circulation évoluant perpendiculairement, aux deux extrémités. Laura Price et lui étaient remontés des souterrains pour déboucher dans une cave pleine de caisses en bois contenant essentiellement du vin. Apparemment, il se trouvait dans une espèce de remise. Cette fille paraissait savoir parfaitement se repérer dans tous les recoins de la ville.

La soirée était encore chaude après la canicule de la journée. Ils se dirigèrent vers l'extrémité de la ruelle. Lorsqu'il aperçut le port, il se rendit compte qu'il n'était pas loin de sa voiture. Il était doué depuis toujours d'un sens très fin de l'orientation. Il avait du mal à retenir les nombres et les noms, et ce n'était guère mieux avec les visages, mais les endroits par où il était passé lui restaient très précisément en mémoire.

« J'ai besoin de mon portable, lui dit-il. Il est dans ma voiture.

— Ça ne peut pas attendre ?

— Non. »

Il lui montra le chemin.

« Le cardinal Gallo se trouve en ce moment à Mdina, lui dit-elle. C'est à environ douze kilomètres d'ici. L'homme qui se trouvait sur la tour de Madliena, Arani Chatterjee, est avec lui. »

Bien. Il en devait une à ce salopard.

« Chatterjee se prétend archéologue, et il en a les diplômes, mais en réalité, ce n'est qu'un pilleur de tombes, un marchand d'antiquités volées. »

Ils continuèrent à marcher.

La foule envahissait les trottoirs. La plupart des gens portaient des T-shirts, des shorts et des sandales. Une brise vivifiante arrivait de la mer comme une rivière invisible.

Une question le taraudait. « Pourquoi tout le monde panique-t-il à l'idée de ce conclave ? demanda-t-il.

– Le choix d'un pape est une grosse affaire.

– Ah bon ? Je n'avais pas réalisé. »

Elle perçut son sarcasme.

« Ce n'est pas la seule chose en jeu, dit-elle. Gallo est venu ici pour rencontrer un archevêque du nom de Danjel Spagna. »

Ce nom-là ne lui était pas inconnu. « Il est à la tête de l'Organisme. Je trouve que c'est inhabituel.

– C'est le moins qu'on puisse dire. »

Il aimait lire et y consacrait beaucoup de ses temps morts. L'histoire était un de ses sujets favoris. Il aimait tout particulièrement les livres qui traitaient d'affaires d'espionnage. Les exploits de la Sainte Alliance étaient légendaires et remontaient à plusieurs siècles. L'agence avait été impliquée, d'une manière ou d'une autre, dans un complot visant Elizabeth Ire, le massacre de la Saint-Barthélemy en France, l'aventure de l'Invincible Armada, l'assassinat d'un prince hollandais et d'un roi français, la tentative d'assassinat d'un chef d'État portugais, la guerre de Succession en Espagne, la Révolution française, la grandeur et décadence de Napoléon, la guerre de Cuba contre l'Espagne, plusieurs sécessions sud-américaines, la chute du Kaiser Wilhelm pendant la Première Guerre mondiale, Hitler pendant la Seconde, et le communisme dans les années 1980.

Un CV impressionnant.

Il se rappelait que Simon Wiesenthal, le célèbre chasseur de nazis, avait dit un jour : *Le meilleur service d'espionnage et le plus efficace du monde est celui du Vatican.*

Et maintenant, Luke avait maille à partir avec ce service.

Devant lui, il aperçut le petit parking où il avait laissé sa voiture. Il se précipita et trouva son téléphone à l'intérieur, ainsi que son Beretta, qu'il glissa sous son T-shirt, au creux de ses reins.

« Vous savez qu'il est illégal de porter une arme sur cette île sans avoir un permis spécial, qui est très rarement accordé, dit-elle.

– Il est également illégal d'attaquer et de kidnapper quelqu'un. Mais cela ne vous a pas arrêtée.

– Je n'avais pas le choix. »

Peut-être. Mais il était encore furieux contre elle.

« Faites en sorte que la police du coin ne voie pas cette arme. Que vous soyez un agent américain ou pas, ils vous arrêteront et je n'aurai pas le temps de vous libérer.

– Pas de problème.

– Il faut que nous allions vers le centre-ville. »

Il se demanda si Stéphanie Nelle avait vraiment donné son approbation à cette opération conjointe. Ses dernières instructions avaient été de se débarrasser de Laura Price. Il devrait appeler, mais il décida de donner à cette petite aventure un peu plus de temps et de voir où tout cela allait mener avant de déranger la patronne.

En quelques minutes, ils se retrouvèrent sur Republic Street, une rue très animée qui allait de la porte sud de la ville aux fortifications du bord de mer en passant devant la place de la Liberté. Une foule compacte en occupait l'espace, principalement composée des croisiéristes descendus des navires qu'il avait aperçus plus tôt. Les voitures étaient apparemment interdites. La brise soutenue emportait avec elle ce qui aurait certainement été l'odeur écœurante de moisi que dégage l'humanité à densité élevée. Les magasins et les restaurants, collés les uns contre les autres comme les cages d'un clapier, tournaient tous à plein régime. La cocathédrale et le palais du Grand Maître étaient fermés, mais les places pavées sur lesquelles donnaient les deux monuments étaient envahies par les touristes. La Valette semblait bien être à la hauteur de sa réputation de destination de vacances populaires.

« Où allons-nous ? » demanda-t-il.

Elle ne répondit pas.

Ils plongèrent droit dans le chaos.

Au milieu de la foule, il repéra trois policiers en uniforme perchés sur des Segway. Le regard de l'un d'eux s'attarda un peu plus longtemps qu'il ne l'aurait dû dans leur direction. Il aurait pu décider que c'était de la paranoïa de sa part, mais l'agent en question prit sa radio et se mit à parler. Luke examina attentivement la foule et il remarqua un autre agent en uniforme, à pied, qui les regardait fixement juste assez longtemps pour attirer son attention.

« Vous les avez repérés ? demanda-t-il à Laura.

– J'en compte quatre. Pas de doute, ils nous surveillent. »

Il appréciait qu'elle soit ainsi à l'affût, vigilante à tout ce qui se passait autour d'elle.

À nouveau il survola la foule du regard, sa curiosité professionnelle aiguisée à son maximum. La menace la plus proche se trouvait à une quinzaine de mètres, mais les flics occupaient tous les axes, bloquant les ruelles partant de la place de la Liberté.

« Je vais me présenter et régler ça », dit-elle.

Ce qui semblait être exactement la chose à faire. D'un gentil à un autre gentil. Elle était certainement connue des gens du coin. Il y avait peut-être un peu d'animosité entre agences, comme chez lui, mais finalement, tout le monde essayait de bien s'entendre. Pourtant, quelque chose le chiffonnait : pas un seul des policiers ne s'était approché. Ils avaient défini un périmètre, tenaient leur position et communiquaient par radio.

Pour parler à qui ?

« Restez ici », dit-elle.

À une dizaine de mètres, une voiture de police bleue et blanche sortit de l'une des ruelles, gyrophare en action, et se fraya lentement un passage dans la foule des piétons en direction de la place qui s'étendait devant la cocathédrale. Un homme sortit du côté passager. Grand, assez âgé, corpulent, avec une masse de cheveux blancs et des favoris blancs, portant des vêtements décontractés. Il marqua une pause pour regarder autour de lui et renifler l'air, comme s'il savait que quelqu'un l'observait. Puis il sortit un cigare de sa poche arrière, coupa le bout avec un coupe-cigare de couleur or, et l'alluma tout en continuant à inspecter les lieux.

« Fichez le camp d'ici, lui souffla-t-elle.

– Vous savez qui c'est.

– C'est Danjel Spagna. Fichez le camp. »

Pas son genre de prendre ses jambes à son cou.

Les quatre policiers fermant le cercle convergeaient droit sur eux.

Spagna souffla un nuage de fumée bleue vers le ciel, puis tendit la main tenant le cigare et s'écria : « Miss Price, il faut que vous et M. Daniels veniez avec moi.

– Je vote non, dit Luke.

– Pareil, répondit Laura.

– Deux chacun ? fit-il à mi-voix.

– Absolument. »

Il pivota et se jeta sur l'agent le plus proche ; d'un coup de pied, il le fit tomber du Segway. Un deuxième policier se précipita, mais Luke avait un peu d'avance. Il lui flanqua son épaule dans la poitrine. L'effet de surprise le fit décoller du sol, partir en arrière et retomber lourdement sur les pavés. Luke se retourna et vit que Laura s'en tirait moins bien. Une de ses deux cibles l'avait plaquée au sol et l'autre, qu'elle avait mise initialement au tapis, s'était relevée. Maintenant, ils la maîtrisaient. Il pouvait intervenir, mais il suffirait de quelques secondes seulement pour que les quatre policiers soient à nouveau debout et en mesure de se battre ; et on ne savait pas combien d'autres arriveraient.

Elle avait eu raison.

Il fallait que l'un d'eux fiche le camp.

Et c'était lui.

Il se fondit dans la foule qui s'était écartée lorsque la bagarre avait commencé. Fonçant tête baissée et jouant des coudes pour avancer, il fit en sorte qu'un maximum de badauds le sépare de ses poursuivants. Il entendit des cris derrière lui et réussit à jeter un rapide coup d'œil par-dessus son épaule ; Laura fut remise debout sans ménagement et conduite vers l'homme qu'elle avait identifié comme étant Spagna. Luke sortit de la foule à sa périphérie et emprunta une des ruelles. Personne ne le suivait. Il s'abrita contre une porte cochère et sortit son portable. Il composa le numéro direct de Stéphanie. Elle répondit et il lui rapporta tout ce qui s'était passé, y compris le dernier dilemme.

« La situation a changé, Luke. J'ai besoin que vous travailliez avec Miss Price.

– Alors, vous avez validé ce partenariat ?

– Je l'ai accepté. Temporairement.

– En temps ordinaire, je serais un bon petit soldat et je ferais exactement ce que vous me demandez. Mais il faut que je sache ce qui se passe, bon sang. Je suis dans le noir, là.

– Tout ce que je peux dire, c'est que la présence de Danjel Spagna à La Valette est une preuve suffisante qu'il se mijote quelque chose de sérieux. Au début, je pensais que Miss Price était seulement agaçante. Maintenant, nous avons besoin de son aide. Elle a des connaissances institutionnelles qui peuvent accélérer les choses pour nous. »

La voix de Stéphanie, posée, ne trahissait pas la moindre émotion, comme toujours en situation de crise. C'était la raison pour laquelle elle était si bonne. Elle ne perdait jamais son calme.

Mais lui commençait à perdre le sien. « Elle est entre les pattes de Spagna.

– Vous êtes un type malin. Changez ça. »

Il s'apprêta à lui balancer une vanne, mais il savait ce qu'elle voulait entendre. « Je m'en charge.

– Bien. J'ai deux fronts à gérer en ce moment, et l'autre, c'est vraiment du lourd. »

Il ne voulait certainement pas ajouter à ses problèmes. Son boulot n'était-il pas plutôt de trouver des solutions ?

« C'est Cotton, Luke. Il vient de se fourrer dans un beau guêpier. »

21

ITALIE

Cotton traversa la cour pavée, suivant Pollux Gallo qui l'emmena dans le réfectoire du monastère, une salle spacieuse aux murs de pierre enduits de plâtre et au sol carrelé, remplie d'ordinateurs.

« Nous avons consacré beaucoup d'argent à la rénovation de ce complexe, dit Gallo. Il était sur le point de s'écrouler. Maintenant, c'est le Conservatoire de la bibliothèque et des archives. Un lieu disposant des technologies de pointe. »

Et totalement inconnu du monde entier, compléta Cotton en silence. Mais il se dit qu'on pourrait en dire tout autant concernant les chevaliers de Malte.

Le premier chevalier qui l'avait accueilli à Rome les avait accompagnés à l'intérieur, le chauffeur restant dans la voiture. Dans le réfectoire se trouvaient deux moines vêtus d'habits marron. Ils étaient tous deux jeunes, avaient les cheveux courts et l'air déterminé. Pas tout à fait le genre religieux. Ils étaient silencieux et vigilants.

« Je croyais que cet endroit n'était plus un monastère, dit Malone.

– C'est le cas, mais ces frères font partie d'un contingent qui est responsable des archives. »

Gallo fit un signe et ils sortirent par une porte en bois au fond de la salle ; ils entrèrent dans un cloître éclairé qui longeait d'anciennes cellules de moines d'un côté et un jardin de l'autre. Chacune des cellules était identifiée par un nombre et une lettre, les vieilles portes en bois remplacées par des panneaux métalliques équipés de serrures à pavé numérique.

« Chaque pièce contient une partie différente de nos archives, dit Gallo. Tout est catalogué et indexé électroniquement pour faciliter les recherches. La température des pièces est également contrôlée. »

Ils prirent un virage et, à l'autre bout du cloître, entrèrent dans une pièce en franchissant une autre porte métallique, celle-ci ouverte, plus grande et plus large que les autres. Cette pièce, sans doute l'ancienne salle capitulaire, avait plutôt la taille d'un hall. Les bancs en bois, sur lesquels s'asseyaient les moines quand ils se réunissaient, étaient encore alignés le long des murs de pierre peints. Il remarqua la forme irrégulière et les deux colonnes centrales qui soutenaient les nervures des voûtes, séparant le sol et le plafond en trois. Il ressentit également le changement de température et d'humidité, plus basses toutes les deux, qui témoignaient de la présence d'un système sophistiqué de climatisation. Sage précaution, on avait installé au plafond un système d'extinction d'incendie composé de nombreux gicleurs reliés par des tuyaux métalliques visibles. La lumière provenait de boules en verre opaque suspendues au plafond qui émettaient une lueur chaude. De solides tables en chêne étaient alignées sur le sol carrelé. On y voyait des manuscrits, des patènes, des croix pectorales, des reliquaires et des crucifix. Son œil de bibliophile expert se concentra sur les manuscrits, parmi lesquels il repéra des chrysobulles, des sceaux et des documents portant des sceaux sacrés. Des dômes en verre protégeaient tous les objets.

« Nous avons environ quinze mille manuscrits stockés ici, dit Gallo. La plupart sont des originaux et des premières éditions. Il y a des bibles rares, des classiques, des textes scientifiques, des dictionnaires. Nous avons un peu de tout, mais nous collectionnons les textes depuis neuf siècles. Cette pièce contient quelques-uns des objets que nous permettons parfois à des visiteurs de voir.

– À de potentiels mécènes ? »

Gallo hocha la tête. « Il faut environ deux cents millions d'euros chaque année pour maintenir l'Ordre financièrement à flot. La plupart de l'argent vient de gouvernements, des Nations unies et de l'Union européenne. Mais nous dépendons aussi de la générosité de donateurs privés. Alors oui, cette collection se révèle parfois utile pour motiver leur intérêt. »

Les deux frères en habit attendirent d'abord à l'extérieur, puis les suivirent à l'intérieur de la salle capitulaire. Son escorte de Rome s'était attardée dans le réfectoire. Malone savait que Gallo était probablement armé, et, en marchant, il avait remarqué la bosse caractéristique d'une arme rangée dans un holster en bas du dos, sous les tuniques des moines.

Rien que des ennuis, partout autour de lui.

L'histoire de sa vie, en fait.

« Venons-en au fait, voulez-vous », dit Gallo. Il avait la raideur acquise par l'autodiscipline. « Les Anglais veulent voir l'intérieur de ce bâtiment depuis longtemps. Ils ont essayé de s'y introduire en secret plusieurs fois. Maintenant, ils ont réussi, enfin.

– Avec votre permission, bien entendu. Vous savez parfaitement bien que je suis ici en leur nom. Et nous n'avons pas demandé cette visite.

– Ils ont appelé et ont exigé de me parler. Ils ont insinué que mes chevaliers étaient d'une manière ou d'une autre impliqués dans ce qui vous est arrivé précédemment au lac de Côme. Un meurtre. Un vol. Un cambriolage. J'ai dit à sir James Grant qu'il se trompait. »

Mais c'était un mensonge. Trop d'éléments ne collaient pas. Ou, plus exactement, collaient pour donner quelque chose qui ne sentait pas bon. Et il se retrouvait une fois de plus pris dans ce grand maelström tourbillonnant de possibilités où sa vie se trouvait dans la balance. Certaines parties en lui détestaient le conflit, d'autres le recherchaient avidement. Pendant une douzaine d'années, il avait vécu avec cette menace chaque jour. Action. Réaction. Cela faisait partie du jeu. Mais s'il avait pris sa retraite si tôt, c'était bien pour pouvoir arrêter de jouer.

Ouais, c'est ce qu'il croyait.

Il s'approcha d'une des tables et examina à travers la paroi de verre ce qui était annoncé comme un évangile du XIIIe siècle avec une magnifique couverture en bois et une reliure en cuir marocain. Il devina qu'il devait valoir plusieurs centaines de milliers de dollars. Il garda les yeux rivés sur l'objet, mais commença à se préparer. Quand il était agent de la division Magellan, la plupart de ses erreurs avaient été commises lorsqu'il avait eu trop de temps pour réfléchir. Action. Réaction. Contre-réaction. Peu importe. Agir, c'est tout.

« Où sont-ils ? » demanda-t-il en continuant à se focaliser sur l'évangile ancien, dont la couverture avait foncé avec le temps et se trouvait ornée d'une toile d'araignée de fissures fines comme un tableau ancien avant restauration.

Gallo parut savoir exactement ce qu'il voulait dire et se déplaça. Un des moines se positionna à l'autre extrémité de la rangée de tables suivantes et prit le porte-documents en peau d'éléphant qui était posé par terre. Malone le regarda brièvement, puis continua son examen des objets posés sur la table devant lui, tout en se rapprochant imperceptiblement du deuxième moine.

« Qui a abattu l'homme dans la villa ? demanda-t-il à Gallo.

– Quelle importance ? Cet homme n'avait pas réussi à accomplir sa mission. »

Il se planta face à son adversaire. « Qui n'était pas de me tuer ni de me capturer. Non. Vous vouliez que les Britanniques sachent que vous étiez sur place.

– Effectivement, mais heureusement, la bague vous a conduit droit jusqu'ici.

– La bague, ainsi qu'un type pendu par les bras attachés dans le dos.

– Ce qui autrefois faisait trembler de peur les Sarrasins en Terre sainte. »

Un aveu franc et massif. Autrement dit, Gallo croyait qu'il avait le contrôle de la situation.

Malone reprit son examen des objets sur la table. « Ces manuscrits sont impressionnants.

– Je me suis dit qu'un spécialiste en livres anciens apprécierait notre collection.

– C'est le cas. Pourquoi les lettres entre Mussolini et Churchill sont-elles si importantes pour vous ?

– Elles ne sont qu'un moyen pour parvenir à notre fin. »

Seules deux hypothèses tenaient la route. Soit James Grant n'avait aucune idée de ce qui se passait et il avait envoyé quelqu'un pour découvrir la vérité. Soit il savait pertinemment ce qui se passait et il avait envoyé ce quelqu'un pour qu'il ne revienne pas.

Malone choisit la deuxième hypothèse.

Sa décision allait de soi.

Sa cible se trouvait à environ un mètre vingt de lui, et le regard inexpressif du jeune homme en robe de bure lui apparut presque comme un avertissement. Il s'arrêta et admira un autre des magnifiques manuscrits sous sa cloche en verre. Il détesta presque ce qu'il s'apprêtait à faire.

Mais quel autre choix avait-il ?

L'arme de Gallo sous sa veste était plus facile à atteindre que celles que portaient les moines. Il lui fallait quelques secondes, donc. Prétendant admirer le manuscrit posé devant lui, il saisit soudain le lourd dôme en verre et le jeta vers Gallo. Puis il serra son poing gauche et l'écrasa sur la figure du moine à côté de lui ; s'ensuivit un bon coup de coude dans les reins.

Le gars en fut étourdi.

Malone en profita pour écarter la tunique et s'emparer de son arme. Il lui balança son pied gauche, et l'autre se plia en deux. Le globe en verre avait atteint Gallo, mais il réussit à le faire dévier de sa trajectoire et il alla se fracasser sur le sol. L'autre moine s'empressa de prendre son arme.

Gallo aussi.

Cotton tira deux balles dans leur direction.

Les deux hommes disparurent sous les tables.

Il ajusta son tir et atteignit les lustres allumés au-dessus de lui. Deux d'entre eux explosèrent dans une gerbe d'étincelles et un nuage de fumée. Gallo se relevait, alors il le visa à nouveau ; la balle fit un ricochet sur le dessus de la table. Il fit exploser un nouveau lustre, ce qui ajouta d'autres étincelles et plus de fumée.

Cela suffirait-il ?

Une alarme se déclencha et les gicleurs se mirent en marche. Il renversa la table qui se trouvait devant lui, ce qui projeta les artefacts sur le sol mouillé et fit exploser en mille morceaux les cloches en verre. Il laissa la table posée perpendiculairement au sol en s'en servant comme d'un bouclier pour empêcher Gallo et l'autre moine de l'atteindre. Il pouvait maintenant se servir de cette protection pour se diriger vers la sortie. Il se baissa, se mit à rouler par terre, sur le sol alternativement sec et mouillé en progressant le long des tables. Gallo comprendrait certainement sa stratégie et changerait de position, mais cela lui prendrait quelques secondes.

Il fallait que Malone profite du peu de temps qu'il avait gagné.

Trois balles furent tirées dans sa direction, mais la table continuait à le protéger efficacement. À quatre pattes, il se dépêcha de passer la dernière rangée. Avant de se relever, il prit soin de jeter un coup d'œil par-dessus la table et vit

Gallo et son acolyte postés, arme au poing, attendant qu'il apparaisse.

L'eau continuait à tomber abondamment.

L'alarme continuait à hurler.

Ses adversaires tirèrent plusieurs coups.

Il décida de persister à agir de manière inattendue et tira deux balles droit dans les globes transparents posés sur les tables devant les deux hommes. Le verre explosa et les éclats s'éparpillèrent comme une poignée de graines lancées par un semeur. Gallo et son acolyte reculèrent pour éviter les projectiles. Malone profita de cet instant pour s'enfuir de la salle capitulaire et repartir vers le cloître. Il pouvait retourner sur ses pas jusqu'au réfectoire, mais ce long parcours était à découvert, et il ne pourrait pas aller bien loin sans qu'on lui tire dessus. Il ne pouvait s'échapper ni par la gauche ni par la droite – le cloître allait rapidement devenir un stand de tir. Mais une paire de doubles portes en bois à environ huit mètres de lui offrirait peut-être un refuge.

Il se précipita et la serrure en fer s'ouvrit dès la première tentative. Il poussa le lourd vantail en chêne vers l'intérieur, puis le referma doucement, tout en espérant que ses poursuivants ne remarqueraient rien.

Pas de serrure à l'intérieur.

D'autres lustres allumés éclairaient une chapelle, dont l'intérieur était spacieux et contenait un autel doré impressionnant et des statues projetant des ombres spectrales dans la faible lumière. Personne en vue.

L'alarme se tut.

Il fouilla la pénombre du côté de l'autel et repéra un escalier sur la droite. Une lueur blafarde lui parvenait d'en bas. Il descendit dans une crypte, tout à coup envahi par une froide inquiétude. Fonçait-il tête baissée dans une voie sans issue ? Un portail en fer forgé s'ouvrait sur une salle immense formée de trois nefs. Le plafond était bas et voûté, une petite niche abritait un autel sur sa droite. Trois sarcophages médiévaux en pierre, surmontés d'immenses dalles de granit sculpté étaient alignés au centre. La seule lumière qui perçait les ténèbres provenait d'une minuscule lampe jaune près de l'autel qui illuminait quelques mètres carrés. Le reste de la salle demeurait dans l'ombre, et l'atmosphère était rance, fétide et particulièrement froide.

Il entendit la porte en chêne s'ouvrir au-dessus.

Son regard aux aguets se posa immédiatement sur le plafond de la voûte, à moins de cinquante centimètres du sommet de sa tête.

Des pas retentirent sur le sol en marbre.

À pas de loup, il traversa la crypte jusqu'à la nef la plus éloignée. Son esprit fut saisi d'une véritable fébrilité, qu'il essaya de réprimer, faisant un effort pour garder son sang-froid. Il avait beaucoup tiré dans la salle capitulaire, du coup, il inspecta le chargeur de son arme.

Vide.

Super.

Il lui fallait quelque chose pour se défendre, alors il fouilla les ténèbres du regard. Dans une petite abside à quelques mètres, il aperçut un candélabre en fer forgé. L'objet faisait bien un mètre cinquante de haut et contenait une seule bougie de cire d'environ dix centimètres de diamètre, plantée au centre. Il saisit le candélabre et remarqua son poids. Costaud. Il emporta aussi bien le candélabre que la bougie et alla se poster derrière un pilier.

Quelqu'un descendait l'escalier vers la crypte.

Il jeta un coup d'œil de l'autre côté des tombes. La faible lueur provenant du minuscule autel ne permettait guère de distinguer quoi que ce fût. Il se sentait partagé entre la peur et l'excitation. Son corps frémissait d'une étrange forme d'énergie, une puissance inexpliquée qui avait toujours clarifié sa pensée. Sous la voûte, au pied de l'escalier, se découpa la silhouette de l'un des moines.

Il avança lentement, l'arme au poing.

Malone serra les mains sur le candélabre et arma son coup. Il savait qu'il fallait qu'il attire le gars plus près, alors, il frotta la semelle de sa chaussure droite dans la poussière, par terre. Un rapide coup d'œil de l'autre côté du pilier confirma que l'homme se dirigeait vers lui. Des ombres dansèrent, grandirent, puis diminuèrent au plafond. Ses muscles se tendirent. Il compta dans sa tête jusqu'à cinq, serra les mâchoires, puis balança le candélabre. Il heurta le gars en pleine poitrine et l'ombre s'en alla valser contre l'une des tombes de style pseudo-roman. Il se débarrassa de son arme improvisée et lui flanqua un coup de poing puissant dans le visage. L'autre laissa échapper son revolver qui partit dans une glissade sur la mosaïque.

L'homme se releva d'un bond et se jeta sur lui.

Mais Malone était prêt.

Un deuxième coup de poing dans la figure et un troisième dans le ventre firent vaciller l'ennemi. Ensuite, il lui cisailla les jambes, et dans sa chute, l'autre heurta très fort les dalles de la tête.

Son corps s'immobilisa.

Malone fouilla le sol à la recherche de l'arme et la trouva. Il enroulait ses doigts autour de la crosse au moment même où une autre série de pas se fit entendre dans l'escalier.

Deux balles furent tirées dans sa direction.

Une fine poussière tomba du plafond lorsque les balles percutèrent la pierre. Malone se mit à couvert derrière le pilier, jeta un coup d'œil rapide et tira une fois. La balle alla ricocher contre le mur opposé, signalant qu'il était armé et prêt.

Il avait réussi à capter l'attention de son adversaire.

« Il n'y a aucun moyen de sortir. »

La voix de Gallo traversa la crypte, lourde d'une menace glaciale, venant de derrière le sarcophage le plus éloigné.

Entre lui et la seule sortie se trouvait un homme armé décidé à le tuer. Mais Gallo était coincé, lui aussi. Aucun moyen pour lui non plus de regagner l'escalier sans recevoir une balle. Il fallait que Malone fasse sortir Gallo de sa cachette, qu'il le pousse à commettre une erreur.

Il regarda autour de lui et aperçut une grosse bougie par terre.

Il se pencha, l'attrapa puis observa la nef plongée dans la pénombre ; il décida qu'il faisait suffisamment sombre pour que la bougie puisse être prise pour autre chose. Il lança le cylindre de cire entre les piliers, lui imprimant un mouvement de rotation, en espérant que la diversion provoquerait des tirs.

Il avait vu juste.

Alors que la bougie était au milieu de l'espace les séparant, Gallo sortit de sa cache et tira.

Cotton brandit son pistolet et appuya deux fois sur la détente ; les deux balles touchèrent Gallo à la poitrine.

L'homme vacilla vers l'arrière mais ne tomba pas. Il se remit en position, visa et se mit à tirer. Cotton plongea derrière le pilier tandis que les balles frappaient la pierre tous azimuts. Il resta ramassé près du sol, le plus grand danger étant celui des ricochets.

Les tirs cessèrent.

Il attendit quelques secondes, puis se remit debout.

D'un rapide coup d'œil vers l'autre côté de la crypte, il constata qu'il n'y avait pas de Gallo.

Il entendit la porte au-dessus s'ouvrir.

Clairement, il avait touché le gars en pleine poitrine avec deux balles, ce qui signifiait qu'il avait un gilet pare-balles sous le costume.

Ces chevaliers étaient du genre prévoyant.

Il fonça vers l'escalier et remonta. La chapelle était déserte. La porte en chêne au fond était aux trois quarts fermée. Il approcha et regarda dans le cloître, pour apercevoir Pollux Gallo du côté opposé, entrant dans le réfectoire. Il partit à sa poursuite, mais Gallo avait quatre-vingt-dix secondes d'avance et, le temps qu'il arrive, le réfectoire était lui aussi désert.

Une voiture démarra dehors.

Malone courut vers la porte extérieure et l'ouvrit. La Mercedes sortait de la cour par le portail principal.

Gallo avait disparu.

22

Le chevalier abandonna son poste d'observation au-dessus du monastère au moment où Malone entrait dans le réfectoire. Il monta dans sa voiture et partit, tournant le dos à la côte pour s'enfoncer dans les terres.

La mort soudaine du pape avait tout changé. Il avait toujours pensé qu'il y aurait plus de temps pour se préparer. Mais ce n'était pas le cas. Tout arrivait très vite. Heureusement, Danjel Spagna était arrivé dans le paysage. Généralement, l'archevêque se contentait de rester tapi dans l'ombre, sans jamais se montrer, déléguant tout le travail à des larbins. Mais pas dans ce cas précis. Apparemment, le chef des espions voulait quelque chose, lui aussi. Sa présence simplifiait et compliquait les choses. Mais ce n'était qu'un défi de plus qu'il faudrait relever.

Il poursuivit sa route, s'éloignant du monastère.

Les dés étaient jetés. Impossible de retourner en arrière. La seule solution viable était d'avancer. Les quarante-huit prochaines heures détermineraient l'avenir de tous. Il avait planifié la mission jusqu'au plus petit détail possible.

Maintenant, il avait juste besoin d'un peu de chance.

Il jeta un coup d'œil à sa montre.

10 h 40.

Il avait passé toutes ces dernières années à préparer ce moment. Il avait tellement lu, tellement étudié, tellement consulté. Et tout le menait à l'homme unique qui avait fait baisser les yeux à l'Église catholique et qui avait gagné.

Benito Amilcare Andrea Mussolini.

Par chance pour lui, le Duce était parvenu au pouvoir alors que l'influence de l'Église en Italie commençait à diminuer. Elle n'était plus détentrice d'un pouvoir politique. Pie XI voulait la redynamiser et Mussolini souhaitait que son gouvernement soit légitimé par ce qui avait toujours été l'institution la plus puissante d'Italie. Pour apaiser le pape et convaincre le peuple de sa prétendue bienveillance, le Duce négocia en 1929 le traité de Latran qui reconnaissait enfin la souveraineté absolue du Saint-Siège sur la Cité du Vatican.

Les Italiens furent enthousiasmés par cette concession.

Mussolini également.

Pendant les neuf années suivantes, il n'eut à subir aucune interférence de la part du Vatican, et put tuer et torturer qui il voulait. Même les catholiques étaient persécutés. Des églises furent vandalisées et les violences contre les ecclésiastiques devinrent monnaie courante.

Il avait le champ libre.

Finalement, en 1939, Pie XI décida de faire une dénonciation publique. Un discours virulent fut composé, imprimé, prêt à être distribué partout dans le monde.

Et c'est alors que Pie XI mourut.

Tous les exemplaires du discours furent saisis et ordre fut donné de les détruire par le secrétaire d'État du Vatican. Personne n'avait jamais entendu ni lu un mot de cette répudiation papale. Comme on le dit à l'époque, pas une virgule ne demeura.

Trois semaines plus tard, l'homme qui avait ordonné cette destruction fut couronné pape sous le nom de Pie XII. Le nouveau pape était urbain, mièvre et sournois. Il embrassa immédiatement la voie précédemment ouverte de l'apaisement politique, refusant tout affrontement ouvert avec l'Italie ou l'Allemagne.

Et le chevalier savait pourquoi.

Nostra Trinità.

Cette *Nostra Trinità* que Mussolini savait où trouver, à moins qu'il ne la possédât.

Un fait connu de Pie XII.

Le chevalier avait dépassé Rapallo.

Tout avait convergé vers ce moment. À partir de maintenant, soit il réussirait, soit il mourrait. Il n'y avait pas de troisième voie. Pas avec les maux qu'il envisageait d'infliger.

Il regarda à travers le pare-brise. Une voiture était arrêtée devant lui, tous phares éteints, et un homme se tenait à côté, dans la pénombre. Il arrêta son véhicule, sortit et franchit les dix mètres qui le séparaient de sir James Grant. Quelque part, assez près, il entendit le bruit du ressac sur les rochers.

« Est-ce que Malone est mort ? demanda Grant.

– On s'en occupe en ce moment même. J'ai vu de mes propres yeux que les choses s'annonçaient bien.

– Tout ceci est caduc si Malone sort de ce monastère sain et sauf. »

L'homme se fichait pas mal de la menace que Cotton Malone pouvait représenter pour Grant. Il avait dit à ses gens de s'occuper de cette affaire, mais de se retirer sans prendre de risques inconsidérés dans le cas où les choses tourneraient mal. Malone n'était pas son problème.

Jusque-là il avait mené ce qu'on ne pouvait décrire autrement que comme une vie sédentaire, dont les batailles étaient presque toutes intellectuelles et émotionnelles. Il avait patiemment regardé les autres tomber, perdre leur stature. Il avait appris comment le désir pouvait parfois laminer la détermination, et c'était ce savoir, plus que tout autre, qui expliquait son inflexible ténacité actuelle. La mise en œuvre du plan avait commencé ce matin et avait continué quand il avait parlé à James Grant au téléphone, quelques heures plus tard. Il avait montré une certaine audace pour récupérer les lettres de Churchill dans cette villa, puis avait laissé trois cartes de visite derrière lui : le propriétaire suspendu par les bras, la bague sur la main du chevalier mort. Et Cotton Malone toujours en vie. Les trois messages avaient été bien reçus et Grant avait pris contact.

Maintenant, il était temps de passer un accord.

« Je veux ces lettres, dit Grant. Tout de suite.

— Et vous savez ce que je veux, moi. »

Il avait compris seulement récemment que les Britanniques détenaient la clé. C'était Danjel Spagna qui lui avait transmis cette information vitale quelques semaines auparavant, lorsqu'il avait approché le chef des espions pour la première fois, pour lui demander son aide.

« Je sais ce que vous voulez, dit Grant. Vous le recherchez depuis que Napoléon a pris Malte. Je connais l'histoire du chevalier capturé à La Valette pendant l'invasion de Napoléon. Ils l'ont emmené au palais du Grand Maître et lui ont cloué les mains sur une table.

— Et le petit général en chef l'a embroché. Cet homme était un *Secreti.* Il portait la bague. Il garda le secret. »

La bravoure de ce chevalier était révérée depuis longtemps. Avec les troupes françaises se précipitant sur La Valette et l'île condamnée, c'était lui qui avait eu la charge de protéger les objets les plus précieux des chevaliers. Les livres, les registres et les artefacts furent emportés à pied jusqu'à la côte sud et expédiés par bateau en toute hâte. Certains parvinrent à rejoindre l'Europe, d'autres non. Mais on prit la décision de laisser sur l'île ce qu'ils avaient de plus précieux. *Nostra Trinità.*

Ce chevalier condamné, voyant arriver sa mort prochaine, s'était assuré, racontait-on, que les Français ne localiseraient jamais la Trinité. Mais à en croire la chronique, il avait également laissé un indice qui permettrait aux bonnes personnes de la retrouver.

« Le MI6 sait depuis longtemps ce que Mussolini avait peut-être trouvé, dit Grant. Il était résolu à s'emparer de *Nostra Trinità.*

— Je veux ce qu'il avait trouvé.

— Et vous l'aurez, dit Grant, dès que j'aurai ces lettres. »

Le chevalier tendit la télécommande vers sa voiture et appuya sur le bouton. L'intérieur s'éclaira et le porte-documents en peau d'éléphant apparut, posé sur le siège passager. « C'est tout ce que Malone a pris. Tout ce que le propriétaire de la villa essayait de vendre. Il y a onze lettres à l'intérieur.

— Les avez-vous lues ?

— Bien sûr. À l'évidence, elles modifient l'histoire.

— J'aurais préféré que vous ne le fassiez pas. »

Il haussa les épaules. « Je me fiche pas mal de la fierté des Britanniques et de la réputation de Winston Churchill. Maintenant, dites-moi ce que je veux savoir. »

Il écouta Grant lui expliquer tout ce que les services secrets britanniques avaient découvert dans les années 1930. Ce qui avait été vaguement mentionné au téléphone, plus tôt.

Il était stupéfait. « Vous êtes certain de ce que vous avancez ? »

Grant haussa les épaules. « Aussi certain qu'on puisse l'être sur des informations datant de plusieurs décennies. »

Il comprit. Un risque demeurait. Rien de nouveau là-dedans. Un fait que Grant aurait dû réaliser aussi.

« C'est tout ? » demanda-t-il.

Grant acquiesça.

« Dans ce cas, les lettres sont à vous. »

L'Anglais se dirigea vers la voiture. Le chevalier plongea la main sous sa veste et trouva son arme. Il s'approcha de James Grant et lui tira une balle dans la nuque.

La détonation explosa dans la nuit.

L'Anglais s'écroula sur le sol.

Une des raisons pour lesquelles le chevalier avait choisi cet endroit pour leur rencontre était l'intimité qu'il offrait. Peu de gens fréquentaient ce lieu après la tombée de la nuit. L'autre raison était la proximité de la mer. Il rangea son arme dans son holster et hissa le corps de Grant sur son épaule. L'homme était étonnamment robuste. Il s'avança dans la pénombre pour se rapprocher de la falaise et balança le corps de Grant. La voiture serait découverte demain, mais il faudrait plus de temps pour le corps, si on le trouvait un jour. Les marées étaient rapides et tristement célèbres.

Il contempla l'eau noire.

Que disait l'Ecclésiaste ?

Jette ton pain sur la face des eaux, car tu le trouveras après bien des jours.

Il espérait bien que non.

23

Luke se demanda pourquoi Cotton Malone se retrouvait embringué dans tout ça, mais il savait qu'il valait mieux ne pas poser de question à Stéphanie. Cela n'était pas pertinent vu sa situation actuelle. On le considérait apparemment comme un élément faisant partie d'une mission de grande envergure. Rien d'inhabituel là-dedans. Son boulot était de jouer correctement son rôle. Stéphanie lui avait donné des directives relatives à Laura Price et elle comptait sur lui pour lui obéir. C'était donc exactement ce qui allait se passer.

Il repartit vers Republic Street, qui demeurait bondée, tandis que la foule restait absorbée par les derniers événements. Il faisait maintenant nuit et une lumière ambrée enveloppait les rues et les places. Il resta dans la ruelle et parvint à apercevoir Laura, les bras immobilisés par des policiers, en train de parler à l'homme qu'elle avait identifié comme étant Spagna. La conversation ne paraissait pas amicale. Spagna continuait à fumer son cigare. Les flics locaux visiblement étaient à ses ordres. Il n'en restait que deux sur les quatre, et un cinquième, celui qui avait servi de chauffeur à Spagna, était posté en sentinelle sur le côté.

Luke évalua ses chances de réussite.

Le chef du renseignement du Vatican était apparemment venu autant pour lui que pour Laura. Le grand bonhomme l'avait appelé par son nom, *Daniels*. Donc, Spagna était bien informé. Et qu'est-ce qui avait fait si peur à Stéphanie ?

Son attitude avait changé du tout au tout. Il s'était passé beaucoup de choses, et en peu de temps. Mais il était habitué à la voie rapide. En fait, il la préférait.

Il regarda Laura se faire embarquer à l'arrière de la voiture de police bleue et blanche, dont le gyrophare tournait encore. Spagna hésita un instant à côté du véhicule et s'adressa à un des agents en uniforme. L'autre homme en uniforme, le chauffeur, s'installa au volant. Pour finir, Spagna ouvrit la portière côté passager et, du bout de son cigare, désigna quelque chose tout en aboyant un ordre à un autre agent, avant de s'asseoir et de refermer la portière.

Apparemment, ils partaient.

Mais leur progression serait lente, considérant le flot ininterrompu de piétons qui emplissait les rues dans les deux directions. Ils allaient devoir avancer avec précaution pendant un moment, jusqu'à pouvoir rejoindre une ruelle. Luke avait son Beretta, il pouvait se frayer un chemin l'arme au poing. Mais cela pouvait donner un résultat désastreux de mille manières.

Mieux valait innover.

Il avait déjà remarqué que plusieurs marchands ambulants occupaient une partie de la place près de la cathédrale et du palais du Grand Maître. Certains vendaient à manger et à boire, d'autres des objets artisanaux. Il en compta dix. La voiture de police avait commencé à s'éloigner, sans couper son gyrophare et faisant retentir sa sirène de temps en temps pour s'ouvrir un passage dans la foule.

Il sortit de sa ruelle en courant et fonça dans la mêlée, en direction de l'une des carrioles, qui affichait des reproductions en couleur de La Valette et de Malte. Elle était en bois, posée sur quatre grandes roues à rayons. Il remarqua que deux briques servaient de cales sous une roue avant et une roue arrière, pour la maintenir en place. Il examina les alentours à la recherche d'autres agents de police, mais ne vit pas le moindre uniforme. Bien entendu, cela ne signifiait pas qu'il n'y en avait pas.

Sans parler de caméras.

Ce haut lieu devait être sous surveillance vidéo constante.

Il s'ordonna de se presser. D'en finir. L'indécision était généralement synonyme d'échec. Il l'avait appris très tôt par Malone. *Que tu aies raison ou tort, peu importe ! N'hésite pas, c'est tout.*

Il traversa Republic Street et entra sur la place, se précipitant vers le fond, là où la voiture de police s'était arrêtée, la sirène lançant toujours des appels intermittents. Il arriva à la carriole vendant ses œuvres d'art, dont le propriétaire parlait à des clients potentiels. D'autres personnes admiraient les tirages exposés. Il mit un coup de pied dans une brique, puis fila à l'arrière et saisit les solides poignées en bois. Le propriétaire et les clients furent un instant frappés de stupeur et il profita de ce moment pour déplacer le gros véhicule vers l'avant. Il continua à pousser, de plus en plus fort. La carriole prit de la vitesse tandis que les roues trépignaient bruyamment sur les vieux pavés défoncés. Elle finit par aller s'écraser contre le flanc de la voiture de police. Luke s'était assuré de viser droit dans la portière passager avant.

La collision attira l'attention de tout le monde.

Il comptait sur le fait qu'il régnerait d'abord une certaine confusion dans la voiture, mais que le chauffeur sortirait rapidement.

Et effectivement, ce dernier ne tarda pas à ouvrir sa portière.

Luke bondit sur le capot et, d'un mouvement de pivot, balança ses deux pieds dans le visage du type, qui partit en arrière puis tomba. Luke atterrit sur ses pieds, prêt à achever le chauffeur, mais le flic était déjà assommé. Il prit son Beretta au creux de ses reins et visa l'intérieur de la voiture.

« Allons-y », dit-il à Laura.

Il ouvrit la portière arrière de l'extérieur, gardant le chef des services secrets du Vatican au bout de son canon.

« Votre réputation vous a précédé, dit Spagna. On m'avait dit que vous étiez un des jeunes loups de Stéphanie.

– Je fais le boulot.

– Seulement parce que je vous laisse faire. »

Laura le rejoignit.

Il ne put résister. « Qu'est-ce que cela veut dire ?

– On n'a pas assez de temps pour que vous puissiez croiser le fer, dit-elle. On y va. »

Elle fit signe à Spagna, qui grimpa par-dessus le levier de vitesses et sortit par le côté conducteur, sans le cigare.

Ben ça, alors.

« Je suppose que vous savez ce que vous faites, dit Luke à Laura.

– Toujours. »

Tous les trois se frayèrent un chemin au milieu des badauds et se dirigèrent vers une autre ruelle. Pas d'autre représentant de la police en vue. Un faible grondement de tonnerre faisait trembler l'air nocturne.

« Monsieur Daniels, je vous ai vu nous observer et je me doutais que vous alliez agir, dit Spagna tandis qu'ils se pressaient. Dites-lui, Laura. »

Il lui jeta un coup d'œil.

« Avant qu'ils me fassent monter à l'arrière de cette voiture, Spagna m'a dit de me préparer à partir. Il était sûr que vous viendriez.

– C'est moi qui ai alerté les Maltais sur votre présence à tous les deux, dit Spagna. Je me suis servi de l'attaque sur l'eau comme prétexte. Je voulais que les agents locaux vous trouvent, mais maintenant, il faut que nous soyons seuls.

– La conversation entre vous deux à laquelle j'ai assisté ne paraissait pas tellement amicale, dit Luke.

– Je dis à mes hommes que parfois un acteur doit jouer dans une seule salle ce que le script décrit comme étant quarante salles, dit Spagna. Il doit faire croire aux spectateurs que les quarante existent. Pour ce faire, il doit modifier la réalité. C'est ce que fait un bon espion aussi. Changez la réalité. Mme Price est une bonne espionne.

– De quel côté êtes-vous ? demanda Luke à Spagna.

– Du côté de mon Église, toujours. Mon travail est de la protéger.

– Et vous ? »

Il se tourna vers Laura.

Il n'aimait pas qu'on se joue de lui. Pas du tout.

Elle soutint son regard. « Du seul côté qui importe. Le mien. »

Ils continuèrent à avancer.

Il essaya de se calmer et d'être les yeux et les oreilles dont Stéphanie avait besoin sur le terrain. Ils étaient désormais assez loin de Republic Street pour pouvoir ralentir le pas. Ils s'arrêtèrent au bout d'une ruelle, à l'endroit où elle croisait une autre artère où la circulation automobile était dense. Les boutiques étaient toutes fermées pour la nuit. Il y avait beaucoup moins de piétons sur les trottoirs.

« Je suis heureux d'avoir fait votre connaissance, monsieur Daniels », dit Spagna en lui tendant la main.

Joue le jeu. Sois un gentleman.

Il tendit la main à son tour.

« Vous devriez être tous deux honorés, fit Spagna. Je suis très rarement sur le terrain.

– Et pourquoi l'êtes-vous aujourd'hui ? » demanda Luke.

Spagna tendit les bras dans un geste faussement emphatique. « Parce que tout se passe ici, sur cette île antique. Et l'œil du cyclone est toujours le meilleur endroit où l'on doit se trouver. »

Ce gars avait du style, il fallait le reconnaître.

« Au fait, monsieur Daniels, avez-vous un téléphone portable ? »

Luke acquiesça et sortit l'appareil de sa poche. Spagna le lui prit et le jeta au milieu de la rue, où une voiture qui passait l'écrasa.

La voix de Malone résonna dans sa tête.

Erreur débile, bizuth.

Ah ouais ?

« Nous n'avons pas besoin d'être pistés. Je sais que la procédure standard à la division Magellan comporte un suivi GPS permanent.

– Comme vous êtes bien informé, nota Luke. Je parie que vous feriez un tabac si vous jouiez au Trivial Pursuit spécial espions.

– Vous pouvez garder votre Beretta, dit Spagna en désignant la chemise qui sortait du pantalon de Luke. Appelons ça un témoignage de ma bonne foi. »

Réconfortant. Mais pas suffisant pour dissiper ses soupçons.

« Dites-lui ce que vous m'avez dit, dit Laura à Spagna.

– Je sais ce que le cardinal Gallo cherche à obtenir.

– Super. Mais il faut que je contacte Stéphanie Nelle, dit Luke. C'est elle qui me donne des ordres. »

D'autres grondements de tonnerre se firent entendre au loin, annonçant un orage imminent.

« Vous pourrez la joindre, dit Spagna. Plus tard. Je m'assurerai que ce soit possible. Pour l'instant, elle est très occupée à essayer de sauver un ancien agent du nom de Cotton Malone. »

24

Cotton traversa à nouveau le réfectoire, où tous les postes de travail étaient déserts, et retourna dans le cloître. Pollux Gallo était parti, mais il n'était pas certain qu'il se soit enfui seul. Les deux frères en robe de bure qui se trouvaient dans la salle capitulaire étaient peut-être encore quelque part dans le bâtiment.

Il repartit dans cette direction, l'arme à la main.

Ses vêtements étaient encore mouillés et à la porte de la salle capitulaire, il entendit que les gicleurs fonctionnaient toujours. Il regrettait la destruction des manuscrits, sans aucun doute irrécupérables, mais Gallo l'avait amené ici pour qu'il meure. Il n'avait pas eu le choix.

Les gicleurs cessèrent subitement de cracher de l'eau.

Il redoubla tout à coup de vigilance, se demandant si l'arrêt était automatique ou si quelqu'un avait actionné une manette. Il jeta un coup d'œil. Les tables avec leurs dômes en verre dégoulinaient d'eau, le sol était trempé, parsemé de flaques. Il se glissa à l'intérieur de la salle et remonta en courant l'allée du fond, cherchant le gars qu'il avait touché au début, mais il n'y avait personne. Il quitta la salle capitulaire et se dirigea vers la crypte, où il fit le même constat. Le frère en robe de bure qu'il avait abattu n'était plus là non plus. Où étaient-ils passés ? Et pourquoi Gallo n'avait-il pas poursuivi l'attaque ?

Il fallait qu'il explore les autres parties du monastère. Grant avait explicitement demandé qu'il cherche tout objet en rapport avec Mussolini. Il décida que tant qu'il était sur place, il allait voir s'il y avait quelque chose.

Il quitta la crypte et retourna au cloître, vérifiant une à une les portes métalliques qui émaillaient le mur intérieur. Toutes étaient fermées et protégées par des verrous électroniques qui nécessitaient qu'on entre un code sur un pavé numérique. À un endroit de l'autre côté de la salle capitulaire en diagonale, il s'arrêta et fixa la cour plongée dans les ténèbres. Sous les arches, en face, des lumières éclairaient les coursives du rez-de-chaussée et du premier. Il aperçut une porte entrouverte à l'étage. Il se méfiait toujours des deux frères qui avaient disparu, alors il se dirigea vers l'escalier le plus proche et le monta quatre à quatre, non sans surveiller les alentours dans toutes les directions.

L'étage paraissait aussi silencieux que le rez-de-chaussée.

Il avança vers la porte entrouverte, qui donnait sur une pièce éclairée par de puissantes lampes fluorescentes. L'espace était petit, peut-être trois mètres carrés, et le plafond était barré de poutres de couleur sombre. Les murs de pierre étaient couverts d'étagères et de placards, et, au centre, une autre table en chêne massif, cette fois sans le moindre objet exposé.

Il entra et parcourut le contenu des étagères.

Nombre d'entre elles étaient pleines de livres, tous sur Mussolini, dans différentes langues. Son œil d'expert remarqua les reliures. Certaines étaient en toile, d'autres en cuir, la plupart étaient enveloppées de jaquettes en papier protégées par de l'isolant. Plusieurs centaines, au moins. Il nota qu'il n'y avait pas de gicleurs à incendie ici. Ce qui était logique. Des placards en métal vert, alignés, étaient collés aux murs. Il ouvrit l'un d'eux et découvrit des dossiers contenant des documents portant des dates commençant en 1928 et allant jusqu'à 1943. Beaucoup des pages tapées à la machine cassantes et fragiles qu'il trouva à l'intérieur lui rappelèrent ce qu'il avait vu dans le porte-documents en peau d'éléphant. Il en parcourut quelques-unes et comprit qu'il s'agissait bien de l'archive Mussolini.

À sa droite, il vit un autre placard métallique dont les portes n'étaient pas complètement fermées. Il alla les ouvrir et tomba sur quatre rangées de volumes reliés cuir, minces, tous identiques. Il remarqua les dates sur les dos. Tous allant du milieu à la fin de l'année 1942. Ici et là, il manquait un volume, peut-être neuf en tout. Il sortit l'un de ceux qui restaient. Les pages étaient couvertes d'une écriture lourde, masculine, à l'encre noire. Il en lut certaines, en italien. Chaque entrée commençait par une date, comme dans un journal.

Du regard, il parcourut les étagères et se rendit compte qu'il manquait plusieurs autres livres. Il se demanda si la pièce avait été passée au crible, si on avait enlevé les trucs importants.

Il entendit un bruit de l'autre côté des portes, dans le cloître.

Des pas précipités.

Peut-être que ses deux problèmes avaient fini par se concrétiser.

Il alla se positionner à gauche de la porte, entre deux placards métalliques, le dos à plat contre le mur de pierre. Il garda son arme contre sa jambe, le doigt sur la détente, prêt ; comme le bruit approchait, il la brandit. Peut-être avaient-ils l'intention de lancer une attaque frontale et d'entrer en force.

Il attendit.

Quelqu'un pénétra dans la salle des archives.

Il brandit son arme.

« Je vous cherchais », dit Stéphanie Nelle d'une voix calme.

Il baissa son canon. « Mais qu'est-ce que vous fichez ici ?

— J'allais justement vous poser la même question.

— Je suis ici parce que je suis devenu cupide et que j'ai cru que je pourrais gagner cent mille euros facilement.

J'ai joué les appâts toute la journée et j'ai failli me faire manger. Pourquoi êtes-vous venue ? En même temps, vous avez bien fait, il reste encore deux ou trois menaces dans le coin. »

Elle balaya son inquiétude d'un revers de main. « Je doute qu'ils soient encore là.

– Qu'est-ce qui vous amène sur le terrain ?

– Il y a un problème qui commence à devenir sérieux, à Rome, avec le conclave qui doit débuter demain. C'est un sacré chantier, Cotton, et l'Organisme est mouillé. »

Il ne connaissait ces gens que trop bien, y compris leur chef, Danjel Spagna.

« Son Maître ? » demanda-t-il avec un sourire.

Elle hocha la tête. « Il est à Malte. Lui et moi, nous nous connaissons depuis toujours, depuis l'époque, il y a des années, où j'étais au Département d'État. »

Il savait à quoi elle faisait référence.

« Luke est à Malte aussi, dit-elle.

– Comment va le bizuth ? La dernière fois que je l'ai vu, il était dans un lit d'hôpital.

– Il s'est remis. Mais il en a plein les bras, en ce moment. Et ce qui est en train de se produire là-bas est en lien direct avec ce qui se passe ici. Je suis venue vous recruter. »

Il avait déjà entendu ce ton-là et il savait ce que cela signifiait.

Ferme-la et écoute.

« Grant vous a envoyé ici pour vous faire tuer.

– J'avais déjà compris.

– Grant va également négocier les lettres de Churchill, celles qui vous ont été soustraites ce matin. Je ne sais pas où ni comment, mais c'est son projet. »

Malone s'était bien rendu compte, pendant le petit déjeuner à Milan, que Grant ne lui disait pas tout. Il aurait dû répondre « non, merci » et rentrer à Copenhague. Mais il avait continué. Pourquoi ? Pour l'argent. Quoi d'autre ? Et cela ne lui ressemblait pas. Mais cent mille euros étaient une somme confortable qui aurait été la bienvenue à la librairie. Il fallait bien payer les factures.

« Avec qui Grant va-t-il négocier les lettres ? demanda-t-il. Et qu'est-ce qu'il a à offrir ? »

Un homme apparut derrière Stéphanie, sur le seuil. Quelqu'un qu'il ne connaissait pas. Grand, large d'épaules, d'épais cheveux bruns lui descendant jusqu'aux oreilles, une barbe de moine.

« Cotton, dit Stéphanie. Voici Pollux Gallo. Le lieutenant par intérim des chevaliers de Malte. Je crois qu'il peut répondre à vos deux questions. »

25

Kastor roulait en compagnie de Chatterjee. Des pluies torrentielles noyaient les vitres de la voiture avec chaque coup de tonnerre accompagné d'un éclair d'un blanc bleuté. Le ballet régulier des essuie-glaces l'abrutissait un peu.

Ils avaient quitté Mdina dans le véhicule de Chatterjee, pour se diriger vers Marsaskala, une ville antique nichée tout près d'une baie abritée sur la côte est. Un lieu familier, avec des constructions qui s'étendaient des deux côtés de l'eau et une promenade qui offrait une vue sur les rochers en saillie, les bateaux de pêche colorés et les vieux marais salants. Il savait que son nom dérivait en partie de *marsa*, le mot arabe pour baie, et *sqalli*, mot signifiant sicilien en maltais. Autrefois, les pêcheurs siciliens venaient souvent jeter l'ancre là, car c'était à moins de cent kilomètres de chez eux.

L'été était une saison animée. De nombreuses familles maltaises possédaient des maisons de vacances là, et la collection de bars et restaurants de l'île accueillait les foules de touristes.

Quand il était enfant, il venait souvent nager ici et séchait sur les pierres chaudes après s'être baigné dans la Méditerranée. En ce temps-là, le trajet prenait un certain temps, car les routes n'avaient rien à voir avec celles d'aujourd'hui. Peu d'entre elles à l'extérieur de La Valette étaient pavées et toutes se terminaient par un cul-de-sac, menant le plus souvent au bord de l'eau. Tout cela avait changé dans les années 1970, quand le tourisme avait explosé. Cependant, malgré la modernisation, l'histoire affleurait encore partout sur l'île. La présence des chevaliers demeurait forte, plus pour les touristes, il le savait, que par un véritable attachement.

Les Maltais et les Hospitaliers ne s'étaient jamais entendus. Ces derniers avaient été d'emblée perçus comme les étrangers à qui un autre étranger avait donné *leur* terre. Les chevaliers n'avaient pas aidé, en apportant des guerres presque continues sur l'île, parce que leur occupation était considérée comme une menace constante envers le monde arabe. Pire, ils traitaient les habitants historiques comme des ouvriers du bâtiment et des soldats démunis plutôt que comme des citoyens qui seraient leurs égaux.

Les chevaliers ne comprirent jamais comment diriger un endroit aussi petit que Malte. Ces gens qui vivaient si près les uns des autres depuis si longtemps avaient appris à apprécier les besoins et les désirs de leurs voisins. C'était une société de coopération chaleureuse que les chevaliers gouvernèrent avec une tyrannie impitoyable. En 1798, les Maltais en avaient assez et les Français avaient été accueillis en libérateurs, et Napoléon loué comme leur champion. Ils furent rares à Malte à éprouver de la tristesse en voyant les chevaliers chassés. Mais cette joie laissa rapidement place à la haine du nouvel occupant, et la même erreur n'avait pas été commise deux fois. Les Français furent vaincus en moins de deux ans. Finalement, après la défaite de Napoléon en 1814, les Britanniques annexèrent l'île et en gardèrent le contrôle jusqu'à 1964.

21 septembre.

Le Jour de l'Indépendance.

La vieille nonne de l'orphelinat s'était trompée sur le festival de Notre-Dame-des-Lys et les trois *pasti* volés. Tout s'était passé lors d'une fête du Jour de l'Indépendance. Il n'avait pas corrigé Spagna, mais il se souvenait du moindre détail. Comment l'avait-elle appelé ?

Halliel ftit. Petit voleur.

Son portable vibra dans sa poche. Il sortit l'appareil, identifia la personne qui appelait et décrocha.

Mieux vaut tard que jamais.

«J'ai de bonnes nouvelles, dit la voix dans son oreille. Je sais maintenant où Mussolini a caché ce qu'il a trouvé.»

De soulagement, Kastor ferma les yeux. «Dis-moi.

– Les Britanniques ont l'information depuis le début. J'ai pu utiliser les lettres de Churchill pour obtenir que James Grant nous donne ce que nous attendons de lui.

– Où cela se trouve-t-il?

– Je ne peux pas le dire comme ça, sur une ligne de portable.

– Tu peux mettre la main dessus?

– Cela risque d'être difficile, mais c'est envisageable.

– Et l'homme que tu viens de mentionner?

– Ce n'est plus un problème, désormais.»

Kastor aussi ne parlait pas à la légère, mais il parvint à dire: «Je suis avec un homme qui s'appelle Chatterjee. Il travaille avec un ami de Rome. Nous avons un souci. Il y a un Américain et un agent maltais qui me surveillent.

– Est-ce que l'ami que tu viens de citer a pris contact avec toi?

– C'était une drôle de surprise, mais oui. Tu aurais pu me prévenir.

– Il valait mieux procéder ainsi. Nulle part au monde, tu ne trouveras meilleur que lui. Et maintenant, il est de ton côté.

– Voilà qui est nouveau pour moi, répondit Kastor.

– Mais cela est le bienvenu, j'en suis sûr. J'ai pris les dispositions pour que cela se fasse, alors je t'en prie, profite de la situation. Il ne reste que quelques heures. Ne sors pas de l'ombre, reste au-dessus de la mêlée. Laisse ton nouvel ami faire le sale boulot.»

Kastor n'avait pas besoin qu'on le lui rappelle. Il avait ardemment souhaité une confrontation avec le dernier pape et elle lui avait été accordée. Malheureusement – même s'il avait bêtement pensé le contraire, à l'époque – cette guerre avait été terminée avant même de commencer.

Celle-ci serait menée d'une manière très différente.

Il s'enhardit : « On m'a fourni des informations nouvelles. Du genre redoutables et éloquentes. Elles relèvent en grande partie de scandales personnels. Et j'en ai plus qu'il en faut pour obtenir ce que nous voulons.

– Je suis impatient d'en apprendre davantage.

– Y a-t-il une raison pour laquelle tu m'as caché l'identité de notre nouvel ami ? Il n'en a jamais été question lorsque tu m'as dit de venir ici.

– Ne m'en veux pas. C'était une condition pour qu'il s'implique. Mais reprends courage. Dans à peine quelques jours, tu seras son supérieur. »

Kastor savoura ce qu'il venait d'entendre. « Trouve tout ce qu'il y a à trouver, dit-il dans le portable. Et rapidement.

– C'est exactement mon intention. Une chose : où sont ces informations redoutables et éloquentes dont tu viens de parler ? »

Il jeta un coup d'œil de l'autre côté de la voiture. « C'est Chatterjee qui les a. »

Une pause, puis la voix dit : « Prends soin de toi. »

Il mit fin à la communication.

Ils quittèrent Marsaskala et se dirigèrent vers la baie de Saint-Thomas, un mouillage douillet protégé par des falaises escarpées sur trois versants. Un fatras de bâtiments éclairés bordait l'étroite route des deux côtés.

« Où allons-nous ? demanda-t-il, heureux que Chatterjee s'abstienne de poser des questions sur la conversation téléphonique.

– Parler à quelqu'un qui sait des choses. »

Il fut agacé par cette réponse tellement énigmatique. Il devrait se trouver à Rome. Les cardinaux étaient certainement en train d'arriver à Rome, heure après heure, se voir assigner leur chambre à la Résidence Sainte-Marthe et se préparer à se retirer en conclave.

Et il se trouvait ici, sous la pluie.

« Quand est-ce que j'aurai accès à cette clé USB qui se trouve dans votre poche ? »

Chatterjee émit un petit rire. « L'archevêque veut d'abord que cette chasse aboutisse. »

Kastor commençait à trouver difficile de cacher ses frustrations grandissantes. « Est-ce que la découverte de *Nostra Trinità* est une condition pour que cela arrive ?

– Pas du tout. Si cet effort échoue, eh bien, il échoue. Mais l'archevêque ne voit pas l'utilité, dans l'immédiat, de transmettre les détails de la corruption de la curie. Vous aurez la clé USB avant d'entrer en conclave. »

Tout à coup, il comprit la manœuvre, dans un éclair lumineux comme une révélation. « Il croit que je m'en servirai avant. Il veut que tout le chantage ait lieu à l'intérieur du conclave, parce que personne ne pourra en parler une fois qu'il sera terminé.

– La précaution est sage, vous ne pensez pas ? Bien qu'il ait toute confiance en votre capacité à persuader les bons cardinaux de soutenir votre candidature, si quelque chose se passe mal, au moins cela demeurera une affaire privée, puisque les cardinaux sont tenus au secret par serment.

– Et je deviens le seul responsable.

– Il y a une part de risque dans tout ce qu'on fait.

– Sauf pour votre patron.

– Bien au contraire. L'archevêque court un risque énorme en vous soutenant. »

Cette observation le fit douter. Spagna n'avait pas survécu aussi longtemps en prenant des risques *énormes*.

Il en voulait à Spagna d'avoir fait irruption dans sa vie. Parfois, le matin, quand il se rasait, il surprenait dans le miroir le reflet d'un homme qu'il aurait presque pu ne pas reconnaître, sauf qu'il l'avait créé. Confectionné aussi soigneusement qu'un sculpteur travaillant un bloc de pierre.

Cependant, comme chez tout le monde, il y avait des cicatrices, les stigmates d'un passé trouble. Et lui-même avait pensé qu'il était un homme fini, irrésistiblement conduit à la solitude de l'échec. Mais il semblait qu'aujourd'hui il avait droit à une seconde chance.

« Puis-je poser une question ? » fit Chatterjee.

Pourquoi pas ? « Allez-y.

– Quel nom envisagez-vous de prendre quand vous serez pape ? »

La question était étrange, mais il y avait bien réfléchi.

En fait il admirait le titre complet. Sa Sainteté, Évêque de Rome, Vicaire de Jésus-Christ, Successeur du Prince des Apôtres, Souverain Pontife de l'Église universelle, Primat d'Italie, Archevêque et Métropolite de la Province de Rome, Souverain de l'État de la Cité du Vatican, Serviteur des serviteurs de Dieu.

Mais c'était un peu trop, même pour lui.

Les premiers évêques de Rome avaient tous gardé leur nom de baptême après leur élection. Puis, au milieu du VIe siècle, Mercurius avait pris la sage décision qu'un pape ne devrait pas porter le nom d'un dieu romain païen. Mercure. Alors il avait adopté celui de Jean II, en l'honneur de son prédécesseur qui avait été vénéré comme martyr. Plus tard, lorsque les ecclésiastiques du Nord, d'au-delà des Alpes, accédèrent à la papauté, ils remplacèrent leur nom étranger par un nom plus traditionnel. Le dernier pape à avoir utilisé son nom de baptême était Marcel II, en 1555.

Et il allait faire de même.

« Je serai Kastor Ier. »

Chatterjee rit.

« Qu'est-ce qu'il y a de si drôle ?

– Spagna vous connaît tellement bien. Le mot de passe pour la clé USB est Kastor I. »

26

Cotton regarda fixement l'homme qui se faisait appeler Pollux Gallo. « L'homme qui vient d'essayer de me tuer s'est présenté avec ce nom-là aussi.

– Je sais, et je vous prie de bien vouloir m'excuser, dit Gallo. Mais j'ai un sérieux problème qui couve au sein des Hospitaliers. L'homme à qui vous avez eu affaire était un imposteur. »

À l'évidence. « Qui était-il ?

– Un chevalier, comme ceux qui l'accompagnaient. Toute organisation a son lot de fanatiques. Nous ne faisons pas exception. »

Ce sujet méritait d'être creusé, mais d'abord il voulait en entendre davantage de la bouche de Stéphanie.

« Cotton, je n'avais pas idée que vous étiez impliqué dans tout ceci jusqu'à il y a quelques heures, dit-elle. Je travaille sur le sujet depuis plus d'une semaine, mais je viens juste d'avoir les informations sur les Britanniques.

– Quel sujet ?

– Je ne sais pas trop. La situation bouge constamment, c'est le moins qu'on puisse dire. Je comprends que vous avez été en affaires avec James Grant, et Grant a été en affaires avec l'Organisme. »

Du temps où il était un agent de la division Magellan, Malone avait travaillé plusieurs fois avec les hommes de Danjel Spagna. La plupart des agences de renseignement dans le monde occidental faisaient de même. Le Vatican était une mine d'or dans le domaine du renseignement. Chaque jour, des données ecclésiastiques, politiques et économiques arrivaient en masse de milliers de prêtres, d'évêques, des profanes et des nonces. Un nombre ahurissant d'yeux et d'oreilles dans presque tous les pays du monde. Personne d'autre ne possédait ce genre de réseau.

« Bien entendu, dit Stéphanie, quand on travaille avec l'Organisme, ça ne marche pas à sens unique. Les renseignements doivent être échangés. J'ai appris qu'il y a une semaine James Grant a révélé que les lettres de Churchill étaient réapparues. Il avait pisté le vendeur potentiel, puis demandé si le Vatican avait la moindre information sur ce vendeur. Quelque chose qui pourrait valider l'authenticité des lettres. Il avait raison, il ne voulait pas perdre de temps avec un escroc. Il a parlé à Spagna en personne.

– Et qu'est-ce que Grant a appris ? voulut savoir Malone.

– D'après ce qu'il a dit, Spagna n'a été d'aucune aide. Pourtant Son Maître se trouve à Malte, en train de causer des ravages, et Grant se trouve ici, en Italie, en train de chercher ces lettres. Heureusement, Luke a la situation bien en main là-bas, même si aujourd'hui il a eu quelques soucis. »

Malone sourit en entendant le rapport que Stéphanie venait de lui faire. « Il fera le job.

– J'en suis sûre. Mais comme vous, il n'a aucune visibilité.

– La situation est difficile pour moi, monsieur Malone, intervint Gallo. Mon frère jumeau, le cardinal Gallo, est très impliqué dans tout ceci. Je crains qu'il ne se soit mis dans une situation difficile.

– J'ai lu des choses sur lui et sur ce qui se passe dans votre organisation. Vous avez dit jumeaux. Vrais jumeaux ? »

Gallo hocha la tête.

Malheureusement dans les articles qu'il avait lus, il n'y avait pas de photographie du cardinal Gallo. Ce qui aurait été utile pour débusquer l'imposteur qu'il venait de rencontrer.

« Qui sont ceux qui ont essayé de me tuer ? demanda-t-il.

– Un groupe de chez nous connu sous le nom de *Secreti.* »

Il observa que l'homme ne portait pas de bague et que rien ne laissait supposer qu'il en ait porté une dans le passé. « L'imposteur m'en a parlé et m'a dit qu'ils n'existaient plus.

– Jusqu'à il y a quelques heures, j'aurais été d'accord avec lui. Mais ce n'est pas vrai. Ils existent bien, sous une forme nouvelle. J'ai la conviction que ce sont eux qui vous ont attaqué dans la villa et qui ont tué trois hommes, y compris l'un des leurs.

– Pour m'empêcher de le faire prisonnier ?

– Cela paraît logique, répondit Gallo. Vous devez comprendre que à cause de mon frère, une grande fracture divise aujourd'hui les chevaliers de Malte, et l'organisation est extrêmement polarisée. C'est la guerre civile. Les uns sont loyaux à l'ordre, les autres sont en révolte ouverte. Vous avez croisé certains de ces rebelles ce soir.

– Où étiez-vous pendant que ces rebelles tentaient de me tuer ?

– À Rome. Je viens seulement d'être informé de la situation, et d'apprendre que vous vous trouviez au Palazzo di Malta où vous avez été amené par hélicoptère. Je suis en contact avec Mme Nelle depuis quelques jours, et nous travaillons ensemble. Quand j'ai décrit les faits en donnant votre nom, nous sommes venus le plus vite possible. »

Malone n'avait aucune raison de douter de cet homme, d'autant qu'il avait la caution de Stéphanie.

« Les *Secreti* veulent les lettres de Churchill, dit Gallo, pour pouvoir passer un accord avec les Britanniques. Ceux-ci détiendraient des informations que les *Secreti* souhaitent récupérer.

– Quel genre d'informations ? » demanda-t-il.

Gallo hésita, mais un hochement de tête de Stéphanie sembla vaincre sa réticence à parler.

« Dites-lui, fit-elle.

– Les chevaliers hospitaliers sont uniques parmi les moines-soldats, expliqua Gallo. Les Templiers ont disparu. Les chevaliers teutoniques n'existent pratiquement plus. Mais les Hospitaliers demeurent puissants. Nous sommes une organisation caritative mondiale solide. Notre survie est en partie due à notre capacité d'adaptation, laquelle nous permet de nous rendre utiles à tout instant. Pour une autre part, il s'agit de persévérance, ainsi que de chance. Mais notre pérennité est également due à ce que nous avions autrefois. Une chose appelée *Nostra Trinità*. Notre Trinité.

– On dirait quelque chose de très ancien, remarqua Cotton.

– C'est le cas. En fait, elle est au cœur même de notre organisation. Au départ, c'était *Nostre Due*. Deux documents que les chevaliers avaient toujours chéris, depuis les premiers temps de notre existence. Le *Pie Postulatio Voluntatis*, la Pétition volontaire faite avec dévotion, datant de 1113, qui reconnaissait notre ordre et confirmait notre indépendance et notre souveraineté. Le second est le *Ad Providam*, de 1312, par lequel le pape Clément V nous a transféré toutes les propriétés des Templiers à perpétuité. Les Templiers avaient été dissous cinq ans auparavant et le *Ad Providam* nous donna presque tout ce qu'ils possédaient. Des originaux signés de ces deux documents sont conservés au Vatican, il y a donc peu de doute quant à leur existence. Mais nous avons toujours gardé nos propres originaux.

– Pourquoi ? demanda Stéphanie.

– Ils sont les seules preuves de notre légitimité, de notre indépendance. Ces deux principes ont été remis en question maintes fois par le passé, et ces deux décrets papaux ont toujours permis de mettre fin au débat.

– Et le troisième élément qui en a fait une trinité ? demanda Cotton.

— Il nous est arrivé plus tard, au Moyen Âge, et il est bien plus mystérieux. À ma connaissance, il n'existe aucune personne aujourd'hui vivante qui l'ait jamais vu. Cela s'appelle le *De Fundamentis Theologicis Constantini. Les Fondements théologiques de Constantin.* C'est ce qu'ont cherché Napoléon et Mussolini, et c'est également ce que veut mon frère. Ces trois documents, ensemble, ont été gardés pendant des siècles par les *Secreti*, dont les membres prêtaient le serment de les protéger. Et ils l'ont fait, jusqu'en 1798, quand les trois documents disparurent ; ils ne furent jamais revus depuis. Pour matérialiser la force de leur solidarité, les *Secreti* portaient une bague ornée d'un palindrome qui remonte à Constantin. »

Malone décrivit pour Stéphanie la bague et les cinq lignes qui pouvaient être lues de la même manière dans toutes les directions.

SATOR
AREPO
TENET
OPERA
ROTAS

« L'inscription latine a été traduite de nombreuses manières différentes, dit Gallo. Une variante est quelque chose comme "Le semeur, avec son œil sur la charrue, tient ses roues avec attention", ce qui n'a aucun sens, comme toutes les autres interprétations. »

Y compris celle proposée précédemment par Grant.

« Le véritable message est caché. » Gallo fouilla dans la poche intérieure de sa veste et sortit un stylo et un petit carnet. Il dessina une croix divisée en petits carrés dans lesquels il inscrivit des lettres, puis ajouta quatre autres carrés autour de la croix.

« Prises ensemble les lettres des cinq mots forment une anagramme. La clé est le N au milieu. Toutes les lettres du palindrome sont appariées sauf le N central qui reste seul. En repositionnant les lettres autour du N central, on peut dessiner une croix qui donne *Pater Noster*, dans les deux directions. Notre Père, en latin, et les deux premiers mots de la Prière du Seigneur. Les quatre lettres restantes, qui sont deux A et deux O, font référence à l'Alpha et l'Oméga. Le début et la fin. Des symboles d'éternité, tirés du Livre de la révélation. Pour les chrétiens du IVe siècle, cela signifiait l'omniprésence de Dieu.

– Qui l'aurait cru ? fit Cotton. Cela ne peut être une coïncidence.

– Ça n'en est pas une. Les premiers chrétiens utilisaient ce palindrome comme un moyen de s'identifier entre eux. Constantin lui-même a autorisé son utilisation. Et les *Secreti* ont fini par l'adopter comme symbole de leur organisation.

– Qu'est-ce que tout ceci a à voir avec le prochain conclave ? » demanda Stéphanie.

Cotton se posait la même question.

« Peut-être qu'il y a un lien fondamental, dit Gallo. Mon frère a sans doute compris que les *Fondements théologiques de Constantin* présentaient un intérêt nouveau. Il s'est fait aider par l'archevêque Spagna, j'en suis certain. Comme je l'ai déjà dit à Mme Nelle, Kastor veut devenir pape. »

Voilà une nouvelle donnée, et Malone décida de remettre ses questions sur ce point à plus tard. Dans l'immédiat, il voulait plus d'informations sur la troisième partie de cette trinité.

« Voici ce que je sais avec certitude, dit Gallo. Constantin a approuvé le christianisme, au détriment du paganisme. À ce moment-là, ce n'était plus un petit mouvement local. Un pourcentage considérable de la population était chrétien. Alors il en fit la religion d'État officielle et se proclama chef de la chrétienté. Le *De Fundamentis Theologicis Constantini* a quelque chose à voir avec cette décision. Quoi exactement, je ne sais pas.

– Personne dans l'organisation n'a d'idée sur ce que dit le document ? » demanda Stéphanie.

Gallo secoua la tête. « Mon frère a découvert dans les archives du Vatican qu'il y avait un rapport avec l'Église chrétienne primitive. Sa structure et son organisation. Qu'est-ce que cela peut être ? Je ne sais pas. Ce que je sais, c'est que les papes redoutent sa réapparition depuis longtemps, préférant que le document demeure caché. Les Hospitaliers se sont pliés à cette demande et l'ont gardé sous scellé.

– En s'en servant à leur avantage, ajouta Cotton.

– C'est vrai. C'est pourquoi nous avons survécu alors que les autres ordres ont péri. »

Malone sentait que Gallo esquivait. Alors il l'interpella : « Ce n'est vraiment pas le moment de jouer les pudiques. »

La réprimande provoqua un regard de curiosité, puis un hochement de tête.

« Vous avez raison. Ce n'est pas le moment. Nous avons bien utilisé ce que nous savions à notre avantage. » Gallo marqua une pause. « Dans les cinq cents ans qui suivirent la mort de Constantin, l'Église devint la force politique la plus puissante en Europe. Il fallut attendre le XVIe siècle et Martin Luther pour défier son autorité avec un certain succès. Puis arriva Napoléon. Dans ce monde, il n'y avait de place que pour un seul dirigeant omnipotent. Lui-même. Il voulait sa propre religion nouvelle et que ses fidèles soient soumis. »

Cotton était déjà au courant de certaines des choses qu'il entendait, en particulier sur l'utilisation de la religion comme outil politique. Mais d'autres éléments lui étaient inconnus.

Alors il continua à écouter.

« Napoléon envahit l'Italie et vainquit l'armée du pape, poursuivit Gallo. Ensuite, il marcha sur Rome, entra sans rencontrer d'opposition, et pilla le Vatican. En 1798, il proclama une République romaine et exigea du pape la fin de son autorité temporelle. Pie VI refusa, il le fit donc prisonnier, et le pape mourut en captivité sept mois plus tard. Un nouveau pape essaya d'établir la paix, mais sans réussir, et Napoléon envahit à nouveau l'Italie, avant de jeter également ce pape en prison. Il ne fut libéré que lorsque les Britanniques mirent fin au règne de Napoléon en 1814. Là, il se passa quelque chose d'extraordinaire. Après que Napoléon partit en exil à Sainte-Hélène, le pape écrivit des lettres conseillant vivement la clémence. Pouvez-vous l'imaginer ? Après tout ce que Napoléon avait fait – le jeter en prison, lui enlever absolument tout – il voulait malgré tout lui tendre la main.

– C'était peut-être tout simplement un geste chrétien, fit remarquer Cotton.

– Peut-être. Mais nous ne saurons jamais. Napoléon est mort en 1821, sans avoir été libéré. Le pape mourut en 1823. Nous avons toujours pensé que le Saint-Siège croyait que Napoléon possédait les *Fondements* de Constantin et que pour une raison ou une autre, cette situation était suffisamment dangereuse pour qu'ils s'efforcent de l'apaiser.

– Est-ce que Napoléon l'avait ? » demanda Stéphanie.

Gallo secoua la tête. « Non, mais il a réussi à le leur faire croire, se servant des deux occasions qu'il avait eues de mettre à sac le Vatican à son bénéfice. De la même manière, il pilla Malte. »

La curiosité de Cotton n'était pas satisfaite. « L'Église savait-elle que la Trinité avait déjà été perdue lorsque Napoléon avait envahi Malte ? »

Gallo hocha la tête. « Absolument. Mais personne à l'époque n'avait la moindre idée de l'endroit où elle avait été dissimulée. Nous savons aujourd'hui que l'homme qui la cacha fut exécuté sans jamais révéler son secret.

– Et maintenant, votre frère la cherche, demanda Stéphanie. Et Spagna aussi ?

– C'est la conclusion à laquelle je suis arrivé.

– Vous ne nous avez pas encore expliqué pourquoi les *Secreti* viennent d'essayer de me tuer.

– C'est simple, dit Gallo. Les Britanniques l'ont demandé. »

Stéphanie approuva. « Il a raison. James Grant est un traître. »

Ce n'était pas une surprise.

« Et Mussolini ? demanda Cotton. Qu'est-ce qu'il vient faire dans tout ceci ? »

Gallo le regarda. « C'est précisément la raison pour laquelle mon frère et l'archevêque Spagna ont joint leurs forces. »

27

Luke constata à quelle vitesse la situation changeait.

Il s'était trouvé suspendu en l'air, puis avait nagé dans la Méditerranée ; il avait été ensuite jeté dans un cachot, attaqué par la police, et maintenant voilà que le chef des espions du Vatican l'entraînait dans un appartement situé au cœur de La Valette, en compagnie d'un agent de la Sécurité maltaise. Il ne savait pas trop bien qui il devait écouter, encore moins à qui se fier. Laura Price avait commencé par lui dire de s'enfuir le plus loin possible, et maintenant elle travaillait avec l'ennemi, apparemment.

« Nous sommes près de l'ancien palais de l'Inquisiteur, dit Spagna. Ce devait être une drôle de responsabilité. Nommé par le pape, envoyé ici pour éliminer l'hérésie et tout ce qui pouvait être contraire à la foi catholique. Sa parole était absolue. C'était une position que j'aurais fort appréciée. »

Luke examina le petit appartement. Seulement trois pièces, égayées par des rideaux colorés, les meubles tous un peu trop grands. Pas de photos, pas de bonbonnières ni de bibelots. Rien de personnel. Personne ne vivait ici, tout au moins à long terme. Il avait vu assez de planques depuis qu'il travaillait avec la division Magellan pour les reconnaître.

– « Cet endroit est à vous ?

Spagna hocha la tête. « Nos hommes s'en servent. »

Quand ils étaient arrivés, il avait remarqué une bizarrerie sur la façade, gravée dans le linteau en pierre au-dessus d'une série de fenêtres obturées. Un œil entre deux haches. Spagna avait expliqué qu'il signalait la personne qui vivait là autrefois.

Le bourreau.

Ce n'était pas une coïncidence que l'homme qui occupait cette fonction peu enviable habitât près du palais de l'Inquisiteur.

Luke perçut une vibration. Il vit Spagna extraire un téléphone de sa poche et l'observa lorsqu'il sortit prendre l'appel.

« Vous voulez me dire ce qui se passe ici ? demanda-t-il à Laura.

– Spagna m'a dit qu'il était au courant de la présence du cardinal Gallo sur l'île et qu'il avait la situation sous contrôle.

– Et vous l'avez cru ?

– Il a appelé mon patron quand j'étais dans la voiture et j'ai reçu l'ordre de coopérer. Je parie que votre patronne va vous dire la même chose. »

Sauf que son portable avait été opportunément détruit. Du coup, il serait difficile de le savoir. « Vous avez toujours votre téléphone ? »

Elle secoua la tête. « Spagna me l'a pris. »

Pas surprenant.

« Alors nous sommes isolés, avec le chef des espions du pape qui contrôle la circulation des informations. Ce n'est pas une bonne chose. À plein d'égards. »

Il s'approcha des fenêtres, écarta les rideaux et jeta un coup d'œil à la rue déserte deux étages plus bas.

Spagna revint et referma la porte derrière lui. « D'abord, soyons clairs. L'un comme l'autre, vous pouvez partir quand vous voulez.

– Alors, pourquoi nous escorter ? demanda Luke.

– Comme vous l'avez vu, les flics du coin ont une opinion différente sur vous.

– Grâce à vous. »

Spagna hocha la tête. « Malheureusement pour vous, c'est vrai. Je préférerais ne pas avoir à impliquer aucune de mes ressources. J'ai en ce moment une situation chaotique sur les bras, qui plus est extrêmement urgente, et la plupart des gens préparent le Vatican pour un conclave.

– Qu'est-ce qui se passe avec Cotton Malone ? demanda Luke.

– C'est le sujet de l'appel que je viens de recevoir. Il semblerait que M. Malone se soit tiré d'affaire. Votre Mme Nelle est avec lui en ce moment même, ainsi que le chef temporaire des Hospitaliers. »

Luke comprenait qu'il était sans aucun doute entraîné dans quelque chose d'énorme. Et il fallait qu'il continue, peu importaient les risques. D'aucuns diraient que c'était idiot. Lui dirait que c'était son travail.

« Mon employé Chatterjee a passé les deux dernières heures avec le cardinal Gallo, dit Spagna. Je voulais que le cardinal soit sous contrôle pour nous donner le temps de gérer un problème plus pressant. »

Luke était impatient d'entendre lequel.

« Écoutez-moi, c'est l'heure de votre briefing. Les livres et les films adorent montrer des chrétiens que l'on jette aux lions. Un peu ridicule, si vous voulez mon avis. Oui, il y a eu des persécutions. Sans aucun doute. Mais il y a mille sept cents ans, les chrétiens se trouvèrent enfin au bon endroit, au bon moment. Malgré tout, ils avaient un problème. Leur nouvelle religion avait éclaté en cent morceaux avec, pour résultat, plusieurs versions du christianisme qui se combattaient les unes les autres. Constantin voyait le potentiel politique de cette nouvelle religion, mais seulement si ces factions étaient unies. Alors il convoqua le concile de Nicée et rassembla les évêques de tout l'empire. »

Luke avait déjà entendu l'expression concile de Nicée, mais il en ignorait l'importance.

« Les évêques se rendirent en Asie Mineure, dit Spagna. Personne ne sait vraiment combien ils étaient. Peut-être trois cents. Peut-être plus. C'était le premier grand concile de chrétiens et ils étaient profondément divisés sur la divinité du Christ. Un groupe disait que le Fils avait été engendré du Père et qu'il était la continuité de Dieu. L'autre prétendait que le Fils avait été créé à partir de rien, et que tout commençait par lui et avec lui. Ça nous paraît ridicule. Qui s'en préoccupe ? Il était le Christ, bon Dieu ! Mais pour eux, la question était cruciale. Et pendant l'été de l'année 325, ces évêques en débattirent jusqu'à l'épuisement. Constantin lui-même présida les séances. Au final, ils parvinrent à un consensus, approuvé par l'empereur : le Fils avait été engendré du Père, et était l'égal du Père. Ils l'érigèrent en principe et tous les évêques sauf deux acceptèrent. Ces deux-là furent excommuniés et bannis. Ensuite, ils décidèrent des autres croyances que les vrais chrétiens devaient respecter. Par exemple, la date à laquelle Pâques devait être célébré, comment les prêtres devaient se comporter, comment l'Église devait être organisée. Tout ce qui était contraire fut déclaré hérétique, ne méritant pas d'être cru. C'est ainsi que naquit l'Église catholique telle que nous la connaissons aujourd'hui.

– Et quel rapport entre cela et ce qui se passe en ce moment ? » demanda Laura.

Luke commençait à apprécier son franc-parler.

« Absolument tout, dit Spagna. Une fois le concile terminé, Constantin invita tous les évêques en son palais pour un grand banquet. Officiellement, le dîner devait célébrer son vingtième anniversaire en tant qu'empereur. Mais il devint bien plus que cela. Des quelques récits précieux qui ont survécu, nous savons que les évêques partirent ce soir-là avec des cadeaux pour eux et de l'argent pour leur église. Mais ils écrivirent aussi un document. Signé par tous, y compris l'empereur. Ce document a un nom. Le *De Fundamentis Theologicis Contantini. Les Fondements théologiques de Constantin.* L'empereur l'a conservé jusqu'à sa mort en 337. Finalement, il arriva entre les mains du pape, mais celui-ci le perdit. Puis, pendant le Moyen Âge, les chevaliers de Rhodes, qui devinrent par la suite les chevaliers de Malte, le récupérèrent. Il fit partie des trois documents qu'ils vénéraient et protégeaient. *Nostra Trinità.* Notre Trinité. Napoléon envahit Malte et la chercha, mais ne trouva jamais rien. Tout fut oublié, apparemment, jusqu'aux années 1930, quand Mussolini voulut à son tour s'en emparer.

– Et pourquoi tout ceci aurait la moindre importance aujourd'hui ? demanda Luke. C'est si ancien.

– Je vous assure, le *De Fundamentis Theologicis Constantini* a toujours une grande importance. Peut-être aujourd'hui plus que jamais. Le cardinal Gallo sait parfaitement quelle en est sa portée. Et moi aussi. C'est pourquoi nous devons le trouver avant lui.

– *Nous*? fit Laura.

– J'ai des garanties de la part de vos supérieurs à tous les deux que vous êtes avec moi pendant les prochains jours.

– Je ne m'engagerai pas dans ce sens avant d'avoir des nouvelles de ma patronne », dit Luke.

Spagna fronça les sourcils. « Vous êtes toujours aussi difficile ?

– Seulement avec les gens que je n'aime pas.

– Nous venons à peine de nous rencontrer. Comment pourriez-vous savoir si vous m'aimez ou pas ?

– Ma mère disait toujours qu'elle n'avait pas besoin de se vautrer dans la bauge des cochons pour savoir que ça puait. »

Spagna sourit. « Une femme intelligente, on dirait.

– La plus intelligente que j'aie jamais connue. Je dirais que ça pue ici.

– Indépendamment de vos sentiments personnels, dit Spagna, nous avons du pain sur la planche. Mais d'abord, certaines choses doivent se résoudre en Italie. »

Luke secoua la tête. Encore du baratin. «J'imagine que vous n'envisagez pas de vous expliquer.»

Spagna sourit, pointa un doigt vers lui et dit : «Vous vous trompez.»

28

Cotton attendait la réponse à sa question sur ce que Mussolini venait faire dans cette histoire.

« Vous devez comprendre, dit Gallo, que mon frère et moi, même si nous sommes de vrais jumeaux, sommes des personnes très différentes. J'ai choisi une carrière militaire, puis j'ai rejoint le domaine caritatif avec les chevaliers. Lui s'est engagé dans une voie purement religieuse. Et si l'ambition peut avoir sa place dans le monde où j'évolue, elle peut être fatale dans le sien. Quant au conclave, ou au futur pape, je n'y attache pas le moindre intérêt. Mais ce n'est pas le cas de tout le monde. Mon frère est le premier de cette liste, suivi de très près par l'archevêque Spagna.

– La Sainte Alliance essaye d'influencer le conclave ? demanda Stéphanie.

– Ils l'ont fait en de nombreuses occasions précédemment. Pourquoi ce serait différent cette fois-ci ?

– Répondez à ma question, dit Cotton. Toutes ces informations sur Mussolini, pourquoi les avez-vous ? Cela ne peut pas être seulement imputable à de la curiosité historique.

– Loin de là. » Gallo désigna la pièce. « Cette collection est un vaste projet de recherches qui nous a pris des dizaines d'années. Laissez-moi vous dire quelque chose que ne savent que les membres *profès* de notre ordre. L'Ordre possède deux propriétés dans Rome. Le Palazzo di Malta, d'où vous êtes parti, et la Villa del Priorato di Malta.

Et il y a une histoire concernant la visite de Mussolini au Priorato. »

***

Le Duce admirait le grand prieuré, éclairé de toute sa gloire dans la nuit. Le bâtiment se trouvait sur l'Aventin, une des sept célèbres collines de Rome, dominant le Tibre. Autrefois monastère bénédictin, puis bastion des Templiers, il appartenait aujourd'hui aux Hospitaliers. Leur prétention était marquée par un drapeau rouge avec une croix à huit pointes blanches qui frémissait dans l'air chaud de la nuit.

La journée avait été magnifique. Le Duce revenait tout juste d'un spectacle lyrique produit en l'honneur d'une visite d'État effectuée par le chancelier allemand, Adolf Hitler, qui avait eu lieu au Forum Mussolini, littéralement son forum, dans le Stadio dei Cipressi, où des dizaines de milliers de personnes s'étaient rassemblées. Tout avait été répété dans le moindre détail, y compris la fin triomphale : des centaines de jeunes gens tenant des torches avaient formé un swastika géant en criant Heil Hitler *dans l'embrasement des flambeaux. Hitler avait été impressionné. Au point que le chancelier avait proclamé « la résurrection de l'État romain, revenu à la vie après avoir été une ancienne tradition ».*

Quelles louanges !

Après qu'Hitler s'était retiré pour la nuit, le Duce avait décidé de retourner dans Rome et de s'occuper d'une autre affaire qui exigeait son attention. Il s'était présenté sans s'être annoncé à la Villa Del Priorato di Malta.

Le Grand Maître se tenait à côté de lui.

Ludovico Chigi Albani della Rovere.

Le soixante-seizième homme à occuper ce poste. Un Italien, au moins. Né d'une famille noble dont la lignée remontait au XVe siècle. Il avait été élu à la tête des chevaliers de Malte en 1931 et, depuis sept ans, il faisait profil bas.

Mais pas assez bas.

«J'ai conscience que vous contrecarrez mes efforts auprès du pape, déclara Mussolini à Chigi. Vous travaillez dans mon dos et vous sapez les négociations.

—Je n'agis que selon les ordres du Saint-Père.

— Vraiment ? Seriez-vous prêt à me tuer, si le Saint-Père vous le demandait ?

— Cela n'arriverait jamais.

—N'en soyez pas si sûr. Votre illustre ordre massacre des milliers de personnes depuis des siècles. Tout cela pour des papes. En quoi seriez-vous différent ?

—Nous avons changé, et le monde a changé.

—Et les Secreti *? Ont-ils changé ?»*

Le visage du vieil homme demeura de marbre. Le Duce avait espéré prendre de court son interlocuteur, mais sa ruse n'avait pas fonctionné. Ils restèrent dans le jardin fleuri au milieu des massifs bien taillés et des hauts cyprès.

«J'ai Nostra Trinità, *proclama le Duce.*

— Vous n'avez rien.

—N'en soyez pas si sûr. Vos chevaliers n'ont pas toujours gardé le silence.

— Vous les avez tués malgré tout.

—Je n'ai tué personne.

— Vous le dites comme si vous le croyiez vraiment.»

Mussolini désigna le portail principal, au-delà du jardin. «Est-ce que ce que l'on dit est vrai ?

—Jetez donc un œil par vous-même.»

Il se dirigea en bombant le torse vers la haute muraille en pierre. Sous le portail central surmonté d'une arche, deux vantaux en fer, fermés. Dans l'un se trouvait Il Buco della Serratura.

Le trou de la serrure.

Ses espions lui avaient rapporté ce qu'on pouvait voir par le trou. Il s'approcha de la porte, se pencha et colla son œil. Au loin, au bout d'une allée, encadré par des cyprès taillés, il aperçut le dôme vert-de-gris de la basilique Saint-Pierre. Il sourit devant le symbolisme fascinant de la vue et se tourna vers le Grand Maître.

« Est-ce une coïncidence ou un fait exprès que les Hospitaliers ont le centre même du catholicisme dans leur trou de serrure ?

– Je ne puis vous le dire. Mais nous veillons sur l'Église depuis longtemps.

– Ce qui vous permet en retour d'en tirer le plus grand bénéfice.

– Nous sommes bons, loyaux et fidèles. Contrairement à vous.

– Je suis votre chef.

– Ce n'est pas vrai. Le lieu où nous nous trouvons n'appartient pas à l'Italie. Nous sommes une nation distincte. Et le chef ici, c'est moi.

– Il ne faudrait à mes Chemises noires que quelques minutes pour vous soumettre tous. Ensuite, je pourrais réduire cette nation distincte à un tas de cendres. Je pourrais faire de même avec le Palazzo di Malta. Ne me tentez pas. »

Chigi haussa les épaules, comme s'il n'était pas concerné. « Faites ce que vous devez. Nous nous sommes déjà retrouvés à la rue par le passé et nous avons survécu. »

Il était temps d'arriver à la véritable raison de cette visite. « Dites à Pie XII de me laisser tranquille. Faites-le, et je conserve le De Fundamentis Theologicis Constantini. *Je lui ai même rendu service en le mettant en lieu sûr, là où personne ne pourra y accéder. Sa précieuse Église ne sera pas menacée. Vous voyez, ô glorieux chef, roi de votre pays, je suis le gardien de l'Église. Pas vous. Moi. Et l'Église fera ce que je dirai. »*

« Cette rencontre eut lieu en mai 1938, et le trou de serrure est toujours là, dit Gallo. Les gens font la queue tous les jours pour regarder le dôme de Saint-Pierre, à plus de trois kilomètres de là.

– Comment êtes-vous au courant de ce que Mussolini a dit ce soir-là ? » demanda Stéphanie.

Bonne question. Malone aussi était sceptique.

« Nous avons travaillé avec le renseignement américain et britannique pendant la guerre, dit Gallo. Notre statut de nation nous a fourni une présence diplomatique dans le monde entier. Nous avons apporté de l'aide médicale sur tous les sites de combat, mais nous avons aussi transmis des informations sur l'Axe aux Alliés. Et nous étions l'intermédiaire qui leur permettait de communiquer avec les deux papes, Pie XI et Pie XII. C'est dans ces circonstances que nous avons appris que Mussolini, en persuadant le Vatican qu'il possédait Notre Trinité, avait fait chanter le Saint-Siège pour obtenir de celui-ci qu'il se montre indulgent à l'égard des fascistes. Les deux papes exigèrent que nous leur fournissions la preuve que nous avions toujours la Trinité. Bien entendu, nous fûmes dans l'incapacité de le faire. Alors ils capitulèrent et gardèrent le silence sur toutes les atrocités commises par les fascistes. Pie XI avait prévu de rompre le silence, mais il mourut avant. Pie XII, lui, choisit de se taire. Les historiens discutent depuis des décennies sur les raisons pour lesquelles le Vatican n'a rien fait pour empêcher les événements en Italie et en Allemagne. La réponse était simple. L'Église était menacée par quelque chose de suffisamment important pour retenir toute son attention.

– Est-ce que Mussolini avait *Nostra Trinità* ? » demanda Stéphanie.

Gallo secoua la tête. « Nous n'en avons aucune idée. Le Duce a tué trois chevaliers, dont l'un était un *Secreti*, pour obtenir ce qu'il voulait. Cela, nous le savons. Nous avons donc passé les sept dernières décennies à rassembler tout ce que nous pouvions. » Il embrassa la pièce d'un geste. « Ceci est le résultat de ces efforts. Vous vouliez savoir quelle était l'importance de Mussolini dans cette affaire, monsieur Malone. La voici.

– Est-ce que l'Église est au courant de tout ceci ? demanda Stéphanie.

– L'archevêque Spagna l'est assurément. Peut-être que quelques cardinaux sont informés de l'existence du *De Fundamentis Theologicis Constantini.* Dans notre ordre, une poignée de chevaliers sont au courant de cette histoire, j'en fais partie. Mais elle n'est certainement pas connue de grand monde. Avec la mort soudaine du pape, les ambitions de l'archevêque, des *Secreti* et de mon frère se sont apparemment réveillées. Tous les trois veulent tirer avantage de la situation.

— N'êtes-vous pas le lieutenant par intérim grâce à votre frère ? demanda Cotton.

— J'ai accepté cette fonction pour tenter de colmater les fractures dans nos rangs. Mais les querelles internes mesquines et les ego ridicules de la plupart de nos officiers seniors mettent ma patience à rude épreuve. Malgré tout, mon allégeance va à mes frères. Et seulement à eux.

— En priorité par rapport à votre frère ?

— Oui. » Gallo hésita, puis ajouta. « Bêtement, je pensais que j'étais le seul à pouvoir tenir Kastor. Je le connais. Peut-être mieux qu'il ne se connaît lui-même. Je vous présente à nouveau mes excuses pour ce qui vous est arrivé, monsieur Malone. J'essaie de toutes mes forces d'arranger les choses. »

Malone décida de montrer un peu d'indulgence. « Mes excuses, aussi. J'essaie juste de comprendre la configuration du terrain.

— J'apprécie. Sachez que ce que je m'apprête à vous dire a toujours été pour nous un secret bien gardé. Mais j'ai besoin de votre aide à tous les deux, alors je vais enfreindre le protocole et vous le livrer. »

29

Luke écoutait les explications de Spagna.

« Au début des années 1930, Mussolini voulait montrer au monde que Rome avait retrouvé toute sa gloire impériale. Alors il lança un immense projet de redéveloppement urbain. Plusieurs quartiers furent rasés, des bâtiments détruits, de grands boulevards nettoyés et pavés. Des gens venus du monde entier visitent Rome aujourd'hui et s'extasient devant l'architecture. Ce qu'ils semblent ignorer, c'est que la plus grande partie de la ville porte la marque d'empereurs et de papes, mais aussi celle d'un fasciste cruel. »

Laura et lui suivirent attentivement le discours de Spagna qui leur raconta comment Mussolini avait voulu organiser non seulement une Exposition universelle, mais des Jeux olympiques. Pour ce faire, il s'appropria une étendue de terrains marécageux au nord de la ville, contigus au Tibre, et construisit un grand complexe.

Le Forum Mussolini.

« Comme le Forum Caesaris et le Forum Augusti. Mais dans l'Antiquité, c'étaient des lieux consacrés au commerce et à l'exercice de la religion. Dans celui-ci il n'était question que de sports, de jeux et de politique. Il y avait des gymnases, des pistes de course, des piscines et un stade en travertin de vingt mille places, terriblement tape-à-l'œil, entouré de soixante statues en marbre d'hommes nus maniant des massues, des épées et des frondes. Il devint le terrain de jeux des Chemises noires, accueillant l'Académie fasciste d'éducation physique, qui servait à l'entraînement et aux compétitions. Mussolini lui-même s'entraînait là-bas régulièrement, et encore plus incroyable, l'endroit est toujours debout. »

Luke en fut surpris.

« Le complexe est utilisé pour des compétitions internationales, dit Spagna. Dans les bâtiments on trouve le Comité olympique national italien, une station de télévision, un musée, une école d'escrime, même un tribunal high-tech où furent jugés des terroristes et des mafieux. Le site a été adapté, mais il y a une partie qui est demeurée exactement identique. »

Luke attendit.

« L'obélisque. »

Cotton n'avait jamais entendu parler du Forum Mussolini et de l'obélisque que Pollux Gallo venait de décrire.

Mais il était intrigué.

« L'obélisque mesure seize mètres de haut, dit Gallo. C'est le plus grand bloc de marbre jamais taillé à Carrare. Un morceau parfait, sans craquelures, sans imperfections, dont le sommet est orné d'un chapeau en bronze doré. Dessus, on peut lire l'inscription MVSSOLINI DUX. »

Malone traduisit dans sa tête.

Mussolini le chef.

« Il a été inauguré le 4 novembre 1932 en grande pompe. Derrière s'étend une immense place, pavée de mosaïques représentant des athlètes musclés, des aigles et des odes au Duce. L'ensemble est tellement monstrueux, tellement grandiloquent. Comme l'homme. Mais l'obélisque est l'un des derniers monuments qui porte encore le nom de Mussolini. »

Cotton connaissait la signification des obélisques, des symboles du pouvoir impérial depuis des siècles. Les Égyptiens, les Romains, et les papes s'en étaient tous servis. Il était naturel que les fascistes l'adoptent aussi.

« Mais, dit Gallo, c'est ce qui se trouve à l'intérieur de l'obélisque qui est notre véritable secret. »

Luke était bien obligé de l'admettre, toute cette histoire était fascinante. Mais il dut se répéter de ne pas se laisser absorber par le récit et de surveiller Spagna attentivement. Cet homme n'avait pas un ordre du jour très clair.

« Dans l'absolu, le forum et l'obélisque étaient d'imposantes réalisations, dit Spagna. Mais Mussolini est allé encore plus loin. Il demanda qu'un codex soit écrit par un érudit italien. Un récit romanesque de la montée du fascisme, ses supposées réalisations et sa place dans l'histoire. Mille deux cent vingt et un mots de propagande pure, qu'il scella, le 27 octobre 1932, dans le socle de l'obélisque. »

Spagna expliqua qu'il n'était pas rare que l'on place des objets à l'intérieur de monuments. À l'origine, il s'agissait d'offrandes, pour répondre à une superstition, mais plus tard, cette pratique fut utilisée pour préserver la mémoire du bâtisseur ou des personnalités à l'origine de sa création. Mussolini appréciait tout particulièrement cette coutume et faisait filmer les cérémonies pour qu'elles soient projetées aux actualités cinématographiques. Il signait un document en grande pompe, le glissait dans un tube métallique, puis le scellait lui-même à grand renfort de ciment dans la *prima pietra*, la première pierre.

« À ce qu'on raconte, dit Spagna, pour libérer le codex et lire le grand message fasciste, il faudrait faire tomber l'obélisque. Pour que les générations futures connaissent la gloire de Mussolini, il faudrait que son monument tombe. Ironique, ne trouvez-vous pas ?

– Cet obélisque est-il encore debout ? » demanda Laura.

Spagna hocha la tête. « Dans toute sa gloire.

– Et pourquoi est-ce important maintenant ? demanda Luke.

– Les Britanniques ont appris que Mussolini avait scellé quelque chose à l'intérieur de cet obélisque, avec le codex, quelque chose qui est devenu assez important, ces derniers temps. »

Spagna alla chercher un objet dans sa poche.

Et le leur lança.

Cotton se concentra sur ce que Pollux Gallo était en train de dire.

« Dans les années 1930, Mussolini réussit à infiltrer nos rangs, déclara Gallo. Au départ, il cherchait seulement à savoir ce que nous faisions, comme avec l'Église. Mais nous aussi, nous l'espionnions. Avec tous ces efforts, Mussolini parvint à apprendre certains de nos secrets les plus précieux, et un en particulier. Comment trouver *Nostra Trinità* ? On raconte qu'une carte fut dessinée. Une carte permettant de localiser la cachette. Nous cherchons cette carte depuis 1798, mais c'est Mussolini qui a peut-être réussi à la trouver. »

Luke examina ce que Spagna lui avait lancé.

Une pièce.

Non. Plutôt une médaille.

Le côté pile montrait Mussolini de profil, la tête enroulée dans une peau de lion. Le côté face représentait un obélisque et une légende :

FORO MVSSOLINI A.X.

« Qu'est-ce que cela signifie ? demanda-t-il à Spagna.

– En portant la peau de lion, il créait un lien entre lui et Hercule et le premier de ses travaux, le lion de Némée. Mussolini était obsédé par la mythologie. » Spagna désigna la médaille. « L'obélisque que vous voyez là est le même que celui qui se dresse sur le forum, avec la même inscription. Il y a également une autre information. À la base de l'obélisque se trouve une pierre qui porte l'inscription ANNO X. Cette pièce que vous tenez a été découverte dans la poche de Mussolini le jour où il a été tué. L'un des *Secreti* se trouvait là et l'y a prise avant qu'ils ne ramènent le Duce et sa maîtresse à Milan et qu'ils ne suspendent leurs cadavres la tête en bas à la vue de tous. »

Luke intervint. « C'est Mussolini qui a créé cette médaille ? »

Spagna hocha la tête. « Elle a été commandée spécialement pour l'inauguration du Forum Mussolini. Plusieurs d'entre elles ont été placées à l'intérieur de l'obélisque avec le codex. Celles-là étaient en or. Celle que vous avez en main est en bronze. Fabriquée expressément juste pour le Duce, et le fait qu'elle se soit trouvée dans sa poche était significatif. Comme la phrase que Mussolini a lancée juste avant qu'ils le tuent au lac de Côme. *Magnus ab integro saeclorum nascitur ordo.* "Le grand ordre des siècles naît de nouveau." Aucun sens, sur le moment. Mais pas si on tient compte du texte du codex que Mussolini a commandé. Celui qui se trouve dans l'obélisque. Il comporte une épigraphe au début. Une citation tirée des *Bucoliques* de Virgile.

– Ça fait trop de coïncidences pour que ce soit une coïncidence, dit Laura.

– Vous avez raison, dit Spagna. Ce qui signifie que ce que nous cherchons nous attend à l'intérieur de cet obélisque, et il revient à M. Malone de le trouver. »

Cotton attendait que Gallo termine.

« Nous soupçonnons depuis un bon moment que l'obélisque avait servi de cachette pour que Mussolini y mette en sécurité ce qu'il avait peut-être trouvé. Probablement derrière une pierre de la base marquée ANNO X. Le temps est venu de voir si cela est vrai. Et rapidement. »

Malone perçut son ton pressant. « Vous pensez que les hommes qui ont essayé de me tuer suivent cette piste ?

– Oui. »

Ce qui pourrait expliquer la retraite précipitée du faux Gallo. Il jeta un coup d'œil à sa montre. « Ils ont moins d'une heure d'avance sur nous. La route est longue jusqu'à Rome.

– Trois heures, dit Stéphanie.

– Je peux nous y amener plus rapidement, dit Gallo. Nous avons l'hélicoptère qui se trouve toujours à la villa. »

Cotton lança un coup d'œil à Stéphanie, qui parut lire dans ses pensées.

« Je comprends, dit-elle en s'adressant à Malone. Le moment est venu pour vous de tirer votre révérence. Je ne vous en voudrais pas. Comme vous le dites, vous n'avez pas engagé de chien dans cette course. »

C'était exact. Il avait été recruté pour une mission, qu'il avait prolongée, mais elle était terminée. Il devrait chercher un hôtel, dormir, puis se rendre à l'aéroport le lendemain matin et rentrer à Copenhague. Après tout, il avait pris sa retraite du renseignement. Mais il n'était pas mort. Pas encore, en tout cas. Et il était curieux. Qu'avaient donc gardé si précieusement les chevaliers de Malte ? *Nostra Trinità* ? Le *De Fundamentis Theologicis Constantini* ? Que Napoléon et Mussolini avaient tous deux recherchés ? Qui se trouvaient peut-être insérés dans le socle d'un obélisque de Rome depuis 1932 ? Et qui pourraient affecter le prochain conclave et l'élection du prochain pape ? Cela faisait beaucoup de questions fascinantes. Il ne devait retrouver Cassiopée à Nice que dans quelques jours. Alors, pourquoi pas ? Il n'avait jamais été si près du but.

« Je reste », dit-il.

Stéphanie sourit. « L'hélico sera là d'ici quinze minutes.

– Vous étiez sûre de vous, n'est-ce pas ?

– J'espérais. Il nous amènera à Rome une bonne heure avant tout le monde. Croyez bien que j'apprécie, Cotton. »

Un homme entra dans la pièce, s'approcha de Gallo et lui chuchota quelque chose à l'oreille. Gallo hocha la tête tandis que le messager se retirait.

« Je viens d'apprendre des informations troublantes, dit Gallo. On me dit qu'il y a des hommes à Malte envoyés pour tuer mon frère. »

30

Kastor pénétra dans l'atelier.

Une cloche tinta lorsque Chatterjee et lui entrèrent ; l'endroit, bas de plafond, n'était éclairé que par deux ampoules qui pendaient. Il renifla l'air rance mêlé d'humidité marine et observa le sol usé et patiné, les coins pleins de toiles d'araignées et les objets étonnants.

Des pendules.

La plupart de leurs coffrets de bois se trouvaient à des stades variés d'élaboration. Sur certains, la sculpture n'était pas encore terminée, d'autres étaient à moitié peints, d'autres, en partie dorés. Il essaya de se rappeler s'il avait connu cette boutique quand il était enfant, mais il n'avait aucun souvenir de ce côté-ci de la baie de Saint-Thomas. Il revoyait, parmi les nombreuses maisons de vacances disposées autour de la baie, plusieurs échoppes éclectiques et ateliers d'artisans. Tout à coup, il se rappela un potier qui fabriquait des plats, des bols et des vases au tour.

Mais personne qui fabriquât les célèbres pendules *tal-lira.*

Il les connaissait bien.

Elles remontaient au XVIIe siècle, on ne les trouvait nulle part ailleurs que sur Malte. Il y en avait une à l'orphelinat. Un été, il s'était vu assigner la corvée de remonter son mécanisme. Toujours deux portes, l'une vitrée vers l'extérieur, l'autre à l'intérieur sur laquelle était fixé le cadran, avec une petite ouverture à travers laquelle on apercevait le balancier. Elles n'avaient jamais été produites en masse et chacune était une pièce unique.

Comme celles qu'on fabriquait ici.

Un vieux chien, fatigué, efflanqué, sortit soudain de derrière le comptoir. Il fit quelques pas hésitants, puis se coucha. Dans le mur qui séparait le devant de l'arrière une porte était ouverte. Un homme écarta le rideau usé jusqu'à la corde. Il était âgé, avec un visage aux traits grossiers, la barbe grise, d'épaisses lunettes qui cachaient des yeux enfoncés dans leurs orbites.

« Vous ne ressemblez pas à un cardinal », dit le vieil homme.

Kastor eut envie de lui renvoyer un commentaire bien senti, mais résista à la tentation. « C'est votre atelier ? »

L'homme hocha la tête. « Ma famille fabrique des pendules depuis trois cents ans. Malheureusement, je serai le dernier. Mes deux enfants n'ont aucune envie de reprendre le flambeau.

– Et vous êtes... ?

– Nick Tawil. »

Kastor se tourna vers Chatterjee. « Pourquoi sommes-nous là ?

– Cet homme en sait très long sur *Nostra Trinità*. C'est l'obsession de sa vie depuis toujours.

– Est-ce vrai ? demanda-t-il à Tawil.

– Je plaide coupable. »

Un violent éclair illumina les vitrines, suivi d'un coup de tonnerre. La pluie continuait à tambouriner sur les vitres. Il lui fallait un moment pour digérer les événements. Il observa les pendules en cours de construction. « Combien en fabriquez-vous par an ?

– Sept, parfois huit.

– À combien les vendez-vous ? Cinq, six mille euros ?

– Plutôt sept mille.

– Cela vous fait un bon revenu. »

Il se souvint de la pendule qui existait dans la maison de ses parents. Elle n'était pas si impressionnante que cela, mais elle ne s'était jamais détraquée. Il remarqua la dorure en cours d'application sur l'un des cadres. « Du vingt-quatre carats ?

– Forcément. »

La patine paraissait un peu mate, mais il se rendit compte que le produit serait ensuite astiqué jusqu'à briller.

Il se tourna vers Tawil. « Alors, qu'est-ce que vous savez, en fait ?

– Je recherche la Trinité des chevaliers depuis longtemps. Mon père l'a cherchée. Mon grand-père l'a cherchée.

– Êtes-vous un chevalier ? »

Tawil secoua la tête. « Je ne suis pas catholique. »

Sa nature soupçonneuse prenant le dessus, Kastor lança un coup d'œil en direction de Chatterjee. « Comment connaissez-vous cet horloger ?

– Nous sommes amis depuis longtemps.

– C'est vrai, confirma Tawil avant de se rapprocher et de s'accroupir à côté du chien dont il se mit à caresser le pelage sombre. Il y a un endroit pas loin d'ici. Un ancien cimetière à côté de la mer qui se trouve là-bas depuis longtemps. C'est là où a été enterré le chevalier que Napoléon a tué dans le palais du Grand Maître après lui avoir cloué les mains sur la table. »

Maintenant, il comprenait où Chatterjee avait appris l'histoire.

« Mon grand-père m'a raconté que la carte menant à *Nostra Trinità* avait été enterrée avec lui.

– Comment pouvait-il savoir une chose pareille ?

– Je n'en ai pas la moindre idée. Mais mon grand-père n'était pas idiot.

– La carte a-t-elle été enterrée là ? »

Tawil haussa les épaules. « On ne le saura jamais. Au début des années 1930, la tombe a été pillée. Mon grand-père et plusieurs autres hommes ont essayé d'arrêter les voleurs. Mais ils ont été tués et les voleurs se sont enfuis. Du coup, personne ne sait ce qu'ils ont trouvé, ni même s'ils ont trouvé quelque chose. »

Kastor entendit la douleur dans la voix de l'homme.

« Mon grand-père a passé beaucoup de temps à essayer de trouver *Nostra Trinità*. Il a appris beaucoup. J'ai tous ses livres, tous ses papiers. »

Que Kastor aimerait beaucoup examiner. Mais d'abord : « Je veux voir cette tombe.

– Sous la pluie ? demanda Tawil.

– Pourquoi pas ? Je suis déjà trempé. »

L'horloger gloussa. « Bien vu. »

Les faisceaux d'un phare balayèrent l'intérieur de l'atelier par les fenêtres donnant sur la rue. Kastor se tendit, tout à coup vigilant. Des portières de voiture claquèrent. Il s'approcha et scruta la pénombre. Chatterjee vint le rejoindre. Dans le noir, deux silhouettes se dirigeaient vers la voiture dans laquelle Chatterjee et lui étaient arrivés. Un éclair traversa la nuit et le véhicule parut gonfler de l'intérieur. Puis il explosa en une immense éruption. Le toit s'envola dans la pluie, tandis qu'une puissante déflagration accompagnée de chaleur et de lumière soulevait la carcasse du sol.

Son corps se figea de terreur.

Il n'avait jamais vu une chose pareille.

La voiture s'écrasa sur le sol, les roues s'affaissèrent, et une gerbe de flammes nourries d'essence et un gros nuage de fumée montèrent vers le ciel. Dans la lueur du feu il vit les deux hommes se tourner vers l'atelier et pointer le canon de leurs fusils automatiques.

Le bras musclé de Chatterjee le tira vers le sol.

Tawil était toujours à côté de son chien.

« Couchez-vous ! » hurla Chatterjee.

Des tirs nourris arrachèrent la façade.

Les vitres explosèrent en mille morceaux.

Des balles s'enfoncèrent dans la chair avec un bruit écœurant. Tawil gémit de douleur et son corps s'écroula sur le flanc, les muscles tordus de spasmes à cause de ses blessures. Le chien bondit sur ses pattes et lança un aboiement aigu avant de foncer vers le fond de l'atelier. On entendait maintenant clairement l'orage à l'extérieur. La pluie et le vent s'engouffraient dans toutes les brèches en émettant un long gémissement mouillé et inquiétant. D'autres balles entrèrent, cherchant leur cible.

« Rampez jusqu'à l'autre côté du comptoir, cria Chatterjee.

– Et le vieux monsieur ?

– Ce n'est pas mon problème. Mon problème, c'est vous. »

Chatterjee fouilla dans son dos et trouva une arme qu'il tenait apparemment cachée. Il gesticula avec l'arme dans la main. « Allez-y. Je vous suis. »

Kastor, sans se relever, avança jusqu'à l'autre bout du comptoir et passa de l'autre côté du rideau. Chatterjee riposta, tira deux fois à l'aveugle, puis rampa lui aussi jusqu'à passer de l'autre côté du rideau.

« Cela devrait au moins les ralentir, maintenant qu'ils savent que nous sommes armés. Allons-y.

– Et l'horloger ?

– Il est mort. »

Que se passait-il ? Qui lui en voulait ?

« Comment ces gens savaient-ils que nous étions ici ? demanda Kastor. D'où venaient-ils ?

– Éminence, nous n'avons pas le temps d'analyser la situation. »

Kastor ne perçut pas le moindre respect dans le recours à son titre.

Chatterjee se remit debout, lui aussi. Ils se trouvaient dans une arrière-boutique jonchée de débris. Elle était plongée dans la pénombre, à l'exception de la faible lumière émise par une lampe suspendue dans un coin.

Un escalier montait. Deux fenêtres donnaient sur l'extérieur, toutes deux tendues d'étamine. Pas de porte de derrière. Chatterjee s'approcha de l'une des fenêtres, regarda dehors, puis tira les rideaux sur le côté.

« Regardez, là. »

Kastor le rejoignit et vit un ponton. Avec un petit bateau dansant amarré.

« Voilà comment nous allons partir d'ici », dit Chatterjee.

L'orage ne s'était pas calmé. Plus de pluie que de vent, Dieu merci. La Méditerranée pouvait être implacable par mauvais temps. Pendant des siècles la mer avait été le premier moyen de défense de l'île. Les courants côtiers étaient meurtriers, comme la côte sud rocheuse émaillée de gorges profondes et de caps périlleux.

Mais tout cela semblait bien préférable à l'endroit où ils se trouvaient.

La porte de l'atelier s'ouvrit avec fracas.

« Il faut que nous partions », dit Kastor.

Mais leur chemin était bloqué par une grille en fer forgé. Chatterjee leva la fenêtre à guillotine, qui monta en protestant, puis il cala ses pieds sur le mur et saisit la grille à deux mains. Au bout de quelques tractions, elle commença à trembler dans ses scellements. Kastor vint à la rescousse et ensemble, ils forcèrent sur le bois trempé que le temps avait rendu friable, jusqu'à libérer les vis et la grille.

Chatterjee la jeta sur le côté.

Kastor escalada la fenêtre. Chatterjee l'imita. La pluie continuait de tomber du ciel noir avec une détermination monotone. Un sentier menait de l'atelier jusqu'au ponton. Dans cette course folle, Kastor progressa sur les pierres instables avec toute la prudence possible, ses semelles glissant à chaque pas. Il lança quelques regards par-dessus son épaule pour surveiller la menace qui les talonnait. Une peur affreuse lui tordait l'estomac.

« Continuez », dit Chatterjee.

Ils arrivèrent au ponton et il vit que l'embarcation était une *dghajsa* typique. Petit. Costaud. Proue et poupe hautes. On utilisait principalement ces embarcations comme des taxis autour du Grand Port et des autres baies. Généralement dotées de rames, elles ressemblaient plutôt à des gondoles et n'étaient pas vraiment conçues pour la haute mer. Pourtant, celle-ci était équipée d'un moteur hors-bord. Il vit que Chatterjee était également inquiet.

Mais ils n'avaient pas le choix.

« Montez », dit Chatterjee.

Ils embarquèrent et Kastor défit les amarres. La mer agitée et le vent les éloignèrent rapidement du ponton. Chatterjee tira brusquement sur la corde du lanceur et le moteur rugit.

Ils filèrent et disparurent dans la nuit.

31

Cotton était à bord de l'hélicoptère qui se dirigeait vers le sud, vers Rome, en compagnie de Pollux Gallo et Stéphanie. Au départ, la directrice de la division Magellan avait voulu rester sur place pour coordonner sa mission avec les activités de Luke à Malte. Gallo lui avait offert d'installer son quartier général à la Villa Pagana à Rapallo, et elle avait presque accepté sa généreuse proposition, mais finalement, elle choisit de les accompagner, préférant retourner à Rome.

«Je sais que vous devez trouver la situation troublante, dit Gallo à Malone. Frère contre frère. Et des jumeaux, en plus.

– Avez-vous toujours été brouillés ?

– Tout le contraire, en fait. Nos parents se sont tués quand nous étions enfants, alors nous étions seuls au monde. Nous avons été élevés dans un orphelinat, où les nonnes nous éduquèrent sans grande affection, mais elles firent du mieux qu'elles purent. Kastor et moi étions très attachés l'un à l'autre. Mais à mesure que nous grandissions, nous nous éloignions. Nos personnalités changèrent. Nous nous ressemblions, mais nous ne pensions pas du tout de la même manière. À vingt ans, il partait au séminaire et j'étais dans l'armée.

– Vous avez dit tout à l'heure que votre frère veut devenir pape. Vous en êtes certain ?

– Absolument. Il me l'a dit. Il voit ce conclave comme un cadeau de Dieu, une occasion inespérée dont il doit s'emparer pour le tourner à son avantage.

– Vous en avez parlé ? »

Gallo hocha la tête. « Nous avons eu une discussion animée sur la question. Une de plus.

– L'archevêque Spagna serait son allié ? demanda Stéphanie.

– C'est ce que j'ai appris. Kastor s'est rendu à Malte hier spécialement pour retrouver Spagna.

– Et comment le savez-vous ? demanda Cotton.

– Comme Spagna, nous avons nos espions, nous aussi. »

Malone n'avait aucun doute là-dessus et il était toujours troublé par le commentaire que Gallo avait fait dans la salle des archives et qui devait encore être expliqué. « Pourquoi pensez-vous que la vie de votre frère est en danger ?

– Nous avons des gens à nous, à Malte, au fort Saint-Ange. Plusieurs chevaliers sont stationnés là en permanence. Ils surveillent les activités de mon frère et, selon eux, il pourrait bien être en danger.

– Menacé par qui ? demanda Stéphanie.

– Les *Secreti*. Ils sont à Malte. Nous le savons avec certitude. »

Cotton lança un regard en direction de Stéphanie. « Aucune nouvelle de Luke ? »

Elle secoua la tête. « Aucune. Le signal GPS de son portable s'est aussi interrompu. Il travaille avec un agent de la Sécurité maltaise du nom de Laura Price. Ils se trouvent tous deux avec Spagna en ce moment même. Le chef de la Sécurité maltaise me dit que la situation est sous contrôle, alors je suppose que Luke est capable de se débrouiller tout seul.

– Il l'est. »

L'hélico continua à voler dans l'air nocturne. Cotton jeta un coup d'œil à l'extérieur et aperçut le sombre paysage rural, çà et là ponctué de lumières signalant la présence d'un village ou d'une ferme. Ils étaient encore loin de Rome, très au nord, en Toscane, d'après son estimation.

« Je vois maintenant, dit Gallo, que l'intérêt que mon frère portait aux chevaliers était totalement égoïste, comme c'est souvent le cas chez lui. Il s'est servi de ses fonctions pour apprendre nos secrets. Pour les utiliser à son avantage. Heureusement, nous allons pouvoir prévenir tout dégât ultérieur et couper court à sa candidature à la papauté avant même qu'il la déclare. »

Un sac en toile était posé sur le plancher. Gallo le désigna du doigt. « J'ai apporté ce dont nous allons avoir besoin. À mon avis, la légende n'est pas vraie et il n'y a aucune raison de détruire tout l'obélisque pour mettre la main sur le codex, ou tout autre objet que Mussolini aurait laissé à l'intérieur. Nous pensons depuis longtemps qu'une pierre marquée sur le socle peut donner accès au réceptacle.

– Et vous prévoyez de le dynamiter ? » demanda Stéphanie.

Gallo laissa échapper un petit rire. « J'espère qu'une masse suffira. Mais nombreux sont ceux, en Italie, qui ne seraient pas tristes de voir tomber cet obélisque. Le gouvernement a essayé plusieurs fois de le raser. »

Et pourtant, il était toujours là. Comme les fleurs sur le site où Mussolini avait été exécuté.

« Pourquoi les *Secreti* voudraient-ils que votre frère meure ? demanda Cotton.

– Il a fait de la moitié des chevaliers ses ennemis.

– Mais normalement, ils ne sont pas du genre à tuer des gens.

– Les *Secreti* sont des fanatiques, ce qui les rend imprévisibles et dangereux. Ils voient apparemment Kastor comme une menace pour l'ordre. Or leur raison d'être est d'éliminer les menaces. Donc, la dernière chose qu'ils voudraient, c'est que Kastor devienne pape.

– Et ils le tueraient pour s'en assurer ? demanda Stéphanie.

– Je ne suis pas certain qu'ils iraient jusque-là. Tout ce que je sais, c'est qu'ils sont à Malte. »

Malone sentit que l'hélico décrivait une grande courbe et commençait à descendre. En regardant dehors, il se rendit compte qu'ils se trouvaient aux abords de Rome. Il aperçut le forum, ses deux stades, ses pistes de course, ses courts de tennis, et d'autres bâtiments, partiellement éclairés dans la nuit, et l'obélisque, dressé à l'entrée d'une imposante avenue qui menait à une place au fond.

Il jeta un coup d'œil à sa montre.

Presque minuit.

La journée avait été longue.

Le chevalier contempla l'obélisque éclairé et parvint à voir, dans la faible lueur, l'énorme inscription gravée dans son flanc.

MVSSOLINI DUX.

Enfin. La vérité mise au jour.

La carte se trouvait-elle là ? Ou peut-être *Nostra Trinità* ?

Qui attendait patiemment...

Dans leur ordre, quelques élus détenaient les informations les plus confidentielles. Heureusement, il était un de ceux-là. Il connaissait l'histoire de la visite de Mussolini à la Villa del Priorato di Malta et savait ce qu'il avait dit au Grand Maître Albani Rovere. *Je lui ai même rendu service en le mettant en lieu sûr, là où personne ne pourra y accéder.* Si Mussolini avait effectivement trouvé la Trinité, ceci était peut-être bien sa cachette.

Tout au moins, c'était ce que James Grant lui avait dit. Maintenant, il était temps de déterminer si l'information pour laquelle il avait pris de tels risques était vraie.

Enfin, les Britanniques étaient hors jeu.

Il ne restait que les Américains.

Mais il s'occuperait d'eux.

32

Kastor se voûta dans la *dghajsa* tandis que Chatterjee les menait vers la haute mer. Il n'était pas nécessairement d'accord avec ce choix, compte tenu de l'orage, mais il décida de ne pas discuter. L'idée était certainement de s'éloigner le plus possible de ces hommes armés. Jusqu'à trouver un endroit où ils pourraient accoster, à l'abri des regards et en sécurité.

La grande surface sombre de la Méditerranée s'étendait devant eux. De gros nuages d'orage menaçants s'amassaient, brusquement traversés d'éclairs qui les illuminaient d'une lueur blanche. Les vagues retombaient dans leur embarcation chaque fois qu'ils redescendaient dans les creux. Au loin, à l'horizon, il vit d'autres étincelles au milieu de nuages noirs.

Il connaissait la géographie de la côte.

Le sud de Malte était ponctué de hautes falaises, certaines mesurant plus de deux cent cinquante mètres. Ils étaient maintenant sortis de la baie de Saint-Thomas et se dirigeaient vers la péninsule de Delimara. Il voyait le phare allumé au loin. Même s'il était invisible dans la nuit, il savait que le fort Delimara, bâti par les Britanniques au XIXe siècle, était devant eux. Il était pour une grande part enterré, et ses ouvertures équipées de canons avaient été creusées dans les falaises près du promontoire. Il était déjà délabré quand il était enfant, et d'après ce qu'il savait, c'était encore le cas. Ils ne trouveraient pas de refuge là.

La pluie continuait à déferler.

Chatterjee opéra un virage à quatre-vingt-dix degrés à tribord, pour traverser la baie de Marsaxlokk. La proue se soulevait face aux vagues. Avec toutes ces émotions et le manque de sommeil, Kastor était sur les nerfs et en proie à une profonde angoisse. Se retournant vers Chatterjee, il repéra au loin le profil d'un hors-bord dont les feux de navigation rouges et verts clignotaient et qui approchait à grande vitesse.

« Ce n'est pas bon signe ! » s'écria-t-il en le pointant du doigt, tandis que ses paroles lui revenaient au visage, poussées par le vent.

Chatterjee se retourna et vit leur poursuivant. « Ces gens savent ce qu'ils veulent. »

Kastor se demanda à nouveau qui pouvait bien être leur ennemi. « Pourquoi cherchent-ils à me tuer ?

– Vous avez une trop haute opinion de vous, Éminence. »

Tout à coup, Kastor comprit.

« C'est après vous qu'ils en ont ?

– Je le pense, oui. »

Ils passèrent l'extrémité sud de la baie. Les célèbres falaises de Dingli étaient proches. Des paires d'ornières creusées dans la pierre à l'âge du bronze qui se croisaient, un vestige du passé qu'il se rappelait de son enfance. Personne ne savait vraiment d'où elles venaient. De traîneaux ? De roues de char ? Des sortes de rails ? Difficile à dire. Un mystère. Une énigme que les nonnes n'avaient jamais pu expliquer.

Et qui n'était toujours pas expliquée.

Ce qui se passait était de la folie. Ils se trouvaient en pleine mer, pendant un violent orage, à bord d'une *dghajsa* mue par quelques chevaux-vapeur à peine, tandis qu'un hors-bord transportant il ne savait qui leur fonçait dessus.

Il chercha à retrouver ses repères.

Puis il se souvint des grottes.

La côte sud en était pleine, leurs noms rappelant leur histoire. La grotte du Chat. Du Reflet. Du Cercle. De l'Éléphant. De la Lune de miel. La grotte de Ghar Hasan était peut-être la plus célèbre. On racontait que Saracen Hasan s'y était réfugié avec une jeune fille qu'il avait enlevée. Kastor se rappelait un sentier qui menait à des marches en pierre creusées dans une falaise de calcaire. À l'intérieur de la grotte se trouvait une série de passages, dont aucun n'était accueillant, mais d'après l'histoire, Hasan en avait emprunté un pour occuper une grotte. Elle était trop haute par rapport au niveau de l'eau pour leur être d'une quelconque utilité. Mais les grottes qui existaient en dessous pourraient fournir une cachette. La Grotte bleue était la plus célèbre. Kastor fouilla sa mémoire. Du regard, il examina attentivement la côte sombre, périodiquement illuminée par un éclair. La petite embarcation continuait à fendre l'eau. Leurs poursuivants se rapprochaient constamment, mais ils se trouvaient encore à deux bons kilomètres.

Kastor désigna un point à droite. « Dirigez-vous vers la côte.

– Vous pensez aux grottes ? demanda Chatterjee.

– C'est le seul abri possible. Si nous nous dépêchons, nous pourrons peut-être disparaître dans l'une d'elles sans nous faire repérer. Mais il va falloir que vous vous rapprochiez pour qu'on puisse les voir. »

Il jeta un coup d'œil à sa montre, dont les aiguilles étaient éclairées.

Minuit vingt.

Un nouveau jour avait commencé.

Cela le rapprochait encore plus du conclave qui débuterait dans moins de douze heures.

Ce qui était en train de se passer dépassait tout ce qu'il avait jamais vécu. D'accord, il avait défié le Saint-Siège avec ses dissensions manifestes, mais être poursuivi par des hommes tentant de le tuer, c'était une tout autre affaire. Une véritable angoisse monta en lui, un sentiment inhabituel. Pas une fois il n'avait eu peur du pape ni de la curie. Avait-il éprouvé des regrets ? Certainement. Personne n'aimait perdre.

Mais là, c'était complètement différent.

Son regard scruta les ténèbres, à la recherche d'une ouverture dans les hautes falaises. Les éclairs continuaient à zébrer le ciel à intervalles réguliers, offrant de précieuses secondes de clarté.

« Là ! cria-t-il en tendant le bras devant lui. Une grotte. Je l'ai vue.

– Moi aussi », dit Chatterjee.

Ils contournèrent un autre cap, la proue tendue vers une petite baie, en direction de l'endroit qu'il avait aperçu lors du dernier éclair. De mauvaises rafales ne cessaient de faire moutonner les crêtes des vagues. Un autre éclair explosa au-dessus de leurs têtes et il vit qu'ils allaient vers une grotte dont l'entrée, formée d'une arche escarpée découpée dans la pierre, était barrée d'un rideau de pluie se déversant dans la mer.

Le hors-bord était momentanément hors de vue, ce qui leur donna le temps de trouver la fracture sombre dans la falaise. Chatterjee manœuvra en direction de l'arche et ils passèrent sous la chute d'eau qui faisait écran devant l'ouverture. Les vêtements de Kastor étaient trempés, l'eau formait des flaques au fond de la *dghajsa.* Mais maintenant, ils étaient à l'abri sous un toit de pierre, dans la nuit paisible de la grotte. Pendant la journée, avec la lumière du soleil et toute la roche environnante, l'eau reflétait les bleus et verts phosphorescents de la flore sous-marine. Ce soir, il n'y avait que du noir.

« Il y a une saillie ! » cria-t-il en voyant son contour dans les ténèbres.

Chatterjee s'en approcha doucement. « Descendez. »

Kastor regarda fixement l'Indien.

« Descendez, répéta Chatterjee. Ne vous montrez pas. Je vais détourner leur attention.

— Restons ensemble. »

Pour une raison inconnue, il ne voulait pas se retrouver seul.

« Vous allez devenir pape. Je suis l'homme à tout faire. Maintenant, sortez de ce bateau et laissez-moi faire mon travail. »

Il sauta sur la margelle en pierre qui se trouvait juste au-dessus de la surface de l'eau. Il entendit rugir le moteur de la *dghajsa* et le bateau s'éloigna à bonne vitesse, vers le fond de la grotte, vers la sortie à l'autre bout. Kastor entendit le hors-bord qui approchait, émettant un grondement plus puissant que le vent et la pluie. Chatterjee repartit dans la nuit d'orage.

Puis un nouveau son fit irruption dans la grotte.

Ratatatata.

Des tirs.

À nouveau la terreur s'empara de lui. Il ne s'était jamais senti si impuissant. Un besoin de reculer encore l'envahit. Il fouilla les ténèbres des yeux et aperçut un endroit plus sombre. Une caverne ? Il avança à tout petits pas sur la pierre mouillée d'eau de mer et glissante, et constata qu'il ne s'était pas beaucoup trompé. C'était plutôt un tunnel. Il savait que la plupart d'entre eux n'étaient que des culs-de-sac. Il s'enfonça dans le couloir et déboucha dans un petit espace creusé dans la roche.

D'autres détonations retentirent.

Il se rappela les grottes qu'il avait explorées, enfant ; la plupart d'entre elles étaient décorées de stalactites et d'éclaboussures calcifiées. Parfois même de peintures rupestres. Difficile de savoir si cette caverne comportait ce genre d'ornements. Il s'assit sur le calcaire mouillé, s'obligeant à respirer de manière régulière et à rassembler ses forces. Il ne voulait pas céder à la panique et força son esprit à garder son calme.

Quelle situation délicate pour un prince de l'Église !

Il se plaqua contre la paroi, la tête comprimée comme par un piston.

Une fois de plus, il se sentit comme Paul, qui avait aussi, racontait-on, trouvé refuge dans une grotte maltaise. Paul n'était pas l'un des douze apôtres d'origine, mais il était néanmoins un apôtre. Un serviteur du Christ qui avait eu l'expérience d'une révélation soudaine et effrayante, qui l'avait singularisé. Il s'était fait une réputation d'opposant systématique à la loi. Son destin avait été scellé par l'écriture d'épîtres aux Romains, aux Galates et aux Corinthiens. Gallo se rappela les mots des Actes sur la vipère de Malte. Les Maltais qui avaient dit : *À coup sûr cet homme est un meurtrier puisque, sauvé de la mer, la Justice n'a pas permis qu'il vive.* Mais Paul s'était remis de la morsure de la vipère et *ces gens s'attendaient à le voir enfler ou tomber raide mort ; mais, après avoir longtemps attendu, voyant qu'il ne lui arrivait aucun mal, ils changèrent d'avis et dirent que c'était un dieu.*

Il avait lui aussi prévu de se remettre de la morsure de la vipère, de ne souffrir de rien de fâcheux et d'être considéré comme un dieu. Comme Paul, cependant, il risquait de se trouver confronté à un destin horrible. Personne ne savait vraiment comment ni quand Paul était mort. Mais tous les récits qui avaient survécu décrivaient un violent trépas sous une forme ou sous une autre. La décapitation. La crucifixion. Le poignard. La strangulation.

Son destin serait-il similaire ?

Il n'y avait pas eu de coups de feu depuis quelques minutes.

Était-ce un bon signe ?

Chatterjee les avait-il emmenés ailleurs ?

Depuis l'entrée du tunnel, du fond de sa grotte, il entendit le vrombissement d'un moteur. Assourdi, régulier. Il scruta les ténèbres.

Une nouvelle bouffée de peur s'empara de lui.

Des pas approchèrent. Venant vers lui par le tunnel. Il n'osa pas dire un mot. Puis une forme apparut dans la grotte. Pas de détails. Pas de visage. Juste un homme.

« Éminence. »

La voix de Chatterjee.

Dieu merci.

« Sont-ils partis ? » demanda Kastor, plein d'espoir.

Chatterjee s'approcha encore. Une autre forme apparut derrière lui, la silhouette d'une arme dans la main droite de l'homme.

« Non, dit Chatterjee. Et je suis leur prisonnier. »

Kastor ne sut pas quoi dire.

La forme derrière lui s'immobilisa.

Il voulut se mettre debout, mais ses muscles étaient figés. Deux détonations rebondirent en écho sur les parois de pierre, ce qui lui fit mal aux oreilles. Chatterjee bascula en avant et tomba lourdement sur le sol. Il ne bougea plus. Kastor contempla la forme noire, ahuri. Tout allait donc finir ici ? Il mourrait seul ? Dans une grotte. Cette histoire n'aurait donc aucun sens et tout ce qu'il avait enduré ne mènerait à rien ?

Il finit par s'en remettre à sa foi et ferma les yeux, disant une prière, espérant que Dieu, s'il existait, serait effectivement miséricordieux.

Il ne se passa rien.

Il ouvrit les yeux.

Le bruit de pas s'éloignait.

33

Luke termina un autre de ces pains en forme d'anneau garni de fromage et de viande. Laura les appelait des *ftira*, une sorte de croisement entre une *calzone* et un sandwich. Il apprécia particulièrement les minces tranches de pomme de terre qui agrémentaient la croûte extérieure. Inhabituel, mais savoureux. Il fit descendre ce souper tardif avec un Kinnie – on aurait dit un Coca avec moins de sucre. Une bière aurait été préférable, mais on ne lui en avait pas offert. Il avait accepté la nourriture avec reconnaissance.

Laura avait mangé un peu avant qu'un homme âgé et ventru aux cheveux noirs apparaisse. Elle le présenta comme Kevin Hahn, son patron, le chef de la Sécurité maltaise. Elle était ensuite partie avec Spagna et Hahn. Il s'était interrogé sur toutes ces complicités dont il était exclu, mais avait décidé de ne pas en prendre ombrage et de profiter de ce temps pour réfléchir.

Quelques journaux se trouvaient sur la table de la cuisine. Le *Malta Independent*. Il remarqua un titre en première page qui remontait à quelques jours – TOUT EST PRÊT POUR LE CONCLAVE – et il parcourut l'article.

> CITÉ DU VATICAN – Les cardinaux arrivent à Rome pour des réunions préliminaires visant à déterminer qui parmi eux pourrait être le meilleur candidat pour diriger l'Église. Les invitations à y participer ont été envoyées

à tous les cardinaux électeurs de moins de quatre-vingts ans le jour de la mort du pape. Ils arrivent en voiture privée, taxi et minibus aux portes du Vatican pour assister à des assemblées que l'on appelle congrégations générales, réunions à huis clos au cours desquelles ils apprennent à se connaître et décident qui sera le prochain à prendre la tête de la communauté d'un milliard deux cent mille catholiques.

« Nous avons besoin d'un homme capable de bonne gouvernance, et par là, j'entends un homme qui entretienne une connexion intime avec les gens qu'il choisit pour l'aider à diriger l'Église », a dit le cardinal Tim Hutchinson, l'ancien archevêque de Westminster à Londres.

Les cardinaux électeurs, qui sont environ cent cinquante, se réunissent deux fois par jour. Ils ont en particulier pour mission de choisir les officiers du conclave et de passer en revue toutes les règles. Ils évoquent aussi le Saint-Siège, la curie, et ce que l'on attend d'un nouveau pape. Ces sessions préliminaires fournissent aux cardinaux une occasion de jauger les candidats potentiels en les observant attentivement au cours des débats et en échangeant discrètement avec d'autres cardinaux sur leurs qualifications ou sur la présence d'éventuels squelettes dans les placards. Tout ceci est nécessaire dans la mesure où ces hommes viennent du monde entier et se voient rarement.

« Nous avons eu des réunions toute cette semaine pour apprendre à mieux nous connaître et à envisager les situations auxquelles nous sommes confrontés », a dit Hutchinson.

Il a ajouté qu'il ne pouvait pas dire, à ce stade, qui seraient les favoris. Les cardinaux ne révèlent jamais publiquement qui ils préfèrent, mais il leur arrive de donner des indices lors des interviews en brossant le portrait de leur candidat idéal. La qualité la plus fréquemment citée est une capacité à communiquer la foi catholique de manière convaincante. Mais le caractère soudain de la mort du pape fait qu'aucun n'est aujourd'hui dans une position privilégiée.

On prépare la chapelle Sixtine. La cheminée est installée, reliée au poêle où les bulletins seront brûlés après chaque vote. La fumée blanche signale la réussite. La fumée noire, l'échec. La couleur de chacune est donnée par une substance chimique qu'on jette dans les flammes.

Un autre mélange de gadgets high-tech et de tradition ancienne assurera le secret, y compris un appareil de brouillage qui bloquera toute tentative de passer un appel ou envoyer un SMS vers le monde extérieur. Des détecteurs de micros garantiront également que la chapelle est à l'abri des oreilles indiscrètes. On brouillera les signaux à la fois à l'intérieur de la chapelle Sixtine et dans la Résidence Sainte-Marthe où les cardinaux dormiront pendant le conclave. Les ordinateurs seront également prohibés, par conséquent, l'e-mail et Twitter sont catégoriquement interdits.

Mais tout ne se résume pas à des gadgets high-tech.

Un certain nombre de traditions seront respectées à la lettre pour s'assurer que le vote est bien secret...

Luke se souvint de ce que Spagna avait dit sur ses agents et la préparation du conclave. L'Organisme possédait certainement toute l'expertise nécessaire pour s'assurer que le secret était garanti. Et qui mieux que Son Maître pouvait protéger les fidèles ?

La porte s'ouvrit et Spagna revint.

Seul.

Cette fois Luke se sentit vexé.

« Où est Laura ? demanda-t-il.

– Elle revient bientôt.

– A-t-elle des ennuis avec son patron ?

– J'imagine que c'est une situation qui ne vous est pas étrangère. »

Luke sourit. « J'ai eu mon lot de difficultés de ce genre.

– J'en suis sûr. Quand elle sera de retour, je vous demanderai à tous les deux de régler un problème auquel nous sommes confrontés. »

La pluie avait cessé, mais il bruinait encore.

« J'essaye de trouver mon agent qui est chargé de garder le cardinal Gallo sous contrôle, dit Spagna. Mais j'ai du mal à établir le contact. Il se dirigeait vers la baie de Saint-Thomas, pour aller voir un horloger dans son atelier. Je veux que vous y alliez pour constater ce qui se passe.

– Vous pensez qu'il y a un problème ?

– J'ai un mauvais pressentiment. »

Il avait entendu Stéphanie dire ce genre de chose et il avait appris à se fier aux instincts de sa supérieure. Mais pouvait-il faire confiance au type qui lui faisait face ? Après tout, ce n'était qu'un étranger.

« Je dois prendre contact avec ma patronne, dit Luke. Et ce n'est pas une demande. Si vous avez un problème avec ça, je m'en vais sur-le-champ.

– Votre patronne est dans un hélicoptère se dirigeant vers Rome, donc inaccessible pour le moment. Cotton Malone et le chef par intérim des chevaliers de Malte sont avec elle. Vous devez savoir que cet homme est le frère jumeau du cardinal Gallo.

– Vous en savez, des choses, remarqua Luke.

– C'est mon travail, et vous avez raison, j'ai menti tout à l'heure. Je n'ai pas la permission officielle de Stéphanie Nelle d'utiliser vos services. Mais je l'obtiendrai à la minute où ce sera possible. En revanche, j'ai l'autorisation d'utiliser ceux de Mme Price. Alors pour le moment, c'est vous qui choisissez de rester ou partir. Décidez-vous.

– Pourquoi ne travaillez-vous pas sur le conclave ?

– Mes hommes le préparent en ce moment même.

– Et vous êtes ici. En pleine chasse au trésor. Ça pose question.

—Avez-vous jamais entendu parler du traitement multitâche ?»

Luke se mit debout et jeta les papiers gras qui avaient enveloppé son dîner dans la poubelle.

«Il y a une voiture en bas, garée en face. Une Toyota verte. Voici les clés.» Spagna les posa sur la table, avec un téléphone portable. «Votre destination a été téléchargée dans l'application de géolocalisation. Si vous êtes partant, allez-y dès le retour de Mme Price. Sinon, remettez-lui les clés et le téléphone portable. Elle s'en occupera. Que vous y alliez à deux ou qu'elle y aille seule, je veux que vous trouviez Gallo et mon homme, et que vous ne les quittiez pas des yeux. Appelez-moi quand vous les aurez localisés. Mon numéro est également dans le portable... numéro un des raccourcis.»

Spagna quitta l'appartement.

Autoritaire, le bonhomme.

Luke n'avait pas le choix. Et Spagna le savait très bien. Il était obligé de rester. Mais maintenant, il avait un portable. Alors il s'empara de l'appareil et composa le numéro d'urgence de la division Magellan. Impossible d'établir la communication. Mais sur l'écran s'afficha un message qui disait APPELS INTERNATIONAUX NON AUTORISÉS.

Il sourit.

Spagna n'était pas idiot.

Il décida qu'une pause serait la bienvenue. Qui savait quand il aurait une autre occasion. Il posa son Beretta sur la table, alla dans la salle de bains, utilisa les toilettes, puis se lava le visage et les mains. Tout en les séchant avec de l'essuie-tout, il retourna vers la poubelle dans la pièce principale et y jeta le papier.

La porte s'ouvrit brusquement, le chambranle pulvérisé.

Il en resta abasourdi.

Deux hommes firent irruption dans la pièce.

Rien dans leur aspect ni leur manière ne signalait qu'ils étaient des amis.

Pas moyen d'attraper son arme, alors il pivota sur son talon droit et balança son coude dans l'assaillant le plus immédiatement menaçant. L'homme s'écroula, hébété. Luke se jeta en avant, les dents serrées, et donna un nouveau coup de pied. Le deuxième homme partit contre le mur, faisant trembler les tableaux accrochés. Luke s'avança pour achever le deuxième et oublia momentanément qu'il y avait le premier. Un coup violent en plein dans sa colonne vertébrale le prit par surprise.

Puis un autre.

Une douleur électrique lui parcourut le dos. Ses jambes plièrent sous lui, la douleur l'emportant sur l'adrénaline. Mais il était bien entraîné, bien conditionné, aguerri au combat au corps à corps. Il savait comment empêcher la douleur de monter à son cerveau et continuer à se battre.

Il se retourna brusquement.

Un poing vint s'écraser sur son visage.

S'il n'y avait pas eu le picotement dans sa colonne, il aurait riposté, mais il était trop sonné pour réagir. Devant lui, l'image d'un homme bien campé sur ses pieds se mit à tournoyer.

Ainsi que la pièce.

Un autre poing s'écrasa sur sa mâchoire.

Il partit en arrière.

Un troisième poing le percuta au niveau du ventre et il en eut la respiration coupée. L'air se bloqua dans ses poumons. Un dernier coup, asséné des deux mains serrées, lui enfonça la trachée.

Il s'écroula sur le sol et entendit vaguement l'un des hommes proches de lui, le souffle court, qui disait : « Attrape-le. »

Il essaya de réagir, mais n'y parvint pas.

Le brouillard dans son cerveau empêchait ses muscles de répondre. Il sentit qu'on lui empoignait les bras et les jambes avec vigueur. Il essaya de résister, mais ses muscles semblaient paralysés.

« Balance-le par la fenêtre », dit l'un de deux hommes.

34

Cotton sauta de l'hélicoptère. Ils avaient atterri au beau milieu du Stadio dei Marmi, le Stade des Marbres, sur un tapis de mince gazon vert. Des gradins pouvant accueillir vingt mille spectateurs les entouraient, juste après la piste comportant six couloirs. Les silhouettes de statues colossales drapées d'ombre comme tout droit venues de l'Antiquité grecque ou romaine, bordaient la rangée des gradins supérieurs.

Les pales ralentirent tandis qu'ils se dirigeaient tous vers la sortie. Gallo portait le lourd sac en toile et Stéphanie et lui le suivaient. Le pilote resta monter la garde dans l'hélicoptère. Cette partie du nord de Rome semblait totalement déserte à une heure aussi matinale, tout le Forum Mussolini ou Forum Italico, comme on l'appelait aujourd'hui, était plongé dans le silence.

Ils sortirent en montant une rampe ; comme dans l'Antiquité, le stade lui-même avait été aménagé dans une cuvette et le rang le plus élevé des gradins se situait au niveau du sol. Gallo les conduisit vers une fontaine ornée d'une énorme sphère en marbre qui tournait sur un lit d'eau sous pression. Sur leur gauche s'étendait un grand espace pavé.

« La piazza dell'Impero, fit Gallo. La place de l'Empire. Un testament de la propagande fasciste. Un des rares qui ait subsisté. Mon frère apprécierait pleinement son audace. »

Des lampadaires diffusant une lumière ambrée éclairaient l'avenue, bordée de part et d'autre de gros blocs de marbre blanc. La voie elle-même était couverte de mosaïques dessinant des cartes, des *fasces* et des scènes sportives accompagnées de slogans prophétiques. Tout en marchant, Cotton en lut quelques-uns. DVCE. Le chef. DVCE A NOI. Notre Duce. MOLTI NEMICI MOLTO ONORE. Beaucoup d'ennemis, beaucoup d'honneur. DVCE, LA NOSTRA GIOVINEZZA A VOI DEDICHIAMO. Duce, nous vous donnons notre jeunesse.

De l'audace, effectivement.

« Cet endroit était à la fois un complexe d'entraînement sportif et une métaphore, dit Gallo. Mussolini espérait que le sport et la force physique accroîtraient la place de l'Italie dans le monde. Pour le fascisme, il était crucial de mêler victoires sportives et succès militaires. Mon frère aime les métaphores, lui aussi. Il pense que le fait de rappeler à tout le monde le passé catholique garantira d'une certaine manière l'avenir. Comme c'est le cas avec les fascistes, mon frère est persuadé qu'associer la peur et l'ignorance est essentiel pour concrétiser ce qu'il a en tête pour l'Église.

« Vous n'êtes assurément pas sur la même longueur d'onde, fit Stéphanie.

– Nous sommes de vrais jumeaux, il y a un lien fort entre nous, et je l'aime. Mais heureusement, j'ai toujours été capable de faire la part des choses et de le juger en tant que cardinal de l'Église. »

Malone ne savait pas grand-chose des frères Gallo. Mais ces hommes avaient visiblement des soucis.

« Aucune nouvelle de Luke ? » demanda-t-il à Stéphanie.

Elle secoua la tête. « Rien. »

Tout au bout de l'avenue se dressait l'obélisque. Le marbre blanc n'était éclairé par aucune lumière directe, ce qui était fort approprié. Le monument existait, mais aucun effort n'était fait pour glorifier excessivement sa présence. L'éclairage était positionné sur un périmètre à six ou sept mètres autour et dirigé vers le ciel. Le style de l'obélisque était également peu traditionnel : le socle était formé d'une série de pierres irrégulières entassées sur lesquelles se dressait le haut pilier central.

« Il a été taillé dans un seul bloc, dit Gallo. Qu'on a enchâssé dans une caisse de bois et de fer pour que cet objet pesant trois cents tonnes soit acheminé par mer puis sur le Tibre jusqu'ici. Il fallut trois ans pour le sculpter et le dresser. Trente-six mètres de haut. Chaque étape a été décrite en détail et racontée par la presse fasciste. On en a exalté les qualités pour que les masses l'apprécient et le vénèrent. »

Intéressant de constater combien les dictateurs avaient besoin de démonstrations de grandeur pour prouver la légitimité de leur pouvoir. Les chefs démocratiquement élus n'avaient pas ce besoin puisque les gens eux-mêmes les investissaient, et personne ne s'attendait à la perfection. En fait, l'échec pouvait être un autre marchepied pour se rapprocher de la grandeur. Les dictateurs n'acceptaient jamais l'échec. Ils préféraient que leurs erreurs soient oubliées, éclipsées par le spectacle.

Ils approchaient de l'obélisque.

Gallo désigna un point en l'air. « Remarquez les lettres de l'inscription. »

Malone les examina dans la semi-pénombre. Toutes des majuscules, disposées verticalement, MVSSOLINI sur la pointe, DVX en dessous. Chaque lettre mesurait près d'un mètre.

« Elles ont été incisées et non sculptées, dit Gallo, pour éviter les risques d'abrasion ou d'effacement. Le Duce était prévoyant. Il les a faites trop grandes et trop profondes pour qu'elles puissent être retirées un jour. »

Ironique, se dit Cotton. Ces inscriptions sont comme le souvenir du fascisme et, comme lui, toujours présentes au XXIe siècle.

Ils firent le tour du monument.

Son marbre était dépourvu d'autres marques, à l'exception des mots OPERA BALILLA ANNO X gravés dans un grand panneau sur le socle.

« L'organisation de la jeunesse fasciste Opera Nazionale Balilla s'est immortalisée aussi, dit Gallo. L'Œuvre nationale Balilla. Dixième anniversaire. L'obélisque a été inauguré le 4 novembre 1932, soit dix ans après la marche sur Rome et l'instauration du régime fasciste.

– C'est stupéfiant que ce monument soit encore là, dit Stéphanie. Tous les vestiges liés à Hitler ont été retirés. Pour Mussolini, en revanche, c'est différent.

– Quelqu'un a essayé de le faire exploser en 1941, mais les dégâts ont été minimes. Des voix s'élèvent pour proposer de le raser depuis des décennies. Mais les Italiens n'ont jamais eu besoin d'effacer leur histoire. » Gallo désigna l'obélisque. « Même si le monument est parfois excessivement pompeux. Pour eux, détruire un objet comme celui-ci ne serait qu'un signe de faiblesse. De peur, pas de force. »

Malone continua à scruter la structure dressée vers le ciel.

« Nous savons que Mussolini a placé son codex à l'intérieur, dit Gallo. Les récits qui nous sont parvenus sont très clairs sur ce point. Mais personne ne sait où il l'a caché. Cela s'est fait lors d'une cérémonie privée, et aucun compte rendu n'a subsisté. Comme vous pouvez le voir, il n'y a qu'une pierre en dehors du pilier central qui porte une marque. L'hypothèse la plus plausible est que le codex se trouve derrière. Qu'en pensez-vous ? Cette dalle de marbre doit bien faire cinq centimètres d'épaisseur.

– Au moins. »

Et la dalle qui portait les mots OPERA BALILLA ANNO X mesurait environ un mètre vingt sur deux mètres quarante. Un rectangle robuste, massif, conçu pour durer. Et il avait duré. Quatre-vingts ans. Malone savait ce que voulait Gallo, il grimpa donc sur la base surélevée d'un bon mètre et examina le grand X de ANNO X qui était censé faire référence à la première décennie du régime fasciste. « Et si le X marquait l'endroit ?

– Tout à fait plausible », dit Stéphanie.

Gallo ouvrit le sac en toile et sortit deux masses et une lampe torche. Cotton prit l'une des masses, et Gallo grimpa à son tour avec l'autre.

Stéphanie tint la lampe depuis le sol.

Malone faillit sourire devant l'ironie de la situation. Combien de fois avait-il endommagé un site historique classé ? Il ne les comptait plus ; toutes correspondaient à des circonstances malheureuses. Et là, il était sur le point de défigurer intentionnellement un vestige de l'histoire.

Il serra la masse et prit son élan.

Elle alla cogner très fort en plein dans le X. Gallo suivit avec la sienne. Mais le marbre tint bon.

Ils répétèrent la manœuvre.

« Vous avez senti ? demanda Gallo. Il y a un petit jeu. La dalle pourrait bien cacher un espace creux. »

Malone acquiesça.

Stéphanie visa le X avec sa lampe torche. Des fissures avaient commencé à se dessiner dans toutes les directions. Cotton jeta un coup d'œil autour d'eux. Toujours personne. Il s'interrogea sur les caméras de surveillance. Il y en avait forcément. Pourtant, personne n'était venu à la rescousse de l'obélisque.

Ils reprirent leur élan.

Quelques coups supplémentaires et le marbre céda.

Gallo et lui s'écartèrent tandis que des morceaux tombaient, soulevant un nuage de poussière blanche. Comme ils l'avaient soupçonné, une petite niche était visible derrière la paroi extérieure. Cotton posa la masse et attendit que la poussière retombe. Stéphanie lui tendit la lampe.

À l'intérieur, Malone aperçut un tube métallique d'environ soixante centimètres de long et quinze centimètres de diamètre, portant une *fasce* gravée sur sa paroi mate. Gallo plongea la main et sortit l'objet.

« Comment allons-nous l'ouvrir ? demanda Stéphanie.

— Il est en plomb et les extrémités sont soudées, dit Gallo. Nous devrions pouvoir casser le joint. L'idée de départ était qu'il soit possible de récupérer ce qu'ils y avaient scellé. J'ai apporté un maillet en caoutchouc, là, dans le sac.

– Vous en savez long sur tout ceci, fit remarquer Cotton.

– Nous étudions Mussolini et les fascistes depuis longtemps. Nous espérons que ce que nous cherchons depuis tout ce temps se trouve à l'intérieur de ce réceptacle. »

Stéphanie lui tendit le maillet. Gallo tapota tout en douceur l'extrémité du tube scellé, jusqu'à ce que le joint se craquelle.

« Ils ont utilisé un matériau mou et un métal d'appoint léger exprès, dit Gallo. Mais il était essentiel qu'il soit hermétique. »

L'extrémité céda et Cotton dirigea le faisceau de la lampe à l'intérieur pour faire apparaître un objet roulé.

Gallo le fit sortir.

Pas du papier. C'était raide. Plus épais.

Du parchemin.

Gallo déroula la feuille, qui mesurait environ quarante-cinq centimètres de large sur soixante de long. De l'encre noire remplissait toute une face de la feuille. En haut, les mots CODEX FORI MUSSOLINI. Mais ce qui attira leur attention à tous fut l'objet qui était tombé lorsque Gallo avait déroulé le document.

Une autre feuille.

Plus mince.

Plus brune.

Plus fragile.

Du papier.

35

Luke était suspendu en l'air, ses deux assaillants le tenaient par les mains et les mollets. Sa tête pendait, et il était toujours en proie au vertige. Ils étaient en train de le porter vers une fenêtre, visiblement prêts à lui faire traverser la vitre. Dans l'encadrement de la porte derrière lui, il aperçut la silhouette tête en bas de Laura se précipitant dans la pièce ; elle se jeta sur l'homme qui se trouvait sur la droite ; celui-ci le lâcha pour se focaliser sur cette nouvelle attaque. Luke décida de ne pas tergiverser et se força à retrouver ses esprits. Il se tortilla pour se libérer de l'autre homme, toucha le sol et cisailla les jambes de son adversaire. Il roula sur lui-même et passa son bras droit autour de son cou avant de serrer fort ; privé d'air, l'homme perdit rapidement connaissance. Laura avait déjà eu le dessus sur son rival, qui gisait immobile sur le plancher.

« Une idée sur l'identité de ces deux clowns ? demanda Luke, le souffle court.

– Pas la moindre. Mais ils sont venus directement ici, dans une planque de l'Organisme, ce qui signifie qu'ils sont au courant des affaires en cours de Spagna.

– Où est notre chef des espions ?

– Dans une autre planque, pas très loin d'ici. Là où mon patron et lui m'ont emmenée tout à l'heure. »

Ce sujet méritait d'être creusé plus avant, mais pour l'heure, il laissa filer et se dépêcha de fouiller les deux hommes. Pas de pièce d'identité. Pas d'arme.

Oublie. Concentre-toi.

« Allez prendre un drap sur le lit, dit-il. Nous allons le découper et attacher ces deux salopards. »

Il se dirigea vers la table et prit le portable, les clés de voiture et son arme.

Il fallait qu'ils retrouvent Spagna.

Laura et lui repartirent en vitesse vers la place où tout avait débuté ; le bruit de la circulation s'atténuait maintenant que les bâtiments isolaient la zone piétonne. Il surveillait leurs arrières, mais ne remarqua personne dans leur sillage. Pas d'autre bruit que des échanges entre des personnes qu'ils croisaient et le sifflement d'une brise soudaine.

Les hauts nuages clairsemés occultaient par intermittence une lune brillante, maintenant que l'orage était passé, et les bâtiments et les rues étaient éclairés par intermittence, comme si on allumait et éteignait rapidement la lumière dans une pièce sombre. Des projecteurs entouraient la cocathédrale dont la pierre ancestrale baignait dans une chaude lueur. L'édifice était posé comme une énorme créature à quatre pattes, dont les clochers seraient les oreilles, les transepts les pattes, observant silencieusement son territoire. Luke suivit Laura qui s'enfonçait dans la vieille ville. Une fois passé le quartier de la cathédrale, les trottoirs étaient déserts. Des lampadaires projetaient par endroits une lueur vacillante dans une nuit noire de jais. Les voitures étaient serrées les unes derrière les autres des deux côtés des rues. Les pare-brise de certaines d'entre elles étaient ornés de papillons de couleur jaune témoignant de leur trop long stationnement. Des volets de protection obturaient la plupart des fenêtres des appartements, et la présence de gens à l'intérieur n'était révélée que par de minces filets de lumière. Tandis qu'il scrutait la pénombre à une cinquantaine de mètres devant, un bruit violent résonna dans le silence.

Une fenêtre au troisième étage explosa.

Un corps sortit, tête la première, se retourna en l'air puis s'écrasa sur le capot d'une voiture garée.

Luke se précipita.

Laura suivit.

Il reconnut le visage instantanément.

Laura attrapa la chemise ensanglantée. « Spagna. » Sa voix le suppliait de répondre. « Spagna », insista-t-elle.

Luke chercha un pouls. Très faible. Le sang coulait abondamment des entailles qui labouraient son visage. Le nez de l'archevêque saignait beaucoup. Mais étonnamment, il ouvrit les yeux.

« Vous m'entendez ? » demanda Luke.

Pas de réponse.

Il vit la panique sur le visage de Laura. Une première.

La main en sang de Spagna se leva et attrapa le bras de la jeune femme. « Faites... faites ce que je... vous ai dit... Tous les deux. »

Un bruit sec provenant de la fenêtre résonna et quelque chose siffla tout près de la joue droite de Luke. La poitrine de Spagna explosa. Un autre chuintement et son crâne s'ouvrit en deux sous les yeux de Luke, qui fut éclaboussé, ainsi que Laura, de sang et de chair.

Il se retourna et regarda vers le troisième étage.

Dans l'encadrement de la fenêtre brisée, deux hommes, leurs armes braquées sur eux. À l'évidence, leur priorité avait été de terminer ce qu'ils avaient commencé. Profitant de l'espace de trois secondes qu'il leur fallut pour viser les deux intrus, Luke se jeta sur Laura et la mit à l'abri derrière une voiture. Ils s'écrasèrent sur l'asphalte moite, elle en dessous, lui dessus pour la protéger.

D'autres détonations assourdies.

Les balles pleuvaient.

L'une d'elles traversa le capot à côté du corps de Spagna, une autre fit exploser le pare-brise. Heureusement, la rangée de voitures garées fournissait un angle idéal pour les protéger. Visiblement, le troisième étage était un peu trop bas pour que les tireurs puissent les atteindre.

« Il faut qu'on s'en aille, dit-elle.

– On peut avoir ces types.

– Notre priorité, c'est Gallo. C'était ça que Spagna voulait dire. Il faut qu'on trouve Gallo. Venez, restez au ras du sol. »

Il partit le premier, elle derrière, pliés en deux, se servant des voitures comme boucliers pour descendre la rue. D'autres balles tentèrent de se frayer un chemin à travers le métal et le verre. Cinquante mètres plus loin, Luke regarda derrière lui. Les gars n'étaient plus à la fenêtre. Deux silhouettes sortirent soudain du bâtiment. Laura et lui se mirent à courir et tournèrent au premier coin de rue. Il évalua leur avance à un demi-stade de foot. Ils firent alors plusieurs tentatives pour trouver leur chemin et sortir de ce labyrinthe de ruelles.

Ils finirent par déboucher sur un grand axe. Luke avala une longue goulée d'air humide et regarda autour d'eux. Les trottoirs étaient bien éclairés et bordés de voitures en stationnement. Leurs poursuivants approchaient, comme le confirmait le bruit de pas rapides de plus en plus près.

Ça suffisait comme ça. « Débarrassons-nous de ces gugusses. »

Elle ne le contredit pas. Il saisit son Beretta et ils prirent position de part et d'autre de la ruelle. Mais le bruit de pas s'arrêta. Ils attendirent, mais personne ne se montra.

Ça alors.

Laura paraissait surprise, elle aussi.

« Dans très peu de temps, ça va grouiller de flics dans le coin », dit-elle.

Elle avait toujours les clés de voiture et le portable avec l'itinéraire que Spagna avait préparé.

« Allons chercher le cardinal Gallo. »

36

Cotton se baissa et ramassa la feuille qui était tombée. Il la tint avec précaution par le bord, attentif dans la manipulation d'un objet aussi rare, ce qui, après tout, était sa profession principale.

Il déroula le feuillet et examina la page.

Six lignes. Tapées à la machine.

Malone traduisit l'allemand dans sa tête. Puis il en fit la transcription à haute voix à l'attention de Stéphanie.

> Le contenu doit être remis en main propre à von Hompesch. Ce doit être fait immédiatement, dans la discrétion la plus totale. Où l'huile touche la pierre, la mort est au fond d'un noir cachot. Gueules avec trois lions, une licorne saillante. Trois bourdons croisés sur rangées et colonnes. H Z P D R S Q X

« Qu'est-ce que cela signifie ? demanda-t-elle.

– Partons d'ici, avant qu'on soit découverts, dit Gallo. Je vous expliquerai certaines choses en route. »

Le conseil était bon.

Ils descendirent tous les deux d'un bond et rangèrent les outils dans le sac en toile. Gallo enroula le parchemin et la page volante, avant de les glisser dans le tube métallique. Cotton le tint dans sa main tandis qu'ils rebroussaient chemin pour repartir vers le stade.

« Le chevalier qui a écrit ces mots servait le Grand Maître Ferdinand von Hompesch, à Malte, il était le prieur de la *nostra chiesa maggiore della sacra religione*, dit Gallo.

– Notre église majeure de la religion sacrée, traduisit Cotton à l'intention de Stéphanie.

– L'église conventionnelle des chevaliers, dit Gallo. La cocathédrale de La Valette. Nous pensions depuis longtemps que le secret reposait là, simplement à cause des liens de son prieur avec von Hompesch.

– Il y a certainement plus que cela », fit Stéphanie.

Ils continuèrent à marcher.

« Effectivement. »

Gallo leur parla d'un homme torturé par Napoléon pendant l'invasion de Naples. Un homme dont les mains avaient été clouées à une table et qui refusa malgré tout de dire quoi que ce soit aux envahisseurs français.

« D'après la légende, l'homme, avant de mourir, laissa quelque chose qui permettait de trouver *Nostra Trinità*. C'était le prieur de la cathédrale et il appartenait aux *Secreti*. Après son assassinat par Napoléon, il fut enterré dans le cimetière d'une église sur la côte est de Malte. Il reposa là en paix jusqu'à ce que sa tombe soit violée dans les années 1930.

– Par Mussolini ? » demanda Cotton.

Gallo acquiesça. « Et à l'évidence, Mussolini trouva quelque chose qui attira l'attention de deux papes. Quelque chose d'assez important pour qu'il puisse exiger qu'ils ne se mêlent pas de sa politique. Nous avons toujours pensé que quelque chose d'essentiel provenait de cette tombe.

– Était-ce le message que nous venons de lire ? demanda Stéphanie.

– Forcément. Et il y a autre chose. » Gallo s'arrêta et posa le lourd sac en toile. « Mussolini a tué trois de nos frères pour obtenir ce que nous venons de lire. Ces hommes, comme cet ancien prieur de la cathédrale, sont morts sans trahir leurs serments. Ce que nous avons toujours cru, et que nous savons être vrai aujourd'hui, c'est que Mussolini en fait n'a jamais rien trouvé. Il a menti au Vatican. C'était un mensonge convaincant, certes, mais un mensonge quand même.

– Comment pouvez-vous en être aussi sûr ? demanda Stéphanie.

– C'est facile, répondit Cotton. S'il avait découvert le trésor, celui-ci se trouverait à l'intérieur de l'obélisque ; au lieu de cela, il n'y avait que des indices sur l'endroit où il pourrait être caché. »

Gallo acquiesça. « Il a aussi altéré le message d'origine, apparemment, puisqu'il n'y avait pas de machine à écrire à Malte en 1798. L'original était certainement écrit à la main. Espérons qu'il l'a transcrit correctement. C'est à nous qu'il revient désormais de trouver ce qu'il n'a pas pu localiser et de le remettre en lieu sûr, sous notre garde. »

Malone perçut la peine dans la voix de Gallo. Certes, l'appartenance à une confrérie secrète ancienne impliquait une bonne dose de fraternité virile. Mais l'appartenance à une société avec des connotations religieuses manifestes et des raisons d'être remontant très loin dans l'histoire ajoutait une dimension totalement différente. Quatre-vingts années s'étaient écoulées depuis que ces trois frères étaient morts, néanmoins, la blessure paraissait terriblement récente à Pollux Gallo.

« Il faut que nous allions à Malte, dit Gallo.

– Pourquoi dites-vous cela ? demanda Cotton.

– Les mots que nous venons de lire. *Où l'huile touche la pierre.* Ce que nous cherchons se trouve là-bas. »

Le chevalier avait observé ce qui se passait devant l'obélisque avec autant de fascination que d'inquiétude. Le *Codex*

Fori Mussolini se trouvait apparemment exactement à l'endroit suggéré par les articles de journaux des années 1930.

Les événements prenaient une excellente tournure.

Il serait facile de s'assurer du contrôle de la situation et de gérer les Américains ici et maintenant, comme il l'avait fait à la villa à côté du lac de Côme. Il avait les ressources nécessaires. Un simple geste les mettrait en action. Mais ce n'était pas le choix le plus judicieux.

Pas encore, du moins.

On ne gagnait jamais rien à se précipiter. L'absence de réflexion produisait généralement des résultats peu satisfaisants. Il était arrivé à ce point grâce à des choix judicieux et des décisions éclairées, au moment parfait. Pas question d'abandonner cette façon de faire maintenant. Son grand dessein comportait de nombreux éléments mouvants. Tellement de choses devaient être menées à bien, et au bon moment. La voie conduisant au succès, celle qu'il avait dessinée précédemment, semblait aujourd'hui caduque. Trop de participants nouveaux et imprévisibles étaient entrés en jeu. Pourtant, cela paraissait problématique, mais également prometteur.

Il avait réussi à entendre la conversation à l'obélisque. Les informations sur la feuille qui était tombée du codex étaient forcément celles que Mussolini avait volées, puis cachées. Si l'on en croyait ce que James Grant avait dit, les Britanniques en étaient convaincus, et apparemment, ils ne s'étaient pas trompés.

Il valait mieux laisser la pièce se jouer jusqu'au bout.

Et tirer bénéfice de sa chance.

37

Kastor n'avait pas bougé.

Chatterjee non plus. Il gisait à quelques mètres de lui.

Une fois que la silhouette noire eut quitté la grotte, personne d'autre n'était arrivé par le tunnel. Après qu'eut retenti le grondement d'un moteur, qui cessa rapidement, plus un son n'avait résonné dans la nuit en dehors du bruit du ressac amplifié par la grotte. Il n'avait jamais vu personne se faire tuer par balles. Mais ce soir il avait été à deux reprises le témoin de scènes où une vie était emportée ainsi.

La fatigue et le désespoir l'envahirent. Il tremblait, la terreur sortant par tous ses pores comme chez un animal blessé. Probablement l'état de choc en train de s'installer. Immobile, il essaya de retrouver son calme. Mais cette prise de conscience ne contribua guère à soulager son affreux désespoir. Il en conçut de la honte.

Heureusement, personne n'était là pour voir sa faiblesse.

Et il ne devrait rien en laisser paraître dans les jours qui allaient suivre.

L'Église était blessée et prise dans la tourmente. La Chine et la Russie commençaient à sortir de son orbite. Les Européens se désintéressaient de la messe. En Amérique du Sud et en Amérique centrale, son influence morale autrefois importante était devenue fragile. Quant aux États-Unis, la pire des situations y régnait. Des prêtres pervers et des évêques indifférents avaient provoqué des dégâts incommensurables. Les gens quittaient l'Église en nombre. Rares étaient ceux qui embrassaient l'étude de la prêtrise. Encore moins de catholiques se préoccupaient de la situation. À cause des traditionalistes, de nombreux croyants âgés s'étaient détournés de l'Église, tandis que les jeunes étaient tout simplement désenchantés par la religion en général. Les laïcs éduqués semblaient ne plus vouloir mémoriser aveuglément le catéchisme sans se poser la question du pourquoi.

Le temps était venu qu'entre en scène un homme d'action. Quelqu'un qui connaisse les lois et l'héritage de l'Église, qui respecte la tradition et reste convaincu que l'essence de la vérité se trouve au sein du Vatican, sans qu'il soit besoin d'aller la chercher ailleurs. L'Église catholique romaine était la plus grande dynastie de l'histoire humaine. Mais des papes influençables et une débauche de mauvais raisonnements lui avaient fait perdre de vue le droit chemin.

Il fallait que cela cesse.

Il était sur le point de défier le collège des cardinaux. Pas tous les cardinaux. Seulement quelques-uns, ceux qu'il aurait choisis. Ceux qui pouvaient exercer une influence et rallier le nombre qui convenait pour qu'il ait les voix nécessaires pour emporter l'élection. Il avait pensé que le *De Fundamentis Theologicis Constantini* pourrait suffire à atteindre ce but, mais Spagna était apparu pour lui offrir quelque chose de mieux.

Et tout était enregistré sur la clé USB que Chatterjee lui avait montrée.

Il reprit le contrôle de ses émotions et s'approcha du corps de Chatterjee en progressant à quatre pattes sur la pierre rugueuse, espérant que la clé se trouvait toujours dans sa poche. Chatterjee était tombé sur son flanc gauche, alors il tourna le corps et fouilla les poches. Il trouva la clé.

Dieu merci.

Son salut.

En supposant qu'elle tienne ses promesses.

Dommage pour Chatterjee. Cet homme avait essayé de l'aider, pensa Kastor qui s'était toutefois demandé combien Spagna lui ferait payer cette aide. Cela ne pouvait pas être aussi simple que ce que Chatterjee avait expliqué. Garder son poste ? Devenir cardinal ? Il y avait forcément plus en jeu.

Effectivement.

Des tueurs.

Des hommes qui tuaient d'autres hommes de sang-froid, sans état d'âme. Qui étaient-ils ? Pourquoi ne l'avaient-ils pas abattu ? S'il restait une ombre de foi tout au fond de lui, il devrait s'agenouiller et prier Dieu pour le remercier et lui demander des conseils. Mais il avait perdu depuis longtemps la croyance en un être tout-puissant et miséricordieux qui surveillait la Terre avec la bienveillance d'un père aimant. C'était un mythe, une partie intégrante de la religion, qui avait été créé par l'homme, organisé par l'homme et qui existait depuis plus de deux mille ans grâce à l'homme.

Spagna avait eu raison sur un point. La pression devait être exercée une fois que les cardinaux seraient enfermés dans la chapelle Sixtine, où personne ne pouvait recourir à une aide extérieure.

Mais il fallait commencer par le commencement. D'abord, sortir d'ici.

Il se mit debout et avança à tâtons dans le tunnel plongé dans le noir, pour retourner dans la grotte. La *dghajsa* était attachée à un rocher, comme si elle n'attendait que lui. Il se demanda si c'était un piège, une manière de le faire ressortir sur l'eau. Mais il rejeta cette hypothèse comme relevant de la paranoïa, certes compréhensible. Si ces gens l'avaient préféré mort, ils l'auraient abattu en même temps que Chatterjee.

Il monta dans l'embarcation et défit l'amarre.

Trois tractions sur le cordon et le moteur démarra.

La dernière fois qu'il avait piloté un bateau remontait à son enfance, un jour où il était avec son père. Il sortit de la grotte et déboucha dans la baie. L'orage s'était calmé, la pluie n'était plus que du crachin, le vent était tombé. Il fit pivoter la proue et se dirigea vers la haute mer. Aucun autre bateau en vue. La question était : où aller ? Il pouvait virer de bord et longer la côte sud, pour accoster peut-être dans la fameuse Grotte bleue, qui n'était pas très loin. À partir de là, il pourrait remonter jusqu'à la route et regagner La Valette, avant de quitter l'île aussi vite que possible. Ou il pouvait retourner sur ses pas jusqu'à l'atelier de l'horloger. La police s'y trouvait certainement, étant donné qu'une voiture avait explosé. Il demanderait à être protégé, invoquant son statut de cardinal. Insister pour qu'on le ramène à Rome. Mais cela signifierait de la publicité, et il ne supporterait pas la moindre propagande négative, dans l'immédiat.

Il ne reste que quelques heures à attendre. Ne sors pas de l'ombre, reste au-dessus de la mêlée. Laisse ton nouvel ami faire le sale boulot.

Le conseil lui avait été donné très peu de temps auparavant au téléphone.

Malgré tout, la maison de l'horloger semblait être la solution la plus sûre.

Il se dirigea vers l'est.

Luke, au volant du coupé Volvo, suivit les instructions fournies par le téléphone portable. Chose utile, Laura connaissait l'île et elle mentionna une série de boutiques près de la baie de Saint-Thomas, juste après le village de Marsaskala, dont l'une était l'atelier d'un ancien horloger. Aucun d'eux n'avait parlé de Spagna, concentrés qu'ils étaient sur l'idée de quitter La Valette.

« Jusqu'où votre patron est-il impliqué dans tout ceci ? demanda-t-il.

– Il m'a dit de travailler avec Spagna. Pour une fois, j'ai décidé de ne pas discuter et d'obéir aux ordres.

– Où a eu lieu cette conversation ?

– Dans l'appartement d'où Spagna a été balancé.

– Vous êtes partie un bon moment. »

Elle était avare en informations et le ton de la question manifestait clairement l'agacement de Luke.

« Écoutez, dit-elle. Ils ne m'ont pas raconté leur vie. Spagna a dit qu'il avait besoin de notre aide, à tous les deux. Son inquiétude immédiate était qu'il avait du mal à établir le contact avec Chatterjee. Il voulait que nous allions voir, tous les deux. Il m'a dit qu'il vous avait laissé une voiture, les clés, un portable et un itinéraire. Si vous étiez à l'appartement, nous devions foncer tous les deux. Et si vous n'y étiez plus, c'était que vous aviez décidé de vous retirer, alors je devrais le faire seule. »

Exactement ce que l'archevêque lui avait dit, aussi.

« Je suis retournée là-bas et j'ai découvert que vous vous amusiez bien sans moi.

– J'ai bien apprécié de vous voir débarquer. Qui étaient ces gens, à votre avis ? »

Elle secoua la tête. « Probablement ceux qui ont trouvé Spagna. Ils connaissaient les deux lieux.

– Il y a des sacrées fuites à l'Organisme.

– C'est le moins qu'on puisse dire. Mais dans l'immédiat, il faut qu'on trouve le cardinal Gallo. »

Plus ils s'éloignaient de La Valette, moins il pleuvait. Elle s'était servie du portable pour confirmer leur itinéraire, et elle les amena aisément jusqu'à l'endroit désigné. Devant eux, ils aperçurent les lumières bleues clignotant dans la nuit bien avant de voir la police et les véhicules de secours.

« Ça sent pas bon », dit-il.

Il aperçut alors la carcasse brûlée d'une voiture dans le faisceau de ses phares et ajouta : « Ça non plus. »

Apparemment, les craintes de Spagna étaient justifiées.

« Arrêtez-vous quelque part, dit Laura. Ce n'est pas la peine qu'on se fasse repérer. »

Il bifurqua dans la première allée qu'il croisa.

Ils sortirent de la voiture.

Kastor refit le chemin que Chatterjee et lui avaient pris à l'aller. Il était encore ébranlé par tout ce qui s'était passé. Il avait l'impression de ne rien maîtriser, d'être pris dans une spirale que quelqu'un d'autre avait créée et manipulait. Des gens mouraient autour de lui sans la moindre explication. Pourtant, il était motivé par l'espoir que la clé USB se trouvant dans sa poche lui offrirait peut-être le salut. Peut-être mieux, il ne serait pas obligé de traiter avec Danjel Spagna dans les termes que celui-ci lui dictait.

Il avait des moyens de pression sur le chef des espions.

La mer s'était calmée, mais l'eau était encore agitée à cause de l'orage. Le moteur de la *dghajsa* luttait, et il avait du mal à maintenir le cap. Ces petits bateaux fougueux pouvaient être difficiles à manœuvrer. Ils étaient conçus pour durer, pas pour la maniabilité ni le confort. Il contourna un cap sombre et entra à nouveau dans la baie derrière l'atelier de l'horloger.

Il espérait que son évaluation de la situation était correcte.

Et que les ennuis auxquels il avait été confronté étaient terminés depuis longtemps.

Luke s'approcha de l'atelier de l'horloger.

Laura et lui avaient traversé la route et s'étaient dirigés vers le site en passant derrière les maisons disséminées dans l'espace entre les bâtiments et la baie. Ils avaient escaladé deux ou trois clôtures, mais rien ne les avait arrêtés malgré quelques chiens qui ne leur avaient manifesté aucun intérêt. Chez lui dans le Tennessee, il aurait été trahi rapidement par une meute de chiens bruyants et inquisiteurs.

Pas de présence policière derrière l'atelier de l'horloger. Il examina le bâtiment et remarqua les fissures, la peinture écaillée aux fenêtres, la vigne vierge grimpant le long d'un mur. Il ne vit pas de porte de derrière, mais une des fenêtres était ouverte et sa grille en fer n'était plus là. Ils s'y précipitèrent et atterrirent dans une espèce d'arrière-boutique. Une porte à l'autre bout donnait certainement sur la rue encore très animée. Des lumières allumées étaient visibles à travers un mince rideau. Luke fit signe à Laura de ne pas faire de bruit et ils s'approchèrent du barrage. En jetant un coup d'œil, il vit que l'atelier était désert, toutes les vitres aux fenêtres avaient explosé, des taches de sang frais jonchaient le plancher. Dehors, près du véhicule calciné, se tenaient quatre policiers.

« Quelqu'un a été abattu, chuchota Laura.

– Sans parler de la voiture carbonisée. »

Pas de cadavre en vue. Il avait dû être emmené.

S'agissait-il de Gallo ?

« Je suppose que vous savez où se trouve la morgue ? » demanda-t-il.

Elle acquiesça.

Il serait problématique de se rapprocher des flics du coin, surtout après ce qui s'était passé plus tôt, lors de la première apparition de Spagna.

« Vous savez ce qu'on doit faire », dit Luke.

Elle hocha la tête.

Ils retournèrent à la fenêtre et ressortirent dans la nuit humide. Avant qu'ils aient le temps de repartir vers leur voiture, le bruit d'un moteur sur l'eau se fit entendre, de plus en plus fort. Luke observa attentivement le ponton qui s'avançait dans la baie, éclairé par une lampe fluorescente. Un petit bateau coloré typique de la région apparut et s'arrêta.

« Vous voyez ça ? », dit-il à Laura en pointant un doigt.

Le cardinal Kastor Gallo.

Il secoua la tête. « Enfin. Une pause. »

38

Cotton somnolait, essayant de récupérer quelques minutes de sommeil tandis que le jet du Département d'État décollait de l'aéroport de Fiumicino de Rome. Gallo, Stéphanie et lui avaient utilisé l'hélicoptère pour le court trajet depuis l'obélisque et avaient trouvé l'avion prêt à partir, celui-là même qui avait amené Stéphanie des États-Unis. Seuls Gallo et lui iraient jusqu'à Malte, à une heure et demie de vol vers le sud. L'hélicoptère avait emmené Stéphanie dans le centre de Rome et l'avait déposée au Palazzo di Malta, exactement là d'où Cotton était parti quelques heures auparavant. Elle avait reçu un appel téléphonique pendant le voyage vers l'aéroport et avait annoncé que des affaires urgentes exigeaient son attention immédiate. Elle n'avait pas donné de détails et Malone, ne la connaissant que trop bien, n'en avait pas demandé. Chose troublante, James Grant avait disparu des radars. Londres n'avait aucune idée de l'endroit où il pouvait se trouver, et en composant le numéro dont disposait Cotton, on tombait directement sur sa messagerie. Stéphanie lui avait dit qu'elle surveillerait cela depuis l'ambassade américaine et demanda à être informée de ce qui se passerait à partir du moment où ils auraient atterri.

Gallo lui-même s'était retranché dans le mutisme, assis sur son siège, les yeux fermés, cherchant apparemment à se reposer un peu, lui aussi.

Ce qui ne le dérangeait pas.

Malone avait besoin d'un peu de temps pour réfléchir.

> Où l'huile touche la pierre, la mort est au fond d'un noir cachot. Gueules avec trois lions, une licorne saillante. Trois bourdons croisés sur rangées et colonnes.

Quel étrange assortiment de phrases. Pas dû au hasard, certainement. Mais pas cohérent non plus.

Ensuite il y avait les lettres.

> HZPDRSQX

« Que vouliez-vous dire quand vous avez souligné que le message désignait Malte ? demanda Cotton à Gallo. *Où l'huile touche la pierre.* Vous saviez exactement ce que cela signifiait. »

Gallo se réveilla, l'air contrarié.

« La première partie exige simplement qu'il soit apporté à von Hompesch. Clairement, le prieur de la cathédrale a créé ce message pour son Grand Maître. Il l'a également créé avant d'être capturé par Napoléon. Toutes les preuves indiquent que la cachette n'était connue que du prieur. Aucun document ne mentionne le fait qu'il aurait quitté l'île pendant les quarante-huit heures qui se sont écoulées entre l'arrivée de Napoléon et sa mort. Il est peu probable qu'il ait mêlé d'autres gens à cela, alors ce qu'il a caché se trouve forcément à Malte. Ensuite, il y a Mattia Preti. Que savez-vous de lui ?

– Je n'en ai jamais entendu parler.

– Il ressemblait à tous ces hommes venus à Malte au XVIIe siècle. Des hommes cherchant un but dans la vie, un endroit où ils pourraient s'épanouir et se surpasser. C'était un artiste italien qui y demeura toute son existence, pour finalement faire de la cathédrale de La Valette une merveille. La voûte en berceau de l'église devint son chef-d'œuvre. Il lui fallut six ans pour l'achever. Elle décrivait dix-huit épisodes de la vie de saint Jean-Baptiste. Normalement, les fresques murales comme celles-là étaient faites à l'aquarelle. Mais Preti rompit avec la tradition et appliqua de la peinture à l'huile directement sur la pierre. »

Malone vit le lien. *Où l'huile touche la pierre.* « Donc, tout désigne la cathédrale de Malte. »

Gallo acquiesça. « On le dirait bien, et c'est logique. Les Français sont apparus en 1798 sans prévenir. La lutte pour soumettre l'île dura à peine plus d'un jour avant une défaite totale. Tristement, seule une petite partie de nos trésors et de nos archives réussirent à quitter la ville. La plupart furent saisis par les Français qui nous pillèrent, et ces biens furent perdus pour toujours lorsque le navire où ils se trouvaient coula en Égypte. »

Gallo resta silencieux quelques instants puis reprit.

« Ce fut une période triste de notre existence. Quand Napoléon arriva, les chevaliers avaient perdu toute motivation. La Réforme avait décimé nos rangs. Puis, pendant les XVIe et XVIIe siècles, les revenus provenant des mécènes européens se réduisirent à peau de chagrin. Malte était une île stérile avec pratiquement aucune possibilité d'exporter des biens ou des produits. Pour lever des fonds, nous commençâmes à arpenter la Méditerranée, protégeant les navires chrétiens des corsaires ottomans. Nous devînmes tellement bons que nous nous transformâmes nous-mêmes en corsaires, capturant et pillant des bateaux musulmans. Nous avons fait beaucoup d'argent ainsi, mais comme vous pouvez vous y attendre, un pareil comportement hors la loi conduit à un déclin moral, et celui-ci commença à s'étendre à l'ordre tout entier. Finalement, nous nous croyions au-dessus des rois et des reines, au-dessus des lois, ce qui nous attira encore plus d'ennemis. Et lorsque les Français s'emparèrent de Malte et nous écrasèrent, personne ne réagit. » Gallo marqua une nouvelle pause. « Au milieu du XVIIIe siècle enfin, nous redécouvrîmes notre raison d'être initiale – apporter notre aide aux malades. Heureusement, ce prieur torturé tint bon jusqu'au bout et ne donna pas à Napoléon l'accès à *Nostra Trinità.* Notre Trinité demeura cachée, et maintenant, nous savons que même Mussolini n'a pas réussi à la trouver.»

Cotton pointa un index vers le tube métallique posé sur un autre siège. «Comment pouvez-vous être sûr que le message est bien celui du prieur ? Comme vous l'avez fait remarquer, c'est Mussolini qui a préparé cette feuille dactylographiée.

– Nous ne sommes sûrs de rien. Mais notre découverte est cohérente avec ce que je vous ai dit de Mussolini et ses déclarations à notre Grand Maître en 1936 lors de leur seule et unique rencontre. Il a déclaré qu'il avait modifié le témoignage pour le préserver. Ensuite, il l'a caché dans un endroit où personne ne pouvait le récupérer. Nous devons croire qu'il n'a rien changé. Pourquoi l'aurait-il fait ? Il était possible qu'il soit obligé un jour de le récupérer lui-même.

– Il est intéressant de noter que Mussolini ne l'a pas recherché.

– Il n'en a pas eu besoin. Tout ce qu'il a eu à faire, c'était convaincre le pape qu'il en avait la possibilité.

– Mais cacher le message revenait à apaiser le pape.

– C'était bien ce qu'il faisait. Sous ses airs bravaches, Mussolini était intimidé par les papes. Sa politique était de courtiser les deux papes Pie XI et Pie XII, et jusqu'à un certain point, ça a fonctionné.

– Je me demande comment on peut faire chanter un pape ?»

Gallo bougea dans son siège. «Je me pose la question depuis des années. Des trois parties de *Nostra Trinità*, seul le *De Fundamentis Theologicis Constantini* pourrait représenter une menace. Les deux autres documents sont connus, leurs copies se trouvent au Vatican. Mais ces *Fondements théologiques de Constantin* sont forcément uniques. Nous avons toujours cru que Mussolini utilisait la menace de les révéler au public comme un moyen de chantage personnel.

Mais était-ce bien le cas ? Nous ne le saurons jamais. Ce que nous savons, c'est que ni Pie XI ni Pie XII n'ont défié ouvertement le gouvernement fasciste.

– Malgré tout, l'Église est là depuis deux mille ans. Il n'y a pas grand-chose qui pourrait lui porter un coup vraiment rude. Il faudrait que ce soit quelque chose qui l'atteigne au cœur. Qui sape ses fondations.

Gallo hocha la tête. « Encore plus important, il fallait que ce soit quelque chose qui aurait eu un certain retentissement dans les années 1930 et 1940. Quelque chose qui avait encore potentiellement un impact considérable, pouvant porter un coup dont l'Église penserait qu'elle ne se relèverait pas. C'était une période difficile. Avec l'entrée dans la guerre, le monde commençait à se désintégrer. Les gens avaient pour seule préoccupation de survivre. La religion n'était pas un aspect important de leur vie. Nous spéculons depuis longtemps sur ce que ce document contenait peut-être, mais ce n'est rien qu'une hypothèse.

– Depuis combien de temps le possédiez-vous ?

– La meilleure estimation dont nous soyons capables, c'est qu'il nous est arrivé quelque part vers le XIIIe siècle. Comment ? Nous n'en avons aucune idée. Cette information est définitivement perdue. Mais nous savons que nous l'avons possédé jusqu'en 1798.

– Personne ne l'a jamais lu ? Aucune tradition orale n'y est associée ?

– Aucune qui ait survécu. Il a été gardé bien caché par les *Secreti*. Maintenant, au moins, nous avons une idée sur l'endroit où il se trouve peut-être.

– Il reste la question des *Secreti*, fit remarquer Cotton.

– Je le sais et nous devrions nous montrer vigilants. Ils auront conscience de l'importance de la cathédrale, eux aussi. Et je suppose qu'ils sauront que je suis à Malte. Nous ne pouvons sous-estimer leur pouvoir. »

Il était d'accord avec cette conclusion. « Et votre frère ? »

Bien que Stéphanie ait dit bien peu de choses avant de partir pour Rome, elle avait révélé que l'archevêque Danjel Spagna avait été tué, ainsi qu'un autre agent de terrain de l'Organisme. Le cardinal Gallo, dont on avait perdu la trace, avait été localisé par Luke, qui avait la situation bien en main.

« Mon frère et moi allons parler, dit Gallo, à mi-voix. Il a causé tant d'agitation. Il faudra longtemps pour réparer tous ces dégâts. »

Cotton était fils unique. Son père était mort quand il avait dix ans, lors d'un accident de sous-marin, et il en était venu à dépendre de sa mère seulement. Une femme pleine de bonté. Elle vivait encore au milieu de la Géorgie et gérait l'exploitation d'oignons que sa famille possédait depuis des générations. Elle aussi avait été fille unique, alors il n'y avait pas d'autres Malone. Pas par le sang, du moins. Le fils de Cotton, Gary, enfant unique aussi, était son fils à tout point de vue sauf par les gènes, puisqu'il était né d'une liaison que son ex-femme avait eue dix-sept ans auparavant. Ils avaient tous deux envoyé ces démons aux oubliettes, les reléguant au passé, mais il mentirait s'il disait que la perspective de l'extinction de la lignée des Malone ne le troublait pas.

« Mon frère et moi avons partagé le même utérus, déclara Gallo. Nous sommes physiquement identiques, même si j'ai beaucoup œuvré à modifier mon apparence de manière à ne pas être confondu avec lui aussi spontanément qu'avant. Mais mentalement, nous sommes le jour et la nuit. J'ai toujours essayé de vivre une vie différente, de rester discret, de me tenir à distance des ennuis. De me rendre utile, de ne pas créer de problèmes. Comme je vous l'ai dit, je n'ai pas demandé le poste que j'occupe aujourd'hui. Je l'ai pris par nécessité pour tenter de contenir une situation déjà périlleuse. Une fois qu'il y aura un nouveau pape, les frères se réuniront et un nouveau Grand Maître sera choisi.

– Vous ? »

Gallo secoua la tête. « Cette tâche reviendra à quelqu'un d'autre. J'ai été très clair lorsque j'ai accepté ce poste temporaire.

– Je ne comprends toujours pas le but que poursuit votre frère en semant le trouble chez les Hospitaliers. Il semble s'être donné beaucoup de mal pour leur causer du tort.

– Il s'épanouit dans le conflit. Il veut mettre la main sur *Nostra Trinità* parce qu'il pense, je ne sais pas pourquoi, qu'elle le fera pape.

– C'est vrai ?

– Je ne vois pas comment, mais il en est convaincu – comme souvent. »

Gallo ferma à nouveau les yeux et posa sa tête contre le dossier. Les fenêtres du jet étaient noires et les lumières de la cabine avaient été baissées. Le bourdonnement des moteurs était d'une monotonie telle qu'il semblait ajouter encore du poids sur les paupières de Malone.

Ils toucheraient le sol dans un peu plus d'une heure.

Un peu de repos lui serait bénéfique.

Mais des réponses le seraient encore plus.

39

Luke, debout sur le tarmac, contemplait le ciel nocturne. Laura était à l'intérieur du petit terminal avec le cardinal Gallo. Ils avaient couvert la courte distance de la baie de Saint-Thomas à l'aéroport principal de Malte. Gallo ne leur avait opposé aucune résistance et Luke pouvait comprendre pourquoi après avoir entendu le récit de ce qui s'était déroulé sur l'eau. Il avait fini par joindre Stéphanie au téléphone et apprendre ce qui s'était passé en Italie. Laura avait fait son rapport à son patron, et des gens avaient été envoyés à la grotte que Gallo avait décrite pour retrouver le corps de Chatterjee. Maintenant, Cotton Malone et le jumeau du cardinal étaient à l'approche, sur le point d'atterrir.

Dieu merci, Stéphanie ne les accompagnait pas. Luke n'avait aucune envie de se trouver face à elle dans l'immédiat. Il n'avait pas géré la situation comme elle aurait dû l'être. Une simple mission de reconnaissance s'était transformée en tout autre chose, et voilà que Papy en personne était en chemin pour lui sauver la mise. Il s'en voulait de penser cela de Malone. Il aimait bien le bonhomme. Plus encore, il le respectait. Mais Malone était à la retraite, et c'était la mission de Luke. C'était lui qui avait foiré et c'était à lui de corriger le tir, pas besoin de l'aide d'un ex-agent-reconverti-en-libraire.

Mais ce n'était pas de son ressort.

Stéphanie lui avait déjà donné l'ordre de suivre les directives de Malone et on lui expliquerait tout ensuite. Super. Il brûlait d'impatience.

Il était presque deux heures du matin et le terminal principal de l'aéroport international était calme. Pas de vrombissement de moteur pour troubler la nuit. Luke se tenait à côté d'un bâtiment utilisé par des avions privés. Des jets à plusieurs millions de dollars, dont la plupart étaient rangés sur sa droite. Des feux clignotants venant du nord se firent plus brillants, et il les regarda descendre pour l'atterrissage, et un autre jet luxueux approcha en roulage. Les mots DÉPARTEMENT D'ÉTAT sur le flanc identifiaient son propriétaire. Les moteurs ralentirent et se turent, et deux hommes sortirent de l'appareil. Malone le premier, puis un autre, dont il supposa qu'il s'agissait de Pollux Gallo. Même taille et silhouette que le cardinal, mais cheveux et barbe différents. Il remarqua la ressemblance de leurs visages quand il approcha. Malone lui serra la main puis le présenta.

« Luke est un agent en service, division Magellan, expliqua Malone à Pollux Gallo. Il a la responsabilité de cette mission.

– Ce n'est pas ce qu'on m'a dit, fit remarquer Luke.

– Et qu'est-ce que je t'ai dit sur les missions sur le terrain ? »

Luke sourit, se rappelant le conseil datant de leur première rencontre. *Tu fais tout ce que tu veux, du moment que la mission est accomplie.*

« Oublie ce qu'a dit Stéphanie. Je n'ai pas le rôle principal, dit Malone. Je viens en renfort. Où est le cardinal ? »

Ce vote de confiance faisait du bien. Une autre raison pour laquelle il était difficile de ne pas aimer Malone : il était toujours franc et honnête. Luke désigna sa droite et ils se dirigèrent vers l'intérieur du bâtiment en béton. Il regarda les deux frères se saluer avec autant de chaleur que deux alligators. Pas de poignée de main. Pas d'étreinte. Pas même un sourire. Difficile de comprendre cette froideur pour Luke qui était si proche de ses trois frères.

« Tu es content de toi ? demanda Pollux Gallo d'un ton fort peu agréable.

– Ce n'est pas le moment, dit le cardinal.

– Ce n'est jamais le moment avec toi. Des gens sont en train de mourir, Kastor, à cause de tes actes irréfléchis.

– Je n'ai pas besoin de leçon venant de toi. Il faut que je retourne à Rome.

– Seulement une fois que nous en aurons terminé, dit Luke. J'ai été informé de tout ce qui s'est passé en Italie et mes ordres sont de mener cette affaire à son terme avant que vous ne quittiez cette île, l'un ou l'autre. »

Cotton apprécia le nouveau Luke Daniels, la version améliorée.

Dur, assuré, responsable.

Il était loin l'ancien Ranger prétentieux tombé du ciel dans le froid Øresund il n'y avait pas si longtemps. Peu importait l'affirmation de Stéphanie selon laquelle ça s'était mal passé ici. Dans leur domaine, il était rare que tout se déroule comme prévu. Les anicroches et les impondérables étaient un risque constant dans ce métier. La meilleure manière de s'en sortir, c'était de comprendre comment se relever et repartir. Certains apprenaient comment faire, d'autres, pas vraiment. Malone était heureux de constater que Luke appartenait à la première catégorie.

Les deux Gallo présentaient un contraste saisissant. Le visage de Pollux restait aussi sombre que celui d'un entrepreneur de pompes funèbres, tandis que celui de Kastor était animé, sur le qui-vive. Leurs personnalités semblaient totalement opposées. C'était intéressant de voir à quel point deux vrais jumeaux pouvaient être si différents. Apparemment, l'environnement affectait vraiment les gènes.

Laura Price était demeurée étonnamment silencieuse et observait la confrontation naissante avec une grande attention. Malone ne savait rien d'elle, ce qui la rangeait dans la même catégorie que les deux Gallo. Trois inconnus représentaient souvent trois fois plus d'ennuis, alors il se dit qu'il fallait se tenir prêt. Il n'avait pas parlé à la légère. Cette mission était bien celle de Luke, mais il avait accepté de suivre l'affaire jusqu'au bout pour rendre service à Stéphanie. Il avait toujours eu du mal à lui dire non. Par ailleurs, il avait été payé en totalité par les Britanniques et il devait mériter son salaire.

«Je viens de recevoir un appel des gens qui sont allés rechercher le corps d'Arani Chatterjee, dit Laura, dans la grotte que le cardinal a décrite. Il n'y était pas.»

Le cardinal Gallo parut choqué. «Il était mort. Je l'ai vérifié. Je l'ai vu se faire tuer. Vous êtes sûre que vos hommes ont trouvé le bon endroit ? Il y a beaucoup de grottes sur la côte sud.

– Ils se trouvaient au bon endroit. Mais il n'y avait pas de corps. Et les deux hommes que Luke et moi avons laissés ligotés dans la planque ont disparu aussi.»

Cotton sourit. «Beaucoup de choses disparaissent, on dirait.

– On ne peut pas s'occuper de cela maintenant», dit Luke.

Malone était d'accord. Il pointa le doigt vers le tube métallique qu'ils avaient apporté. «Montrez-lui.»

Pollux fit glisser le parchemin et la feuille dactylographiée pour les sortir du tube et les montra à son frère. Le cardinal semblait peu intéressé par le manifeste fasciste de Mussolini. En revanche, il se concentra sur les indices.

«J'imagine que vous lisez l'allemand, fit Cotton.

– Oui, et c'est du charabia, dit Kastor

– C'était certainement l'idée, dit Pollux. Pour résoudre cette énigme, il faut forcément avoir connaissance d'informations que seules quelques personnes sur Terre possèdent. Heureusement, j'en fais partie.»

Cotton comprit le non-dit.

Le cardinal ne les possédait pas.

« Nous devons aller à la cocathédrale, dit Pollux.

– Je devrais retourner à Rome, dit le cardinal. Cette affaire n'exige plus ma présence.

– Sauf que tu es précisément la cause de tout, lâcha Pollux, pour la première fois sous l'emprise de l'émotion. Tu voulais *Nostra Trinità.* Malheureusement, tu ne vas pas l'obtenir. Mais nous allons aller au bout de cette affaire, mon cher frère. Terminer ce que tu as commencé, de manière à ce que la Trinité soit rendue aux chevaliers, qui en sont les gardiens. » Pollux marqua une pause. « Ensuite, toi et moi allons avoir une conversation. En privé. »

Le cardinal Gallo resta coi.

« Cette rivalité fraternelle est tout à fait passionnante, dit Laura, mais il y a encore des menaces sur cette île et beaucoup d'inconnues. En particulier avec des voitures qui explosent et des cadavres qui disparaissent. »

Cotton esquissa un sourire ironique que Luke ne manqua pas de remarquer.

« Pas de problème, dit Luke. On va gérer. »

40

Kastor l'avait toujours admirée. Massive, austère, avec ses murs épais exprimant un message parfaitement clair de puissance et de force. Deux grandes tours avec des flèches octogonales flanquaient l'entrée principale, chacune dotée de cloches. Presque toutes les églises sur l'île imitaient sa forme et son style, ce qui n'avait rien d'un hasard.

Les chevaliers avaient judicieusement choisi son emplacement. En optant pour un endroit en hauteur au centre de leur nouvelle ville, ils avaient érigé un monument qui pouvait être vu de presque partout sur l'île, et même depuis le large. Sa façade sévère était tournée vers l'ouest, l'autel, vers l'est, comme le voulait la tradition du XVIe siècle. Son extérieur sobre et robuste cachait un magnifique ensemble d'art baroque à l'intérieur, où tout était dédié au saint patron des chevaliers, Jean-Baptiste. Tous les aspects de l'édifice renvoyaient à l'ordre, mais Napoléon avait laissé sa marque, lui aussi. Dès que les Français eurent envahi l'île, l'évêque de Malte formula une requête. Il voulait l'église pour son diocèse et il vit l'invasion comme l'occasion de l'arracher aux chevaliers. Alors Napoléon la lui donna et décréta qu'elle serait dorénavant appelée la cocathédrale de Saint-Jean-Baptiste, ouverte à tous.

Et le nom lui était resté.

Kastor ne savait pas trop quoi faire des nouveaux venus dans l'équipe. Mais il n'avait guère le choix. Spagna et

Chatterjee étaient morts tous les deux. Heureusement, la clé USB était bien en sécurité au fond de sa poche. Il n'en avait pas dit un mot et n'avait pas l'intention de le faire. Ce trophée lui appartenait, à lui seul. Et qu'était devenu le corps de Chatterjee ? L'homme qui l'avait tué était-il revenu pour l'emporter ?

Si oui, pourquoi ?

Ils contournèrent la cathédrale et trouvèrent une petite place qui se déployait devant une porte secondaire. Les pavés étaient encore humides après la pluie. Quelques personnes s'attardaient là malgré l'heure tardive. Pendant le trajet depuis l'aéroport, Pollux avait passé des appels téléphoniques et parlé à un représentant de la fondation qui gérait la cathédrale, pour l'informer qu'il était en route. Bien que les Hospitaliers ne possèdent plus l'église, ils avaient encore une certaine influence sur son utilisation. En fait, elle n'avait plus grand-chose d'une église. Elle était devenue une attraction touristique. Quarante ans auparavant, la situation était bien différente. Les visiteurs étaient bien plus rares sur l'île. Le monde n'avait pas encore découvert Malte. Il se rappela l'avoir visitée avec ses parents plusieurs fois, puis à multiples reprises lorsqu'il était à l'orphelinat. Tout ici lui était familier. Alors pourquoi avait-il l'impression de ne pas être à sa place ?

Les portes en bois s'ouvrirent en grinçant et un homme d'une quarantaine d'années en jean se présenta comme le conservateur. Il avait le teint pâle, un visage de hibou orné de lunettes à monture épaisse. Ses cheveux étaient ébouriffés, ses yeux fatigués – probablement le résultat d'un réveil brutal en plein sommeil.

Pollux s'avança et prit la direction des opérations. « J'apprécie que vous soyez présent à une heure aussi tardive. Il est important que nous puissions passer un peu de temps seuls dans l'église, sans être dérangés. »

Le conservateur hocha la tête.

Kastor trouva étrange de voir son frère dans une position d'autorité. De tout temps, Pollux avait été celui qui suivait *ses* directives. Mais il se dit que Pollux lui était redevable du peu de pouvoir qu'il avait et que c'était grâce à lui qu'il assurait temporairement le commandement des chevaliers. Il estima néanmoins troublant de se retrouver au second plan, même si cela semblait être le meilleur choix. Il n'avait rien à gagner à une confrontation. En outre, il était curieux de savoir ce qu'ils allaient trouver. Mais le temps passait, le conclave allait commencer dans moins de dix heures. Tous les cardinaux qui prévoyaient de se trouver dans la chapelle Sixtine pour voter devaient être arrivés à la Résidence Sainte-Marthe avant 10 heures du matin. Après, on ne pouvait plus être admis.

Il suivit la petite clique à l'intérieur jusqu'à une vaste nef rectangulaire, flanquée de deux étroits bas-côtés, surmontés d'une voûte en berceau à nervures. Les bas-côtés comportaient toute une série d'impressionnantes chapelles. L'air était sensiblement plus frais. De somptueuses statues de pierre, à dorures et ornementations en marbre, décoraient le moindre centimètre carré des murs, sols et plafonds. Rien n'avait été omis. Des motifs baroques ouvragés se détachaient : feuillages, fleurs, anges et symboles de triomphe de toutes formes et de toutes sortes. Il savait que rien n'avait été ajouté. Tout avait été sculpté directement dans la pierre. Un subtil éclairage ambré caressait les panneaux de marbre, baignant l'ornementation richement colorée d'une chaude lueur. Presque cinq cents ans de soins constants avaient donné lieu à un chef-d'œuvre. Certains l'appelaient la plus belle église du monde, et ils avaient peut-être raison.

« Je vais vous laisser », dit le conservateur.

Pollux leva une main.

« Je vous en prie, n'en faites rien. Nous avons besoin de votre aide. »

Cotton avait visité la basilique Saint-Pierre à Rome, l'église Saint-Sauveur-sur-le-Sang-Versé à Saint-Pétersbourg et Westminster à Londres. Aucune d'entre elles ne pouvait rivaliser avec celle-ci. L'œil était assailli de toutes parts et c'en était presque écrasant – une combinaison de pompe, d'art, de religion et de symbolisme dans un affrontement de styles historiquement marqués qui réussissaient malgré tout à se mêler dans une certaine harmonie.

Il interrogea le conservateur sur l'histoire de l'édifice.

« Pendant les cent premières années, l'intérieur était modeste, expliqua-t-il. Puis, dans les années 1660, les Grands Maîtres ordonnèrent une gigantesque restauration, qui pourrait rivaliser avec celle des églises de Rome. Mattia Preti fut nommé à la tête de cette entreprise et passa la moitié de sa vie à créer presque tout ce que vous voyez aujourd'hui. »

C'était le nom que Gallo avait mentionné pendant leur voyage en avion.

« Vous êtes peut-être devant l'expression la plus magnifique du baroque au monde, ajouta le conservateur. Heureusement, elle a survécu aux bombardements de la Seconde Guerre.

– Nous avons quelque chose à vous montrer », dit Pollux et il lui tendit la feuille dactylographiée.

> Où l'huile touche la pierre, la mort est au fond d'un noir cachot. Gueules avec trois lions, une licorne saillante. Trois bourdons croisés sur rangées et colonnes. H Z P D R S Q X

« Tout à fait énigmatique, dit le conservateur. Mais une partie est claire. Les six premiers mots. »

Et l'homme pointa un index vers le plafond.

Cotton leva les yeux vers le chef-d'œuvre de Preti. Six portions de voûte, chacune divisée en trois sections, décrivaient dix-huit scènes. Les personnages peints ressemblaient plus à des statues tridimensionnelles qu'à des images plates, toutes formant un unique récit de la vie de saint Jean-Baptiste, transformant ce qui était certainement autrefois une simple voûte en berceau en quelque chose d'extraordinaire.

« L'ensemble est fait en peinture à l'huile directement posée sur la pierre. »

Tandis que le conservateur continuait à commenter les beautés du plafond et les mots de l'énigme, Cotton porta son attention sur le sol.

Une autre merveille unique.

Il y avait des centaines de tombes, chacune différente, composée d'images et de mots incrustés en marbre de couleurs subtiles, alignées en colonnes parfaites de l'entrée au fond, de gauche à droite, d'un mur à l'autre. Le sol était couvert jusqu'au dernier centimètre carré, formant un parterre éblouissant. Quelques rangées de chaises en bois étaient installées vers le fond, près de l'autel, certainement à l'intention des gens qui venaient prier.

Rien d'autre n'encombrait le sol.

Malone remarqua l'iconographie pleine de vie, les dispositions des mosaïques colorées dépeignant le triomphe, la renommée et la mort. Les squelettes et les crânes paraissaient avoir la faveur du peuple. Il savait pourquoi. Les uns représentaient la fin de l'être physique, les autres le début de la vie éternelle. Il y avait également une foule d'anges, soit en train de souffler dans une trompette, soit en train de tenir une couronne de laurier. On pouvait voir aussi des blasons, des armes et des scènes de bataille, certainement des témoignages de la vie des chevaliers défunts. Ces scènes baignaient dans une atmosphère de grande agitation. Sans doute le reflet de l'époque où ces hommes avaient vécu, se dit Malone. La plupart des épitaphes paraissaient grandioses et verbeuses, principalement en latin ou dans la langue maternelle du défunt. Il nota du français, de l'espagnol, de l'italien et de l'allemand. Elles étaient proches du point de vue du style, mais en même temps distinctes. Jamais exactement identiques, mais toutes avaient des points communs.

« Il y a également une connexion avec les mots suivants de votre message, dit le conservateur. *La mort est au fond d'un noir cachot.* Je vais vous montrer. »

L'homme s'avança sur le sol, cherchant une tombe précise.

« Ici. »

Ils se dirigèrent tous vers le centre de la nef, où le conservateur se tenait planté face à un mémorial particulièrement décoré, dont le centre était un squelette enveloppé d'un linceul devant une série de barreaux en fer. Deux pilastres supportaient une arche au-dessus des barreaux ; le tout était plat, mais s'animait en trois dimensions par un effet de trompe-l'œil. Cotton lut l'épitaphe et apprit qu'il s'agissait de la tombe d'un chevalier appelé Felice de Lando, mort le 3 mars 1726. Au-dessus du squelette des mots en italien apparurent dans l'arche.

LA MORTE E FIN D'UNA PRIGIONE OSCURA.

La mort est la fin d'une sombre prison.

Une coïncidence ?

Peu probable.

Kastor avait toujours adoré le sol de la cathédrale. Rien de comparable n'existait nulle part ailleurs dans le monde. Et les tombes n'étaient pas des cénotaphes. C'étaient de véritables tombes avec des os en dessous – plus le chevalier était important, plus il était près de l'autel. Mais on avait cessé d'y enterrer des morts en 1798, lorsque les Français étaient arrivés. Par la suite, les chevaliers importants avaient été inhumés en dehors de la ville dans des lieux beaucoup moins élégants. Ce n'était qu'en 1814, quand les Britanniques avaient reconquis l'île, qu'ils avaient repris cette pratique, qui cessa définitivement en 1869. Le cardinal savait tout cela grâce aux nonnes. Les gamins de l'orphelinat avaient régulièrement travaillé dans la cathédrale et Pollux et lui ne faisaient pas exception. Il avait exploré l'édifice dans ses moindres recoins, trouvant le sol particulièrement fascinant. Une mosaïque pleine de paroles de consolation, d'enseignements et de louanges. Des exagérations certainement, mais les souvenirs avaient besoin d'éléments concrets pour se prolonger, autrement ils ne duraient jamais.

L'Église catholique romaine était un exemple parfait.

Comme sa vie.

Ses parents, quand ils étaient décédés, n'avaient rien eu de plus qu'un simple enterrement auquel avaient assisté quelques amis. Il n'y avait même pas de pierre sur leur tombe. Rien de tangible ne demeurait de leur existence, à l'exception de deux fils jumeaux.

Dont l'un serait peut-être bientôt pape.

Jusque-là, deux lignes du message avaient été déchiffrées.

Une chose semblait claire.

Ils étaient au bon endroit.

Cotton essaya de penser comme le prieur de la cathédrale qui, sachant que le port était plein de navires de guerre français et qu'une armée était sur le point d'envahir l'île, avait quand même réussi à accomplir sa mission.

Quelle pression !

Il dit : « Je suppose que comme les *Secreti* existaient en 1798, et que tous les chevaliers étaient présents ici à Malte, toutes les cachettes que les *Secreti* avaient peut-être utilisées avant l'arrivée des Français se trouvaient sur l'île ? »

Pollux hocha la tête. « C'est une hypothèse raisonnable. Les chevaliers ont essayé de tout restreindre à cette île. Leur domaine.

– Donc, Malte est prise, poursuivit Malone. Les chevaliers commencent à fuir, même le Grand Maître part. Pour se mettre à l'abri avant que les Français ne prennent l'île, le prieur de la cathédrale récupère *Nostra Trinità* là où elle était cachée et la planque dans un autre endroit, un endroit que lui seul connaît. Ensuite, il crée un moyen de retrouver cet endroit en imaginant une énigme que le Grand Maître peut déchiffrer, et il donne comme instruction que le message lui soit transmis. Mais le message ne lui parvient jamais et finit quelque part où Mussolini a réussi à le localiser. Peut-être la tombe du prieur ? Qui sait ? »

Il voyait bien que Pollux n'était pas en désaccord avec sa logique.

Il pointa un doigt vers le sol. « C'est forcément ces mosaïques. Il a utilisé spécifiquement une épitaphe de son mémorial, précédée des mots *où l'huile touche la pierre.* » Il désigna le plafond. « *Où l'huile touche la pierre, la mort est au fond d'un noir cachot.* C'est exactement ici. Il n'a pas eu le temps de finasser. Il était le gardien de cet édifice, alors il s'est servi de ce qu'il connaissait le mieux.

« *Gueules avec trois lions, une licorne saillante. Trois bourdons croisés sur rangées et colonnes*, dit Laura Price. Ces mots feraient référence au sol ? »

Il acquiesça, regardant toutes les images différentes sur les mémoriaux. « Ouais. Ils sont ici, quelque part.

– Une idée sur ce que *gueules avec trois lions* signifie ? » demanda le cardinal Gallo.

Malone était précisément en train de réfléchir à cette question.

« Avant que nous nous absorbions complètement dans cette recherche, je m'inquiète de l'extérieur, dit Laura. Nous n'avons pas la moindre idée de ce qui se passe dehors. »

Elle avait raison.

Cotton regarda Luke. « Et si vous alliez voir, tous les deux. Assurez-vous que nous n'avons pas de visiteurs indésirables. Nous sommes un peu exposés, ici. »

Luke acquiesça. « On s'en occupe. »

Il les regarda partir précipitamment vers la porte d'entrée. Il se sentait rassuré de savoir que ses arrières étaient gardés par Luke. Il se rappelait l'avertissement de Gallo dans l'avion, sur le fait que les *Secreti* seraient au courant de la possible importance de la cathédrale et de la présence du lieutenant par intérim sur l'île. Il faudrait un peu de temps pour résoudre cette énigme et ceux qui se trouvaient dehors attendaient peut-être que ce soit fait pour agir.

À moins que la menace ne soit présente, ici même, à l'intérieur de la cathédrale.

En train de les observer.

Le chevalier était de retour à Malte.

Sa dernière visite remontait à longtemps.

Grâce à James Grant il ne s'était pas fait distancer par les Américains. D'abord à l'obélisque, maintenant ici à l'intérieur de la cocathédrale. Bon endroit, bon moment, et il arrivait à entendre tout ce que disait Cotton Malone.

Il était d'accord.

La réponse se trouvait dans le sol.

Et c'était approprié, puisque les tombes racontaient l'histoire d'hommes qui offraient leur fortune, leur vie et leur réputation à Dieu et à l'Église. Des hommes qui avaient combattu au siège d'Ascalon, à la bataille d'Arsouf, à l'invasion de Gozo, à l'assaut sur Tripoli, et au Grand Siège de Malte. Leurs tombes se trouvaient côte à côte, liées par une surface lisse continue, une métaphore appropriée pour les chevaliers. Dommage que les restes de ce brave prieur qui avait défié Napoléon ne soient pas parvenus jusqu'ici. Il aurait occupé une place de choix près de l'autel. Au lieu de quoi ses restes avaient été relégués dans un cimetière décrépit, et sa tombe avait été violée par un vil dictateur. Un sacrilège. Rien de moins.

Cette injustice allait devoir être réparée.

Mussolini avait été abattu comme un chien, ensuite son cadavre avait été suspendu tête en bas sur un crochet de boucher pour être la cible de lancers de légumes, de crachats, de jets de pisse, de tirs au fusil, de coups de pied. Normal. Finalement, on l'avait enterré dans un cimetière à Milan. Des années plus tard, pour apaiser l'extrême droite conservatrice, son corps avait été déplacé et mis dans la crypte familiale à Predappio, dans un sarcophage en pierre décoré des symboles fascistes, et orné d'un buste en marbre. Il était en permanence agrémenté de fleurs et de couronnes. Une centaine de milliers de personnes venaient chaque année en pèlerinage. Le 28 avril, jour de sa mort, était encore célébré avec des rassemblements néofascistes et une marche dans la ville jusqu'au cimetière.

Le chevalier y était même allé une fois.

Pour cracher sur la tombe.

Cette abomination allait cesser.

Il s'en assurerait personnellement.

Personne ne se rappelait les trois chevaliers que Mussolini avait torturés et tués pour obtenir ce qu'il voulait. Personne ne savait rien du prieur de la cathédrale qui avait tenu sa promesse et était mort des mains de Napoléon.

Et ce que ces hommes d'honneur essayaient de protéger, c'était...

C'était ce qui allait peut-être être enfin révélé.

41

Cotton se repassa le message du prieur en boucle dans sa tête, en se concentrant sur les deux dernières lignes. *Gueules avec trois lions, une licorne saillante. Trois bourdons croisés sur rangées et colonnes.* Il arpentait la cathédrale, les yeux rivés au sol, scrutant la mosaïque d'images.

« Il y a plus de quatre cents tombes, dit le conservateur. Même moi je ne les connais pas toutes en détail. »

Malone remarqua quelque chose vers le devant de la nef, juste avant les marches menant à l'autel principal. « Il y en a deux ici qui sont identiques. Une à gauche des marches, l'autre à droite.

– Deux chevaliers, expliqua le conservateur, tous deux originaires de Naples, qui s'appelaient tous les deux Francesco Carafa. L'un est mort en 1632, l'autre en 1679. Pour une raison demeurée inconnue, le deuxième Carafa a choisi de se faire faire une tombe identique à celle du premier. »

Une curiosité, assurément, mais qui n'avait rien à voir avec le mystère qui les occupait.

Malone s'éloigna à pas lents des tombes jumelles et continua à étudier les mémoriaux. Les autres faisaient de même. Chacun essayait de trouver un lien entre les phrases et le sol. Quelque chose attira tout à coup son attention.

Trois lions sur un blason. Un blason rouge.

Et là, il comprit.

Depuis le début, il réfléchissait dans la mauvaise direction.

Gueules.

Il avait cru que *gueules* voulait dire bouches, mâchoires. En fait, il s'agissait de la couleur.

Le gueules est un émail héraldique de couleur rouge.

Il sourit.

Ce prieur savait jouer avec les mots.

« C'est ici ! s'écria-t-il. La tombe de François de Mores Ventavon. »

Il lut l'inscription latine sur la tombe tandis que les autres venaient le rejoindre. *« Par sa religion il se vit accorder la commanderie de Marseille, le prieuré de la Vénérable Langue de Provence et son dernier poste, le prieuré de Saint-Gilles. Trois titres.* » Il désigna le mémorial de marbre. « Trois lions. Sur fond d'émail rouge.

– Vous avez peut-être raison », dit Pollux Gallo.

Il réfléchit aux deux mots suivants et dit : « Nous devons maintenant trouver une licorne. »

Kastor n'avait jamais aimé les énigmes, encore moins celles qui dataient de deux cents ans. Mais il connaissait les *Secreti.* Ils n'avaient pas gardé *Nostra Trinità* pendant des siècles en se comportant bêtement. La menace de Napoléon était certainement le danger le plus grand auquel ils aient jamais été confrontés. Ce satané Français avait tout changé.

Les chevaliers ne furent plus jamais les mêmes après 1798.

C'était alors qu'il occupait le poste de chef du Tribunal ecclésiastique que Kastor avait entendu pour la première fois l'histoire des *Fondements théologiques de Constantin.*

Le gardien des archives du Vatican lui avait décrit le IIIe siècle comme une période de chaos. La lèpre ravageait les villes, les guerres civiles faisaient rage, la corruption était endémique, vingt-cinq hommes différents avaient occupé le trône de Rome en cinquante ans. Finalement, en 324, Constantin élimina tous ses concurrents et se mit à exercer un contrôle absolu. Il s'avéra impossible de changer, voire d'influencer les croyances religieuses bien établies, même pour un empereur. Alors Constantin cultiva sa propre religion, dont le nom était dérivé de celui d'un Juif qui, racontait-on, était mort sur une croix en laissant derrière lui un groupe de disciples chargés de diffuser un message d'amour et d'espoir.

Les chrétiens.

Il publia des décrets impériaux qui leur permirent de pratiquer leur foi sans subir d'oppression. Il leur apporta son soutien financier, en bâtissant des basiliques, accordant des exemptions fiscales au clergé, et en offrant des postes élevés dans la fonction publique à des chrétiens. Il rendit les propriétés confisquées, puis construisit l'église du Saint-Sépulcre à Jérusalem et la première basilique Saint-Pierre à Rome. Jusqu'à ce jour, Constantin occupe une place particulière dans l'Église catholique romaine.

En devenant pape, Kastor aurait une place comparable à l'empereur Constantin.

« Venez voir. »

Ils se précipitèrent tous vers l'endroit où Malone se tenait, un doigt pointé vers une autre tombe en marbre.

« Une licorne saillante », dit Malone.

Kastor esquissa un sourire.

Ils étaient près du but.

42

Luke sortit, Laura sur ses talons, et jeta un coup d'œil à sa montre. 2 h 48 du matin. Il aurait dû se trouver quelque part en Europe de l'Est, sur sa mission suivante. Au lieu de cela, il était sur un caillou en Méditerranée en train de faire Dieu savait quoi. Il portait toujours le T-shirt, le short et les baskets de ce matin, du coup il ne détonait pas, même s'il se sentait un peu mal à l'aise ainsi vêtu dans la cathédrale. Ils se trouvaient place Saint-Jean, comme l'indiquait un panneau, où peut-être cinquante personnes se promenaient sous les lueurs de l'éclairage public. La cathédrale elle-même, entourée de projecteurs, était bordée de rues sur tous les côtés. Autant d'occasions faciles d'approcher si des personnes inamicales le voulaient.

« Inspectons le périmètre, dit-il. En entier. »

Son Beretta était glissé dans sa ceinture sous son T-shirt. Laura était également armée, après avoir récupéré un pistolet auprès de ses collègues pendant qu'ils attendaient l'arrivée de Malone. Luke était content d'être dehors, en fait. Malone suivait une piste et c'était son problème. Luke lui avait son propre problème à résoudre, qui se trouvait juste à côté de lui.

« Je prends par cette rue, dit-il. Je vous laisse passer par l'autre et on se retrouve là-bas. »

Elle hocha la tête et partit.

Il traversa la place pavée, mais il s'arrêta sous un bosquet et se cacha derrière un tronc d'arbre. Il jeta un coup d'œil en arrière et vit Laura sur le point de tourner au coin pour disparaître immédiatement après.

Son esprit se mit à vagabonder, retournant à l'époque de ses onze ans. Son père, ses trois frères et lui se trouvaient dans le Nebraska – leur premier voyage de chasse en dehors du Tennessee – et ils étaient sur le point de repartir. Il faisait un froid glacial. Depuis trois jours ils couraient après les cerfs-mulets sur les plateaux juste au-dessus de la Republican River Valley. Ils avaient passé deux matinées et une soirée dans des caches, et pas un animal ne s'était montré. Son père et ses frères avaient déjà tué le nombre autorisé. Mais lui n'avait toujours rien tiré. C'était d'autant plus frustrant que c'était le premier voyage de chasse pendant lequel il pouvait légalement porter une arme et s'en servir.

Juste une occasion, c'était tout ce qu'il demandait.

Alors, son père décida de faire ce que tout chasseur du Tennessee qui se respectait aurait fait.

Il l'emmena dans les collines pour une traque.

Ils poursuivirent des cervidés pendant deux jours supplémentaires, les poussant d'une ravine à l'autre. Mais son père avait beau faire preuve d'intelligence, les animaux avaient toujours un coup d'avance. Finalement, son père commença à comprendre comment, quand et où les cerfs-mulets se déplaçaient.

Et il les dépassa.

Deux détonations provenant de la crête au loin résonnèrent.

Son père étudia le vent et nota qu'il soufflait encore droit dans la ravine. Parfait.

« D'autres chasseurs les ont poussés, avait dit son père. D'ici une minute ou deux, ces cerfs vont débouler dans cette ravine. C'est ton tour, fils. »

Il sourit en se rappelant cette première occasion, offerte par l'homme qu'il admirait le plus au monde.

Les cinq Daniels contournèrent les cèdres au bord de la ravine. Son père monta d'une vingtaine de mètres pour mieux voir et leur montra une main aux cinq doigts tendus, représentant le nombre d'animaux. Il désigna la direction d'où ils venaient. Il sentait encore la crosse de la Winchester 94 dans ses mains. Il la serrait comme s'il avait voulu étrangler quelqu'un. Son frère Mark avait secoué la tête et lui avait fait signe de relâcher ses doigts.

« Tiens-la comme un bébé. »

Laura disparut au coin. Il quitta le couvert des arbres et prit la même direction qu'elle, s'attardant suffisamment longtemps pour lui donner un peu d'avance.

D'autres souvenirs de cette chasse lui revinrent en masse.

Les cerfs approchèrent en piétinant les feuilles sèches et les derniers tas de neige.

Leur respiration, qui produisait des petits nuages à chaque expiration, était puissante, constante. Ils n'avaient aucune conscience du danger qui les attendait. Ils s'arrêtèrent juste avant l'étroite ravine, à une vingtaine de mètres. Il arma la carabine. Lentement. Sans un bruit. La crosse calée au creux de son épaule. Il s'écarta du cèdre qui le cachait, essayant de trouver un bon angle de tir entre les arbres, luttant contre le froid qui lui piquait le visage.

Et maintenant, appuyer sur la détente.

La détonation et le recul.

Plus fort qu'il ne l'avait imaginé. Il fut projeté en arrière.

Deux biches et un jeune s'enfuirent, mais sa balle avait percuté l'épaule du cerf-mulet et sectionné la colonne vertébrale ; l'animal s'écroula d'un coup.

Chaque instant de cette journée était resté gravé dans son esprit.

Son premier grand animal.

Rendu encore plus réjouissant par la présence de son père et de ses frères.

Et les leçons apprises de ce voyage.

Des leçons qu'il n'avait jamais oubliées.

Poser une question idiote vaut bien mieux que de faire quelque chose d'idiot. Observer les autres et apprendre d'eux. Ne jamais utiliser tout ce qu'on vous propose. Au lieu de cela, faites en sorte que ces connaissances fonctionnent pour vous, à votre manière.

À l'époque, c'étaient de bons conseils, et ils l'étaient aujourd'hui encore.

Il parvint au coin de la cathédrale et jeta un coup d'œil ; il vit Laura à environ trente mètres devant, à mi-chemin du prochain coin. Il l'observa, espérant se tromper, qu'elle tournerait à droite et poursuivrait son parcours du périmètre, dans le but de le rejoindre. Mais elle prit à gauche, faisant demi-tour pour revenir vers lui, sur le trottoir en face.

Il secoua la tête, à la fois content et déçu que son instinct ait été bon. Il s'empressa de battre en retraite sous le couvert des arbres pour se cacher dans l'ombre, l'observant tandis qu'elle marchait d'un pas rapide sur le trottoir. Elle dépassa l'église et la place, traversa une intersection, puis entra par une porte latérale donnant sur une ruelle, dans une des nombreuses boutiques de Republic Street, toutes fermées pour la nuit.

Elle avait donc la clé de cette porte. Intéressant.

Comme les cervidés, elle avait été débusquée. Pas par les tirs d'autres chasseurs. Elle avait agi complètement seule. Heureusement, il était resté à patienter, sous le vent. Et comme les animaux, elle n'avait pas la moindre idée de ce qui l'attendait.

Luke tendit le bras et saisit son Beretta.

Le tenant doucement.

Comme un bébé.

43

Cotton cessa d'observer la tombe avec le blason orné d'une licorne, et se mit à contempler le mémorial de l'autre côté de la nef, celui portant les lions, à une vingtaine de mètres. La ligne qui allait de l'une à l'autre traversait la nef en diagonale.

Il reporta son attention sur les derniers mots de l'énigme.

Trois bourdons croisés sur rangées et colonnes.

Une autre référence à quelque chose qui se trouvait ici, sur le sol.

En 1798, la formulation mystérieuse avait peut-être été dissuasive, mais au XXIe siècle, elle n'était peut-être pas très problématique. Il fouilla dans sa poche et sortit son portable, remarqua qu'il avait une bonne connexion à un fournisseur d'accès local. La technologie était un progrès fantastique, alors pourquoi ne pas l'utiliser.

Il ouvrit un moteur de recherche et entra BOURDON.

Ce qu'il attendait sortit en premier. Grosse abeille sociale velue.

« Qu'est-ce que vous faites ? demanda le cardinal Gallo.

– Mon travail. »

Il fit descendre la page et remarqua une entrée vers le bas. Un site de définitions. *Un « bourdon de pèlerin » est un long bâton de marche ferré à sa base et surmonté d'une gourde ou d'un ornement en forme de pomme. En héraldique, un bourdon de pèlerin est souvent représenté avec deux pommes formant manche et garde.*

Il en avait vu beaucoup sur les mémoriaux.

Il leva les yeux de son écran. « Cherchez des bâtons à pommeau », lança-t-il autour de lui.

Les deux Gallo et le conservateur se déployèrent dans la nef.

Il entra RANGÉES ET COLONNES dans le moteur de recherche.

« Par ici ! » s'écria le conservateur, qui se trouvait près de l'autel.

Ils se précipitèrent tous et il vit trois bâtons croisés sur un blason, au-dessus d'une croix de Malte. Le premier mémorial, celui avec les trois lions sur fond d'émail rouge, ne se trouvait qu'à une vingtaine de mètres, vers l'autre côté de la nef.

« Il y a deux repères de ce côté-ci, dit-il. Celui avec les lions est de l'autre côté. Il y en a forcément un de plus par ici, dans le secteur. »

Il jeta un coup d'œil à son smartphone pour voir ce qui était sorti en réponse à sa requête sur RANGÉES ET COLONNES. *Mathématiques : rangées et colonnes dans un tableau ou une matrice. Militaire : colonnes de soldats. Géométrie : lignes horizontales (rangées) ou verticales (colonnes) de cases sur un échiquier.*

Plusieurs possibilités.

Beaucoup d'officiers et de chevaliers gisaient sous le sol de la cathédrale. Il y en avait trop pour qu'une référence au domaine militaire soit la réponse correcte.

C'était forcément l'échiquier.

« Cherchez un échiquier ou quelque chose d'approchant, dit-il. On va le faire ensemble. »

Ses compagnons comprirent ce qu'il avait en tête et se mirent en rang, chacun prenant à peu près un quart de la largeur, trois mètres les séparant les uns des autres. Lentement, ils avancèrent de concert depuis l'autel vers la paire d'immenses portes à l'autre bout de la nef qui servaient d'entrée principale à la cathédrale. Onze colonnes de tombes se déployaient, sur tout le côté long du rectangle de la nef. Il avait compté six rangées horizontales sur le petit côté et ils arrivaient tout juste au centre. Six ou sept rangs supplémentaires restaient à parcourir jusqu'aux portes.

Jusque-là, pas d'échiquier.

Ils continuèrent à avancer, lentement, la tête baissée pour scruter les myriades d'images de marbre.

À la treizième et dernière rangée, Pollux Gallo annonça : « Le voici. »

Cotton s'approcha et examina la tombe, une scène particulièrement macabre avec un ange tenant une trompette, un squelette pointant un doigt accusateur et un curieux bébé, tous sur un sol en damier.

« Ça doit être ça, dit Cotton. *Rangées et colonnes.* Comme on appelle les lignes de cases sur un échiquier. »

Quatre pointes dans le sol.

Deux dirigées vers l'autel. Les deux autres à l'opposé.

Des coordonnées.

« Il nous faut marquer les quatre tombes. »

Les frères Gallo repartirent de l'autre côté de la nef, Pollux à gauche vers les lions, le cardinal retrouvant le mémorial avec le blason doté d'une licorne. Le conservateur se plaça sur les trois bourdons. Cotton resta sur l'échiquier. Leurs positions formaient un X un peu déformé, dont une branche était plus longue que l'autre, mais il s'agissait bien d'un X.

C'était forcément la solution.

« Sans quitter la personne qui se trouve en face de vous, en diagonale, avancez en ligne droite vers lui. Essayez de rencontrer votre partenaire au milieu de votre ligne. Nous pourrons ajuster nos positions quand nous serons plus près les uns des autres. »

Ils se mirent à marcher, lui vers le cardinal Gallo, tandis que le conservateur se rapprochait de Pollux. Le cardinal et lui étaient sur la branche la plus longue du X, alors Pollux et le conservateur se retrouvèrent les premiers. Le cardinal et lui continuèrent à marcher et se rencontrèrent à un point un peu décalé par rapport aux deux autres, ce qui signifiait qu'ils n'avaient pas trouvé le milieu de leurs lignes. Ils ajustèrent leurs positions jusqu'à ce que tous les quatre se rejoignent à l'intersection du X.

Sous leurs pieds, une tombe.

44

Le chevalier observait ce qui se déroulait à l'intérieur de la cathédrale, heureux de constater que les choses avançaient. Sa patience allait enfin être récompensée.

Les mots de la bulle papale *Pie Postulatio Voluntatis*, un des trois documents de *Nostra Trinità*, rédigée en 1113, avaient soudain pris un sens nouveau. Tous les membres des *Secreti* mémorisaient ce document sacré. Quand le pape Pascal II confirma la création des Hospitaliers de l'ordre de Saint-Jean, il écrivit dans le *Voluntatis*: *Il sera illégal pour tout homme d'inconsidérément toucher ou d'emporter le moindre objet appartenant à l'ordre, ou de le garder par-devers lui, d'amputer les revenus de l'ordre d'une quelconque manière, de le harceler avec des désagréments irrévérencieux. Que toutes ses priorités demeurent intactes, pour le seul usage de ceux à qui elles ont été accordées pour leur entretien et leur survie.*

Cette directive avait été violée.

Les Turcs avaient tenté, en vain, de s'en prendre à l'ordre, mais Napoléon avait volé tout ce qu'il avait pu. Hitler avait bombardé et tout ravagé, mais c'était Mussolini qui avait tué pour trouver ce qu'il voulait. La bulle *Voluntatis* traitait des conséquences de tels actes.

Par conséquent, si à l'avenir, une personne, qu'elle soit ecclésiastique ou laïque, connaissant ce paragraphe de notre Constitution, tentait de s'opposer à ses dispositions, de se soustraire à l'obligation d'y satisfaire, qu'elle soit privée de sa dignité et son honneur, et qu'elle soit informée qu'elle s'expose au jugement de Dieu, pour l'iniquité dont elle s'est rendue coupable, et qu'elle soit privée des sacrements du Corps et du Sang du Christ, et du bénéfice de la rédemption de Notre Seigneur, et au jugement dernier, qu'elle soit confrontée à la vengeance la plus sévère.

On ne pouvait guère être plus clair.

Tout était prêt à l'extérieur. Ses hommes étaient sur le pied de guerre.

L'heure de la *vengeance la plus sévère* était arrivée.

Kastor fixa la tombe de Bartolomeo Tommasi di Cortona à ses pieds et lut l'épitaphe en latin. *Bailli, fils de Nicolao de la maison Cortona, une noble figure de cette ville nous quitte aujourd'hui. Admis dans la milice sacrée des chevaliers, à partir de l'an 1708, il se dévoua à son service, accomplissant jusqu'à la fin de sa vie ses devoirs sur terre et en mer avec la plus grande foi. Il vécut soixante-dix-neuf ans, six mois et dix-huit jours.*

L'inscription au sommet paraissait prophétique.

MORS ULTRA NON DOMINABITUR.

La mort n'aura plus d'emprise désormais.

Trois symboles étaient tracés au-dessus de l'épitaphe.

α ☧ Ω

L'alpha. L'oméga. Le *premier* et le *dernier*. Le Chi Rhô au milieu, la superposition des deux premières lettres du mot grec pour « Christ ». Il n'était plus beaucoup utilisé aujourd'hui, mais à l'époque romaine, les choses étaient différentes.

Il connaissait le lien.

La veille d'une bataille décisive pour l'avenir de l'Empire romain, Constantin avait eu une vision. Une croix dans le ciel portant les mots IN HOC SIGNO VINCES. Par ce signe tu vaincras. Sans trop comprendre son sens, il avait fait cette même nuit un rêve dans lequel le Christ en personne lui expliquait qu'il devrait utiliser ce signe contre ses ennemis. Bien sûr, personne ne pouvait dire si cette histoire de vision était vraie. Il en existait tant de versions qu'il était impossible de savoir laquelle croire. Mais c'était un fait que Constantin avait ordonné la création d'un nouveau signe sur lequel il avait fait inscrire les deux premières lettres superposées du mot grec pour Christ.

Le symbole Chi Rhô.

Ensuite, il avait exigé que ce symbole soit apposé sur les écus de ses soldats, et avec son nouvel étendard en tête du cortège, il conduisit son ennemi dans le Tibre. Pour finir, il l'emporta sur tous ses opposants et unifia l'Empire romain sous sa domination. Il en vint à honorer le signe de son salut comme une protection contre tous les pouvoirs contraires et hostiles, et décréta qu'il serait dorénavant porté en tête de toutes ses armées.

Kastor sourit.

Ce prieur avait choisi ses indices avec lucidité.

Cotton traduisit autant de mots qu'il put de l'inscription latine sur la tombe, autrement dit, la presque totalité.

« C'est très important, dit le cardinal Gallo. Ce symbole-là, au centre, est le code signifiant le Christ. Le Chi Rhô. Il a été créé par Constantin.

—Je suis d'accord, renchérit Pollux. C'était intentionnel de la part du prieur. Il nous a amenés jusqu'ici. »

Bon, d'accord, se dit Cotton, mais cela ne donnait pas la solution à l'énigme. Il examina l'imagerie présente sur le mémorial. Un squelette, un blason, une couronne, un bâton, des têtes de mort avec des tibias entrecroisés, des ancres et une table avec une pendule cassée, sur un socle, sous une arche.

« C'est la pendule, dit le conservateur. Elle existe, ici, dans la cathédrale. »

Le cardinal pointa un doigt par terre. « Il nous dit d'ouvrir cette pendule.

— Où se trouve-t-elle ? demanda Cotton.

— Dans l'oratoire. »

Ils suivirent le conservateur jusqu'à l'une des énormes arches dorées qui menaient dans une nef latérale, puis à une embrasure de porte magnifique ornée de quatre colonnes en marbre surmontées d'une colombe et d'un agneau en marbre blanc. La pièce était un long rectangle très haut de plafond, avec des murs chargés de dorures et le sol ponctué de tombes en marbre. Tout au fond, après une autre arche dorée, derrière l'autel, se trouvait une immense peinture à l'huile représentant le meurtre effroyable de saint Jean-Baptiste.

« *La Décollation de saint Jean-Baptiste* par le Caravage, dit le conservateur, en montrant le tableau. Notre plus grand trésor. »

Cotton n'accorda à l'œuvre qu'un regard furtif, puis se concentra sur la salle.

Il y avait des croix de Malte partout. Et le plafond, chargé de dorures, était lui aussi l'expression de l'art baroque dans toute sa splendeur. Quelques meubles étaient collés contre les murs, l'un d'eux était un buffet lambrissé sur lequel était posée une pendule en marbre. D'environ soixante-quinze centimètres de haut, elle était identique à celle qui était représentée sur le mémorial dans la nef principale. Sauf que celle-ci était intacte.

Il s'approcha et essaya de la soulever. Beaucoup trop lourde.

« Nous ne l'avons pas bougée depuis des années », dit le conservateur.

Cotton inspecta l'extérieur, passant lentement ses doigts sur le marbre.

« C'est une pièce historique de grande valeur, dit le conservateur d'un ton qui invitait à la prudence.

– Je n'ai pas toujours un bon contact avec ce genre d'objets. »

Il avait déjà remarqué que cette pendule était équipée, sur le cadran, d'une vitre qui permettait d'accéder aux aiguilles – une manière de la remonter et certainement d'atteindre les mécanismes intérieurs. La pendule indiquait deux heures moins vingt.

« Est-ce qu'elle fonctionne ? demanda-t-il.

– Pas à ma connaissance. Elle est posée là depuis le XVIIIe siècle. »

Malone ne fut pas surpris. « Vous ne changez pas beaucoup de choses, on dirait.

– Il est important que l'édifice demeure tel qu'il était. L'histoire a de l'importance, monsieur Malone. »

Certes.

Une idée lui vint tout à coup. « Je croyais que Napoléon avait tout pillé ?

– À mon avis, une lourde pendule en marbre qui ne fonctionnait pas n'a pas dû l'intéresser. Elle n'a rien de spécial, en dehors du fait qu'elle est ancienne. Elle a survécu, comme beaucoup d'autres objets, parce qu'elle n'avait pas de valeur apparente. »

Aucun moyen de déterminer si quelque chose se promenait à l'intérieur, mais il se dit que si cela avait été clairement le cas, quelqu'un pendant ces deux derniers siècles l'aurait remarqué. Avec sa mémoire eidétique, il visualisa le mémorial de la tombe.

« Sur la pendule entrouverte là-bas, dans la nef, si on refermait le couvercle, l'heure serait aussi deux heures moins vingt. Comme ici. Celle-ci a également la même taille, la même forme et la même couleur.

– Il n'était pas rare que des objets présents dans la cathédrale réapparaissent sur les tombes, dit le conservateur. Soit le chevalier lui-même se chargeait de la conception de son mémorial, soit un parent ou un ami le faisait en son honneur. Tout dépendait de la personnalité et des ressources du chevalier. »

Le cardinal examina la pendule. « Ce que nous cherchons se trouve à l'intérieur ?

– Oui, on le dirait bien », dit Cotton.

Même si les flancs et la base étaient en marbre, le sommet pointu très ouvragé était en céramique et avait été cimenté sur la pierre par un joint en mortier.

Cotton inspecta le joint.

Vieux et costaud.

« Nous allons avoir besoin d'un marteau et d'un burin », dit-il.

45

Luke examina les bâtiments qui longeaient Republic Street. Tous étaient plongés dans la pénombre et le silence, et la plupart des fenêtres étaient garnies de volets métalliques en accordéon. Il y avait peu de monde sur les trottoirs. La Valette avait fini par se mettre en sommeil. Mais pas Laura Price. Que faisait-elle dans cette boutique ? Elle avait clairement voulu y aller, puisque c'était son idée de sortir de la cathédrale pour examiner les environs. Il avait eu des doutes la concernant depuis qu'ils étaient passés dans cette planque. Il ne pouvait pas dire exactement ce qui avait déclenché ses soupçons, mais quelque chose chez elle n'avait pas sonné juste.

Il garda son arme collée contre sa cuisse, le canon dirigé vers le bas, et quitta la place. Il traversa la rue et s'approcha de la porte par laquelle elle était entrée. Elle se trouvait à trois mètres de la rue, dans une étroite ruelle qui, très longue, rejoignait une autre rue, beaucoup plus loin. Il saisit la poignée. Elle tourna.

La porte était donc ouverte ?

Méfiance.

Pourquoi utiliser une clé pour entrer et ne pas refermer derrière elle ? S'attendait-elle à ce que quelqu'un qui n'avait pas de clé la rejoigne ? Ou s'agissait-il d'un piège qu'elle lui tendait à lui seul ? Être le gibier dans la chasse n'était jamais amusant. Mais comme ces animaux méfiants dans le Nebraska glacial vingt ans auparavant, il n'était pas idiot. Il ouvrit la porte, entra, puis la referma, sans la verrouiller.

Pourquoi ?

Juste au cas où il y aurait d'autres personnes invitées à la fête.

Il se trouvait dans un petit vestibule. Une porte ouverte sur la droite laissait apparaître ce qui semblait être un magasin de souvenirs. Devant lui, un escalier raide en pierre montait. Comme tout était calme dans la boutique, il supposa que Laura était à l'étage. Il tint son arme prête et grimpa les marches. Pas un son ne révélait sa présence. L'escalier était très sombre, seule parvenait une faible lumière provenant de la devanture du magasin en bas. Luke paraissait vulnérable, comme ces cerfs quand ils avaient été repoussés dans la ravine.

Il arriva en haut. Un petit couloir sur lequel donnaient deux portes ouvertes.

Il s'approcha de la première, colla son épaule droite contre le mur et glissa un œil à l'intérieur. La pièce minuscule était pleine de chaises, empilées les unes sur les autres, et de tables pliantes calées contre un mur ; l'unique fenêtre était faiblement éclairée par la lumière de la rue en bas. La pièce suivante était d'une taille similaire, mais vide, à l'exception d'une petite table installée devant une autre fenêtre ; un fusil était posé sur la table. Il prit note de la lunette à visée nocturne et du calibre. Du lourd. Portée et puissance. Il avança et regarda par la fenêtre. Une vue parfaite sur la place Saint-Jean et l'entrée latérale de la cathédrale. Dans la semi-pénombre, il vit le silencieux installé au bout du canon. Quelqu'un était prêt à se lancer dans une vraie partie de chasse.

Il entendit le cliquetis caractéristique du chien d'une arme.

« Doucement, dit Laura. Retournez-vous. Mais d'abord, lâchez votre arme.

– Vous voulez vraiment vous engager dans ce genre de chose ?

– Oui. »

OK. Il lâcha la crosse et laissa tomber son Beretta.

Puis il se retourna.

« Envoyez-le par ici, dit-elle. Doucement. »

Il obéit.

« Comment je me suis trahie ? demanda-t-elle.

– Juste une impression.

– Vous n'êtes pas le péquenaud abruti pour lequel vous vous faites passer.

– Je vais prendre ça comme un compliment. Laissez-moi deviner. Vous travaillez avec Spagna depuis le début.

– Je plaide coupable. Quand vous vous êtes pointé, il m'a chargé de vous coller aux basques.

– J'ai eu vaguement cette impression-là quand votre patron a déboulé dans la planque et que je n'ai pas été invité à participer à la conversation. Les flics après nous, et Spagna qui vous embarquait, tout cela était une farce ?

– Un peu, oui. Il lui fallait prendre contact, mais pas d'une manière qui supposait un lien entre nous. Il avait aussi besoin que vous n'en appreniez pas trop. Mais vous êtes venu à mon secours comme il l'avait prévu. Alors il a décidé de vous mettre dans la boucle.

– Cela correspond au moment où j'ai commencé à avoir des doutes. Ces deux flics vous ont mise au tapis beaucoup trop facilement. Mais quand Spagna est mort, j'ai compris. Tout était bien trop parfaitement orchestré. Trop de coïncidences, en général, ça signifie un plan derrière. Les types qui ont essayé de me tuer, c'était des gens de l'Organisme ? »

Elle entra dans la pièce, l'arme toujours braquée sur lui, et s'arrêta à deux mètres, juste hors de la portée d'un coup éventuel. « C'est là que ça coince, Luke. Ce n'était pas des hommes de Spagna. »

Il fut intrigué.

« Il y a tellement d'autres choses en jeu, dit-elle. Des choses dont vous ne savez rien.

– Éclairez-moi. »

Elle émit un petit rire. « Je bosse en solo maintenant. »

Il désigna le fusil. « Vous avez l'intention de tuer quelqu'un ? C'était le message de Spagna quand il a vous a dit de suivre ses ordres ?

– Exactement.

– Je suis vexé. À moi, il m'a demandé seulement de trouver le cardinal.

– L'archevêque a toujours protégé l'Église, et maintenant, l'Église est menacée.

– Par le cardinal Gallo ?

– Par ce qui est en train de se passer dans cette cathédrale. Je ne peux pas les laisser mettre la main sur *Nostra Trinità*. Il ne faut pas qu'elle réapparaisse.

– Comment pouvez-vous être si sûre qu'ils vont la trouver ?

– Spagna était au courant de tout ce qui s'était passé en Italie avec Malone et Pollux Gallo. Il savait qu'ils arrivaient à Malte et qu'ils allaient à la cathédrale. Alors il a pris les dispositions pour avoir accès à cet endroit. Bien sûr, il n'avait aucun moyen de savoir quand l'occasion se présenterait. Mais c'est là que je suis entrée en jeu. Je voyais Malone progresser. C'est un type intelligent, ou du moins, Spagna le disait. Dans peu de temps, Malone et les Gallo vont sortir par cette porte.

– Est-ce que Malone est sur votre liste de types à abattre ?

– *Nostra Trinità* ne doit par réapparaître. »

Réponse éloquente.

« Qui a tué Spagna ?

– Les mêmes que ceux qui voulaient vous tuer. Les mêmes qui veulent tuer Malone. »

Il attendit.

« Les *Secreti*.

– Vous n'avez toujours pas répondu à ma question, dit-il. Est-ce que Malone est sur votre liste ? »

Un mouvement dans le dos de Laura attira son attention.

Un homme apparut sur le seuil.

Petit, râblé, d'un âge indéterminé.

« Non monsieur Daniels, dit une voix de basse. Nous n'avons aucun grief contre l'Amérique. »

46

Cotton prit le marteau et le burin que le conservateur avait trouvés. Sous l'œil attentif de ses compagnons, il examina l'extérieur de la pendule centimètre après centimètre et conclut qu'il n'y avait pas d'autre joint, sauf aux coins, aucun moyen de l'ouvrir, aucun interrupteur ou levier caché. Ce qui avait été dissimulé à l'intérieur avait dû être scellé en passant par le dessus. Avec le marteau il tapota doucement l'extérieur, et le métal résonna sur la pierre en produisant un son sourd et uniforme.

« On dirait que ce n'est pas creux », dit-il.

Les autres l'observèrent avec une franche curiosité, le conservateur avec un regard inquiet. Il semblait n'y avoir d'autre choix que de briser le joint de mortier entre le sommet et le reste de la pendule.

« Quel âge a ce truc ? demanda Malone.

– Quatre cents ans, fit le conservateur. Elle appartenait à un Grand Maître du début du XVIIe siècle. »

Avant d'utiliser la force, Malone ouvrit la fenêtre en verre devant le cadran, qui tenait par trois vis et devait donner accès au mécanisme derrière.

« Il faut qu'on soit sûrs », dit-il.

Le conservateur lui tendit un tournevis plat avec lequel Cotton défit les trois vis. Derrière le cadran, il n'y avait rien d'autre que les leviers et ressorts qui devaient actionner les aiguilles. Il ne vit pas d'accès à la partie principale de la pendule.

« Allez-y », dit Pollux Gallo, apparemment conscient de ses scrupules.

Il appuya l'extrémité du burin contre le mortier et se mit à taper. Il prit son temps, prenant garde de ne pas endommager le couvercle afin qu'il puisse retrouver sa place par la suite. Le mortier était dur et il fallut plusieurs coups au même endroit pour produire un résultat. On ne pouvait pas savoir si les fissures étaient profondes.

« Monsieur Malone », dit le cardinal Gallo.

Cotton s'interrompit.

« Je crois que j'ai remarqué quelque chose. Puis-je prendre le marteau un instant. »

Ouvert à la proposition d'une meilleure idée, il tendit son outil. Le cardinal examina la pendule, puis arma son bras et frappa violemment le couvercle en céramique en plein milieu.

Le conservateur étouffa une exclamation.

Le couvercle fut pulvérisé en plusieurs morceaux, mais ceux qui se trouvaient au plus près du joint restèrent en place.

Cotton dut le reconnaître. Ça marche aussi comme ça.

« Nous n'avons pas le temps de faire dans la dentelle, dit le cardinal. Il faut que je sois rentré à Rome dans sept heures. »

Pollux Gallo était resté silencieux, mais rien dans sa posture ni dans son expression ne suggérait qu'il était en désaccord avec cette profanation.

« Puis-je ? » fit Cotton, voulant récupérer le marteau.

Gallo le lui rendit et Malone enleva d'autres morceaux de céramique de manière à ce que l'ouverture soit suffisamment grande pour qu'il puisse passer la main à l'intérieur.

« Approchez une chaise », dit-il au conservateur.

Il s'en trouvait une près de l'entrée de l'oratoire, probablement pour que le guide bénévole puisse s'asseoir pendant la journée, tandis que les visiteurs se promenaient. Le conservateur alla chercher la chaise et Cotton s'en servit pour être plus haut que le couvercle et ainsi pouvoir voir à l'intérieur.

« C'est plein », dit-il en effleurant prudemment la couche supérieure. Le matériau brillait à la lumière. « On croirait que c'est du sable. Mais c'est du verre pilé, très finement, et tassé.

– Un mécanisme de défense et de préservation, dit Pollux. Que nous utilisions autrefois. J'ai vu d'autres objets contenant ce genre de protection. »

Il n'était pas question que Malone enfonce sa main à l'intérieur pour en retirer ce qui s'y trouvait. Le verre pilé était très dense, ce qui expliquait pourquoi il n'avait pas perçu de son creux quand il avait tapoté.

« Vous allez devoir faire très attention, dit Pollux. Le verre pourrait le détruire. C'est une autre mesure de sécurité que nous utilisons fréquemment.

– *Nostra Trinità* est très certainement en parchemin, dit le cardinal. Une matière capable de s'accommoder de ce genre de traitement. »

Pollux secoua la tête. « Elle n'est pas là-dedans. Cet espace ne pourrait pas contenir deux bulles pontificales. Nous en avons tous deux vu des copies au Vatican. Elles sont beaucoup plus grandes.

– Et vous ne le dites que maintenant, fit Cotton.

– Le *De Fundamentis Theologicis Constantini* pourrait bien être plus petit, dit le cardinal. Nous ne savons pas quelle forme il a. »

Pollux secoua la tête. « Ils n'auraient jamais dissocié les éléments constituant la Trinité. C'est tout ou rien. À mon avis, ce qui a été caché dans cette pendule, c'est un moyen de trouver le chemin qui nous mènera à *Nostra Trinità.* »

Cotton ne savait pas du tout qui avait raison, mais il avait une idée sur la manière de conclure le débat.

Il se tourna vers le conservateur. « Avez-vous un aspirateur ? »

Kastor ne montra rien de sa frustration. Cette opération traînait en longueur et le temps ne jouait pas en sa faveur. Il lui faudrait au moins trois heures pour rentrer à Rome, en comptant les trajets vers l'aéroport et en provenance de l'aéroport. Il pouvait diviser ce temps par deux s'il parvenait à passer quelques appels. Il y avait des gens dans le secteur privé qu'il connaissait, des amis, qui avaient accès à des jets. Peut-être qu'on pourrait en envoyer un ici pendant que la situation ici se dénouait.

« J'ai besoin d'un téléphone, dit-il.

– Dans mon bureau, dit le conservateur. Vous pouvez passer votre appel pendant que je vais chercher l'aspirateur. »

Il suivit le conservateur et ils sortirent de l'oratoire, laissant Malone et Pollux avec la pendule. Le bureau se trouvait juste après la boutique de souvenirs de la cathédrale, dans le fond. Le conservateur le laissa seul et il utilisa le téléphone fixe pour appeler Rome ; il réveilla un allié de longue date, patron d'une grande entreprise, qui accepta d'envoyer son jet à Malte pour l'attendre, prêt à décoller. Une bonne chose de savoir qu'il n'était pas détesté de tout le monde. Il s'était en réalité fait pas mal d'amis tant au gouvernement que dans la banque et l'industrie. Des hommes et des femmes qui comme lui trouvaient que l'Église catholique était trop à gauche. Ils désiraient ardemment le changement, mais ils étaient assez intelligents pour attendre leur heure. Que disait le proverbe, déjà ? *Tout vient à point à qui sait attendre.* Vraiment ? Son expérience avait plutôt été rien ou presque rien ne venait à qui attend.

Heureusement, il n'aurait peut-être plus longtemps à attendre. Il raccrocha le téléphone, l'esprit en ébullition.

Normalement, le pouvoir d'un groupe l'emportait largement sur celui d'un individu. Et cette phrase, plus que toute autre, décrivait bien un conclave. Il avait prévu d'exploiter le pouvoir de ce groupe à travers quelques individus bien choisis. L'idée était simple et elle avait fait ses preuves. Infiltrer les rangs ennemis, apprendre le plus possible de choses, puis retourner ces connaissances contre eux.

Il se rappela soudain la clé USB dans sa poche.

Il la sortit et contempla l'ordinateur posé sur le bureau du conservateur. Pourquoi pas ? Il mourait d'envie de savoir si elle contenait son salut. N'entendant ni bruit de pas ni voix de l'autre côté de la porte, il glissa la clé dans un port USB. Une fenêtre lui demanda un mot de passe, il tapa Kastor I.

La fenêtre s'ouvrit, il n'y avait qu'un seul fichier.

Appelé PREUVES.

C'était bon signe.

Il l'ouvrit et sur l'écran apparut le résumé qu'il avait lu précédemment, organisé dans le même ordre, avec le même verbiage, sauf que cette fois il y avait des mentions supplémentaires, en rouge, listant les noms des cardinaux coupables avec des liens renvoyant à un appendice. Il cliqua sur quelques liens et vit des scans de bilans financiers, de contrats, de rapports d'enquêtes et autres documents constituant autant de preuves. Trois d'entre eux renvoyaient à des enregistrements d'appels téléphoniques entre des cardinaux discutant de détails compromettants. Il reconnut toutes les voix. Plus de preuves qu'il en fallait pour pouvoir les faire chanter. Il referma le dossier, éjecta la clé qu'il tint bien serrée au creux de son poing.

Spagna avait disparu.

Mais Dieu merci, ses travaux demeuraient.

Cotton trouva son portable et appela Stéphanie, surpris de la puissance du réseau qu'il captait à l'intérieur de la cathédrale. Il avait quitté l'oratoire en s'excusant, laissant Pollux Gallo seul avec la pendule, pour retourner dans la nef principale, mais se positionnant à un endroit d'où il avait une vue parfaite de la scène pour vérifier que tout demeurait intouché. Il aperçut Gallo qui prenait aussi un portable et passait un appel, tout en marchant vers l'autel et le tableau du Caravage au fond. Malone expliqua à Stéphanie ce qu'ils avaient trouvé.

« Nous devrions en savoir davantage dans une heure, dit-il. Il va falloir procéder lentement pour vider cette pendule.

– Où est Laura Price ?

– Dehors, avec Luke.

– Il y a un problème. La Sécurité maltaise vient de me dire qu'ils ne cautionnent plus ce qu'elle fait. Elle travaillerait maintenant avec la Sainte Alliance. Avec la mort de Spagna, ils ont décidé de m'en aviser.

– Généreux de leur part.

– Je suis d'accord. Je suis contrariée moi aussi. Au début, j'ai pensé qu'elle pourrait être utile. Mais Spagna s'est fichu de moi. La Sécurité maltaise aussi. Je n'ai aucune idée de ce qui se passe, là. Il faut que je transmette cette info à Luke, mais il n'a pas de portable. Spagna l'a détruit.

– Je m'en occupe, dès que j'ai fini ici.

– C'est le branle-bas de combat au Vatican, après la mort de Spagna. Beaucoup de cardinaux sont nerveux à propos de la suite. Heureusement, il s'agit du Vatican, ils savent rester discrets. »

Malone continua à observer Gallo, qui se trouvait à une trentaine de mètres de lui, tout au fond de l'oratoire. « J'ai ici une paire de vrais jumeaux qui clairement ne s'aiment pas beaucoup. C'est un peu inquiétant par moments. C'est comme Bip Bip et Vil Coyote. L'un saute comme une puce, complètement imprévisible. L'autre est amorphe, sous antidépresseurs, avec le flegme d'un Anglais. Chacun se fiche de l'autre, alors on ne peut pas savoir ce qui se passera si on trouve quelque chose.

– Le Vatican me dit que tout ce que vous trouverez appartient... au Vatican. Ils veulent qu'à partir de là on sorte du paysage et qu'on les laisse résoudre l'affaire tout seuls. Je n'ai pas de problème avec ça. J'ai juste besoin que vous vous assuriez de trouver ce qu'il y a à trouver. »

Il connaissait la réponse à donner. « Oui, m'dame.

– Et transmettez les dernières infos à Luke. »

Il vit le cardinal Gallo arriver de l'autre côté de la nef avec le conservateur qui tenait un aspirateur doté d'une longue rallonge.

« Faut que j'y aille », fit-il.

47

Le chevalier essaya de contenir son impatience. L'histoire remontait à très loin.

Le 13 octobre 1307, les Templiers furent arrêtés en masse. Ils furent torturés et tués en grand nombre, y compris leur Grand Maître, Jacques de Molay, qui mourut dans d'atroces souffrances. Cinq ans plus tard, l'ordre fut officiellement dissous et la plupart de ses biens furent donnés aux Hospitaliers par le pape. Personne ne remit jamais en cause cette décision. Personne ne se révolta ni ne posa de question. Pourquoi un pape ferait-il une chose pareille ?

Simple.

Deux cents ans plus tôt, au cours du XIIe siècle, lors d'une expédition dans le sud de la Turquie, un groupe d'Hospitaliers tomba sur une cache contenant d'anciens documents. Surtout des parchemins. Des textes religieux. Pour la plupart sans importance, sans intérêt. Sauf un, qui paraissait différent.

Le *De Fundamentis Theologicis Constantini.*

Les *Fondements théologiques de Constantin.*

Un document unique qui survécut jusqu'au Moyen Âge, sous la garde des Hospitaliers pendant le temps où ils furent en Terre sainte, puis à Chypre, Rhodes et Malte. Les papes finirent par apprendre son existence et durent se soumettre. Ainsi, un pape en particulier, Clément V, qui s'assit sur le trône de saint Pierre en 1312, connaissait l'existence du document et dut céder au chantage. Par la bulle *Ad Providam,* il donna tous les biens et terres des Templiers aux Hospitaliers. C'était bien une preuve indiscutable de la force de cet ordre. Et au cours des siècles, chaque fois que les chevaliers voulaient tenir tête aux papes, ils mettaient en avant les *Fondements de Constantin.* Un moyen efficace qui garantissait les intérêts de l'ordre.

Cela avait pris fin en 1798.

Mais ce soir, la situation risquait de changer.

Cotton se mit debout sur la chaise et passa lentement l'extrémité du tuyau de l'aspirateur sur les couches de verre pulvérisé qui remplissaient la pendule, pour les extraire. La cache faisait environ soixante centimètres carrés et quarante-cinq centimètres de profondeur. Il ne pouvait pas précipiter l'aspiration, car il n'avait aucune idée de ce qui se trouvait éventuellement à l'intérieur. Il comprit l'avantage du verre comme matériau de remplissage. Il n'émettait pas de poussière, pas de saleté et il était dense. Cela rendait la pendule extrêmement lourde et décourageait les pillards qui auraient voulu l'emporter. L'aspirateur fonctionnait parfaitement et les morceaux de verre filaient dans le tuyau en crépitant. Malone s'inquiétait pour Luke, mais il n'était pas question qu'il délègue cette tâche à l'un des hommes présents, qui le regardaient avec tellement d'intensité.

Il continua à aspirer. Il vit alors quelque chose apparaître. Il tourna autour de l'objet et poursuivit l'extraction. Le contour d'une bouteille se dessina. Large goulot. Haute. Debout, à mi-hauteur. Scellée à la cire. Il aspira encore jusqu'à ce que la moitié de la bouteille soit dégagée.

« Vous pouvez arrêter », dit-il.

Le conservateur coupa l'aspirateur.

Malone posa le tuyau.

« Qu'est-ce qu'il y a ? » demanda le cardinal, plus impatient que jamais.

Malone plongea la main et dégagea doucement la bouteille. Des éclats de verre tombèrent en pluie. Il en enleva encore et leva l'objet pour que tout le monde puisse le voir. La paroi opaque était d'une teinte verdâtre, embuée. Il aperçut la silhouette brouillée de quelque chose à l'intérieur.

Il descendit de la chaise. « Une idée ? »

Pollux examina l'extérieur. « Un autre message. »

Malone acquiesça et attrapa le burin sur la table, pour faire sauter le sceau. La cire rouge foncé s'écaillait en morceaux secs et cassants. Tout le goulot était rempli de cire et Malone pencha la bouteille en prenant garde à ne rien abîmer à l'intérieur. Un gros morceau de cire de plus de deux cents ans, fondu par un prieur désespéré essayant de préserver les derniers vestiges de l'héritage d'une organisation mourante, tomba sur la table. Avec le burin, Malone détacha les derniers fragments du sceau. Il pencha la bouteille et un rouleau de parchemin, de la couleur du thé, sortit par le goulot.

Il posa la bouteille.

« On peut le dérouler, dit le conservateur, qui lisait apparemment dans ses pensées. Mais avec précaution.

— Allez-y », dit le cardinal.

Cotton posa le rouleau d'une longueur d'une douzaine de centimètres. Le conservateur tint un bord avec l'index et le pouce. Cotton déroula lentement, prudemment le parchemin qui après deux cents ans avait gardé son élasticité naturelle. Il maintint son extrémité bien à plat et tous se penchèrent sur l'image, dont l'encre noire avait bavé avec le temps.

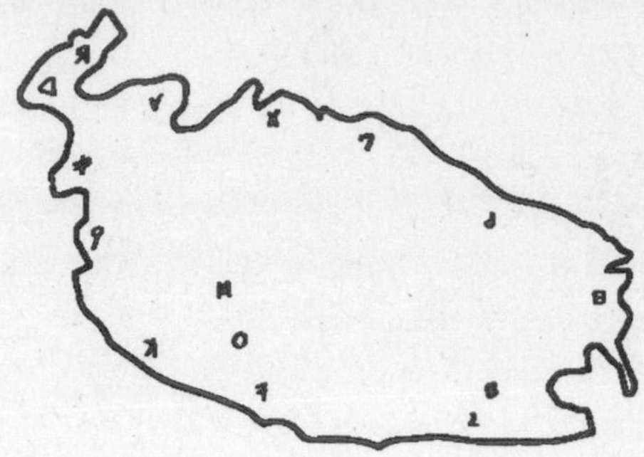

« Cela représente Malte », dit le conservateur.

Cotton hocha la tête. Un dessin approximatif de ses côtes, mais la forme était caractéristique. Des lettres et des symboles ponctuaient le contour et il y en avait quelques-uns à l'intérieur des terres.

« C'est l'alphabet latin, dit Pollux. Le carré avec une ligne en travers tout à droite est la lettre H. Les deux cercles qui se touchent et ressemblent à un 8, c'est la lettre F.

– Et leurs positions sur la carte pourraient correspondre aux tours de guet, dit le conservateur. Il y en avait treize tout autour de l'île. Il y a treize lettres près de la côte. Le M pourrait être Mdina, le F en retrait est en gros là où est situé l'ancien palais de l'Inquisiteur. Le O se trouve près du palais Verdala. »

C'était logique. Le prieur avait conçu des indices difficiles, mais pas insurmontables, du moment que la personne qui les étudiait connaissait bien l'île. Il s'était demandé ce que signifiaient les lettres du message trouvé dans l'obélisque. H Z P D R S Q X. Maintenant, il savait.

« Vous connaissez tout l'alphabet latin ? » demanda-t-il.

Pollux hocha la tête.

Parfait.

« Nous devons faire une copie de ce parchemin. J'ai besoin d'une version sur laquelle je puisse écrire. »

Luke prit le temps d'observer la silhouette sombre de l'homme et de se rassurer sur sa réponse concernant Malone, puis il demanda : « Qui êtes-vous ?

– Monsignore John Roy. J'étais l'assistant de l'archevêque Spagna. Je suis maintenant temporairement à la tête de l'Organisme.

– On dirait que vous êtes américain.

– Exact.

– Les *Secreti* sont ici, à Malte ? »

La tête noire acquiesça. « Pour ainsi dire. »

Drôle de réponse.

« Ils ont tué Chatterjee et Spagna et ont essayé de vous tuer, dit Roy. Ils sont là, dehors, en ce moment même. Ils attendent.

– Ils attendent quoi ?

– De voir ce qui se passe dans la cathédrale. »

Luke désigna le fusil posé sur la table devant la fenêtre. « Et qui allez-vous tuer ?

– Ne me dites pas que vous n'avez jamais appuyé sur la détente, dit Roy.

– Je ne suis pas un assassin.

– Moi non plus, dit Laura. Mais je fais mon boulot.

– Je ne vais pas vous laisser tuer qui que ce soit, ni l'un ni l'autre.

– Cette affaire ne concerne pas les États-Unis, dit Roy. C'est un problème du Vatican, que le Vatican veut régler seul.

– En tuant des gens ?

– Washington s'est immiscé dans cette affaire, fit remarquer Roy. L'Organisme ne vous a pas demandé votre aide. Je m'adresse à vous de professionnel à professionnel : je vous exhorte à partir. Je vous assure, rien n'arrivera à

M. Malone. Du moins, pas de notre fait. Les *Secreti*, c'est une autre affaire. Malone et vous allez devoir vous en occuper. Ce sont eux, les ennemis. Pas moi.

– Ils cherchent à mettre la main sur ce que Malone est en train de localiser en ce moment même ? Dans la cathédrale ?

– C'est exact. Et ils ne s'arrêteront pas avant de l'avoir pris. L'archevêque Spagna était ici pour récupérer ce qui serait trouvé. Il a échoué. Mme Price et moi allons mener cette mission à bien. M. Malone et vous pouvez rentrer chez vous. »

L'idée était séduisante.

Quand il était enfant, ses frères et lui s'occupaient des vaches que leurs parents possédaient. Elles adoraient traîner toute la journée au pré en mâchant de l'herbe. Les taons les persécutaient impitoyablement, de vilaines petites créatures qui laissaient des traces. Certaines vaches couraient pour leur échapper. Mais la plupart d'entre elles ne bougeaient pas, restaient là à ruminer, chassant les taons à grands coups de queue. Sans se laisser intimider par les attaques. Celles qui ne s'enfuyaient pas étaient vraiment courageuses.

Comme lui.

« Je ne peux pas partir, et vous le savez. »

48

Cotton maintint le parchemin sur la vitre du scanner tandis que le chariot lumineux passait sur l'image. La copie sortit de l'appareil. Ils avaient quitté l'oratoire pour retourner dans le bureau du conservateur. Les deux frères Gallo étaient restés silencieux, regardant Malone qui, après avoir jeté un coup d'œil sur le parchemin original de l'énigme du prieur, le roula et le posa à côté de lui. Puis il étala la copie sur le bureau du conservateur, saisit un stylo et écrivit H Z P D R S Q X.

« Donnez-moi les lettres de l'alphabet latin pour ces lettres-ci. »

Pollux prit le stylo et écrivit les lettres latines correspondantes. Cotton sut immédiatement qu'il ne s'était pas trompé. Les huit lettres apparaissaient sur le dessin, espacées, autour de l'île.

H - 日 R - O

Z - ǂ S - Z

P - 7 Q - ϙ

D - Я X - X

Il les entoura sur la copie de la carte.

« Ce sont des repères. Des points de référence. »

Mais il fallait les combiner entre eux. Alors il les examina, décidant arbitrairement de relier les plus proches le long de la côte par une ligne courte.

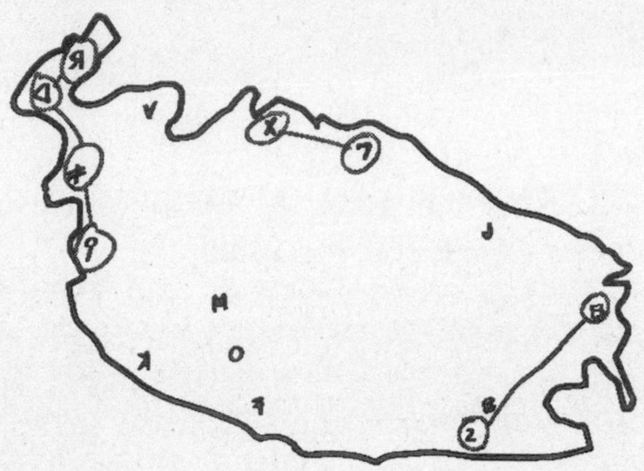

« Rien n'indique que vous ayez raison, dit le cardinal.

– Non. C'est une simple hypothèse, mais elle semble plausible. Nous pourrons essayer d'autres combinaisons si celle-ci ne fonctionne pas. »

Le sens commun exigeait que la carte les mène à un point unique sur l'île et la seule manière d'y parvenir était de tracer des lignes en observant leurs intersections. Dans sa tête, il dessina ces lignes, connectant différents points des huit cercles qu'il avait crayonnés autour des lettres. Une seule combinaison serait la bonne et leur fournirait ce qu'ils recherchaient. Les autres tracés ne seraient là que pour créer de la confusion et perturber les intrus.

« C'est comme le X tout à l'heure, sur le sol, dit-il. On les relie en diagonale. »

Il prit une règle sur le bureau et dessina les droites.

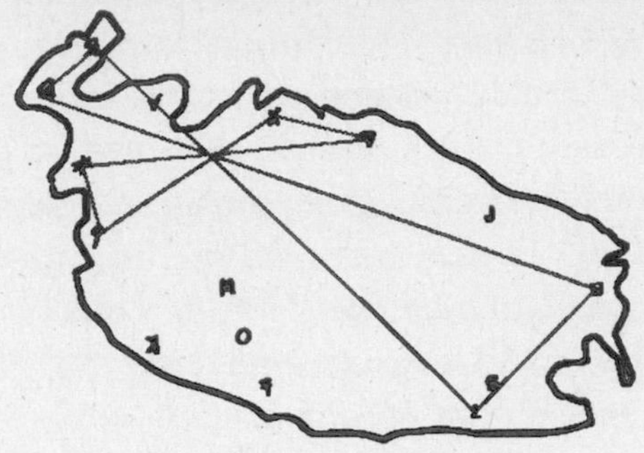

« En gros, c'est une croix de Malte, dit le cardinal. Un peu déformée, mais reconnaissable.

– Ce qui signifie que nous devons aller à l'intersection de ces lignes, dit Malone. Quelque part près de la côte nord-ouest, pas très loin de la baie de Saint-Paul, si je ne me trompe. Une idée de ce qui se trouve là-bas ?

– Il n'y a qu'une seule possibilité », dit le conservateur.

Pollux Gallo hocha la tête. « Sainte-Magyar. »

Luke jeta un coup d'œil par la fenêtre.

La place Saint-Jean devant la cathédrale était toujours calme et plongée dans la pénombre. Malone et les Gallo n'étaient pas encore réapparus.

Il avait encore du temps.

« Monsieur Daniels, l'Église est confrontée à une menace directe, dit Roy, d'une voix ferme, contrôlée, empreinte de rationalité. Cette menace est d'autant plus dangereuse que le conclave approche. Une fois que les cardinaux seront enfermés dans la chapelle Sixtine, nous perdrons tout contrôle. Il nous faut nous en occuper maintenant. L'archevêque Spagna avait découvert cette menace et s'employait à l'éradiquer, avec ses propres méthodes.

Il est venu ici en personne pour gérer la situation. Il avait prévu de vous recruter, vous et Mme Price, pour l'aider. Malheureusement, la menace a été plus rapide.

— Laquelle ?

— Je ne peux le dire. Mais je vous assure, elle est réelle.

— Vous avez à votre disposition l'une des meilleures agences de renseignement au monde. Vous pouvez neutraliser n'importe quelle menace. Sans tuer qui que ce soit.

— Malheureusement, étant donné ce qui s'est passé ce soir, seule la violence pourra y mettre fin. Le meurtre de l'archevêque Spagna ne peut rester impuni. Ces gens doivent apprendre que leurs actions ont des conséquences. »

Quelque chose ne collait pas. Luke se tourna vers Laura. « Vous avez dit que Spagna a planifié cet assassinat que vous vous apprêtez à commettre. Mais quand Spagna l'a envisagé, personne n'était encore mort. Alors, de quoi s'agit-il ? Un contrat ?

— À nouveau, dit Roy, cette affaire ne concerne pas les États-Unis. S'il vous plaît, monsieur Daniels, M. Malone et vous devez partir. Maintenant.

— Pour que vous puissiez tuer le cardinal Gallo ?

— Monsieur Daniels, comme vous l'avez noté, l'Organisme a beaucoup de ressources. Il existe depuis des siècles. Nous avons survécu en faisant toujours ce qui doit être fait. » Roy marqua une pause. « Tuer ne nous pose aucun problème. Nous n'avons jamais eu peur de faire ce qui était nécessaire. Au cours des siècles passés, si le Saint-Père nous ordonnait l'élimination de quelqu'un pour la défense de la foi, nous obéissions. Il est la voix de Dieu et nous sommes son bras.

— Nous ne sommes pas au Moyen Âge, et le pape est mort.

— Néanmoins, la menace demeure. » Roy secoua la tête. « Mais tuer un prince de l'Église ne fait pas partie de notre ordre du jour. »

Luke avait supposé, en entendant la mention du conclave, que le cardinal Gallo était la cible. C'était la raison qui avait motivé Stéphanie Nelle à lui confier la mission, au départ.

« Notre problème est son frère, dit Roy. L'archevêque Spagna consacrait beaucoup d'énergie à Pollux Gallo. Trop, à mon avis. Mais l'archevêque n'était pas homme à accepter volontiers les... conseils. Malheureusement, mes soupçons personnels concernant Pollux Gallo se sont révélés justifiés. »

Luke aurait bien voulu en savoir davantage.

Mais cela n'arriverait pas.

« Laissez-nous faire, dit Laura.

– Si seulement... »

Deux coups sourds brisèrent le silence.

Comme deux applaudissements.

Roy tomba en avant, les mains serrées sur la poitrine, puis s'écroula sur le sol en s'écrasant lourdement face contre terre. Rien n'était passé par la fenêtre, l'attaque avait dû provenir du couloir. Laura pivota sur ses talons et dirigea son arme vers l'embrasure de la porte. Luke en profita pour se plaquer au sol après avoir saisi le fusil posé sur la table ; il s'aplatit pour devenir la plus petite cible possible. Avant d'avoir eu le temps d'avertir Laura pour qu'elle fasse de même, il entendit un nouveau bruit sourd. La tête de la jeune femme partit en arrière tandis que la balle lui traversait le visage, puis le cerveau avant de ressortir à l'arrière du crâne.

Son corps s'effondra à côté de celui du Monsignore.

Luke tira trois balles silencieuses en direction de la pénombre du couloir.

Des pas précipités – on prenait la fuite.

Il se releva d'un bond, collant son corps contre le mur adjacent à la sortie. Le couloir était encore plus sombre qu'avant. Mais il ne vit rien, ne sentit rien. Il échangea le fusil contre son pistolet, qu'il récupéra par terre. Puis il prit le temps de tâter le pouls de Roy. Rien. Laura aussi était morte, c'était indubitable. Bon sang. Elle ne l'avait pas mérité.

Il alla jusqu'à l'escalier, puis descendit. La porte menant à la ruelle était entrouverte.

Attention. Il pouvait y avoir un danger à l'extérieur.

Se servant du mur de pierre du bâtiment pour se protéger, il donna un coup de pied dans la porte pour l'ouvrir. Quelques rapides coups d'œil de l'autre côté du chambranle ; toujours personne. Il sortit. À sa droite, tout au fond de la ruelle, à une trentaine de mètres, à l'endroit où elle croisait une autre ruelle, il aperçut une silhouette sombre qui s'enfuyait.

Il se lança à sa poursuite.

49

Cotton voyait que les deux Gallo et le conservateur paraissaient certains de l'endroit.

« C'est quoi Sainte-Magyar ? demanda-t-il.

– C'est une des plus anciennes chapelles de l'île, dit Pollux. Elle a été construite au milieu du XVIe siècle, peu de temps après l'arrivée des chevaliers. »

Malone écouta le récit de Pollux. D'après la légende, au XIIe siècle, une jeune fille travaillait aux champs lorsqu'elle vit une bande de Turcs se précipiter droit sur elle. Elle s'enfuit, les envahisseurs sur ses talons. Hors d'haleine, elle trouva refuge dans une grotte dont l'entrée était bouchée par d'épaisses toiles d'araignées. Une fois à l'intérieur, elle s'agenouilla et pria la Sainte Vierge de venir à son secours. Les corsaires continuèrent à la chercher, trouvèrent même la grotte, mais en voyant la masse de toiles d'araignées, ils poursuivirent leur chemin.

« Comme les toiles d'araignées se sont refermées après son passage, on a considéré qu'il s'agissait d'un miracle, dit Pollux. Devant la grotte on a bâti une chapelle consacrée à la jeune fille, qui devint sainte Louise Magyar.

– Toutes les églises ont une histoire comme celle-ci, dit le conservateur. Cette île est pleine d'églises. Trois cent cinquante-neuf au dernier comptage, un peu plus d'une par kilomètre carré. Soixante-trois paroisses différentes. Sainte-Magyar est une chapelle se trouvant à l'écart, isolée, et elle n'est pas ouverte au public.

– Elle est la propriété de l'ordre », dit Pollux.

Voilà qui était intéressant.

« L'église en pierre d'origine a été rebâtie par les chevaliers au XVIe siècle, dit Pollux. Elle reste fermée, mais nous entretenons le site. Je peux appeler nos représentants ici sur l'île et la faire ouvrir, le temps qu'on y arrive.

– Fais-le », dit le cardinal.

Clairement, Pollux n'appréciait pas de recevoir d'ordres de son frère, mais il ne répondit pas et quitta le bureau pour passer un coup de fil.

Quelque chose chiffonnait Cotton.

« Qu'est-ce que vous ne me dites pas sur cette église ? demanda-t-il au conservateur et au cardinal.

– Quand Napoléon a ravagé l'île, dit le conservateur, il n'a pas pillé Sainte-Magyar. L'édifice est très simple, sans ornementation. Il n'y avait rien à voler là-bas. Alors, il est intact. Comme il était au XVIe siècle.

– C'était aussi la chapelle privée des *Secreti* », ajouta le cardinal.

Voilà qui était intéressant.

Gallo expliqua que les *Secreti* avaient toujours gardé une certaine distance avec les autres chevaliers. L'idée de départ de leur association de membres choisis était de rester à l'écart. Alors après que Malte fut octroyée à l'ordre, les *Secreti* construisirent une chapelle qui ne serait utilisée que par leurs membres. L'endroit fut déclaré interdit à tous sauf à ceux qui portaient le palindrome formant l'anagramme de *Pater Noster*. Notre père. Le signe de Constantin.

« Elle a été régulièrement utilisée jusqu'à l'invasion de Napoléon, dit le conservateur. D'après les documents qui nous sont parvenus, des soldats français ont visité le site, mais comme je l'ai dit, il n'y avait rien de valeur. »

Apparemment, ils se trompaient. Cotton décida de changer de méthode et se tourna vers le cardinal Gallo. « Vous pouvez retourner à Rome maintenant.

– J'irai dès que nous aurons fini ici.

– Pardonnez-moi, Éminence, mais quel intérêt aurait un cardinal de l'Église dans tout ceci ? D'après ce que je comprends, tout ce que l'on pourra trouver appartient aux chevaliers de Malte.

– C'est discutable. Et je suis le représentant du pontificat auprès de cet ordre. Il est de mon devoir d'être présent jusqu'au bout.

– Nous pouvons vous informer de tout ce que nous trouverons. Pourquoi cela exigerait-il que vous vous impliquiez *personnellement* ? »

Malone vit que sa franchise chiffonnait son interlocuteur. Mais il tenait à ce que le cardinal lui fournisse une raison.

« Je n'ai aucune explication à vous donner, dit Gallo.

– Effectivement. Mais selon vos propres dires, il y a sur cette île des hommes qui essayent de vous tuer. Un conclave commence dans quelques heures. Pourtant, vous insistez pour rester. D'aucuns qualifieraient cette attitude d'imprudente. » Il marqua une pause. « Ou peut-être de délibérée. »

Comme une éruption, la colère enflamma le regard de Gallo.

« Je suis un prince de l'Église catholique romaine, monsieur Malone, à qui on témoigne habituellement du respect. Même ceux qui n'appartiennent pas à l'Église.

– Même quand vous mentez ? »

Avant que le cardinal puisse répondre, Pollux revint dans le bureau, interrompant l'échange. « Un représentant nous accueillera à Sainte-Magyar avec une clé. Il y a l'électricité dans le bâtiment. Ils apporteront également des outils, puisque nous n'avons aucune idée de ce qu'il y a, ni de la manière de l'obtenir. » Pollux marqua une pause. « Monsieur Malone, nous pouvons gérer les choses seuls, à partir de maintenant.

– Je suis d'accord, s'empressa d'ajouter le cardinal. Rentrez chez vous. »

Les voilà solidaires, maintenant.

Intéressant.

«J'ai reçu l'ordre de mener cette mission jusqu'à son terme. Nous ne sommes pas au terme.

– Vous nous avez aidés d'une manière considérable, dit Pollux. Votre résolution de l'énigme du prieur était magistrale. Mais je suis d'accord avec mon frère. Un fait rare, soulignons-le. Il s'agit d'une affaire qui concerne l'Église et nous pouvons la gérer en interne.

– Le chef de la Sainte Alliance est mort. Cette affaire ne concerne plus uniquement l'Église.

– Je comprends et nous nous occuperons des *Secreti*, dit Pollux. Nous nous occuperons de tous ceux qui sont responsables d'actes de violence, quels qu'ils soient. Mais *Nostra Trinità* est une affaire interne, sensible, et nous préférerions la gérer nous-mêmes.

– Voici ce que je vous propose, dit Malone. Allons jeter un coup d'œil là-bas et voir ce qui s'y trouve. Après ça, je vous laisse. En ce qui me concerne, ce sera la fin de ma mission.

– Nous n'avons pas besoin de vous», dit le cardinal, d'un ton péremptoire.

Mais Pollux hocha la tête. «Cela paraît raisonnable.»

50

Luke remonta la ruelle sombre en courant. Le type devant lui avait une avance gigantesque. Mais Buddy Barnes aussi, à l'école des Rangers. Une marche tactique de vingt kilomètres avec équipement, la dernière épreuve des deux jours d'entraînement physique intense. Si on la finit en plus de trois heures, on dégage. Le taux d'échec tournait autour de soixante pour cent. Non seulement Luke l'avait accomplie dans les temps, mais en plus il avait rattrapé Buddy, refaisant son retard de cent mètres sur les trois derniers kilomètres de manière à franchir le premier la ligne d'arrivée. Le gagnant avait l'honneur de payer la première tournée lors de la permission suivante. Peu importait que cela coûte deux ou trois cents dollars, tout le monde voulait remporter cette victoire. Problème : quand vint le moment de payer, Luke n'avait pas l'argent. Buddy le lui prêta jusqu'au versement de la prochaine solde. Voilà comment les Rangers se comportaient entre eux. Buddy lui manquait. Une bombe au bord d'une route en Afghanistan l'avait tué et Luke avait aidé à porter le cercueil drapé du drapeau américain jusqu'à sa tombe à Arlington.

Luke continua à courir, accélérant légèrement, en prenant garde aux pavés humides. Le terrain n'avait rien à voir avec la piste de terre sans relief de Fort Benning. La Valette était une ville de bord de mer, vallonnée, et foisonnant d'ennemis et d'amis qu'il était parfois difficile de distinguer.

Il pensa à Laura Price.

Elle avait été un peu des deux.

Mais elle s'était montrée imprudente, et ce manque de sérieux lui avait coûté cher.

Sa cible disparut au coin d'une rue à environ un demi-terrain de foot devant. Il eut la sensation familière de l'adrénaline qui montait. Il était dans la fleur de l'âge, prêt à relever tous les défis, mais il choisit de se donner le temps de la réflexion. Une étape toujours nécessaire. Il ne savait pas trop si le type avait conscience d'être poursuivi, car il n'avait pas changé d'allure. Luke parvint au même coin et prit le virage rapidement, sans perdre une seconde. Devant lui, l'homme ne courait plus. Il était planté au milieu de la rue, en position, les bras tendus, l'arme prête à tirer.

Merde.

Luke fit un bond vers la droite, atterrit sur le capot d'une voiture, le visage dans le pare-brise.

Deux tirs dans sa direction.

Il descendit d'une roulade sur le trottoir, sans avoir lâché son Beretta, et à plat ventre, le menton tendu vers la rue, il tenta de voir quelque chose en restant à l'abri d'un pare-chocs.

Une autre balle ricocha sur l'aile en sifflant.

Il réussit à s'accroupir et serra ses doigts sur la crosse de son pistolet, puis visa et appuya sur la détente.

Un coup d'œil rapide et il constata que le type avait disparu.

Il se redressa et s'éclipsa en trombe.

Une autre ruelle partait à droite à l'endroit où le tireur s'était positionné. Il s'arrêta à l'intersection et vit l'homme courir au bout d'un long chemin en pente. Au-delà, il aperçut le scintillement de l'eau. Ils se dirigeaient vers le port, qui n'était en fait jamais loin, où que l'on se trouve dans la ville. Il courut jusqu'au bout de la ruelle, où il s'arrêta pour examiner les lieux. Le quai en béton, une marina. Les bateaux dansaient au mouillage dans le bassin.

Luke parcourut du regard les nombreux appontements. Personne en vue. Mais il perçut le vrombissement d'un moteur sur sa gauche.

Il courut jusqu'au bout du chemin qui allait jusqu'à la mer et vit un zodiac sur l'eau, en train de s'éloigner vers Grand Port. À bord, deux silhouettes.

L'un d'eux lui fit un petit salut moqueur.

Connard.

Il lui fallait une embarcation.

Tout de suite.

Il repartit au pas de course vers la marina. De nombreux bateaux étaient plutôt grands, au moins vingt pieds avec tous les accessoires. Pas pratique pour une poursuite. Vers le bout d'un dock, il repéra un petit monocoque de quinze pieds avec un moteur hors-bord. Bien entendu, il n'avait pas la clé, mais cela ne devrait pas poser de problème. Quand il était gosse, il avait appris à démarrer ce genre d'engin. Ses frères et lui utilisaient un tournevis et connectaient les fils sous l'allumage, et cela marchait à tous les coups. Il n'avait pas d'outils, mais il ne devrait pas en avoir besoin. Il défit les amarres et tandis que le bateau s'éloignait du dock, il se pencha et tira brusquement les deux fils qui se trouvaient sous le contact. Il avait de la chance. Ils se dégagèrent facilement, avec une partie du cuivre exposée à l'air. Il les connecta et le moteur démarra en toussotant.

Le vrombissement devint régulier et Luke se dépêcha d'entortiller les deux fils. Puis il tourna le volant vers la gauche et donna des gaz. L'embarcation fendit l'eau et lança sa proue vers le port. Le zodiac avait une belle avance et son bateau de plaisance n'avait pas beaucoup de puissance. Le mieux qu'il puisse faire, c'était ne pas les perdre de vue et comprendre où ils se dirigeaient. Ce qu'il ferait une fois qu'il aurait cette information n'était pas encore clair. Mais il était fatigué d'être toujours celui qui avait un temps de retard. Laura, Malone, les *Secreti*, Spagna. Tous avaient eu une longueur d'avance sur lui, depuis le début.

Il passa devant le fort Saint-Ange et le môle au bout de la péninsule de La Valette. Le zodiac avait environ quatre cents mètres d'avance, tache noire fonçant sur l'eau noire.

Au-delà, au large, Luke repéra des lumières.

Un autre bateau à l'ancre.

Qui devait être leur destination.

51

Le chevalier regarda avec satisfaction ses cibles quitter la cocathédrale et se diriger vers une voiture garée dans un petit parking de l'autre côté de la rue, vers l'arrière de l'édifice. Ses hommes avaient déjà réglé leur compte à Spagna et ses larbins et, à l'heure qu'il était, ils avaient probablement fait de même avec Laura Price. Il avait considérablement sous-estimé Son Maître. Il n'avait pas perçu l'intensité des passions et désirs de Spagna. Mais ce problème était résolu.

Néanmoins, il restait les Américains.

La solution la plus simple serait de tuer les deux agents ici même, mais cela ne ferait qu'induire des enquêtes supplémentaires. Les chevaliers de Malte et l'Église catholique romaine étaient deux entités énormes, impersonnelles, monolithiques, l'une impossible à arrêter, l'autre impossible à déloger. Mais les États-Unis posaient un problème différent. Le chevalier ne s'attendait pas à leur implication et il ne savait pas très bien comment les détourner de la piste. Harold Earl « Cotton » Malone paraissait bourré de talents et le jeune, Luke Daniels, faisait preuve à l'évidence d'une résistance remarquable. Mais il semblait peu judicieux de tuer l'un d'eux ou les deux, surtout à ce moment critique. Le but à atteindre était toujours un univers ordonné. Le tout dans une disposition suivant des règles immuables, visant un objectif unique. Le chemin vers ce but était parfaitement clair dans son esprit.

Cela faisait longtemps qu'il réfléchissait à ces événements désormais imminents qu'il visualisait, planifiait, espérait.

Maintenant, il en voyait la fin.

Pas tout à fait comme il l'avait envisagée il y a quelques jours.

Mais la fin quand même.

Kastor était assis à l'arrière de la voiture. Malone conduisait avec Pollux à côté de lui. C'était le véhicule qu'ils avaient utilisé pour aller de l'aéroport à la cathédrale. Mais il manquait deux personnes, puisque Luke Daniels et Laura Price avaient disparu.

Bon débarras.

Moins ils étaient nombreux dans cette aventure, mieux c'était.

Ils sortirent de La Valette en suivant la route de la côte nord. Ils passeraient bientôt devant la tour de Madliena, où tout avait commencé hier. De la main droite, Kastor tapota la clé USB bien au chaud dans la poche de son pantalon. Il réfléchissait à la meilleure manière de l'utiliser. Il ne retournerait probablement pas à Rome avant l'heure fatidique, soit 10 heures. Il n'aurait pas le temps de faire beaucoup plus que de prendre une douche et d'enfiler sa soutane écarlate avant que les cardinaux se rassemblent à Saint-Pierre pour la messe. Il n'aurait aucune intimité et aucune occasion réelle de parler à qui que ce soit. Ensuite ils se retrouveraient tous dans la chapelle Pauline puis formeraient une procession retransmise à la télévision à la chapelle Sixtine en chantant tous ensemble la Litanie des saints. Conformément à la tradition respectée lors de tous les conclaves modernes.

Ensuite s'ouvrirait le bal des hypocrites.

Ils commenceraient, après la fermeture définitive des portes de la chapelle Sixtine, par prêter le serment d'observer la Constitution apostolique, de garder le secret, de ne pas permettre que quoi que ce soit influence leur vote à l'exception de l'Esprit saint, et en cas d'élection, de défendre le Saint-Siège. Certains aspects allaient représenter un drôle d'effort pour quelques-uns, mais ils ne le savaient pas encore.

Puis le doyen du collège des cardinaux demanderait s'il demeurait des questions relatives aux procédures. Et après avoir clarifié tous les doutes, le premier vote pourrait commencer. D'ordinaire, certaines des règles mineures qui entraient rarement en jeu seraient insignifiantes. Mais pas dans ce cas précis. Un cardinal malade avait le droit de quitter le conclave et il pouvait y être admis à nouveau plus tard. Un cardinal qui partait pour toute autre raison que la maladie n'avait pas la permission d'y retourner. Aucun accompagnateur n'était toléré sauf une infirmière si un électeur avait un souci de santé. Des prêtres étaient disponibles pour recevoir des confessions. Deux médecins étaient également présents, ainsi qu'un personnel strictement limité pour prendre en charge le ménage et les repas. Il fallait bien faire face à tous les problèmes qui pourraient se présenter une fois que la pression commencerait à monter.

Il n'y avait que trois cardinaux qui avaient le droit de communiquer avec le monde extérieur, et encore, uniquement dans les circonstances les plus graves. Le major de la Garde suisse. Le cardinal-vicaire du diocèse de Rome. Et le vicaire général pour l'État de la Cité du Vatican. Aucun des trois n'était sur sa liste.

Dieu merci.

Mais il devait s'assurer que pas un des cardinaux corrompus n'essayait de chercher de l'aide ou de feindre le malaise. Tout devait rester à l'intérieur du conclave.

Le premier tour de vote venait toujours rapidement.

Et il n'avait aucun intérêt.

Il était rare qu'un pape soit élu dès ce moment-là. La plupart des cardinaux votaient soit pour eux-mêmes soit pour un ami proche. Quelques-uns serreraient les rangs et voteraient pour leur candidat préféré, pour envoyer d'emblée un message sur leurs intentions. Généralement, les voix se distribuaient sur un spectre large et il faudrait attendre le deuxième tour pour que des tendances commencent à émerger.

D'après les règles, si un tour se déroulait l'après-midi du premier jour et que personne n'était élu, un maximum de quatre votes pouvait être effectué chaque jour. Deux le matin, deux l'après-midi. Si on ne parvenait à aucun résultat en trois jours – soit douze votes – le processus était interrompu pour une journée de prière. Après sept autres tours de scrutin, le processus était à nouveau suspendu. Si sept tours plus tard, il n'y avait toujours pas de résultat, une troisième suspension d'un jour serait décrétée. Après sept tours supplémentaires sans résultat, une journée de prière, de réflexion et de dialogue était décrétée. À partir de là, les deux noms qui rassemblaient le plus grand nombre de voix lors du dernier scrutin étaient éligibles pour un second tour.

À l'époque moderne, le processus n'avait jamais atteint ce point. Mais rien dans ce conclave ne serait normal.

Quand viendrait le moment critique ?

Après le premier tour, lorsque le conclave serait levé en fin de journée et que les électeurs retourneraient dans leurs chambres, il y aurait quelques heures entre le dîner et le coucher, pendant lesquelles Kastor pourrait avoir une conversation privée avec les cardinaux clés. À ce stade, il y aurait beaucoup de bavardages. C'était toute l'idée du conclave. Mettre les cardinaux à l'isolement, pour qu'ils puissent se décider entre eux. Il allait juste apporter quelques incitations supplémentaires. Il dirait à chacun des cardinaux véreux ce qu'il savait, ce qu'il pouvait prouver et ce qui se passerait s'il n'entendait pas son nom annoncé comme celui qui avait atteint la majorité des deux tiers.

Il se fichait pas mal de la manière dont ça se faisait.

Il ne voulait qu'une chose, que ça arrive.

Et vite.

52

Luke maintint le cap, la proue dirigée vers le large. Le zodiac à près de huit cents mètres devant continuait à foncer sur l'eau sans bruit, le moteur à peine audible. Il paraissait viser un monocoque brillant de couleur claire au joli profil. La cabine principale s'élevait sur le plat-bord d'une longueur d'environ quinze mètres. Des lumières éclairaient la coque, la cabine et le pont arrière, où on pouvait voir une ombre se déplacer.

Le bateau gonflable se rapprocha de la poupe et coupa son moteur. Deux hommes sautèrent du zodiac et l'attachèrent bien serré au barreau d'une échelle. Luke jeta un coup d'œil par-dessus son épaule et constata qu'il se trouvait à cinq cents mètres de la côte, au nord du fort Saint-Ange, magnifique ainsi baigné de lumière dorée dans l'obscurité naissante. Il avait une décision difficile à prendre ; s'il se trompait, les conséquences seraient énormes. Aujourd'hui, les hommes sur ce bateau avaient tué quatre personnes, qu'il connaissait. Ils avaient même essayé de faire de lui leur cinquième victime. Laura avait voulu qu'ils soient arrêtés et bien que ses méthodes aient été discutables, elle n'avait pas mérité de mourir. Espérer s'en tirer en les attaquant avec son arme était une ineptie. Luke n'était pas dans un film de James Bond. Ils étaient bien plus nombreux et ils le voyaient certainement arriver, maintenant qu'il n'était plus qu'à quatre cents mètres et qu'il se rapprochait.

Trois silhouettes se découpaient désormais sur le pont arrière.

Il aperçut des éclairs et comprit qu'ils tiraient dans sa direction.

Des salves provenant d'armes automatiques frappaient la surface de l'eau autour de lui comme de gigantesques gouttes de pluie. Il s'accroupit le plus possible pour ne pas s'exposer, restant juste assez haut pour pouvoir voir où il allait. Plus il se rapprochait plus il devenait une proie facile. S'il était malin, il obligerait ces gars à quitter leur planque et il chercherait à découvrir qui ils étaient une fois qu'ils seraient dans l'eau, morts ou vifs.

Sa meilleure arme se trouvait sous ses pieds.

Le bateau.

Sa cible était à l'amarrage.

Il orienta sa proue en plein sur le milieu de la coque et mit les gaz à fond. Il fendait la surface lisse de l'eau, avec l'autre en ligne de mire. Il allait devoir calibrer parfaitement son geste – il ne pouvait pas risquer que le gouvernail dévie.

De nouvelles balles lui arrivèrent dessus.

Et s'encastrèrent dans la coque de son bateau en fibre de verre.

Moins de cent mètres.

Il fallait qu'il s'approche plus près.

Ratatatata. Encore des rafales d'armes automatiques.

Un dernier regard pour être sûr.

Trajectoire parfaite.

Souvent les gens disaient qu'il lui manquait une case, mais c'était quoi, la phrase que son père aimait à répéter ? *Faut que tes cordes soient bien accordées pour que les gens aient envie de jouer avec toi.*

Ouais, c'était sûr.

Il bondit du bateau, entrant dans l'eau avec son épaule droite. Son élan le fit ricocher sur la surface, puis il coula. Il ne remonta pas immédiatement, mais regarda la nuit se transformer en explosion aveuglante.

Cotton sortit de la voiture et contempla Sainte-Magyar. L'église trapue paraissait avoir été découpée dans la colline, nichée sous un affleurement rocheux, cachée à la fois par la nature et la nuit. Il n'avait pas besoin de voir pour savoir que les murs en pierre ancienne étaient probablement déformés et décolorés par des siècles d'une chaleur accablante.

Il était toujours inquiet de ne pas avoir de nouvelles de Luke ; il avait disparu depuis qu'il avait quitté la cathédrale. Il comprenait l'urgence pressante exprimée par Stéphanie de s'occuper de Laura Price, mais il avait ses problèmes. Luke retournerait certainement dans la cathédrale et le conservateur avait reçu l'ordre de lui indiquer l'endroit où ils se trouvaient. Malone avait réquisitionné la voiture qu'ils avaient utilisée pour venir de l'aéroport. Le conservateur avait promis qu'il confierait son véhicule personnel à Luke quand il réapparaîtrait.

Une autre paire de phares troua la nuit, et un petit 4 x 4 approcha et se gara à côté de l'église. Un homme jeune en sortit ; Pollux l'identifia comme l'un de ses collègues du fort Saint-Ange. Le nouvel arrivant ouvrit le coffre de son véhicule qui contenait deux pelles, une pioche, une masse et de la corde.

« Je ne savais pas de quoi nous aurions besoin, dit Pollux. Alors je lui ai demandé d'apporter tout ce qu'ils avaient. »

Cotton attrapa les pelles, Pollux, la masse et la pioche. Le cardinal s'empara du rouleau de corde.

« Attendez-nous dehors, dit Pollux. Je vous appellerai si besoin. »

Le jeune homme acquiesça et lui tendit la clé de la porte d'entrée.

Le relief autour d'eux était composé de collines qui descendaient dans une vallée qui s'étendait vers le sud. Des lumières éparses signalaient une présence humaine. L'église était bâtie sur le sommet d'une hauteur, au bout d'une allée de graviers qui servait de chemin carrossable. Il y avait deux fenêtres à barreaux et un petit clocher. La porte principale était de forme ovale, sous une arche étonnamment basse. Au-dessus, une croix de Malte à huit pointes inscrite dans un cercle était gravée dans la pierre. Le cadran lumineux de la montre de Cotton annonçait 4 h 40.

Une nouvelle nuit blanche.

Heureusement, il avait réussi à fermer l'œil pendant une heure sur le trajet depuis Rome.

À l'aide de la clé, Pollux ouvrit la porte en chêne. Malone entendit un cliquetis et l'intérieur s'éclaira. Il y avait peu de lampes et elles n'étaient pas très puissantes, ce qui permit à ses yeux d'accommoder facilement. L'intérieur était rectangulaire avec une abside circulaire à un bout. Simple et nu, avec des bancs en pierre le long des murs extérieurs, et un sol fait d'un mélange de dalles et de terre battue. Seuls demeuraient de vagues vestiges des fresques. Des niches vides qui n'hébergeaient pas de statues. Tout était d'un gris sable insipide.

« La principale raison pour laquelle il y a tant d'églises à Malte est l'isolement, expliqua Pollux. Les routes étaient rares et dans un état épouvantable, alors tous les villages, toutes les villes voulaient leur propre lieu de culte. Chose incroyable, la grande majorité de ces édifices ont survécu. Mais celui-ci a été bâti pour une poignée d'élus. Les gens du coin n'avaient pas le droit de s'en approcher, sous peine de se retrouver en prison. »

Cotton remarqua le simple autel en pierre au bout de l'abside, qui portait une autre croix de Malte gravée sur sa façade. L'absence de bancs était curieuse. « Les gens priaient-ils debout ?

– On ne priait pas ici », dit le cardinal Gallo.

Cotton l'avait deviné. Cet endroit devait cacher autre chose.

Pollux contourna l'autel et rejoignit l'abside. Trois dalles formaient les parois incurvées, séparées par des moulures, avec trois bancs en pierre le long du demi-cercle. Cotton regarda Pollux poser la pioche par terre et s'accroupir, puis tendre le bras sous un des bancs pour appuyer sur quelque chose.

Le panneau central bougea de quelques centimètres.

« Il y a des siècles, il y avait une manivelle, dit Pollux. Mais aujourd'hui, nous sommes un peu plus modernes.

– Napoléon n'a jamais trouvé le passage ? » demanda Malone.

Pollux secoua la tête. « Les Français étaient pressés et pas si malins que ça. Ils sont venus, n'ont rien vu et sont partis. Nous avons installé le système de verrouillage électrique il y a environ cinq ans. La pierre est en équilibre sur son centre de gravité, sur un pilier lubrifié. On peut l'ouvrir d'une main. »

Le cardinal s'avança d'un pas et exécuta la manœuvre. Deux rectangles noircis apparurent, larges d'une cinquantaine de centimètres.

Ils traversèrent et Pollux actionna un autre interrupteur.

Un tunnel s'ouvrit devant eux.

Long. Large. Spacieux.

« Où cela mène-t-il ? demanda Malone.

– À un endroit merveilleux », chuchota Pollux.

Pendant le trajet en voiture, Kastor avait admiré la vallée de Pwales, une région pittoresque humide et hors du temps qui dominait le coin nord de Malte. Les collines étaient couvertes de lichens et de champignons à l'odeur nauséabonde, d'oseille sauvage, de chrysanthèmes couronnés, de bourrache et d'euphorbe. Inhabituel pour Malte, qui n'offrait pas vraiment un terrain favorable aux plantes. Certaines des vues les plus sensationnelles de l'île se trouvaient ici, même si l'obscurité ne permettait pas de les admirer maintenant.

Les gens vivaient sur cette terre depuis plus de cinq mille ans, et pour le prouver, il y avait des peintures rupestres dans les corniches avoisinantes. Ses nombreuses baies l'avaient depuis toujours exposée aux attaques de l'extérieur. Les chevaliers avaient fortifié toute la zone pour se protéger des corsaires musulmans avec des tours côtières et des batteries. Les Britanniques occupaient une garnison dans un fort des alentours pendant et après la Seconde Guerre mondiale. Quand il était enfant, il l'avait visité plusieurs fois. Les nonnes leur achetaient des bonbons et des sodas. Ils avaient aussi pris des leçons de natation dans le port voisin.

Ces nonnes...

Elles avaient au moins essayé de rendre la situation supportable, pour tous ces orphelins. Ils étaient très peu nombreux à partir avant d'avoir atteint l'âge adulte. Kastor s'était toujours demandé combien d'entre eux revenaient faire une visite. Lui ne l'avait jamais fait.

Il savait tout sur l'église Sainte-Magyar, qui était en fait formée de deux chapelles réunies en une. La partie extérieure avait servi de chapelle ouverte et de lieu de rassemblement pour les *Secreti.* Mais c'était la salle intérieure qui avait joué un rôle particulier.

L'église de Saint-Jean.

Mais pas Jean-Baptiste.

Jean Népomucène, le saint patron de Bohême, qui avait été noyé en 1393 dans la Vltava, sur ordre du roi Venceslas pour avoir refusé de divulguer les secrets du confessionnal. Il était souvent représenté dans la statuaire avec le doigt sur les lèvres, signifiant le silence, le secret bien gardé. Les Jésuites diffusèrent l'histoire de son martyre qui finit par l'élever à la sainteté. Une secte fondée sur le culte de Jean Népomucène prospéra à Malte au XVIe siècle ; il était facile de comprendre pourquoi les *Secreti* avaient donné son nom à leur chapelle.

Kastor n'avait jamais visité Sainte-Magyar, et c'était le cas de quatre-vingts-dix-neuf pour cent des chevaliers, il en était certain. Suivant l'exemple de son saint patron, les secrets que cet endroit recélait étaient restés des secrets. Pour quelle raison Pollux avait choisi de le révéler à un étranger demeurait un mystère.

Ils prirent les outils et s'enfoncèrent dans le boyau.

« Ceci est une extension faite par l'homme de la grotte naturelle d'origine, dit Pollux. Le sanctuaire extérieur a été construit pour cacher la vraie chapelle des *Secreti.* »

Le tunnel était éclairé par une série de luminaires incandescents fixés au plafond, connectés par un câble électrique nu. Le sol était de la terre battue tassée, sèche comme dans un désert. L'air devenait sensiblement plus frais à mesure qu'ils avançaient. Au bout, ils furent arrêtés par une paire de lourdes portes arrondies en chêne fixées sur de solides charnières en fer. Pas de serrure, seulement deux anneaux avec lesquels Pollux poussa les deux vantaux. Les charnières ne produisirent pas le moindre son. À l'évidence, tout était parfaitement entretenu.

Au-delà se trouvait une salle immense qui partait dans trois directions, avec une voûte centrale et deux voûtes latérales. Des arches et des piliers soutenaient le plafond. Des statues occupaient le moindre recoin. Il ne s'agissait pas d'ajouts ; comme dans la cocathédrale, chacune avait été sculptée dans la pierre environnante. Il vit des madones, des saints, le Christ, des animaux. La plupart des statues étaient sur pied, d'autres isolées dans des niches, tandis que d'autres encore, sculptées en bas-relief, semblaient émerger des parois. Des éclairages soigneusement disposés sur le sol et sur le plafond illuminaient l'ensemble de lueurs nuancées de brun et de gris, toutes se combinant pour produire une atmosphère sinistre, obsédante.

« Très bien, dit Kastor à Malone. Et maintenant ? »

53

Cotton n'avait jamais rien vu de comparable à cette chapelle souterraine macabre qui, grâce à toutes les représentations à taille réelle, lui donnait l'impression de se retrouver au milieu d'une foule. Heureusement, il ne ressentit aucune claustrophobie, car la pièce, bien que encombrée, paraissait aérée et spacieuse.

« Est-ce qu'il y a une climatisation ? demanda-t-il, remarquant l'absence d'humidité et la brise qui soufflait.

– Nous avons des déshumidificateurs, dit Pollux. Nous les avons installés en même temps que le nouveau mécanisme de la porte. La climatisation est naturelle. Nous avons appris qu'il faut prendre beaucoup de précautions dans un endroit comme celui-ci. Le simple fait de toucher la pierre du bout des doigts laisse un dépôt gras qui abîme le calcaire. Les lumières artificielles favorisent la prolifération bactérienne. Les corps chauds en grand nombre dégagent du dioxyde de carbone qui modifie la circulation d'air, la température et l'humidité. Il est important que cet endroit soit conservé, alors nous avons fait ce qu'il fallait pour nous assurer que ce soit le cas.

– Est-ce ici que les *Secreti* pratiquaient ? » demanda Cotton.

Pollux hocha la tête. « C'est aussi ici que les nouveaux membres étaient intronisés. Les *Secreti* étaient très exigeants quant aux personnes qu'ils invitaient à rejoindre leurs rangs. Ils n'ont pas gardé de traces écrites, alors il est impossible de savoir qui en faisait partie. À moins de porter la bague.

—J'imagine qu'en ce temps-là il n'y avait pas de bijouteries qui vendaient des copies», fit Malone avec une pointe d'ironie.

Pollux parut perplexe.

Cotton leur raconta ce que le faux Pollux Gallo avait expliqué.

«Il y a une part de vérité dans cette affirmation, dit Pollux. J'ai vu quelques copies de cette bague ces dernières années...

—Mais puisque les *Secreti* ont disparu, quelle importance cela pouvait-il avoir ? ne put s'empêcher de rétorquer Malone.

—On se le demande», fit Pollux.

Depuis un moment Cotton réfléchissait à une réponse à la question du cardinal : *Et maintenant ?* Rien dans la chapelle principale n'avait attiré son attention, ce qui était certainement voulu dans cet édifice délibérément sobre. En revanche, ici, il y avait une multitude de cachettes potentielles représentées par les innombrables personnages gravés dans la pierre. Il se tourna vers Pollux. «Jusqu'où êtes-vous prêts à aller pour trouver ce que vous cherchez ?

—Si vous sous-entendez que nous pourrions être amenés à détériorer ces sculptures, ça dépend, dit Pollux. Nous verrons, le moment venu, quelle certitude vous avez concernant le résultat.»

Malone fit le tri des différentes possibilités. Jusque-là, les actes du prieur mort avaient été complètement dictés par des exigences concrètes. Mais rien parmi les indices ne convergeait vers quoi que ce soit dans ce sanctuaire. Seulement vers la chapelle dans son ensemble. Pollux et le conservateur avaient été clairs, là-bas, à la cathédrale : il n'y avait pas d'autres chapelles ou de sites sacrés près de l'intersection des lignes sur la carte.

Ils étaient forcément au bon endroit.

« On ne peut pas savoir quels événements du lointain passé se sont produits ici, dit le cardinal.

– Les *Secreti* ne représentaient un danger que pour ceux qui menaçaient les chevaliers.

– Et aujourd'hui ? Qu'est-ce qui menace les chevaliers ? Pourquoi les *Secreti* tuent des gens ? »

Pollux regarda son frère dans les yeux. « Personne ne dit ça.

– Vous l'avez dit, intervint Cotton. En nous pressant de venir ici parce que les *Secreti* étaient sur nos talons. Trois hommes sont morts à la villa. Deux autres ici à Malte. Vous avez affirmé que les suspects les plus probables dans les cinq assassinats étaient les *Secreti*.

– Cela paraît logique, dit Pollux. Mais je m'occuperai de cet aspect après que nous aurons découvert *Nostra Trinità*. »

Cotton explorait la pièce du regard depuis un moment et il s'arrêta sur le seul endroit plausible. Tout au bout, au sommet de trois petites marches, un autel avait été taillé dans la paroi. Il était tourné en biais par rapport aux fidèles, comme cela était couramment le cas il y avait cinq cents ans. Au-dessus, une Vierge à l'enfant sculptée dans la roche. Deux anges ailés de part et d'autre. Mais c'était le socle de l'autel qui attirait son attention. Cinq mots qui pouvaient être lus de la même manière dans tous les sens. Le palindrome de la bague.

Le signe de Constantin.

SATOR
AREPO
TENET
OPERA
ROTAS

Malone pointa un doigt. « C'est forcément là. »

Ils s'approchèrent de l'autel.

« Le signe de Constantin était gravé ici quand l'église a été bâtie, dit Pollux. Il a toujours été là. »

Cotton posa les pelles sur le sol et s'accroupit pour examiner l'autel. Les lettres saillantes se trouvaient sur un panneau encastré au centre de l'autel, exactement à l'endroit où se serait tenu un prêtre disant la messe. Quatre colonnes élancées gravées dans le calcaire flanquaient les côtés. Du bout du doigt, Malone suivit un joint dans le panneau – du mortier sec, cassant et gris, comme tout le reste.

« Je dirais que nous devons défoncer ce panneau. »

Il donna à Pollux un moment pour réfléchir aux conséquences. Ce n'était pas une pendule cassée. C'était une partie de quelque chose qui était là depuis un demi-millénaire. Quelque chose pour lequel des hommes avaient sacrifié leur vie. Des milliers de chevaliers et de Maltais étaient morts en se battant pour que tout ceci demeure inviolé.

Et ils avaient réussi.

Jusqu'à ce qu'un étranger vienne le détruire aujourd'hui, avec la permission d'un des leurs.

Pollux lui tendit la masse, donnant implicitement son accord. Cotton saisit le manche en bois et décida qu'il n'y avait pas de manière délicate d'opérer ; il flanqua un grand coup au centre du panneau, juste au-dessus du mot TENET, un coup violent. La pierre tint bon, mais elle bougea d'une manière perceptible, comme à la base de l'obélisque.

« C'est creux derrière », dit-il.

Il se prépara à frapper une nouvelle fois.

Il en fallut deux de plus pour que la pierre se brise en mille morceaux et qu'apparaisse une cavité.

Les deux frères le regardèrent enlever les fragments du palindrome. Il en ôta assez pour apercevoir un objet à l'intérieur. Un cylindre en verre posé à l'horizontale sur des pattes d'animaux en or sculptées. Environ soixante centimètres de long et vingt de haut. Les deux extrémités étaient fermées par des couvercles en or scellés avec de la cire. À travers l'épaisseur du verre, il distingua les images un peu troubles de trois parchemins, en rouleaux lâches.

Pollux se signa et chuchota : « Notre Trinité. »

Cotton plongea sa main dans la cachette et en sortit la relique.

Lourde.

Les trois parchemins paraissaient intacts, et relativement en bon état. Il posa le cylindre sur l'autel où ils purent l'examiner en détail.

« C'est le moment pour moi d'insister pour que nous nous quittions, dit Pollux. Nous avons trouvé *Nostra Trinità.* Elle appartient aux chevaliers de l'Ordre de Malte...

– Ou à l'Église catholique romaine, dit le cardinal.

– Précisément, reprit Pollux. Il s'agit d'un différend que nous devons résoudre entre nous. Le gouvernement américain n'a pas à y être mêlé d'une quelconque façon. Monsieur Malone, nous vous présentons nos excuses pour tout ce que vous avez enduré et nous apprécions tout ce que vous avez fait. Mais le mystère est éclairci et c'est *nous* qui devons gérer la suite. » Pollux marqua une pause. « Kastor et moi. Nous avons beaucoup de choses à voir ensemble. »

Sur ce point Cotton n'avait aucun doute.

« Beaucoup de dégâts ont été causés ces dernières vingt-quatre heures, dit Pollux. Des gens ont été blessés et tués. Mon frère et moi devons gérer cela. Le représentant du Saint-Siège et le lieutenant par intérim. C'est notre problème. Pas le vôtre. »

Malone était habitué à être malmené dans le domaine du renseignement, et même à se faire sérieusement amocher. Dieu était témoin, il en avait reçu, des coups. Mais se faire envoyer promener ?

C'était un peu vexant.

Pourtant, il avait fait tout ce que Stéphanie lui avait demandé. Et bien qu'il eût adoré savoir ce qui se trouvait à l'intérieur du cylindre, Pollux Gallo avait raison, ce n'était pas son affaire ni celle de Washington.

« Très bien, dit-il. Je m'en vais. Mais vous pensez qu'il est sûr pour vous de vous attarder dans cet endroit ?

– Nous sommes très bien ici », dit Pollux avant de le saluer.

Malone serra la main du chevalier.

« Merci, monsieur Malone, pour toute votre aide. Je ne vous ai jamais posé la question, mais êtes-vous catholique ?

– J'ai été baptisé, oui, mais la religion, c'est pas mon truc.

– Quel dommage ! Vous auriez fait un bon chevalier. »

Le cardinal Gallo ne tendit pas la main et l'expression renfrognée de son visage ne changea pas. Il secoua la tête et regarda Pollux.

« Bonne chance », dit Malone, puis il partit.

54

Le chevalier regarda Cotton Malone quitter l'église Sainte-Magyar. Enfin, le dernier problème était résolu. Les Américains étaient sortis du tableau. Tout était pour le mieux ! Comme c'était pertinent, que tout se termine ici, dans ce lieu sacré, où les élus se réunissaient autrefois. Une assemblée peu nombreuse, aux liens indéfectibles, dont les membres partageaient la même raison d'être, et leur destin fut scellé par un décret français secret datant du 12 avril 1798. Quelle ironie ! se disait-il souvent. Après des siècles de lutte, ce n'étaient ni les Turcs, ni les corsaires, ni des ennemis musulmans, mais les Français qui les avaient vaincus. Ni par la violence ni par une invasion. Juste par un trait d'encre. Un édit adressé à Napoléon, en tant que général en chef de l'armée de l'Est, disant qu'il devait *prendre possession de l'île de Malte en s'y employant avec toutes les forces militaires et navales sous son commandement.*

Et la victoire avait été facile.

Presque sans combat.

Napoléon donna ses ordres et s'empara de l'île au nom de la France. Et bien qu'il ne fût que général à l'époque, il avait de bien plus grandes ambitions. Dix-huit mois après avoir pris Malte, il serait proclamé Premier consul de France, et commanderait à la nation tout entière. S'ensuivirent douze années de guerre presque ininterrompue. Napoléon voulait un empire. Comme Alexandre, Gengis Khan, Charlemagne et Constantin avant lui.

Il voulait également avoir le contrôle sur cet empire et il savait qu'il existait un outil pouvant être utilisé avec une efficacité absolue.

La religion.

Le meilleur moyen de garder son emprise sur les masses n'était-il pas la peur qu'elles ressentaient pour l'immortalité de leur âme ? La procédure s'entretenait elle-même, se régulait toute seule et n'exigeait guère plus que de la cohérence pour se perpétuer. Parfois, il fallait quelques démonstrations de force – les croisades et l'Inquisition étaient deux exemples notoires – mais dans l'ensemble, la religion se nourrissait elle-même. En fait, quand elle était servie correctement, les gens ne pouvaient plus s'en passer et, comme pour une drogue, en avaient un besoin grandissant.

Napoléon vint à Malte pour trouver *Nostra Trinità*, pensant qu'elle pourrait lui conférer le moyen de contrôler ou d'éliminer l'Église catholique romaine. À l'époque, c'était la religion la plus répandue, la plus organisée et la plus enracinée du monde. Il avait appris que les chevaliers de Malte avaient toujours bénéficié d'une grande déférence et de nombreux privilèges. Qu'ils avaient toujours adroitement échappé aux persécutions et à l'élimination, et survécu pendant des siècles.

Ils avaient forcément de l'aide.

Mais finalement, Napoléon avait été vaincu et exilé à Sainte-Hélène. Mussolini avait tenté d'utiliser la même tactique de harcèlement et avait connu une mort violente. Aujourd'hui, enfin, après deux cents ans, la Trinité avait été découverte.

Pollux contempla l'objet.

Puis se tourna vers son frère et dit : « Nous avons réussi. »

Kastor sourit. « Oui, nous avons réussi. »

Et il serra Pollux dans ses bras pour la première fois depuis longtemps.

Les deux frères savourèrent leur triomphe.

Ils se trouvaient dans la chapelle souterraine, à l'abri d'une épaisse couche de roche, protégée par des siècles d'histoire. Le chevalier qui leur avait apporté les outils montait la garde à l'extérieur ; il venait de les informer que Malone était parti au volant de la voiture et qu'ils étaient désormais seuls.

« Tu vas devenir pape, dit Pollux en souriant. Nous avons maintenant tout ce qu'il faut pour que ça arrive. »

Kastor contempla l'objet, toujours posé sur l'autel. Ils ne l'avaient pas encore ouvert.

« Et les *Secreti* ? demanda-t-il à Pollux.

– Je n'en ai pas parlé devant Malone, mais nous les avons sous contrôle. Je t'avais dit que je pouvais m'occuper d'eux. On m'a rapporté que leurs chefs ont été identifiés et qu'ils sont sous bonne garde, en Italie. Nous étions presque certains de savoir qui étaient les traîtres dans nos rangs. Ils sont retenus au palais à Rome, sur le territoire souverain des chevaliers, sur lequel nous avons la juridiction. Je m'en occuperai, ils ne doivent plus être un souci pour toi. »

Kastor était heureux de l'apprendre.

Pollux veillait toujours sur tout. Kastor avait été si content d'entendre la voix de son frère au téléphone lorsqu'il était dans la voiture avec Chatterjee, quand il lui répétait que tout se passait bien en Italie. Il avait réussi à se montrer courageux dans la grotte quand Chatterjee avait été tué, sachant que Pollux assurait ses arrières.

Il fouilla dans sa poche et sortit la clé USB. « C'est une mine. J'ai regardé rapidement. Il y a plus qu'il n'en faut pour exercer une pression sur les cardinaux majeurs. Je peux leur faire faire tout ce que je veux. Spagna a bien travaillé. C'était presque comme s'il connaissait le plan que nous avions mis au point.

— Spagna était un opportuniste. Je l'ai compris dès notre première rencontre. Mais il ne m'a pas parlé d'une enquête secrète. Je soupçonne qu'il avait l'intention de m'exclure, et de conclure un accord avec toi seulement, pensant que nous étions ennemis. »

Kastor gesticula, la clé USB à la main. « Elle est protégée. Ce salopard a utilisé Kastor I comme mot de passe.

— Personne n'a jamais dit que Spagna était idiot. Il avait de bonnes intuitions. »

Mais pas assez bonnes. Ils avaient très bien réussi à faire croire qu'ils étaient rivaux. Toute l'attaque interne contre les chevaliers et la pression sur le Grand Maître pour qu'il quitte son poste avaient fait partie du stratagème.

« Est-ce que ce sont les *Secreti* qui ont tué Chatterjee et Spagna ? » demanda Kastor.

Pollux hocha la tête. « Sans le moindre doute. Mais il n'y a rien qui indique qu'ils étaient informés de l'existence de cette clé USB. Ceux que nous avons en cellule ont été interrogés, mais jusqu'à maintenant, ils n'ont rien reconnu. »

Logique. Ils n'avaient pas tenté de récupérer la clé dans la grotte. Ils avaient juste abattu Chatterjee avant de s'enfuir.

« Pourquoi ne m'ont-ils pas tué ?

— Tu es leur patron. Un cardinal de l'Église. Ils n'ont pas trahi leur serment de ne pas toucher à un chrétien. Il n'en était pas de même pour Chatterjee. Je ne sais pas trop quel est leur plan à partir de maintenant, mais je le découvrirai pendant le conclave. » Pollux s'approcha du cylindre. « Il est temps.

— Ouvre-le. »

Pollux trouva un couteau dans sa poche et s'attaqua à la cire à une extrémité du tube en verre ; il fit sauter le bouchon et la première bouffée d'air frais s'engouffra entre les parchemins. Il plongea les doigts à l'intérieur et lentement sortit les trois rouleaux, avant de les poser délicatement sur l'autel.

Kastor prit le premier et le déroula avec précaution. Le parchemin était couvert de craquelures, mais les fibres étaient solides. Le *Pie Postulatio Voluntatis.* La Pétition volontaire faite avec dévotion. La bulle pontificale fulminée en 1113 qui reconnaissait l'indépendance et la souveraineté des Hospitaliers. Kastor avait vu le second original dans les archives du Vatican.

Pollux déroula un deuxième document.

L'*Ad Providam.* Datant de 1312. Par lequel le pape Clément V avait donné tous les biens des Templiers aux Hospitaliers. Il avait vu l'autre original aussi.

Ils contemplèrent tous deux le dernier rouleau, qui était un peu plus long et un peu plus épais que les autres.

« C'est forcément ça, dit Kastor.

– Il y a deux feuilles roulées ensemble », dit Pollux, avant de les prendre et de les ouvrir.

La première, d'environ quarante-cinq centimètres de long et un peu moins de large, était couverte d'encre noire passée, en lignes serrées entre des marges étroites.

« C'est du latin », dit Pollux.

Kastor avait déjà remarqué. Le latin était la première langue de Constantin, au point qu'il avait dû faire appel à des interprètes grecs pour communiquer dans de nombreuses régions de son empire. Le fait que ce document soit rédigé en latin était un bon signe en faveur de son authenticité, comme le parchemin et l'encre, qui seraient certainement datés du IVe siècle si des scientifiques l'examinaient. Mais c'étaient les signatures au bas de la deuxième feuille qui constitueraient la preuve indiscutable. Il compta les noms, les signatures qui se succédaient.

Soixante-treize.

Il en reconnut certaines.

Eustathe d'Antioche. Paphnuce de Thèbes. Potamon d'Héraclée. Paul de Néocésarée. Nicolas de Myre. Macaire de Jérusalem. Aristide d'Arménie. Léonce de Césarée. Jacques de Nisibe. Hypatios de Gangres. Protogène de

Sardique. Mélétios de Sébastopol. Achille de Larissa. Spyridon de Trimythonte. Jean, évêque de Perse et d'Inde. Marc de Calabre. Cécilien de Carthage. Ossius de Cordoue. Nicaise de Die. Dominus de la province du Danube.

Ensuite il y avait Eusèbe de Césarée, celui qu'on présentait comme le premier historien de l'Église et qui avait fourni le seul compte rendu écrit de ce qui s'était passé à Nicée.

Le signe au bas était formellement identifiable.

Cinq lignes. Cinq mots.

Les lettres de l'alphabet latin.

Un palindrome.

SATOR
AREPO
TENET
OPERA
ROTAS

Le signe de Constantin.

« L'empereur et tous les évêques l'ont signé, dit Kastor. Il est comme il devrait être.

– Oui, mon cher frère. »

Et en haut de la première feuille, les quatre mots les plus importants.

De Fundamentis Theologicis Constantini.

Les Fondements théologiques de Constantin.

55

Pollux regarda fixement les parchemins.

Tout semblait corroborer leur authenticité. Y compris l'endroit où ils avaient été trouvés. Ici, à l'intérieur de la chapelle sacrée, au bout d'une piste imaginée par les *Secreti*.

« Nous n'avons pas le temps maintenant d'examiner ces documents, dit Pollux. Nous pourrons nous en occuper d'ici cet après-midi. Je vais les photographier et les traduire moi-même pour que tu aies une version en anglais et une en italien avant que tu n'entres dans la chapelle Sixtine. » Il laissa le parchemin retrouver la forme d'un rouleau. « Prends l'original avec toi.

– Ce sera une bonne chose que je l'aie, dit Kastor. Les cardinaux ont un penchant pour les objets historiques. Mais la clé USB me fera emporter le morceau.

– Son contenu est si remarquable ? »

Kastor hocha la tête. « Encore mieux que ça. »

Ils avaient tout planifié avec tellement de soin. Des années de travail ; tout avait commencé quand le pape avait révoqué Kastor de son poste de préfet du Tribunal suprême de la Signature apostolique. Alors que Kastor avait vu cela comme une mise à l'index, un revers, peut-être même la fin, Pollux avait perçu les possibilités et insisté pour que Kastor cherche à obtenir la fonction de patron de l'Ordre souverain militaire de Malte. Kastor, fidèle à sa nature, avait trouvé l'idée complètement folle.

Jusqu'à ce que Pollux explique.

Kastor n'avait jamais été capable de prendre de la hauteur. Le temps était un ami que Pollux avait volontiers adopté, mais sans jamais en devenir l'esclave, car il parvenait toujours à contenir son impatience. Ce n'était pas le cas de Kastor.

L'élimination du Grand Maître avait été nécessaire. Ils n'auraient jamais pu avoir la liberté de mouvement qu'il leur fallait avec cet homme-là à la tête de l'Ordre. Beaucoup trop d'officiers de l'Ordre lui étaient loyaux.

Il valait mieux éliminer tout simplement le problème.

Dans toute autre situation, une balle aurait résolu la question d'une manière expéditive. Mais tuer le chef de treize mille chevaliers, vingt-cinq mille employés et quatre-vingts mille bénévoles, cela aurait bien trop attiré l'attention. La honte avait paru être une arme bien meilleure. Surtout une fois qu'on avait découvert la distribution imprudente de préservatifs, en Birmanie. Ils furent donnés par milliers par un chevalier particulièrement charitable. Comment cela était arrivé, personne ne le savait, puisque l'Église interdisait la contraception sous toutes ses formes. Le programme fut arrêté, mais Kastor, en tant que patron, l'émissaire du pape auprès des Hospitaliers, mena une enquête et décréta la responsabilité du Grand Maître, l'obligeant à démissionner.

Puis, tout à coup, le pape mourut.

On aurait dit une bénédiction.

Dans le chaos qui s'ensuivit, il avait été facile de confier le poste temporaire de lieutenant par intérim à Pollux. Ils étaient nombreux, dans l'Ordre, à vouloir apaiser Kastor, redoutant son influence grandissante. Autre avantage, le défunt pape ne s'en était pas mêlé et avait permis à Kastor de gérer l'affaire, espérant peut-être un nouveau faux pas, mais tout s'était finalement organisé parfaitement. Il avait suffi d'ajouter au stratagème leur rivalité de frères et leur inimitié, qui avaient conforté les chevaliers qui avaient soutenu le Grand Maître disgracié. Après cela, la modestie affichée de Pollux avait trompé tout le monde. Cotton Malone et Stéphanie Nelle avaient été les derniers à gober son interprétation. *Je ne suis là que temporairement. Jusqu'à ce qu'un nouveau pape soit choisi. Cela ne m'intéresse pas du tout d'être Grand Maître.*

Tout était vrai.

Sauf que l'Organisme l'avait percé à jour.

« Spagna ne m'a jamais dit qu'il avait autant d'informations compromettantes, dit Pollux.

– Tu m'as envoyé ici, dit Kastor. Je suis venu, j'ai retrouvé ce Chatterjee à la tour de Madliena exactement comme tu m'avais dit de le faire. Il m'a emmené directement voir Spagna, qui avait hâte de passer un accord. Tu n'étais pas au courant ? »

Pollux secoua la tête. « Spagna était seulement censé conclure un accord avec toi pour trouver la Trinité. C'était ce qui était entendu entre lui et moi. Je lui ai dit que tu savais des choses que personne d'autre ne savait. »

Ce qui était vrai.

Mais quand il avait eu Kastor plus tôt au téléphone et qu'il lui avait parlé de ce qui s'était passé à Côme et à Rome, il avait appris l'existence de la clé USB. Quelque chose que Spagna avait gardé pour lui. Ses hommes étaient déjà en route vers la boutique de l'horloger, alors il leur avait ordonné de faire en sorte que les cibles partent par la mer, où il serait facile d'éliminer Chatterjee. Mais il leur avait explicitement dit de ne pas prendre la clé USB. Il savait que Kastor, voleur depuis son enfance, la lui rapporterait.

Et c'est exactement ainsi que les choses s'étaient passées.

« Il est temps que tu rentres à Rome, dit Pollux.

– Et les Américains ? »

Il haussa les épaules. « Malone paraissait tout à fait satisfait. J'ai géré l'affaire directement avec lui et sa supérieure. Ils nous ont été d'une grande aide, et maintenant ils ont terminé. Rien ne les ramènera vers nous. Il ne reste plus que toi et moi. »

Exactement comme il l'avait voulu. Ici, seuls, et sous terre, dans un environnement contrôlé – une coïncidence de plus. C'était l'endroit parfait pour finir un épisode et en commencer un autre.

Mais d'abord...

« Tu as apporté un petit sac de voyage ? »

Kastor acquiesça. « Il est au presbytère à Mdina. Je le récupérerai en allant à l'aéroport. J'ai un avion privé qui m'attend pour me ramener à Rome. Un service que me rend un ami. »

Bonne nouvelle.

Pollux jeta un coup d'œil à sa montre. 5 h 40.

Moins de cinq heures pour rentrer en Italie.

« Mon assistant a tout préparé, dit Kastor. Des vêtements, des affaires de toilette, des papiers, tout ce qu'il faut pour le conclave. Il m'a envoyé un SMS tout à l'heure pour me dire que tout est dans ma chambre à la Résidence Sainte-Marthe. Je m'y rendrai directement en arrivant à l'aéroport.

– J'irai au Palazzo di Malta et m'occuperai des *Secreti*. Ils ont causé assez d'ennuis. Je vais également traduire les parchemins.

– Il nous faut nous débarrasser des *Secreti*.

– Ce sera fait. Toi, tu te concentres sur le conclave et sur ton but ultime. Rien n'a plus d'importance que ton élection. »

Pollux glissa les rouleaux dans le cylindre en verre et replaça le bouchon. Ils y étaient en sécurité. Plus tôt, lorsque le chevalier était arrivé avec les clés et les outils, il avait aussi demandé qu'il lui apporte un autre objet.

Une cordelette.

D'environ un mètre.

Qu'il avait glissée dans sa poche.

« Prenons les outils et partons », dit Pollux.

Kastor alla ramasser les pelles. Pollux en profita pour saisir la cordelette et entourer les deux extrémités autour de ses poings serrés.

«Je continue à me demander pourquoi les *Secreti* ne m'ont pas tué dans cette grotte», dit Kastor.

Pollux s'approcha et au moment où son frère s'accroupissait pour s'emparer des pelles, il lui passa la cordelette autour du cou, la croisa et tira brusquement pour lui sectionner la trachée. Kastor tenta d'attraper la cordelette pour se libérer, mais Pollux serra encore plus fort. Les jambes de Kastor commencèrent à flancher. Il étira les bras derrière sa tête, espérant accrocher son assaillant. Pollux se pencha en arrière pour ne plus être à sa portée, sans alléger la tension sur la corde. Kastor eut un haut-le-cœur, ne parvenant pas à respirer. Ses mains cherchèrent frénétiquement à tirer sur ce qui l'étranglait; ses forces faiblissaient avec la privation d'oxygène.

Pollux se demandait depuis longtemps ce qu'il ressentirait à ce moment-là. Depuis tant d'années, il s'étiolait dans l'ombre de son jumeau arrogant. Tout le monde connaissait le nom de Kastor Gallo, mais presque personne, en dehors des Hospitaliers, n'était au courant de l'existence de Pollux Gallo. Son frère avait choisi la prêtrise et il avait atteint un certain niveau de respect et d'autorité. Ensuite, il avait tout gâché avec ses comportements irréfléchis. Tout ce qu'il avait accompli, il l'avait jeté aux ornières pour s'offrir le luxe de dénigrer son entourage. Il avait essayé de lui dire de se taire, mais Kastor, l'incorrigible Kastor, avait choisi un autre chemin.

Pollux l'avait enfin imité.

Lui aussi avait fait son choix.

Plus le moindre mouvement.

Pollux maintint la cordelette encore quelques secondes pour être sûr, puis il la desserra. Le corps de Kastor se relâcha, les bras et les jambes pendantes, le cou ne soutenant plus la tête. Pollux défit le lien et laissa son frère tomber sur le sol.

« Ils ne t'ont pas tué parce que je voulais le faire », chuchota-t-il.

Il était intéressant que son frère, malgré toute son intelligence, n'ait jamais imaginé qu'il était manipulé. Probablement parce qu'il se croyait supérieur. Toute leur vie, il avait toujours été question de Kastor et Pollux. Jamais l'inverse.

Mais il n'en serait plus ainsi.

Pollux Gallo venait de mourir.

Kastor Gallo allait renaître.

56

Cotton conduisait sans réfléchir, son monde réduit à un ruban d'asphalte et, parfois, aux phares d'une voiture arrivant en face. L'aube n'était pas loin, mais un peu de sommeil serait le bienvenu. Étant donné l'heure tardive, il avait décidé de trouver une chambre d'hôtel et quitter Malte l'après-midi. Les derniers jours avaient été intéressants, c'était le moins qu'on puisse dire, et il était plus riche de cent mille euros, mais contrairement à ce que James Grant avait pu penser, l'argent n'avait jamais été l'argument décisif.

Entendons-nous bien, il n'avait rien contre l'argent.

Les agents fédéraux n'étaient pas les fonctionnaires les mieux payés. Il touchait environ soixante mille dollars annuels à la fin de sa carrière auprès du ministère de la Justice. Mais personne ne faisait ce boulot-là pour le salaire. On le faisait parce qu'il fallait le faire. Parce qu'on choisissait de le faire. Parce qu'on était bon. Jamais de gloire, puisque presque personne n'était au courant de ce qu'on faisait. Ce qui était pratique quand on foirait. Non. Le plus important, c'était la satisfaction du travail bien fait.

Il prit un virage serré sur la route et poursuivit vers le sud, le paysage noir d'un côté, la Méditerranée de l'autre. Les pensées tournaient dans son esprit exigeant, cherchant à trouver la place qui leur convenait. Pendant sa carrière au ministère, il avait appris que le cerveau fabriquait toujours le pire scénario. Peu importait la réalité. Une fiction pouvait paraître bien plus évidente. Alors il en était venu à se servir de son inconscient pour savoir si quelque chose clochait ou ne cadrait pas avec le reste.

Et c'était effectivement le cas.

Mais ce n'était pas son problème.

Il avait fait ce que Stéphanie voulait et tout ce qui devait être trouvé était entre les mains des chevaliers de Malte et de l'Église catholique. Les frères Gallo et les autorités du Vatican se chargeraient de régler la situation. Le cardinal irait au conclave faire ce que faisaient les cardinaux, et Pollux Gallo irait se dissoudre dans son monde cloîtré. Et les *Secreti* ? Qui sait ? Existaient-ils seulement ? Si c'était le cas, étaient-ils encore une menace ? Enfin, tous ces crimes avaient eu lieu en Italie et à Malte, et il appartenait aux autorités locales de régler ce problème.

Malone se dit une fois de plus de laisser filer.

Il continua à rouler, suivant la côte nord. Il avait visité Malte quelques fois et adorait l'île. Il avait toujours logé au Dragonara, à l'extérieur de La Valette, dans la banlieue de San Giljan. Chambres spacieuses, bon restaurant, balcons qui donnaient sur la Méditerranée. Une magnifique résidence balnéaire haut de gamme avec tout le confort, dont il n'avait jamais eu le temps de profiter. Mais peut-être qu'il y remédierait avant de partir ce soir, en fonction des horaires des avions. Quelques minutes au bord de la piscine. Ce serait une première.

Il ralentit et parcourut les rues étroites de San Giljan. Il arriva à l'hôtel un peu avant six heures. Il fit garer son véhicule par le voiturier et se présenta à l'accueil, où il apprit avec plaisir qu'il restait une chambre libre.

« Vous avez vu l'explosion ? demanda l'employé. Ça a fait du bruit. »

C'était vrai, mais Cotton était sûr que ce gars n'avait pas idée de l'intensité des dernières heures qu'il venait de passer. « Que voulez-vous dire ?

– Y a eu une grosse explosion sur l'eau il y a deux ou trois heures. Le bateau a brûlé pendant une demi-heure avant de couler. On ne voit pas ça très souvent, par ici.

– Vous avez une idée de ce qui s'est passé ? »

L'employé secoua la tête. « Je suis sûr que l'édition du matin de l'*Independent* nous dira tout. »

Il prit la clé de la chambre et s'éloigna du comptoir de la réception. Avant de se coucher, il lui fallait faire son rapport. Il trouva son téléphone, appela Stéphanie et expliqua ce qui s'était passé à la cathédrale puis à la chapelle.

Elle lui répondit : « Luke a démoli un yacht au large du port de La Valette. Il a lancé son bateau dedans. Quatre hommes sont morts. Luke a été arrêté par la police du port et il est en garde à vue. Malheureusement, aucun des morts n'avait de papier d'identité ; nous sommes en train d'analyser les empreintes digitales. Et ce n'est pas tout. »

Il écouta attentivement.

« Luke dit que Laura Price avait changé de camp et qu'elle travaillait avec l'Organisme. Elle était prête à tirer au fusil quand les frères Gallo et vous sortiriez de la cathédrale, un plan que Spagna avait mis au point. Les *Secreti* les ont interrompus et ont tué Laura et le chef temporaire de l'Organisme qui était venu à Malte superviser l'exécution.

– Qui était la cible ? Le cardinal ou moi ?

– Aucun de vous. »

On y était.

Une de ses pensées errantes venait de trouver un endroit où se poser. « L'Organisme cherchait à éliminer Pollux Gallo ?

– C'est exact. Ce qui soulève un paquet de questions. »

D'autres pensées se mirent en ordre. Le stratagème et l'attaque organisée aux archives des Hospitaliers par les prétendus *Secreti.* L'apparition soudaine du vrai Pollux Gallo. Sa coopération courtoise. Aucune interférence extérieure à l'obélisque, alors que les *Secreti* avaient été en embuscade au lac de Côme et à la villa. Ensuite, l'absence d'inquiétude vraiment bizarre à la chapelle Sainte-Magyar, isolée, à l'écart, vulnérable à tout point de vue ; Pollux Gallo avait semblé totalement à l'aise.

Pourquoi le simple lieutenant par intérim d'une aimable organisation caritative serait-il une menace plus grande qu'un cardinal qui avait, au moins sur le papier, une chance de devenir pape ?

« Où se trouve Luke en ce moment ? demanda-t-il.

– À La Valette. Je m'occupe de lui.

– Faites-le sortir. » Malone lui donna le nom de la chapelle et l'endroit où elle se situait, ajoutant que le conservateur de la cocathédrale pouvait lui fournir les indications précises. « Dès qu'il sera libéré, envoyez Luke me rejoindre.

– Qu'est-ce que vous allez faire ?

– Je vais y retourner. J'ai peut-être commis une erreur de jugement sur le mauvais Gallo. »

57

Pollux attendit que ses hommes, postés dehors, traversent la chapelle extérieure pour le rejoindre dans le sanctuaire, d'un pas rapide, mais calculé. Il avait pris quelques minutes avant de leur donner l'ordre d'entrer.

Un peu de temps avec son défunt frère semblait être de mise.

Leur relation avait été une illusion. Kastor s'était toujours cru meilleur, supérieur, un cran au-dessus. Il en était ainsi depuis le début, et cela s'était accentué après la mort de leurs parents et leur arrivée à l'orphelinat. Kastor le rhétoricien, le penseur, l'érudit – alors que lui était l'athlète, le soldat. Personne à l'orphelinat ne devait se rappeler l'existence de Pollux, alors que personne n'oublierait Kastor. Personne ne le pourrait. Il laissait une impression durable, aspirant tout l'oxygène contenu dans une pièce à la minute où il entrait.

Mais rien de tout ceci n'aurait été possible sans son aide.

Lorsque Kastor était venu lui dire qu'il voulait devenir pape, Pollux avait trouvé cette idée ridicule. Surtout quand on voyait comment il avait fichu en l'air sa carrière ecclésiastique. Certes, il y avait des gens qui au fond de leur cœur étaient d'accord avec lui, mais aucun d'eux ne défierait le pape ouvertement. Il avait passé en revue les informations compromettantes que Kastor avait amassées sur certains cardinaux. Pas mal. Il y avait des éléments clairement incriminants, mais pas au point de changer le cours d'un conclave. Et avec Kastor qui avait trouvé moyen de perdre sa position privilégiée, la perspective d'accéder à d'autres informations paraissait compromise. C'est alors que Kastor s'était focalisé sur *Nostra Trinità*.

Pensant qu'elle pourrait suffire.

Lui aussi avait été intrigué par la Trinité, en particulier par le document intitulé *De Fundamentis Theologicis Constantini*, qui s'était révélé bien utile dans les siècles passés. Kastor avait découvert pas mal de choses intéressantes dans les archives du Vatican. Pollux y avait ajouté des annales que les chevaliers conservaient sous bonne garde. Ensemble, ils avaient fait des progrès considérables. L'appel du cupide Italien du lac de Côme était un de ces événements fortuits qui parfois amènent à penser qu'il y a peut-être bien un Dieu qui orchestre tout en suivant une espèce de plan divin. Il était informé depuis un certain temps que les Britanniques savaient des choses sur Mussolini et la Trinité. Mais jusque-là, il n'avait pas de monnaie d'échange. Alors Pollux s'était rendu à Côme. Un voyage bénéfique puisqu'il l'avait mené à James Grant, ce qui l'avait conduit à l'obélisque, puis à la cathédrale de La Valette, et enfin ici.

Tout s'était enchaîné à merveille.

Et alors que le corps du pape était exposé à l'intérieur de la basilique Saint-Pierre et que des centaines de milliers de personnes venaient lui rendre hommage, Spagna était apparu au Palazzo di Malta avec une offre étrange.

Une manière de mettre Kastor sur le trône de saint Pierre.

Son Maître s'était rendu compte des recherches de Kastor et de l'intérêt que ce dernier portait à la Trinité. Mais Spagna avait plusieurs longueurs d'avance, même s'il avait refusé de se confier sur les détails. Les cardinaux se faisaient soudoyer et forcer la main depuis toujours. Rien de nouveau. Avant le XXe siècle, le collège était suffisamment restreint pour qu'il soit facile de modifier son cours. Les conclaves modernes étaient différents. Entre cent et cent cinquante cardinaux y participaient, ce qui rendait la mathématique plus complexe. Mais les cardinaux étaient des hommes, donc imparfaits. Alors, pendant qu'on enterrait le pape sous la basilique, Spagna et Pollux avaient comploté. C'était Spagna qui avait insisté pour envoyer Kastor à Malte. Il voulait passer un accord face à face, et éloigner Kastor de Rome pour qu'il ne puisse pas commettre une bévue qui risquerait de faire échouer le plan.

Et Pollux avait rendu tout cela possible.

Ensuite, une fois que le marchand italien à Côme avait contacté les chevaliers pour vendre les lettres, la voie avait été ouverte vers la Trinité. Alors il avait improvisé et profité de l'occasion pour ramener les Britanniques à la table des négociations en achetant les lettres de Churchill. Il lui avait été aisé de manipuler James Grant. Les Américains aussi. Mais le plus facile avait été Kastor. *Quiconque s'élève sera abaissé et quiconque s'abaisse sera élevé.*

La Bible avait raison.

Kastor n'avait jamais appris l'humilité.

Spagna non plus, et c'était pour cela qu'il devait mourir, ainsi que son sous-fifre Chatterjee et Roy, son lieutenant. Spagna voulait que le *De Fundamentis Theologicis Constantini* soit détruit. L'Organisme considérait qu'il y avait là une menace directe envers l'Église, une menace qu'il fallait éradiquer. Peu importait à Pollux qu'il soit détruit ou pas. Mais cette clé USB...

Elle avait un rôle capital à jouer.

Alors il avait laissé Spagna jouer à sa manière. Cet idiot voulait apparemment être le faiseur de papes. Et le meilleur moyen était de fournir les armes nécessaires pour se faire élire à coups de chantages à un cardinal sans le moindre sens moral ou presque. À un cardinal qui serait son obligé jusqu'à la fin de ses jours.

C'était bien ainsi qu'il fallait procéder.

Le seul élément inattendu avait été l'apparition des Américains. Mais Spagna lui avait assuré qu'il les avait sous contrôle.

Malheureusement, Son Maître n'avait jamais réalisé que le plus grand danger auquel il serait confronté viendrait de l'intérieur. Les hommes de Pollux avaient exécuté Spagna, Chatterjee, Laura Price et John Roy, et tous ces meurtres avaient été imputés aux *Secreti*.

Qui, bien entendu, n'existaient plus.

Il avait monté la chose de toutes pièces.

« Quel idiot tu étais », chuchota-t-il à son frère.

Puis il glissa la clé USB dans sa poche, après l'avoir ramassée sur la terre battue où elle était tombée de la main de Kastor. Il se dit qu'il devrait éprouver un peu de regret, mais non. Pas le moindre remords. Contrairement à ce qu'il avait ressenti quand il avait tué le chevalier dans la villa près du lac de Côme. Les Hospitaliers n'étaient pas censés tuer des chrétiens. Ils juraient de les protéger. Mais ce meurtre-là avait été inévitable. Il ne pouvait pas laisser Malone emmener cet homme pour l'interroger. Tout aurait été mis en péril.

Quant à tuer Kastor...

Kastor était beaucoup de choses, mais ce n'était pas un vrai chrétien. Il n'était qu'un opportuniste qui utilisait l'Église pour satisfaire ses ambitions.

Deux individus entrèrent dans la chapelle. L'un était celui qui avait escorté Malone de Rome à Rapallo, l'autre était celui qui s'était fait passer pour Pollux à l'arrivée de Malone et avait essayé de l'éliminer dans les archives. Cela n'avait pas abouti au résultat prévu. Il avait tenté la chose uniquement parce que James Grant avait insisté. Mais après avoir échoué, Pollux s'était adapté et avait décidé d'intervenir personnellement, et de gérer les Américains lui-même. Du coup, il suivait les événements de l'intérieur et il apprenait au fur et à mesure ce que faisaient Spagna et Stéphanie Nelle.

Juste une autre des nombreuses différences entre Kastor et lui. Il était capable de se détourner rapidement de ce qui ne fonctionnait pas et de changer de plan. Il avait été facile de s'attirer les bonnes grâces des Britanniques et des Américains. Facile de les recruter pour résoudre l'énigme de l'obélisque et celle de la cathédrale.

Les problèmes étaient venus de Spagna.

Un vrai dissident.

Impossible à contrôler.

Mais ce n'était plus le cas.

Il glissa la clé USB dans sa poche.

« Emportez-le », dit-il à ses deux hommes.

Ils attrapèrent Kastor par les chevilles et les poignets, soulevèrent le corps et suivirent Pollux vers le fond de la chapelle. Une nouvelle porte en chêne se trouvait à l'extrémité d'une petite abside. Il ouvrit le loquet en fer et alluma une autre série de lumières. Un escalier en spirale descendait ; il s'enfonça plus profondément dans la terre. Ses deux hommes portant Kastor le suivaient. La corpulence de son frère rendait l'opération malaisée.

En bas, il emprunta un autre souterrain creusé dans le roc jusqu'à une petite salle. Une porte au fond permettait de sortir. Tout le réseau de grottes et de couloirs avait été aménagé quelque part pendant le XVIIe siècle. La plupart de ces lieux avaient servi de dépôts de poudre et de munitions. Le trou qui se trouvait dans le sol devant lui avait été aménagé il y avait bien longtemps lui aussi. D'environ trois mètres de large, cinq de profondeur, ses parois en forme de cloche, le diamètre s'élargissant vers le fond.

Une *guva.*

Il fit signe aux porteurs et ils déposèrent Kastor sur le sol desséché. Ils savaient exactement ce qu'ils avaient à faire. Tous ses fidèles associés, ils étaient six, se trouvaient à Malte, trois depuis quelques jours sur le bateau au mouillage, les trois autres au garde-à-vous au fort Saint-Ange, attendant son signal – c'était eux que Pollux avait contactés par téléphone depuis la cathédrale lorsque Malone avait résolu l'énigme. Il lui était impossible d'accomplir quoi que ce soit seul. C'était la raison pour laquelle les *Secreti* avaient été réactivés. Bien sûr, c'était essentiellement pour les apparences, mais il les avait tous réunis grâce à la bague et la promesse de grandes choses.

Ses deux complices déshabillèrent Kastor.

Sa motivation pour avoir choisi la strangulation était qu'il fallait préserver les vêtements. Ils devaient demeurer intacts.

«Je vais vous aider à finir, dit-il, puis il fit un geste à un de ses acolytes. Allez chercher les pelles et la corde.»

L'homme partit, et Pollux et celui qui restait achevèrent de déshabiller Kastor. Le corps de son frère n'était pas du tout aussi athlétique que le sien, mais la taille et la silhouette étaient presque similaires. Il plia soigneusement les vêtements et les posa sur le côté, avec les chaussures.

L'autre individu revint.

Sur la droite de la *guva*, un poteau en chêne était planté dans le sol. Un des hommes y attacha l'extrémité d'une épaisse corde de chanvre qu'ils avaient apportée. Il y avait forcément une manière d'entrer et sortir de la fosse et la corde était la plus pratique, puisque le poteau était là depuis des siècles. Le rouleau fut jeté dans la fosse noire. Il hocha la tête et ses hommes balancèrent les pelles dans la *guva* puis descendirent à l'aide de la corde. Enterrer son frère là semblait être la solution parfaite ; en effet, personne n'avait le droit d'entrer dans Sainte-Magyar sans la permission expresse du Grand Maître. Comme il n'y en avait pas en ce moment, le contrôle de ce lieu lui revenait, puisqu'il était temporairement à la tête de l'Ordre. Mais même après qu'un nouveau chef serait choisi, personne ne s'aventurerait dans cette *guva*.

Il n'y avait aucune raison.

Et à ce moment-là, toutes les traces de cette nuit auraient disparu.

« Enterrez-le bien profond », leur cria-t-il.

Il les écouta pelleter.

Il ne s'agissait pas seulement de clore un chapitre de sa vie. Plutôt toute une partie. Après cette nuit, rien ne serait plus pareil. Mais il était prêt. Les Hospitaliers lui avaient fourni le meilleur refuge. Il avait appris à acquérir des connaissances, nouer des relations, consolider des loyautés, tout cela dans la perspective de ce qui allait se passer. Deux jours auparavant, il ne savait pas bien si c'était possible, mais maintenant, sa confiance était bien plus grande.

Ses hommes cessèrent de creuser.

Ils ressortirent tous les deux à l'aide de la corde. Ils étaient sur le point de balancer le corps de Kastor dans la *guva* lorsqu'il se souvint de quelque chose. Il trouva son portable et prit une photo du visage et des cheveux de son frère.

Puis il ôta la bague de la main droite.

Chaque cardinal nouvellement élu se voyait donner par le pape un anneau épiscopal en or. Embrasser cet anneau était un signe de respect.

Il le glissa à son doigt.

Puis hocha la tête.

Les hommes balancèrent le corps de Kastor dans le puits et le cadavre heurta le fond avec un bruit sourd.

Les deux fossoyeurs descendirent à nouveau pour terminer l'enterrement.

Pas la fin que son frère avait imaginée. Kastor avait dû penser que sa dépouille reposerait à tout jamais sous la basilique Saint-Pierre avec tant d'autres papes.

Ça n'arrivera pas, dit Pollux silencieusement.

Ou du moins, pas exactement.

58

Luke s'assit dans sa cellule.

En territoire familier.

Combien en avait-il connu ces dernières années ?

Ses vêtements étaient encore mouillés après son second plongeon dans la Méditerranée. Son bateau avait coulé le yacht, tuant tous les hommes à bord. La patrouille du port avait réagi dès l'explosion, avait repêché les corps et même s'il avait essayé de leur échapper dans la nuit, les policiers l'avaient rattrapé.

Satanées lunettes de vision nocturne.

Il aurait été tellement plus facile de retourner jusqu'à la côte à la nage sans se faire remarquer. Les gens du coin étaient rarement une aide. Le plus souvent, ils provoquaient d'énormes contretemps. Et cette fois ne faisait pas exception. Il avait éludé toutes leurs questions, pratiquant la technique bien connue de ce bon vieux sergent Schultz, *Je n'entends rien, je ne vois rien, je ne sais rien.* Il avait adoré *Papa Schultz*. La seule chose qu'il avait dite c'était ministère de la Justice des États-Unis et Stéphanie Nelle, avant de demander la permission de passer un appel téléphonique.

Permission accordée.

Il avait expliqué son dilemme à Stéphanie, en quelques mots, et elle lui avait répondu de ne pas bouger.

Pas de problème.

Mais depuis, il s'était écoulé une heure, une heure de silence.

Qui lui avait donné le temps de réfléchir.

La porte en fer en face de sa cellule s'ouvrit et laissa apparaître un homme. Luke reconnut l'homme qu'il avait croisé à la planque. Kevin Hahn, chef de la Sécurité maltaise; il n'avait pas l'air content.

« J'ai parlé à Mme Nelle, dit Hahn. Elle m'a raconté ce qui s'est passé avec Laura. Nous avons trouvé son corps et celui du numéro deux de l'Organisme, exactement à l'endroit que vous aviez indiqué. » Il pointa un index accusateur. « Vous avez tué quatre hommes, monsieur Daniels. Nous ne sommes pas aux États-Unis. Les meurtres sont rares par ici. Et nous en avons eu sept en l'espace de douze heures. »

Luke se leva et se planta face à l'autre idiot, de l'autre côté des barreaux. Il n'était pas d'humeur à ce qu'on lui fasse la leçon. Comme le lui avait enseigné Malone : *Ne te laisse jamais malmener par les locaux.* « Je suis un agent du gouvernement américain, en mission, je fais mon travail. Maintenant, sortez-moi de cette cellule.

– Vous êtes un emmerdeur.

– J'ai déjà entendu pire. »

Pendant la dernière heure, beaucoup de choses lui étaient passées par la tête. Surtout ce que Laura lui avait dit la première fois qu'ils s'étaient parlé quand il était sorti de la *guva.* Quand Luke lui avait demandé qui lui avait dit qu'il se trouvait sur l'île.

« Mon patron. Il m'a donné un ordre. Je fais ce qu'il me dit.

– Comment saviez-vous que j'allais avoir des ennuis ?

– Même réponse. Mon patron me l'a dit. »

« Comment saviez-vous que j'avais été envoyé ici ? demanda-t-il à Hahn.

– Qui prétend que je le savais ?

– Votre agent mort. Que faisiez-vous avec Spagna dans cette planque ?

– Vous n'espérez quand même pas que je vais répondre à vos questions.

– En fait, si.

– Il faut qu'on s'en aille.

– Ce n'est pas ce que j'attends.

– C'est tout ce que vous obtiendrez de moi. »

Mais Luke n'avait pas besoin de réponse. Il avait déjà compris qu'il y avait une constante dans sa relation avec Laura Price, et cette constante, c'était cet homme, son patron. Luke avait de fait prévu de se renseigner un peu sur ce petit bonhomme grassouillet dès qu'il retrouverait sa liberté. Stéphanie lui avait juste fait gagner un peu de temps.

« Vous travailliez avec Spagna », dit Luke.

Et soudain, il vit du regret dans le regard de l'homme.

« J'ai commis une erreur. La situation est plus compliquée que je ne l'avais imaginé. » Hahn marqua une pause. « Bien plus compliquée. Spagna m'a demandé de l'aide. Il s'est montré convaincant, alors j'ai accepté.

– Apparemment, Spagna et vous avez sous-estimé vos rivaux. Quels qu'ils soient.

– Nous essayons encore d'identifier les hommes du bateau.

– Laura et le gars du Vatican ont dit que c'étaient des *Secreti*.

– Ce serait incroyable, si c'était la réalité. Ce groupe a été démantelé il y a deux siècles.

– Ils paraissaient tous les deux vraiment sûrs qu'il existait toujours. Et deux d'entre eux ont essayé de me balancer à travers une fenêtre.

– Votre Mme Nelle a été avare en informations quand elle a appelé pour me parler de vous. Ça vous ennuierait de me dire ce qui se passe ?

– J'en sais autant que vous. »

Ce qui n'était pas loin d'être la vérité. Mais si Stéphanie avait gardé le silence, il devait se taire également.

« Elle m'a demandé de vous libérer, dit Hahn. C'est chose faite.

– J'apprécie. J'ai aussi besoin d'une voiture.

– On peut vous trouver ça. Où allez-vous ? »

Ce type était un peu trop farfouilleur, comme disait sa mère. Alors il lui servit la réponse standard : « Faire mon boulot. »

Pollux sortit dans la nuit. Ses hommes et lui étaient remontés à l'air libre avant de terminer ce qu'il y avait à faire. Le temps passait, et les tâches étaient nombreuses.

Heureusement, il était prêt.

Il entendit un portable vibrer et l'un de ses acolytes s'éloigna pour répondre. Pollux l'observa pendant la conversation.

« Il y a eu un problème. Notre bateau a été attaqué et coulé. Tous les frères sont morts. »

Pollux se retint d'exprimer la moindre réaction et demanda d'une voix calme. « Comment ?

– L'Américain, Daniels. Il s'est enfui pendant qu'on exécutait Laura Price et l'évêque Roy et il a découvert notre bateau. »

La nouvelle était troublante, à n'en pas douter. Mais pas renversante. Sa capacité à changer de cap en quelques secondes se mit en action. Comment transformer un problème en occasion favorable. « Où se trouve Daniels maintenant ?

– En garde à vue. »

Très bien.

Sa devise personnelle venait du Livre de Jacques. *Mais que la patience soit accompagnée d'œuvres parfaites, afin que vous soyez parfaits et accomplis, sans faillir en rien.*

Sa vie avait été une succession d'obstacles. Il avait consciencieusement servi dans l'armée, puis avait été recruté par les Hospitaliers pour travailler à l'étranger dans leurs missions médicales. Il avait fini par prêter serment et faire vœu de pauvreté, chasteté et obéissance. Ensuite, il s'était ennuyé dans des tâches inintéressantes. Jouant les seconds couteaux auprès d'un chevalier puis un autre. Quand il devint enfin grand commandeur, chargé de répandre la foi, de superviser les prieurés et compiler des rapports à l'intention du Saint-Siège, il était l'un des quatre dirigeants de l'Ordre.

Puis arriva le chaos provoqué par Kastor.

Et il fut nommé chef temporaire.

Le moment était venu de recevoir une nouvelle promotion.

« On continue. Comme prévu. »

Il retourna à l'intérieur puis descendit dans la pièce où se trouvait la *guva*. Ses hommes lui emboîtèrent le pas, portant l'un une chaise pliante, l'autre, un sac en toile. Il dépassa la fosse et sortit par la deuxième porte pour prendre un couloir menant à la salle suivante. Il avait choisi cet endroit non seulement pour son caractère isolé, mais aussi pour son éclairage, qui était bien meilleur.

« Installez la chaise ici », dit-il en pointant un doigt. Puis il désigna l'autre frère. « Montez la garde à l'extérieur. Même si je doute qu'on soit dérangés. »

L'homme partit.

Pollux se tourna vers son complice.

« Allons-y. »

Cotton sortit d'un virage et réalisa que la chapelle n'était plus très loin. Tous ses sens étaient en alerte. La situation était passée de bizarre à franchement inquiétante. L'un des frères Gallo pourrait bien avoir des ennuis, voire les deux.

Il éteignit les phares et s'arrêta au bord de la route.

Au loin, il aperçut la chapelle sur sa crête. Une voiture était encore garée devant. Les deux frères étaient-ils toujours là-bas ?

Combien de fois s'était-il déjà trouvé dans cette situation ?

Trop souvent pour qu'il puisse compter.

Il pensa à Cassiopée. Où était-elle ? Certainement endormie, chez elle, en France. Il n'avait pas eu de ses nouvelles depuis quelques jours. C'était une bonne chose. Si elle savait qu'il avait de gros ennuis, elle monterait dans un avion, prête à le rejoindre. Il n'aimait pas la mettre en danger, bien qu'elle fût tout à fait capable de se débrouiller. C'était une femme extraordinaire, qui avait débarqué dans sa vie sans prévenir. Initialement, ils avaient éprouvé de l'indifférence, mais le temps et les circonstances avaient tout changé. Que dirait-elle si elle était là ? *Comprends ce qui se passe. Et termine.* Il sourit. Le conseil était bon.

Il repéra une lumière dans la pénombre. La porte de la chapelle s'était ouverte et un homme était sorti dans la nuit.

Seul.

Il regarda la silhouette attendre quelques instants, puis s'écarter de la porte, la laissant entrouverte. Malone se demanda s'il allait partir. Non. La voiture resta immobile, dans le noir.

Un garde ?

Peut-être.

Il éteignit le plafonnier de son véhicule, puis entrouvrit la portière et se glissa dehors, avant de fermer avec la télécommande. La chapelle se trouvait à environ trois cents mètres. Il avança d'un bon pas dans cette direction, en profitant de la nuit, du taillis et de quelques arbres pour ne pas se faire repérer. Il approcha par l'ouest le plus discrètement possible, sans voir l'homme qu'il savait en faction dehors. Ce n'est que lorsqu'il arriva tout près de l'édifice qu'il aperçut l'individu à environ cinquante mètres, qui lui tournait le dos, contemplant la vallée qui s'étendait vers le sud. Une vague clarté avait commencé à émerger à l'horizon est. Le jour se lèverait bientôt. Il fallait distraire le garde et il avait décidé en marchant que sa voiture lui offrirait le meilleur moyen. Il colla son dos contre le mur de la chapelle et tendit la main, tenant la télécommande vers son véhicule, espérant qu'elle était d'une portée suffisante.

Puis il hésita.

S'il appuyait sur le bouton, il y aurait un coup de klaxon et un appel de phares ; du coup, l'effet de surprise serait perdu. Il décida d'être patient et jeta à nouveau un coup d'œil en direction du garde. Les ténèbres demeuraient épaisses du côté de la vallée. L'homme pivota sur sa droite et s'éloigna davantage, sortit un téléphone portable et passa un appel. Malone se baissa et prenant soin de rester dans l'ombre, il fonça vers la porte ouverte de la chapelle. Il se glissa à l'intérieur sans quitter le garde des yeux. L'autre n'avait rien remarqué.

Dans la chapelle tout était désert et silencieux, les lumières étaient encore allumées. Il se dépêcha de rejoindre l'abside du fond et franchit le panneau secret qui était également ouvert.

La salle souterraine était déserte elle aussi. C'était là qu'il s'était arrêté précédemment. La relique était toujours posée sur l'autel. Il remarqua des morceaux de cire rouge à côté et se rendit compte qu'elle avait été ouverte, mais les parchemins se trouvaient toujours à l'abri à l'intérieur. Il passa la chapelle en revue et s'aperçut que la salle s'étendait plus loin dans la falaise de calcaire. Il avança encore ; une autre porte en chêne, entrouverte. Au-delà, un escalier en colimaçon descendait. Il arriva à un étroit couloir éclairé. Aussitôt, il se sentit mal à l'aise dans cet espace confiné.

Il détestait ça.

Il prit une grande inspiration et avança jusqu'à trouver une vaste salle avec un trou creusé dans la terre. Tout était baigné d'une lumière couleur miel, aussi épaisse et enveloppante que l'air rance autour de lui. Il jeta un coup d'œil dans la fosse et ne vit que du noir. Attachée à un poteau en bois, une corde serpentait sur le sol avant de disparaître dans le trou. Il se demanda quelle était la profondeur de cette cavité et à quoi elle servait.

Des voix lui parvinrent.

Du côté d'une porte entrouverte à l'autre bout, à environ quinze mètres.

Il s'approcha à pas de loup.

59

Pollux s'assit sur la chaise pliante.

Son complice sortit une paire de grands ciseaux du sac en toile et commença à lui couper les cheveux. Pour l'aider, Pollux brandissait la photo de Kastor prise quelques minutes auparavant avec son portable, pour que sa nouvelle coiffure ressemble bien à celle de son frère. Il n'avait pas eu les cheveux si courts depuis son adolescence.

Pollux admira le résultat sur l'écran de son portable réglé en mode selfie. Il hocha la tête ; un bol fut sorti du sac et il le remplit d'eau. Il tendit son portable à son aide de camp et enduisit son menton de crème à raser. Il trouva un rasoir et se mit à enlever avec précaution sa barbe de moine, se servant à nouveau de son portable comme d'un miroir. Pas de coupure. Il fallait que ce soit propre. Il se concentra sur le bruit de la lame contre les poils et ses mouvements, légers et brefs. Il rinçait la lame à intervalles réguliers dans le bol de manière à ce qu'elle reste toujours mouillée. Quand il eut terminé, il prit une serviette dans le sac et essuya les quelques traces de mousse.

Son complice hocha la tête.

Il approuvait.

C'était la première fois depuis son adolescence qu'il ressemblait autant à Kastor. Ils étaient nés identiques et l'étaient restés jusqu'à leur départ de l'orphelinat. Presque quarante années s'étaient écoulées. Et voilà qu'ils étaient à nouveau identiques.

Il se leva, se déshabilla et enfila les vêtements de son frère, ses chaussures, et même ses sous-vêtements. Il récupèra la clé USB dans sa précédente tenue, puis sortit le contenu des poches de Kastor : un portefeuille et un portable, mais pas de passeport. Il devait être dans son sac de voyage à Mdina. Puis il enfila une paire de lunettes, identique à celle que portait son frère, mais avec des verres blancs.

Le cardinal Kastor Gallo était revenu à la vie.

Il se sentait libre, libéré, en phase avec ce que Dieu et la nature avaient certainement voulu. Il était également reposé, en bonne santé et, finalement, il n'éprouvait aucune crainte. Le danger guettait, bien sûr. Mais il était totalement immergé dans le moment, chaque seconde précieuse, gratifiante et ordonnée par Dieu.

Son heure était venue.

Il fit un signe à son compagnon qui vida le bol par terre, rangea tous les objets dans le sac, ainsi que les vêtements, puis replia la chaise.

« Nous pouvons y aller », dit Pollux.

Cotton entendit les mots.

Nous pouvons y aller.

La voix de Pollux Gallo.

Sans le moindre doute.

Il n'avait pas pu s'approcher suffisamment pour voir ce qui se passait, et les paroles avaient été rares. Il battit en retraite dans la salle avec la fosse béante, avec l'intention de filer par l'autre accès et de remonter dans la chapelle principale. Mais en arrivant près de la porte, il aperçut le deuxième homme dans le tunnel étroit, qui venait dans sa direction.

Malone était pris au piège.

Le danger venait des deux côtés.

Il pouvait tout simplement révéler sa présence, mais quelque chose lui dit que ce n'était pas une bonne idée. Pas encore. Il n'y avait qu'un seul autre choix. Il s'approcha de la fosse, attrapa la corde et se laissa descendre jusqu'au fond, cinq mètres plus bas.

Pollux entra dans la salle de la *guva* avec son sous-fifre.

Son second acolyte les rejoignit.

« Tout est calme dehors, dit l'homme. J'ai mis le reliquaire et une des deux pelles dans la voiture. »

L'autre pelle était calée contre le mur où Pollux avait demandé qu'on la laisse.

« Des nouvelles de nos frères qui sont morts sur le bateau ?

– Je me suis renseigné. Les autorités ont repêché les corps. Ils vont sûrement être identifiés sous peu. »

Il avait déjà envisagé cette possibilité. Mais les pistes conduiraient forcément aux chevaliers de Malte. Ce qui n'était plus un problème pour lui, puisque Pollux Gallo n'existerait plus à partir de maintenant.

« Nous nous en occuperons à ce moment-là, dit Pollux. On ne peut pas faire grand-chose, à ce stade.

– Le jet que le cardinal a mentionné attend à l'aéroport », dit l'un des hommes.

Excellent. Il allait s'y rendre et prendre l'avion pour Rome. Kastor lui avait déjà dit qu'un assistant avait fait porter à la Résidence Sainte-Marthe tous les effets personnels dont il aurait besoin. Sa chambre était prête, n'attendant plus que son occupant. Son premier test consisterait à convaincre cet assistant de son authenticité, mais il s'entraînait à être Kastor depuis longtemps.

« Avez-vous apporté l'ordinateur ? » demanda-t-il.

Le chevalier hocha la tête et trouva l'appareil dans le sac en toile. Il en aurait besoin pendant son vol vers Rome. Il voulait étudier par lui-même le contenu de la clé USB.

« Et l'autre objet ? » demanda-t-il.

Son compagnon sortit un Glock du sac.

Il prit l'arme tendue.

Tout avait convergé vers cet instant. Initialement, il avait eu l'intention de faire de ses faux *Secreti* sa police personnelle. Ces hommes pourraient se révéler utiles, travaillant à l'extérieur de l'Organisme, lui fournissant un moyen immédiat de gérer les problèmes.

Et le concept n'était pas nouveau. Au XVIe siècle, Jules II était devenu pape en intriguant, puis il avait sécurisé sa place en levant sa propre armée de cent cinquante mercenaires suisses pour se protéger des cardinaux rivaux. À l'époque, c'étaient les meilleurs combattants du monde, ils servaient les papes depuis ce temps-là, c'était la Garde suisse. Mais cinq de ses huit hommes étaient morts. En recruter d'autres serait problématique et, après réflexion, il avait décidé que ces gros bras ne seraient peut-être pas nécessaires.

« Agenouillons-nous, dit Pollux. Nous devrions rendre grâce. »

Il posa l'ordinateur et le pistolet par terre et se mit à genoux ; ses deux complices l'imitèrent.

« Il y a des siècles, les évêques fondateurs de notre foi ont proclamé ce que nous devions croire. Le grand concile de Nicée mit fin à tous les débats concernant ce qui était saint et sacré, et l'empereur Constantin, en gage de sa reconnaissance, nous fit un don magnifique. Ce soir, par la grâce de Dieu, nous avons retrouvé ce don sacré. Enfin, il est à nouveau en sécurité entre nos mains. Rendons grâce en disant le *credo*, symbole de Nicée.

« Je crois en un seul Dieu, le Père tout-puissant, créateur du ciel et de la terre, de l'univers visible et invisible. Je crois en un seul

Seigneur, Jésus-Christ, le Fils unique de Dieu, né du Père avant tous les siècles : Il est Dieu né de Dieu, lumière, née de la lumière, vrai Dieu, né du vrai Dieu engendré non pas créé, de même nature que le Père ; et par lui tout a été fait.

« Pour nous les hommes, et pour notre salut, il descendit du ciel ; par l'Esprit saint, il a pris chair de la Vierge Marie, et s'est fait homme. Crucifié pour nous sous Ponce Pilate, il souffrit sa passion et fut mis au tombeau. Il ressuscita le troisième jour, conformément aux Écritures, et il monta au ciel ; il est assis à la droite du Père. Il reviendra dans la gloire, pour juger les vivants et les morts et son règne n'aura pas de fin.

« Je crois en l'Esprit saint, qui est le Seigneur et qui donne la vie ; il procède du Père et du Fils. Avec le Père et le Fils, il reçoit même adoration et même gloire ; il a parlé par les prophètes. Je crois en l'Église, une, sainte, catholique et apostolique. Je reconnais un seul baptême pour le pardon des péchés. J'attends la résurrection des morts, et la vie du monde à venir.

« Amen. »

Ses hommes avaient répété scrupuleusement après lui. Il hocha la tête et se leva, sa soif de sang se libérant tout à coup de la retenue protocolaire qu'il avait toujours cru devoir montrer.

Il se pencha et ramassa le Glock.

Puis tira deux balles.

Une dans le front de chacun des deux chevaliers, qui s'écroulèrent instantanément, morts.

Il lui fallait absolument faire disparaître toutes les traces.

Certes, le conservateur de la cathédrale demeurait, mais le nouveau cardinal Kastor Gallo s'occuperait de son cas, il n'y avait rien là qui puisse éveiller les soupçons. Finalement, une lettre serait envoyée, de sa main, signée Pollux, expliquant qu'il démissionnait de l'Ordre et se retirait du monde. À son avis, Pollux Gallo ou ses hommes ne manqueraient à personne.

C'était triste.

Mais vrai.

Il posa le Glock et traîna les deux corps jusqu'au bord de la fosse.

Il s'accroupit et fouilla leurs poches. Il récupéra la clé de la porte principale de la chapelle et celle de la voiture.

Puis il balança les deux cadavres dans le puits.

Il faudrait qu'ils soient enterrés, pour éliminer tout indice. L'endroit pourrait s'avérer problématique, mais à sa connaissance, seule une poignée de gens, tous membres de l'Ordre, étaient au courant de l'existence du panneau secret, et la chapelle extérieure n'accueillait presque jamais de visiteur. Kastor était enterré profondément dans le sol et aurait bientôt disparu. Ces deux cadavres devaient connaître le même sort.

Ce qui était la raison pour laquelle il avait laissé une pelle.

Il alla la récupérer et la lança dans la fosse.

Il fallait qu'il retourne à Rome.

Dieu merci, il restait un dernier chevalier qui pourrait faire le ménage.

Cotton entendit la voix de Gallo qui disait les grâces puis récitait le *credo*. Deux détonations, puis un bruit de frottement, quelque chose qu'on traînait sur la terre battue. Il avait compris que la fosse avait une forme de cloche, avec une circonférence au fond bien plus vaste qu'au sommet. Il avait également remarqué que le sol sous ses pieds n'était pas dur comme au-dessus. Il avait la consistance d'une terre qu'on avait retournée récemment.

Malone leva les yeux.

Un bras pendant au bord du puits.

Il se recroquevilla contre la paroi. Un corps tomba et s'écrasa à côté de lui.

Puis un autre.

Il se souvint que le fond n'était pas visible depuis le haut. Il y faisait trop noir. Alors il s'aventura à jeter un coup d'œil et aperçut non pas Pollux, mais Kastor Gallo qui regardait en bas, un pistolet dans la main.

Ce serait suicidaire de révéler sa présence. Il attendrait le départ de l'autre et sortirait à l'aide de la corde.

Puis Gallo s'éclipsa.

Malone contempla les deux corps. Il faisait trop sombre pour distinguer leurs visages.

Un autre objet tomba du haut et se ficha dans la terre meuble.

Une pelle.

La corde se mit à monter.

Et disparut.

Les lumières s'éteignirent.

Il était dans le noir complet.

60

Luke fila sur la route de la côte vers le nord, en direction de l'église Sainte-Magyar. Une fois sorti de prison, il avait contacté Stéphanie, qui lui avait dit où était allé Malone. Elle avait parlé au conservateur de la cathédrale, qui avait fourni les indications nécessaires. Luke avait décliné la proposition que Hahn lui avait faite de l'aider, décidant de garder les gens du coin à l'écart. Il valait mieux se tenir sur ses gardes à partir de maintenant ; il y avait trop d'inconnues dans cette grande mêlée.

Combien de fois avait-il foncé sur un ruban d'asphalte au milieu de la nuit ? Après des rendez-vous, des matchs de football, des nuits en goguette avec les copains. Le paysage qui l'entourait n'avait rien à voir avec les montagnes de l'est du Tennessee. Il n'y avait pas grand-chose qui soutenait la comparaison avec cette terre sacrée. Il avait passé les dix-huit premières années de sa vie là-bas et il essayait d'y retourner dès qu'il le pouvait. Ce qui n'était pas si souvent... Dans son pays, les légendes abondaient. Mille mythes, contes, histoires de fantômes. Son père adorait les raconter.

Comme celle de Tom l'Écorché.

Un charmant jeune homme qui séduisait presque toutes les femmes qu'il croisait posa un jour les yeux sur une belle fille mariée appelée Eleanor. Ils commencèrent à se voir en secret, dans le coin des amoureux à l'abri des regards. Bien entendu, le mari d'Eleanor découvrit le pot aux roses et écorcha Tom vivant. Selon la légende, le squelette sanguinolent de Tom hantait toujours le coin des amoureux, armé d'un couteau de chasse, guettant les couples adultères à qui il pourrait donner une leçon. Ce qui semblait incroyablement injuste de sa part, étant donné les circonstances de sa propre mort.

L'apparition avait même un chant :

As-tu vu le fantôme de Tom l'Écorché ?

Un squelette rouge sanguinolent sans la peau

Il doit faire un peu froid quand on n'a plus de peau sur le dos.

C'est sûr. Luke se sentait un peu écorché, lui aussi. Le réservoir pratiquement vide, mais tournant à plein régime.

Il quitta la grand-route et se dirigea vers l'intérieur des terres, suivant les indications que Stéphanie avait fournies. Il s'engagea dans une vallée plongée dans la pénombre. Des crêtes se découpaient au loin des deux côtés, avec de rares lumières. Il continua à avancer sur la route asphaltée. Devant lui, sur le bas-côté, au milieu d'un bosquet de petits arbres, il aperçut une voiture garée.

Une voiture qu'il reconnut.

Il arrêta son véhicule et constata qu'il avait raison. C'était celle qu'il avait conduite plus tôt. Et que Malone avait visiblement prise pour venir de la cathédrale. Il éteignit les feux, coupa le moteur et sortit dans la nuit.

Malone était ici et, apparemment, il avait choisi l'approche discrète. Luke décida de l'imiter. Il partit à pied sur la route, guettant l'arrivée d'éventuelles voitures dans un sens ou un autre. Les cigales stridulaient dans la nuit. Il était fatigué, il aurait bien dormi quelques minutes, mais il avait appris à se mettre en pilotage automatique. En réalité, il était encore meilleur quand il adoptait ce mode. Le fait qu'il ait à peine trente ans, qu'il soit un peu anxieux, ambitieux et bien entraîné devait jouer aussi.

À deux cents mètres environ il aperçut le contour d'un édifice sur une crête et une autre voiture garée devant.

C'était forcément la chapelle.

Tout à coup, la porte principale s'ouvrit, et une silhouette apparut dans le cône de lumière. La forme sombre alla jusqu'à la voiture en portant un sac et ce qui ressemblait à une chaise pliante, qu'elle déposa dans le coffre. La silhouette retourna à l'entrée du bâtiment et les lumières s'éteignirent, comme si on avait actionné un interrupteur.

Puis la voiture partit, dans la direction opposée à la sienne. Elle disparut sur la route, s'enfonçant plus loin dans la vallée, vers l'ouest.

Son instinct lui disait que quelque chose n'allait pas.

Luke courut en petites foulées jusqu'à la porte. Il essaya d'ouvrir le loquet et découvrit qu'elle était fermée à clé.

Pas de serrure conventionnelle.

Pas de grosse serrure en fer forgé qu'on pourrait crocheter avec un passe-partout.

Il tâta les panneaux de chêne.

Épais et costauds.

Aucun moyen de l'ouvrir. Il n'avait plus qu'une option. Il retourna en courant à sa voiture et démarra. Il monta en vitesse la pente menant à la chapelle et pointa ses phares sur la porte. Il s'approcha et s'arrêta, le pare-chocs collé contre le panneau de chêne.

Stéphanie lui avait dit que ce bâtiment existait depuis des siècles, mais Luke n'avait pas le choix : il écrasa l'accélérateur et enfonça l'avant de sa voiture dans la porte, qui se fendit.

Ce fut plus facile qu'il ne l'aurait cru.

Il recula, coupa le moteur puis sortit de la voiture. Une fois passée la porte, Luke se retrouva dans la pénombre. Du bout des doigts il examina le mur à l'intérieur et repéra un interrupteur, qu'il actionna ; quelques lumières s'allumèrent et projetèrent de longs faisceaux blancs dans la chapelle nue au sol de pierre brute.

Luke balaya les lieux d'un regard attentif.

Pas un son ne brisait le silence.

Le sol s'étendait sur peut-être quinze mètres devant lui. Il remarqua des traces dans la poussière qui menaient de la porte à un autel, et au-delà. Il les suivit. Elles contournaient l'autel et entraient dans une abside circulaire.

Puis elles s'arrêtaient.

Brusquement.

Devant le mur.

Luke contempla l'arrondi de la pierre devant lui. Trois panneaux, séparés par des moulures, des bancs en calcaire tout au long du demi-cercle avec une corniche en haut et une ligne de moulure ciselée au milieu. Quelqu'un était-il venu jusqu'ici pour s'asseoir sur le banc ? Possible. Mais peu probable. Le sol était relativement intact, à l'exception des traces de pas qui menaient à la porte principale.

Luke se tint face au mur arrondi et tapota à certains endroits avec son poing. Il s'agissait d'un mur plein.

Ce qu'il y avait à trouver était forcément dans le panneau du milieu. Du bout des doigts, il parcourut le sillon de part et d'autre.

Rien d'inhabituel.

La corniche en haut était hors d'atteinte, la moulure centrale ne présentait pas d'indentations. Elle était faite d'une seule pièce, sculptée dans la pierre. Il s'assit sur le banc et contempla le sol. Pourquoi pas ? Il se mit à genoux et regarda en dessous. Rien. Le banc de pierre était soutenu par deux corbeaux aux deux extrémités.

Allez. Ça ne peut pas être si dur que ça.

Il examina les corbeaux et remarqua qu'ils étaient arrondis, partant du mur jusqu'au bout du banc. Il y avait un petit écart entre le bout du corbeau et le mur en pierre. Deux à trois centimètres, pas beaucoup plus. Il glissa son doigt dans l'interstice à droite. Rien. Il essaya à gauche. Sentit un creux. Circulaire. Avec quelque chose dedans. Un bouton. Il appuya. Tout le panneau rentra vers l'intérieur.

Il se remit debout, savourant cet instant digne d'un film d'Indiana Jones.

Il poussa la dalle verticale, surpris devant l'aisance avec laquelle elle bougeait, malgré son poids. C'était tout noir de l'autre côté. Luke découvrit un autre interrupteur et alluma les lumières. Un couloir menait à une autre chapelle, un peu glauque, avec de nombreuses statues et sculptures. On se serait cru chez Madame Tussauds[1] où la pierre aurait remplacé la cire. Luke remarqua l'autel, qui avait été profané : il avait un trou en son centre.

La signature de Malone, probablement.

Luke continua, découvrit une nouvelle porte qui menait à un escalier en colimaçon. Il descendit et trouva un autre interrupteur. Des lumières s'allumèrent. Il suivit un étroit couloir jusqu'à une salle avec une fosse au milieu.

Il en avait déjà vu.

À La Valette.

Une *guva.*

Qu'est-ce qu'avait expliqué Laura ?

Autrefois, il y en avait partout sur l'île. Aujourd'hui, il n'en restait que deux.

Disons trois.

Il s'approcha et se pencha, mais le fond n'était pas visible.

« Il était temps, bon sang », énonça une voix.

---

1. Célèbre musée de cire à Londres, l'équivalent du musée Grévin parisien. *(N.d.T.)*

61

Pollux quitta la vallée de Pwales. Il venait de tuer trois hommes. Si on ajoutait le propriétaire de la villa et James Grant, cela faisait cinq meurtres. Tous regrettables, mais nécessaires.

Il avait passé un appel à peine sorti de la chapelle, en se servant d'un des portables qu'il avait pris sur les chevaliers morts, et avait dit à la personne de le rejoindre à la tour Lippija, qui se trouvait à environ dix minutes de la chapelle ; c'était un bâtiment trapu du XVIIe siècle avec un seul étage et un toit en terrasse donnant sur la baie de Gnejna, sur la côte nord-ouest. Il supposait que la tour serait déserte à cette heure et, en approchant, il constata qu'il avait raison. Il coupa le moteur.

Il se pencha vers le siège passager et attrapa l'ordinateur portable, qui avait été acheté pour lui quelques semaines auparavant et n'avait jamais servi. Pollux ne pouvait pas utiliser son propre ordinateur ni aucun autre objet de sa vie d'avant. Il allait devoir tout laisser en se retirant du monde. Rien qui le reliait à son passé ne pouvait demeurer. La transformation devait être parfaite sur tous les plans.

Il glissa la clé USB dans la prise et entra le mot de passe Kastor I.

Il ouvrit l'unique fichier et commença à lire, plus concentré sur certaines parties, en survolant d'autres, mais abasourdi par la quantité d'informations incroyablement compromettantes. Plus qu'il n'aurait pu l'imaginer. Pendant des années, il s'était penché sur la vie les cardinaux. Il savait tout sur les éléments pertinents de leur biographie et il était au courant des enquêtes privées menées par Kastor et des pots-de-vin qui avaient circulé. Mais les données que Spagna avait amassées étaient réellement plus impressionnantes.

Kastor avait raison.

C'était une mine d'or.

Une voiture arriva derrière, ses phares se reflétant dans son rétroviseur. Il avait peu de temps, mais cette affaire devait être résolue avant qu'il quitte l'île. Il posa l'ordinateur et sortit de son véhicule.

De l'autre émergea Kevin Hahn. « Daniels n'est plus en garde à vue », annonça-t-il.

Pollux balaya l'information d'un revers de main. « Les Américains ne devraient plus poser problème.

– Sauf que Daniels a tué quatre de nos hommes.

– Ce qui est une tragédie épouvantable. Mais elle ne mènera qu'aux chevaliers ; c'est à eux qu'il appartiendra de gérer ce problème. »

Hahn et lui étaient amis depuis longtemps. Ils s'étaient rencontrés quand ils étaient jeunes et avaient servi dans l'armée ensemble, puis ils étaient tous les deux entrés dans l'Ordre. Hahn n'était pas un chevalier *profès* mais il était chevalier. Pendant toutes ces années, c'était Hahn qui l'avait informé au fur et à mesure de tout ce qui se passait à Malte. Il était ses yeux et ses oreilles sur l'île, et il finit par obtenir le poste de chef de la Sécurité de Malte. Quand Pollux avait réuni l'équipe qui allait incarner ses *Secreti* temporairement ressuscités, Hahn en avait fait partie depuis le début. Grâce à lui, Pollux avait appris l'arrivée des Américains à Malte et tous les agissements de Spagna. Toujours grâce à lui, il avait eu connaissance de la duplicité de Laura Price, de son ralliement à Spagna, et de la tentative d'attenter à sa vie. Le Livre des Proverbes avait raison. *L'ami aime en tout temps et dans le malheur il se montre un frère.*

Hahn était plus son frère que Kastor ne l'avait jamais été.

« Tu lui ressembles parfaitement », dit Hahn.

Et Pollux parlait également comme Kastor. Il s'exerçait depuis des mois. Ce n'était pas si difficile, parce que le ton et la hauteur des voix des deux hommes étaient presque identiques. Juste quelques légères différences, sur lesquelles il se concentrait maintenant. Parfaire sa diction et sa syntaxe paraissait être le plus complexe. Tout le monde avait ses tics de langage, sa propre manière de dire les choses. Pollux n'échappait pas à la règle. Mais Pollux n'était déjà plus Pollux.

« Tu as une idée de ce que Daniels a prévu de faire ? »

Hahn secoua la tête. « Il ne m'a pas dit grand-chose. Il est juste parti. »

Daniels allait certainement reprendre contact avec Malone, qui lui raconterait que la Trinité avait été découverte et rendue aux chevaliers et à l'Église qui mettraient de l'ordre. Bien entendu, l'incident du bateau resterait à résoudre. Des hommes avaient été tués. Mais à nouveau, rien ne menait à Rome.

« Qu'est-ce que tu veux que je fasse ? l'interrogea Hahn. Les Américains ont demandé mon aide pour l'identification des hommes du bateau.

– Aide-les. Ça n'a pas d'importance. Sois coopératif. Laisse-les mener leur enquête sur le bateau et les quatre occupants. Ça les conduira aux chevaliers de Malte, pas à Kastor Gallo ni à toi. »

Pollux vit que son ami était du même avis.

« Tu es prêt ? demanda Hahn.

– Oui. » Il serra la main à Hahn. « Tu m'as beaucoup aidé. Mais il y a un problème à la chapelle. Deux de nos frères sont devenus gourmands. Ils en voulaient davantage. J'ai été obligé de m'occuper d'eux.

– Ça me contrarie de l'apprendre.

– Ils ne m'ont pas laissé le choix. Il faut que tu y retournes et que tu les enterres avec Kastor. Il est au fond de la *guva*, lui aussi. Tu trouveras une corde et une pelle là-bas. Sers-t'en pour faire le ménage. Nous ne pouvons pas courir le risque que quelque chose soit découvert. Jusqu'ici tout s'est déroulé à merveille et aucun indice ne conduit à la chapelle. Alors, terminons proprement. »

Il savait que son vieux camarade ne protesterait pas. Hahn le suivrait au Vatican, pour y devenir le chef opérationnel de l'Organisme. Une autre raison pour laquelle Danjel Spagna avait dû être éliminé. Avoir son ami à la tête de la plus ancienne agence de renseignement du monde ne serait qu'un avantage. Même s'il aurait préféré faire tout cela seul. Le Livre des Proverbes à nouveau était utile. *Comme le fer aiguise le fer, ainsi un homme excite la colère d'un homme.*

« Je m'en occupe, dit Hahn. Va vers ton destin de pape.

– J'ai toutes les informations de Spagna. Elles devraient suffire largement à me faire obtenir les voix nécessaires. »

Il repartit à sa voiture.

Content.

Tout ce qui lui restait à faire, c'était lire le troisième élément de la Trinité.

De Fundamentis Theologicis Constantini.

62

De Fundamentis Theologicis Constantini

Une nouvelle conscience de la dignité humaine a émergé dans notre empire. Les hommes perçoivent la valeur infinie et la responsabilité d'une nouvelle vie. Mais dans leur bonheur imposé une chose étrange est en train d'arriver. Aussi naturellement qu'ils ont rejeté l'ancienne structure politique, les hommes ont commencé à rechercher une religion d'une nature plus personnelle, plus intime.

Il est communément admis que, dans les temps récents, l'apparition de notre Sauveur Jésus-Christ a été connue de tous, une nouvelle religion a immédiatement fait son apparition, pas une petite religion, restreinte à un petit endroit de la Terre, mais une religion indestructible et invincible, parce qu'elle reçoit directement l'assistance de Dieu. Cette religion apparaissant ainsi soudain au moment déterminé par la parole impénétrable de Dieu est celle qui a été honorée par tous par le nom du Christ.

Il est vrai que la religion et la civilisation avancent de concert. Mais il est particulièrement vrai que les croyances et pratiques religieuses peuvent souvent être à la traîne de la civilisation. Nous sommes confrontés à cette situation aujourd'hui, avec la persistance des dieux païens et l'émergence d'une nouvelle foi chrétienne. Une autre illustration de cela est la manière dont la nouvelle foi chrétienne se déchire en son sein, où s'opposent tant d'approches différentes sur ce qui devrait ou ne devrait pas être objet de croyance. Tant d'idées différentes sur qui est Dieu, ce qu'il est, et sur qui est notre Sauveur, ce qu'il est.

Toute religion doit refléter les idéaux purs de la société dans laquelle elle existe. Ses pratiques et ses sacrifices ne peuvent être que ainsi que le permet le sentiment général. Aucune nouvelle religion ne peut facilement s'imposer sur la Terre où d'autres dieux sont vénérés depuis longtemps. Pour survivre, une religion doit avoir une structure, des règles, un ordre et, plus important encore, de la cohérence. Le cadre suivant est proposé comme un moyen de protéger ce que nous avons créé.

Rappelez-vous toujours qu'un Dieu furieux, vengeur, est préférable à une entité bénigne, aimante. Nous devons proclamer que l'obéissance et le respect des directives de Dieu sont pour les hommes le seul moyen d'obtenir la paix éternelle au ciel, tandis que la désobéissance mène à la souffrance éternelle. La peur de la souffrance éternelle devra être utilisée pour maintenir les fidèles sous contrôle. Ceux-ci ne doivent jamais oublier que le seul salut de leur peur vient de la foi chrétienne, que sa doctrine et ses pratiques ne pourront jamais être mises en question, que leur obéissance doit être absolue.

Le péché est le mécanisme par lequel le contrôle sera exercé. Pour le peuple hébreu, ce sont les Dix Commandements, énoncés par Moïse, qui ont joué le rôle de principe fondateur. Mais il nous faut davantage. Une liste de péchés devra être créée, une liste qui est adaptée à chaque époque, où chaque péché est conçu pour instiller la peur. Il doit y avoir une croyance claire sur le fait que ne pas réussir à obtenir le pardon pour un péché place l'âme immortelle dans une situation de très grave danger, car le pardon ne peut être obtenu que par la foi chrétienne. Cela devra commencer dès la naissance, avec la croyance que tous les hommes naissent pécheurs. Jamais ils ne pourront rejoindre Dieu à moins qu'il n'y ait absolution de ce péché originel grâce à la foi chrétienne.

La plupart des religions précédentes nourrissaient l'idée que lorsqu'une vie s'arrête une autre commence, le cycle n'étant jamais interrompu. Cette immortalité spirituelle, cette réincarnation, est certes réconfortante, mais la foi chrétienne n'offre qu'une vie physique et une occasion de salut éternel. Lorsque cette vie se termine, l'âme va soit au ciel soit en enfer, et nous devons créer et définir les deux.

Aucun manque, aucune déficience dans la foi chrétienne ne peut être rendu responsable des faiblesses de l'homme. Un adversaire doit être créé pour cela. Un diable, un esprit, un démon, qui ne cesse de lancer des défis sur le chemin du salut. Tous les péchés, tous les défauts de l'homme doivent être imputés à ce diable, qui est toujours présent, toujours tentateur, jamais en repos, et le seul moyen de résister proviendra de la doctrine chrétienne.

Les capacités spirituelles ne doivent jamais être tolérées. Ceux qui prétendent avoir des visions ou une aptitude à parler avec Dieu représentent un danger. Comme la trahison est passible de mort, la pensée et les actes hérétiques doivent aussi connaître la colère de Dieu. Nous ne pouvons accepter les hérétiques. Leur mort justifiée doit être un signe, un avertissement pour tous : les actions et les pensées contraires à la foi chrétienne ont des conséquences terribles. Tuer au nom de Dieu n'est pas un péché. Défendre la foi en versant le sang est un devoir auquel nous ne devons jamais renoncer.

La religion s'exprime dans les termes de la connaissance du monde dans lequel elle existe. Si celle-ci est viciée, la religion alors sera viciée. N'ayez jamais peur de changer. C'est le seul moyen de survivre. Mais n'en concevez pas d'angoisse.

Les objets sacrés ne doivent être ni utilisés ni touchés par les hommes, car ils n'appartiennent qu'à Dieu. Il est essentiel, pour ancrer notre foi chrétienne, de les créer, qu'il s'agisse d'églises, de lieux, de personnes, de mots ou d'objets. Il est tout aussi important de conserver leur caractère sacré par des règles et des châtiments.

Les prêtres seront constitués en une classe particulière. Je représente le choix naturel pour être le chef de ces prêtres, parce que la religion est un élément vital de la politique. Le premier devoir de l'État est de rester en accord avec Dieu et de faire en sorte que Dieu reste en bons termes avec les hommes. Le devoir des prêtres est de faire en sorte que les gens soient en bons termes avec moi.

Après tout, chers évêques, l'essence du christianisme est constituée par l'amour de Dieu et la foi pour suivre ses enseignements, mais elle doit également inclure de faire respecter l'autorité des prêtres et de croire dans la doctrine chrétienne sans la moindre réserve. Pour atteindre cet objectif, nous devons nous unir, car les affaires publiques seront considérablement facilitées si nous prenons cette mesure. L'état de nos vies individuelles sera également altéré. Chacun d'entre vous deviendra bien plus important de nombreuses manières. Ce qui nous a autrefois divisés semble aujourd'hui assez insignifiant et indigne de luttes si virulentes. Réjouissons-nous de notre unité.

63

Pollux cessa de lire les parchemins.

Le latin apparaissait sur les deux pages en fines lignes droites, entre des marges étroites. L'encre noire était pâteuse, mais pour l'essentiel, elle était devenue d'un gris passé grâce aux dix-sept siècles écoulés. Pollux s'installa dans la cabine confortable du jet privé et partit vers le nord, direction Rome. Après avoir quitté Kevin Hahn à la tour, il s'était débarrassé du contenu du sac en toile dans trois bennes à ordures différentes qu'il avait vues sur son trajet, et était arrivé à l'aéroport de Malte sans incident. Le Glock finit dans la mer, jeté d'une falaise. Toutes les preuves avaient disparu. Il s'était également arrêté à Mdina pour récupérer le sac de voyage de Kastor, ainsi que son passeport du Vatican. Son esprit était fatigué après des mois passés à s'inquiéter, comploter et rêver. Mais dans quelques heures il serait à l'intérieur de la chapelle Sixtine. Non pas comme un obscur chevalier d'une confrérie vieille de neuf cents ans. Mais comme un *sanctae Romanae Ecclesiae cardinalis*, un cardinal de la sainte Église romaine.

Pendant des années il avait étudié le latin et le grec, lisant d'innombrables textes sur le christianisme et l'Église, surtout sur l'époque entre sa fondation avec le Christ et la fin du IIIe siècle. Les années de formation. Comme la puberté pour un enfant.

Puis vint l'an 325 et tout changea.

Constantin convoqua les évêques chrétiens à Nicée, rassemblant tous les acteurs en un seul lieu pour la première fois, avec une proposition simple. Si tout le monde s'accordait sur une Église universelle et chrétienne, la Couronne couvrirait la nouvelle religion d'avantages politiques. Si cela ne se faisait pas, les persécutions continueraient. Personne ne savait avec certitude combien d'ecclésiastiques écoutèrent son appel, mais ils furent assez nombreux pour élaborer une déclaration de leurs croyances, une déclaration qui définit encore aujourd'hui ce que cela signifie d'être catholique. Ils transformèrent la philosophie d'un homme qui avait prêché la pauvreté, la miséricorde et la non-violence en une idéologie du pouvoir, dont Constantin se servit pour bâtir la cohésion de son empire. Tout à l'heure, avant d'envoyer ses deux acolytes retrouver leur Dieu, Pollux avait trouvé approprié de dire ces paroles anciennes – le célèbre *credo*.

Les livres d'histoire adoraient raconter que Constantin avait eu une vision, puis avait gagné une grande bataille en attribuant sa victoire au Christ. Par reconnaissance, il s'était converti, disait-on, et avait proclamé le christianisme religion officielle de l'Empire. Mais ce n'était qu'à moitié vrai. Constantin ne s'était converti que sur son lit de mort, et même cela ne faisait pas consensus. Il avait passé sa vie à protéger ses arrières, vénérant les anciens dieux, mais utilisant les nouveaux. Toute l'histoire de la conversion n'était qu'une manière de rendre la nouvelle religion plus acceptable aux yeux des gens. Si elle était assez bonne pour l'empereur, elle était assez bonne pour eux. Constantin ne créa pas le christianisme, mais il le modela à son image. Et choix judicieux, il ne tenta jamais de vaincre le Christ, mais il voulut le définir.

Et ce que Pollux venait de lire confirmait cette conclusion.

Constantin voulait sa propre religion.

Et pourquoi pas ?

La foi était la mort de la raison. Elle reposait sur l'allégeance aveugle, sans pensée, avec uniquement une croyance incontestable. La nature même de la foi semblait être l'irrationalité, et pour institutionnaliser la foi, l'homme avait créé la religion, qui restait l'une des plus anciennes et plus puissantes conspirations jamais inventées. Il n'y avait qu'à voir ce qui avait été débattu à Nicée.

La nature du Christ.

L'Ancien Testament était simple. Dieu était unique et indivisible : telle était la croyance des Juifs. La nouvelle religion avait installé une trinité. Le Père, le Fils, le Saint-Esprit. Bien entendu, elle avait été créée par l'homme comme partie intégrante de la nouvelle religion. Mais qui était le Christ, exactement ? Était-il différent du Père puisqu'il avait été humain ? Ou était-il semblable à Dieu, immortel et éternel, malgré son humanité ? Tout cela paraissait tellement trivial, mais le débat menaçait de détruire le christianisme. Même Constantin avait trouvé la discussion idiote, digne d'enfants sans expérience, mal venue chez des prêtres, des prélats et des hommes raisonnables. Il avait mis fin à cette division en proclamant que le Christ était engendré, non pas fait, étant de la substance du Père par qui toute chose est faite.

La religion avait toujours été un outil. Son pouvoir fonctionnait ainsi : elle s'emparait de quelque chose d'intime, puis offrait une réalité spirituelle, avec des avantages, à tous ceux qui choisissaient de l'adopter. Peu importait qu'il s'agisse du christianisme, de l'islam, du judaïsme, de l'hindouisme ou même du paganisme. Toutes avaient créé leurs propres vérités particulières, puis les avaient perverties pour qu'elles leur soient avantageuses.

Mais toutes les bonnes choses ont une fin.

Pour l'Église catholique, la fin arriva en 1522 lorsque Martin Luther traduisit le Nouveau Testament du latin en allemand. Pour la première fois, les gens pouvaient lire la parole de Dieu et ils n'y virent aucune mention de l'Église, des indulgences, des péchés, des cardinaux ou des papes. Ils pouvaient lire l'Évangile selon Luc où il était clairement dit que *le royaume de Dieu est au-dedans de vous*, ou l'Épître aux Romains, qui disait que *l'esprit de Dieu habite en vous*, sans qu'il y soit fait mention d'un autre endroit où Dieu était censé habiter. Avant Luther, les Écritures n'étaient destinées à être lues que par les prêtres, et interprétées par l'Église, les deux instances exerçant formellement leur contrôle.

Exactement ce que Constantin avait conseillé.

Les prêtres seront constitués en une classe particulière. Je représente le choix naturel pour être le chef de ces prêtres, parce que la religion est un élément vital de la politique. Le premier devoir de l'État est de rester en accord avec Dieu et de faire en sorte que Dieu demeure en bons termes avec les hommes. Le devoir des prêtres est de faire en sorte que les gens soient en bons termes avec moi.

Constantin voulait que les hommes d'Église soient unis. Que sa nouvelle religion devienne une constante. Adéquat, puisque son propre nom signifiait « ferme ». Il réalisa que la cohérence nourrissait la confiance, et une fois que les gens étaient devenus confiants, ils n'hésiteraient pas à croire.

Il avait dit cela sans ambiguïté à la fin de son texte.

Et effectivement, Abraham, qui était un homme élu, reçut une prophétie concernant ceux qui, à l'avenir, devraient être élus de la même manière que lui. La prophétie était formulée ainsi : et en toi toutes les tribus de la Terre seront bénies. Et Il deviendra une nation puissante et nombreuse ; et en lui toutes les nations de la Terre seront bénies.

Ainsi, qu'est-ce qui pourrait empêcher ceux qui se réclament du Christ de pratiquer le même mode de vie unique, d'avoir la même religion, que ces hommes d'autrefois ayant reçu la faveur divine ? Il est évident que la religion parfaite qui nous a été confiée par l'enseignement du Christ est un cadeau. Mais si la vérité doit être énoncée, elle devrait l'être d'une voix comme étant la vraie religion. Mon espoir est que ces directives nous guideront tous vers ce résultat.

La proposition était simple. Restez unis, suivez mes commandements et le christianisme sera florissant.

Divisez-vous, désobéissez, et ce sera la fin de la protection impériale. Les chrétiens se retrouveraient là où ils étaient avant le concile de Nicée. Ostracisés et persécutés.

Ils n'avaient guère de choix.

Au début, les églises furent initiées par des semeurs, des vicaires qui allaient de ville en ville et créaient des congrégations. Chacune devenait une religion à part entière, isolée et tenue d'une main ferme. Finalement, des aînés émergèrent dans ces congrégations, pas des gens spéciaux ni au-dessus de la masse, simplement des serviteurs membres du groupe, choisis pour leur ancienneté sans pouvoir particulier ni permanence. Mais Constantin sembla comprendre l'aubaine que ces aînés représentaient sur un plan politique. Il y vit une occasion de cultiver une armée de supporters locaux, d'hommes qui ne maniaient pas l'épée, mais pouvaient toucher le cœur et l'esprit des gens.

Très astucieux.

Pollux connaissait bien l'histoire de l'Église.

Constantin éleva le clergé. Il leur accorda un salaire fixe annuel et les exempta de l'impôt. Ils n'étaient pas obligés de servir dans l'armée ni d'effectuer une charge civile. Ils se transformèrent de fait en une classe spéciale, qui n'était pas soumise à la loi profane ni aux cours impériales. Ils s'habillaient et se coiffaient différemment. Ils devinrent les gardiens de l'orthodoxie, plus puissants que les gouverneurs locaux. Une élite spirituelle de saints hommes, jouissant prétendument de cadeaux et de grâces que les autres ne possédaient pas. Sans surprise, beaucoup d'individus se découvrirent soudain une vocation pour le ministère.

Mais malgré tous ces privilèges, l'Église se languit pendant presque cinq cents ans. Après la mort de Constantin, ses héritiers saccagèrent l'empire qui fut coupé en deux, l'Est devenant byzantin, l'Ouest demeurant romain. Le christianisme se sépara aussi. Et bien que les évêques fussent dispersés dans toute l'Europe, l'Afrique et l'Asie, celui qui se trouvait à Rome commença à s'affirmer comme une autorité sur la partie ouest, s'élevant au-dessus des autres, prétendant que sa lignée remontait à saint Pierre. Il prit un titre païen : *Pontifex maximus*, grand pontife.

Le jour de Noël de l'année 800, l'Église était prête à s'étendre.

Cela se produisit à Rome pendant que l'empereur Charlemagne était en prière. Le pape Léon III posa la couronne impériale sur la tête du roi, puis oignit les pieds du nouvel empereur. L'histoire aime raconter que l'événement avait été spontané. Pas le moins du monde. Tout avait été prévu. Un dirigeant chrétien ne pouvait pas être un dieu. Cela aurait eu un fort relent de paganisme. Mais il pouvait être *choisi* par Dieu, devenant le lien entre le ciel et la terre. D'un coup de maître, le roi des Francs devint le premier empereur depuis 476 et l'Église devint le moyen par lequel toute prétention à ce trône acquérait de la légitimité.

Un accord gagnant-gagnant classique.

Qui changea le monde.

Finalement toute l'Europe à l'exception d'un tout petit morceau se trouva sous l'autorité de Rome. L'Église catholique devint la force dominante dans le monde pendant les huit siècles suivants. Elle effaça systématiquement toutes les croyances spirituelles concurrentes pour les remplacer, détruisant toutes les autres religions. Elle étouffa la recherche de connaissances, persécuta les mystiques et les hérétiques et imposa la conversion à tous. En même temps, elle priva ses membres de croyance dans les prophéties, les rêves, les apparitions, les visions, la réincarnation, la méditation et la guérison. Elle prit le contrôle de la vie quotidienne en prétendant qu'elle avait une autorité divine pour dominer, puis celui de tous les moments de la vie des fidèles.

Un étranglement virtuel.

Pour que son armée d'ecclésiastiques demeure spéciale, l'Église conçut le sacrement de l'ordination, élaboré d'après la coutume romaine consistant à nommer des hommes aux fonctions élevées de l'État. Personne n'objecta jamais que le Nouveau Testament ne faisait aucune mention de prédication sélective et que le baptême de nouvelles âmes ne devait se limiter qu'aux hommes ordonnés prêtres. Selon la Bible, l'homme avait accès directement à Dieu. Au lieu de cela, l'Église imposa des règles rigides qui limitèrent sa relation avec Dieu.

Et maintenant, Pollux savait où tout avait commencé.

Dans ce texte de Constantin : *De Fundamentis Theologicis Constantini.*

Pas étonnant que l'Église n'ait jamais voulu que le document soit accessible au public. Quel moyen plus rapide de perdre le contrôle que de montrer qu'il n'était qu'une illusion ! Si les masses apprenaient que rien dans la prétendue doctrine de l'Église n'était divin, que tout avait été créé par l'homme pour le bénéfice de l'homme, ce serait un énorme désastre en termes de relations publiques. Toute peur serait dissipée. Tout émerveillement disparaîtrait. L'irrationalité aurait été remplacée par la raison.

Pollux contempla les deux parchemins.

Le passé était revenu dans le présent.

Que penserait le monde moderne des *Fondements théologiques de Constantin* ?

Excellente question.

Autrefois, l'Église s'appuyait sur l'ignorance et la peur. La modernité exigeait bien plus. L'éducation était chose commune. La télévision, la radio et Internet captaient l'esprit de tous. Que penserait le monde moderne une fois qu'il saurait qu'un empereur romain d'il y avait mille sept cents ans avait élaboré le cadre d'une nouvelle religion que les prélats du Moyen Âge avaient mise en œuvre pour s'assurer de l'obéissance des fidèles et promulguer sa propre puissance. Pas d'intervention divine. Pas d'influence céleste. Pas de communication avec Dieu. Seulement une poignée d'hommes qui aimaient mener grand train et exercer leur pouvoir.

Il imaginait que cette révélation ne serait pas bien accueillie.

Mais serait-elle fatale ?

Difficile à dire.

Sans aucun doute, dans un monde où la religion perdait du terrain et où la foi dans l'autorité disparaissait, où les gens quittaient l'Église plus vite qu'ils n'y venaient, apporter la preuve que tout avait été monté de toutes pièces ne serait pas une bonne chose. Kastor avait pensé que cela suffirait à exercer une pression sur les cardinaux les plus importants pour qu'ils soutiennent sa candidature. La menace avait fonctionné au Moyen Âge avec de nombreux papes différents, dont la plupart étaient corrompus et sans morale. Cela avait aussi fonctionné dans les années 1930, avec deux papes appelés Pie, qui se trouvaient face à un monde incertain qui finalement entra en guerre. Est-ce que cela fonctionnerait à nouveau aujourd'hui ? Peut-être. Peut-être pas.

Mais assurément, une telle révélation ne serait pas positive.

Dieu merci, il avait la clé USB de Spagna remplie d'informations compromettantes sur des cardinaux importants.

Cela fonctionnerait, indubitablement.

Le jet commença à descendre.

Pollux se cala dans son siège en cuir, croisa les doigts et y reposa son menton, essayant de contrôler l'angoisse qui lui serrait la gorge. Il avait des picotements dans les yeux. Ses nerfs étaient à vif. Il y avait toujours une possibilité qu'il échoue. Ce petit élément de hasard. La menace d'une erreur. Qui serait catastrophique au vu des péchés qu'il avait commis. Heureusement, il était homme à prendre ses précautions.

Il l'avait toujours été.

Dehors, le soleil fit son apparition au-dessus de l'horizon.

Le jour se levait.

Si tout se passait comme prévu...

Demain soir, ou le jour suivant au plus tard, il devrait être pape.

64

Cotton leva la tête et fixa Luke Daniels.

Qui sourit.

Il n'en fut pas surpris.

« Vous vous êtes mis dans le pétrin ? demanda Luke.

– On peut dire ça. Je l'ai bien cherché, mais c'est un sale coup quand même. »

Il avait déjà exploré le fond du trou, en s'éclairant avec son portable. Pas de réseau. Ce n'était pas étonnant, compte tenu de la masse de roche qui l'entourait. Les deux corps gisaient l'un sur l'autre, avec la pelle jetée à côté. Comme il s'en était douté, le sol avait récemment été remué à un endroit, la couleur et la texture étaient différentes du reste. Mais il lui fallait pousser plus loin ses investigations.

« Comment saviez-vous que je viendrais ? demanda Luke d'en haut.

– Je n'en savais rien. Mais j'ai pensé que vous finiriez par parler à Stéphanie ou au conservateur de la cathédrale, et que l'un ou l'autre vous dirait où j'étais allé. Stéphanie m'a raconté, pour Laura Price, et ce que vous avez fait.

– L'Organisme voulait la mort de Pollux Gallo. Savez-vous pour quelle raison ?

– À vrai dire, j'ai quelques idées sur la question. Avez-vous vu quelqu'un quitter cet endroit ?

– Un homme, dit Luke, qui portait un sac et un siège pliant. Mais j'étais trop loin pour l'identifier.

– J'imagine qu'il est en route pour l'aéroport, destination Rome.

– Le cardinal, alors ? »

Malone considéra le macabre spectacle qui l'entourait, masqué par l'obscurité. Puis il tendit la main vers la pelle.

« Il doit y avoir une corde là-haut, dit-il, servez-vous-en pour descendre. »

Luke s'exécuta et fit glisser la corde jusque dans les ténèbres de la fosse. Il n'était pas particulièrement enthousiaste à l'idée de se retrouver de nouveau au fond d'un puits, mais il se doutait que Malone avait ses raisons. Il descendit.

« Il y a du monde, on dirait, fit-il en posant le pied dans le fond et en apercevant les deux cadavres.

– Poussons-les sur le côté. Il faut que nous puissions accéder en dessous. »

Ils déplacèrent les corps.

Malone trouva son portable et alluma la torche. Luke vit que le sol avait été remué peu de temps auparavant.

« Quelqu'un a creusé ? demanda-t-il.

– Ça y ressemble. »

Malone se pencha et sonda le sol avec sa pelle.

« Vous pensez qu'il y a quoi ici ?

– Pas *quoi. Qui.*

– Qu'est-ce qui se passe, Papy ? »

Malone continua à creuser. « Quand j'étais gamin, un soir, on a campé en bande dans les bois. J'étais le plus jeune, je devais avoir neuf ou dix ans, c'était la première fois que je dormais à la belle étoile. Après qu'on a monté le camp et dîné, les autres m'ont emmené dans un champ tout noir et m'ont donné une taie d'oreiller. Ils m'ont dit qu'il y avait des bécassines dans ce champ. Des bêtes toutes noires qui rôdent la nuit en quête de nourriture. Elles sont succulentes à manger, comme la dinde ou le poulet. Ils voulaient en attraper une et la faire rôtir, alors ils m'ont appris le cri de l'animal. Un braillement ridicule. Ils m'ont dit de rester là à surveiller en imitant ce cri, encore et encore. Lorsque la bécassine arriverait en courant, j'étais censé la choper avec la taie d'oreiller. Puis ils m'ont laissé tout seul dans le noir, en me disant qu'ils allaient me rabattre les oiseaux pour que ce soit plus facile. J'ai cru tout ce qu'ils me racontaient, et je suis resté là à pousser ce cri ridicule, en attendant une bécassine, pendant que les autres se pissaient dessus de rire en me regardant, cachés dans les bois.»

Luke pouffa. «On dirait tout à fait le genre de truc qui aurait pu m'arriver. Combien en avez-vous attrapé ?

– J'ai besoin de vous faire un dessin ? C'était un leurre. Et maintenant, je me retrouve embarqué dans le même genre de chose. Une satanée chasse à la bécassine.»

Malone cessa de creuser. «J'ai touché quelque chose.»

Il se pencha et ils entreprirent tous deux de dégager la terre.

«L'homme qui est parti d'ici est Pollux Gallo, dit Malone. Il a abattu ces hommes de sang-froid, après avoir prié avec eux. Il ne se doutait pas que j'étais là. S'il l'avait su, il m'aurait tué, moi aussi. Mais j'ai eu la sagesse de ne pas me manifester.»

En creusant, ils découvrirent de la peau.

Un torse.

Écartant davantage de boue grise, ils virent un visage.

Kastor Gallo.

«La seule chose qui paraît claire, dit Malone, c'est que Pollux va tenter d'obtenir le siège de pape. Comme son frère Kastor. Il s'est transformé physiquement. Il s'est coupé les cheveux. Il est cardinal maintenant.

– Il ne manque pas d'audace. Il faut lui accorder ça.

– D'après ce que j'ai entendu, vous n'avez pas manqué d'audace non plus. Un bateau coulé, tout le monde éliminé.»

Malone s'interrompit.

Luke voyait bien que quelque chose tracassait Malone. « Qu'est-ce qu'il y a ?

– Gallo ne se doute pas que nous sommes sur ses traces. Vous l'avez vu partir. Avait-il l'air pressé ?

– Pas du tout.

– Donc, nous avons l'avantage. Il croit qu'il a le champ libre et qu'il n'a pas besoin de semer des obstacles derrière lui. Nous sommes maintenant invisibles. »

Malone commença à remettre des pelletées de boue noire dans le trou. « Il faut que nous recouvrions le corps, pour que Gallo et ses complices ne sachent pas que nous l'avons découvert. »

Luke, se souvenant d'épisodes passés, dit : « Ça vous plaît d'être un cadavre, hein ?

– Ça présente un grand avantage, c'est certain. »

Pollux était collé au hublot.

Le soleil s'était levé sur le sud de l'Italie tandis que le jet descendait vers l'aéroport. Après avoir parcouru les deux parchemins, il avait lu plus attentivement le contenu de la clé USB, en enregistrant dans sa mémoire les nombreux détails sordides. Il commencerait dès que possible à se servir de ces informations. Contrairement à Kastor, il ne connaissait personnellement aucun de ces hommes, mais il lui faudrait agir comme si c'était le cas.

Au loin, parmi les innombrables édifices de Rome que nimbait le soleil du matin, il aperçut le dôme de Saint-Pierre. Impressionnante, y compris à des kilomètres, la basilique méritait sa réputation de plus beau monument de style Renaissance et baroque. Et même si ce n'était ni une cathédrale ni une église mère, elle se distinguait par le fait qu'elle était le plus grand sanctuaire de toute la chrétienté.

Cette grandeur pourrait bien un jour être conférée à Kastor Pollux

Un obscur cardinal devenu un grand pape.

Il lui semblait ironique de dépendre, même à travers sa transformation, de Kastor, pour le succès de son entreprise. Mais à présent au moins, il avait le contrôle absolu de la situation. Quel genre de pape serait-il ? Difficile à dire. Il n'avait pas la foi, et la religion ne lui importait que tant qu'elle servait ses intérêts. Par bonheur, il avait minutieusement étudié la religion et avait attentivement écouté les innombrables diatribes de Kastor. Il était prêt à saisir le pouvoir. Et il allait le faire. En étant pragmatique et concentré sur son but.

Le *De Fundamentis Theologicis Constantini* lui avait sans aucun doute ouvert les yeux.

C'était littéralement un plan d'action pour la religion.

D'abord, établir une doctrine cohérente appelée le Nouveau Testament avec des Évangiles s'adressant à la croyance universelle, ce qui était précisément ce que les évêques avaient fait à Nicée. Puis décréter que toutes les autres croyances sont des hérésies, indignes de considération, et que tous ceux qui n'ont pas la foi seront excommuniés. Pour mieux imposer le dogme, créer la notion de péché, vouer les âmes à la damnation éternelle dans les flammes. Peu importe que l'Ancien Testament n'ait jamais fait mention de l'enfer. Il suffisait de le créer dans votre Nouveau Testament, puis de s'en servir pour garantir loyauté et obéissance.

La manière la plus rapide de s'assurer une foule constante de fidèles est de proclamer que chacun naît avec les péchés hérités de la chute d'Adam. Pour expier ce *péché originel,* toute personne doit se soumettre au baptême, conféré par un prêtre ordonné par l'Église. Ne pas se purifier de ce péché vouerait l'âme à l'enfer. Ensuite, pour garder les gens dans la dépendance de l'Église toute leur vie, il convenait de créer d'autres sacrements. La sainte communion pour les enfants. La confirmation à la puberté. Le mariage pour les adultes. Les ultimes rites pour les morts. Une influence qui s'étend du ventre maternel à la tombe, couvrant tous les aspects de la vie d'une personne, chaque étape dépendant étroitement de l'adhésion à la doctrine de l'Église. Parallèlement, la confession offre une chance de se purifier du péché et d'éviter temporairement l'enfer, le pardon ne pouvant bien sûr avoir qu'une seule origine.

L'Église.

Si un individu, un groupe ou une nation, si qui que ce soit se dresse contre elle, il est nécessaire d'éliminer cette dissidence en la traitant de la manière la plus brutale, y compris par la torture, l'exécution et le génocide.

Si les temps exigent des changements, les effectuer. Adapter tous les enseignements en fonction des nécessités. C'est ce qu'a fait l'Église. À maintes reprises. En commençant par Nicée et en continuant avec d'autres conciles œcuméniques et d'innombrables bulles papales. Réformer est une bonne chose – mais pas trop vite, pour respecter la mise en garde de Constantin. Et pour garantir l'issue de tout débat, déclarer qu'en matière spirituelle le pape est infaillible, incapable de se tromper.

C'était ce point qu'il préférait.

Et même si une erreur est commise, l'imputer au diable. Encore une création du Nouveau Testament. Une Némésis fictive à laquelle on peut faire endosser tout le mal qui peut survenir. Les fidèles doivent croire qu'écouter le diable est le plus sûr moyen de se retrouver en enfer.

Quel fabuleux concept qui s'entretient lui-même !

Et personne, jusqu'à Martin Luther au XVIe siècle, n'a pu efficacement remettre en question la moindre chose.

Même les premiers mots de la prétendue prière du Seigneur ne sont qu'hypocrisie.

Notre Père qui êtes aux cieux...

Quels cieux ? L'Ancien Testament ne parlait pas d'un tel endroit. Il existait uniquement parce que les premiers pères de l'Église voulaient se distinguer des Juifs. Donc, leur Dieu demeurait au ciel. En outre, s'ils avaient dit aux hommes que le royaume de Dieu résidait seulement en chacun, comme le clame la Bible, même aux illettrés il n'aurait pas fallu longtemps pour comprendre qu'on n'avait pas besoin d'une Église.

Quel concept fantastique ! Cela avait été mis en œuvre avec une telle maîtrise que bien peu de gens, des siècles après, se doutaient de la manière dont tout avait commencé.

C'est ce qui devait faire des *Fondements théologiques de Constantin* un poison à l'état pur.

Il avait vu les statistiques. Le pourcentage de fidèles perdus chaque année par l'Église catholique romaine était à deux chiffres. Du nombre des catholiques qui restaient, moins de vingt pour cent allaient régulièrement à l'église. Plus choquant encore, dans les vingt pour cent qui pratiquaient toujours, près de quatre-vingts pour cent pensaient que les gens devraient accéder à leurs propres croyances spirituelles en dehors des religions organisées. Imaginez donc ce qu'il adviendrait s'ils savaient que c'était un empereur romain qui avait inspiré la plus grande partie de ce qu'ils croyaient être d'origine divine.

Imaginez cela.

Par bonheur, ils ne le sauraient jamais.

Une fois le conclave achevé, lorsqu'il serait pape, le *De Fundamentis Theologicis Constantini* serait brûlé. Il n'existerait plus rien ni personne qui puisse menacer son pontificat.

Mais d'ici là, il allait le conserver.

Juste au cas où.

65

Cotton était sur le tarmac à l'aéroport international de Malte. Luke et lui étaient venus chacun dans son véhicule depuis la chapelle et avaient appris qu'un jet privé s'était envolé trois heures plus tôt et avait déjà atterri à Rome. À bord se trouvait Kastor, le cardinal Gallo. Il utilisa son téléphone pour appeler Stéphanie, qu'il mit sur haut-parleur. Ils s'entretinrent dehors, dans la lumière du matin.

« Gallo est en ce moment même au Vatican, dit Stéphanie.

– Au moins nous savons exactement où il est, fit remarquer Cotton.

– Est-ce qu'on a des informations sur les gars que j'ai tués ? demanda Luke.

– On est encore en train d'essayer de les identifier. Les empreintes n'ont rien donné.

– C'étaient sûrement des petites mains que Pollux Gallo avait convaincues de le seconder, dit Cotton. Des hommes qui pensaient qu'ils travailleraient pour le prochain pape. Gallo n'a pas d'argent, donc ils étaient motivés par d'autres raisons. Manque de chance, leur indemnité de licenciement est un peu définitive. »

Il consulta sa montre.

8 h 45 du matin.

« Le jet du ministère de la Justice est encore à Malte, dit Stéphanie. Je peux le faire mettre à votre disposition, il sera prêt à décoller dans moins d'une heure.

– Allez-y, dit Malone.

– Et le faux cardinal ? demanda Luke.

– On va lui laisser la bride sur le cou. Ne rien faire qui pourrait l'effrayer. Il faut que nous soyons sûrs avant d'agir. » Cotton s'interrompit. « Absolument certains.

– Dans ce cas, séparez-vous, dit-elle. Luke, retournez là-bas et sortez de cette fosse le corps de Gallo et celui des deux autres. Cotton, rendez-vous à Rome. Le temps que vous y arriviez, nous saurons. »

Pollux, descendu de voiture, se trouvait devant la Résidence Sainte-Marthe. L'édifice de cinq étages peint en jaune pâle se dressait à l'ombre de la basilique Saint-Pierre et servait ordinairement à l'hébergement des religieux en visite. Le pape François y avait vécu, préférant son austérité et son animation à l'isolement et au luxe des appartements papaux. Lorsqu'il y avait un conclave, elle logeait les cardinaux participants. Un ensemble de cent vingt-huit chambres, géré par les Filles de la Charité de Saint-Vincent, agrémenté d'un réfectoire et de deux chapelles. Rien de fastueux, loin de là. Seulement un endroit pour se restaurer, dormir et prier. C'était infiniment préférable aux lits de fer isolés les uns des autres par des draps tendus, qui avaient été offerts lors des conclaves précédents.

Ses nombreuses rangées de fenêtres étaient fermées par des volets. Pollux savait qu'Internet et le réseau téléphonique seraient désactivés et bloqués, le dessein étant de garder les cardinaux dans l'isolement, ainsi que l'exigeaient les règles du conclave. Deux gardes suisses arborant leur uniforme bariolé, cape, fraise et culotte bouffante, étaient postés de chaque côté de l'entrée. Pollux se trouvait à présent à l'intérieur du Vatican même, au-delà des portes et coupé de la foule massée sur la place Saint-Pierre. Des milliers de gens s'étaient déjà rassemblés pour le début du conclave. Ils allaient rester là jour et nuit, attendant que la fumée blanche s'échappe de la cheminée de la chapelle Sixtine pour signaler l'élection d'un pape.

Il s'efforça de garder son calme et marcha vers l'entrée.

L'assistant de Kastor l'attendait devant les portes vitrées.

Son premier test.

« Votre Éminence, bienvenue, dit le prêtre, en s'inclinant légèrement. Votre chambre est prête. Je vais vous y conduire. »

Il fit un signe de tête plein de gratitude et suivit le jeune homme à l'intérieur.

Luke se rendit en voiture à l'église Sainte-Magyar. Il était difficile de se perdre sur cette île, qui était plus petite encore que son patelin du comté de Blount dans le Tennessee.

Il se demanda ce que faisait sa mère à cette heure. Elle menait une vie solitaire, son père ayant gagné le repos éternel il y avait bien longtemps. Deux de ses frères habitaient non loin et prenaient soin d'elle. Elle vivait des aides sociales et de la retraite de son père, mais Luke veillait à ce qu'elle ne manque jamais d'argent. Ce n'était pas toujours facile. C'était une femme qui avait sa fierté, qui ne voulait être un fardeau pour personne. Mais il avait passé un accord avec sa banque, par lequel il pouvait verser de l'argent sur le compte de sa mère par un simple coup de téléphone. Et elle ne pouvait pas lui retourner son virement. Même si elle avait essayé.

Il ralentit en entrant dans un village. Des champs cultivés et des vignobles entouraient des commerces et des petites entreprises, qui semblaient tous voués à l'agriculture.

Il était enfin bien concentré sur l'objectif.

Prêt à l'action.

Il s'arrêta à un croisement, puis prit la direction de la vallée de Pwales.

Pollux contempla avec admiration les atours déployés sur le lit. Une longue soutane, la mozette, la calotte et la barrette, tout cela pourpre afin de symboliser le sang qu'un cardinal est censé être prêt à verser pour sa foi. Le rochet était blanc, comme l'exigeait la tradition, une simple dentelle réservée à Kastor pour signifier qu'il n'avait ni ministère ni diocèse. D'autres portaient des ornements plus élaborés, qui leur étaient offerts par leur congrégation. Mais toujours blancs. Il avait au doigt l'anneau cardinalice, et une chaîne d'or avec un crucifix reposait sur le lit pour qu'il la passe autour de son cou. L'assistant de Kastor, un prêtre auquel il avait déjà eu affaire en tant que Pollux, n'avait pas hésité une minute, certain que c'était le cardinal en personne qui était arrivé.

« Tout est en ordre ? » demanda-t-il en italien.

Pollux détourna son regard du lit. « Oui, c'est parfait. »

La chambre respirait la simplicité. Rien qu'un lit et une table de nuit, avec un crucifix très sobre accroché au mur peint en blanc crème. Un valet de nuit destiné à recevoir ses vêtements occupait un angle, le sol était un parquet ciré sans tapis. Dans le salon contigu à la chambre régnait la même austérité : une table, trois chaises et un buffet. Rien ne décorait les murs. Rien ne couvrait le parquet. Les deux pièces sentaient le renfermé, il y traînait des relents d'occupations précédentes et de parfum masculin musqué.

« Vous devriez vous changer rapidement, dit son assistant. L'horaire est serré. L'office à Saint-Pierre commence dans moins d'une heure. Puis, contrairement à l'habitude, les cardinaux se rendront directement à la chapelle Pauline, avant d'entamer la procession vers la chapelle Sixtine. »

Il avait apporté les parchemins, bien à l'abri dans le reliquaire placé dans le sac de voyage qu'on avait monté dans sa chambre. Ils resteraient là. *Les Fondements de Constantin* seraient peut-être utiles plus tard, quand tous reviendraient ici pour la nuit. Son ordinateur portable était également dans le sac, et la clé USB au fond de sa poche, où elle demeurerait toute la journée. Elle allait assurément servir dans la soirée.

« Laissez-moi », dit-il.

L'assistant se retira, fermant la porte derrière lui.

Il fixa la robe pourpre.

Cardinal.

Jadis, c'était un titre qu'on donnait aux fils cadets et aux ministres de monarques ambitieux, mais de nos jours il était souvent attribué aux membres de la curie. Cette dignité n'était mentionnée nulle part dans la Bible ni dans les enseignements de Jésus. Elle était l'entière création de l'Église. Le nom venait du latin *cardo.* Pivot. Parce que leurs délibérations étaient le pivot de l'élection d'un pape.

Comme maintenant.

Il sourit.

Il était temps d'achever la transformation.

66

Luke pénétra de nouveau dans la salle de la *guva*. La porte de la chapelle était toujours fendue en deux, rendant l'accès facile. Malone lui avait dit que l'édifice appartenait aux chevaliers de l'Ordre de Malte, qui seraient informés de la situation quand il serait à Rome. Avec un peu de chance, ils ne lui enverraient pas la facture des dégâts.

Cela aurait dû l'agacer que Malone prenne le commandement, qu'il soit envoyé à Rome alors qu'on le dépêchait, lui, vers ce trou où l'attendaient des cadavres. Mais ce n'était pas le cas. Il avait l'esprit d'équipe. Il en avait toujours été ainsi. Stéphanie l'avait expédié là, et il allait faire ce qu'elle voulait. Papy ferait ce qu'il fallait à Rome, et ensemble ils mèneraient à bien le boulot.

Et c'était tout ce qui importait.

Il était d'accord avec Harry Truman.

C'est fou ce qu'on peut accomplir quand on ne se soucie pas d'être reconnu pour ce qu'on fait.

Il resta au bord du puits à contempler le vide obscur. La corde était toujours accrochée au poteau. Il l'attrapa et descendit sans peine, les pieds sur la paroi. Ses yeux s'accoutumèrent aux ténèbres et il jeta un coup d'œil au fond.

Pas de corps.

Pas de pelle.

Il s'arrêta.

Bon sang, mais où étaient-ils passés ?

Il n'avait vu personne et il n'y avait aucun véhicule dehors. Mais à l'endroit où Malone et lui avaient fouillé précédemment, la terre semblait avoir été remuée, la zone meuble était plus vaste, elle occupait presque tout le fond. Quelqu'un avait creusé là. En haut, il aperçut une ombre qui masquait brièvement la lumière. Un signal d'alarme retentit dans son cerveau. Il commença à se hisser précipitamment, les pieds en appui sur le mur rugueux. Il parvint en haut, la tête dépassant du bord, et vit un homme qui lui tournait le dos en train de scier la corde avec un couteau.

Bon sang.

Le filin céda d'un coup.

Il projeta sa main gauche vers le haut et ses doigts s'enfoncèrent dans la terre dure du rebord, parvenant à peine à soutenir son poids. Il entendit des pieds racler le sol en venant dans sa direction. Il se hissa et vit Kevin Hahn, dont le bras droit décrivit un arc de cercle, le couteau visant sa main.

Merde.

En pivotant, il s'écarta, sa main droite trouva le rebord, ce qui lui permit de retirer brusquement l'autre main et de continuer à se retenir.

La lame s'enfonça dans le sol durci. Ses doigts lui faisaient mal. Hahn entreprit de retirer la lame du sol pour donner un autre coup. Luke s'agrippa des deux mains et se hissa, posa un genou d'abord sur le sol dur, pendant que de sa main gauche il attrapait la cheville de Hahn et lui faisait perdre l'équilibre.

D'une roulade, il s'éloigna de la *guva.*

Hahn se releva d'un bond, le couteau brandi.

Luke se remit debout, lui aussi. « Vous êtes prêt à faire ça, sérieusement ?

– Voyons ce que vous avez dans le ventre. »

Luke ne sous-estimait pas le respect dû à cette lame de douze centimètres, mais ce n'était pas la première fois qu'il se retrouvait en semblable posture. Comme tout bon paysan du Tennessee, il ne dédaignait pas une saine bagarre de temps à autre. En outre, il avait un tas de questions à poser à ce salopard.

Hahn fit mine de lui mettre deux coups de couteau, Luke le laissa venir pour jauger le potentiel de son adversaire. Qui n'était pas terrible. Surprenant, étant donné le métier du gars. Peut-être un peu trop de *ftiras*[1] et de temps passé derrière un bureau.

« C'est vous qui avez enterré ces corps ? » demanda Luke.

Pour toute réponse, Hahn tenta de lui porter un autre coup avec la lame.

Ça suffisait comme ça. Luke recula d'un pas et permit à Hahn d'avancer. Il fit une feinte à gauche, mais se porta vivement dans l'autre direction, son poing droit cognant durement la mâchoire du Maltais. La tête bougea à peine, mais il poursuivit d'un coup du gauche dans l'estomac. Hahn vacilla vers l'avant. D'un coup de pied, Luke fit sauter le couteau. Hahn voulut se ressaisir, étourdi, mais Luke le saisit à deux mains par la chemise et le força à se redresser, puis le fit pivoter au-dessus de la *guva*. Les bras de Hahn s'agitèrent en tous sens alors qu'il tentait de trouver un semblant d'équilibre, mais la seule chose maintenant qui l'empêchait de se retrouver au fond était les deux poings de Luke agrippés à sa chemise.

« Ça fait un sacré plongeon », dit Luke.

Il lut la peur dans les yeux de Hahn.

« Je vais vous poser quelques questions. Vous allez répondre. Sinon, je lâche. Affaire conclue ? »

Hahn fit oui de la tête.

« Commençons par celle que vous avez ignorée. Est-ce vous qui avez enterré ses corps ? »

Hahn fit à nouveau oui de la tête.

1. Sorte de sandwich fait de pain plat, percé en son centre et assaisonné d'huile d'olive, de tomate, d'ail et d'oignon. *(N.d.T.)*

« Dois-je vraiment poser la suivante ?

— On m'a dit de le faire. »

Luke secoua la tête et maintint Hahn encore plus près du bord, à un angle périlleux, ce qui n'échappa pas au Maltais.

« OK, OK, OK. »

Luke l'éloigna un peu du bord.

« Pollux Gallo. J'ai fait ça pour lui.

— Et le cardinal ? Que savez-vous ?

— Il est mort.

Les choses avançaient. « Qui l'a tué ?

— Gallo. Ça s'est fait entre frères. Il est là, dans le trou.

— Je veux toute l'histoire. Et en vitesse. J'ai les doigts qui fatiguent.

— Pollux et moi, c'est une vieille histoire. Il est venu me voir avec un plan et m'a fait une offre. J'ai marché.

— Vous avez vendu Spagna et l'Organisme à Gallo ? »

Hahn fit un signe d'assentiment. « Je détestais Spagna. Il méritait ce qui lui est arrivé. »

Ce gars était une mine d'informations. Stéphanie et Malone avaient tous les deux besoin de renseignements valables, mais il allait falloir un peu de temps pour les obtenir.

Il remit Hahn sur ses pieds.

L'homme parut soulagé.

Pas pour longtemps.

Luke l'envoya d'une poussée dans la fosse.

67

Cotton descendit du jet du ministère de la Justice et posa le pied sur le tarmac de l'aéroport Léonard de Vinci de Rome Fiumicino. Il était un peu plus de midi et il avait faim. Un déjeuner aurait été le bienvenu, mais un imposant hélicoptère blanc du Vatican l'attendait, rotor en marche. Il se hâta de le rejoindre et s'installa à l'intérieur.

Le vol depuis Malte avait été court. Il n'avait pas eu de nouvelles de Stéphanie ni de Luke. De toute évidence, il se passait quelque chose, puisque Stéphanie avait réussi à obtenir les services d'un hélico du Vatican. Il avait gagné un temps précieux. Le trajet de l'aéroport au centre-ville aurait duré deux bonnes heures en voiture. La circulation à Rome était une des pires du monde, une cacophonie de klaxons bruyants, de crissements de freins et de grondements de moteur.

Et il lui fallait bien admettre ceci : survoler toute la ville était merveilleux.

Luke écoutait Kevin Hahn qui creusait le sol de la *guva.*

Cet abruti avait survécu à sa chute et Luke avait décidé qu'Hahn se chargerait de l'exhumation des trois corps. Les deux autres ne l'intéressaient pas beaucoup. C'était le cadavre du cardinal qu'il fallait déterrer, et vite. Cela faisait presque dix minutes que Hahn s'y employait, fichant régulièrement son couteau dans le sol.

« Vous y êtes ? demanda-t-il.

– Oui, je l'ai », dit Hahn.

Pas trop tôt.

Luke scruta le trou obscur. Au fond il vit Hahn qui se servait de son portable pour s'éclairer, illuminant la sépulture en bas de la fosse. La lumière révélait une peau livide.

« C'est l'épaule, dit Hahn.

– Je veux le visage. »

La lumière s'éteignit et il entendit que le travail reprenait. Il s'assit sur le sol au bord de la fosse, les pieds pendants.

« C'est vous qui avez ordonné que Laura soit tuée, hein ? demanda-t-il en s'adressant au vide.

– Non, c'est Gallo.

– Vous l'avez aidé. »

L'autre s'interrompit. « J'ai suivi. »

Il recommença à creuser.

« Elle signifiait si peu pour vous ?

– Elle ne signifiait rien. »

Salaud. « Quel profit retirez-vous de tout ceci ?

– Je devais devenir chef de l'Organisme.

– Par quel moyen Pollux Gallo pense-t-il pouvoir devenir pape ?

– Il a des informations compromettantes sur les cardinaux. Des choses que Spagna a accumulées. Nous avons envoyé Kastor Gallo à Malte pour qu'il obtienne ces informations de Spagna. Ce qu'ils n'avaient pas prévu, c'était vous et Malone.

– Nous adorons être sous-estimés.

– Vous semez pas mal de cadavres sur votre route.

– Vous n'êtes pas mal non plus. »

Le travail cessa.

Il regarda dans la fosse.

La lumière réapparut.

Il distingua un visage dans la terre.

« C'est le cardinal, dit Hahn.

– Vous le connaissiez ?

– Depuis l'enfance. Je n'ai jamais pu l'encadrer. »

Il trouva son portable et activa l'écran d'accueil. « Attrapez ça. »

Il le lança au fond.

« Prenez le visage en photo. » Il l'observa pendant que Hahn s'exécutait. « Lancez-moi l'appareil. »

Hahn hésita.

« Vous n'allez pas commencer à m'emmerder », fit Luke.

Le portable jaillit du trou obscur.

Tout chez cet individu lui donnait la nausée. C'était un renégat, un traître, un gars qui faisait passer ses intérêts avant son devoir. Au point même de vendre quelqu'un de son camp. C'est entendu, Laura Price était arrogante et trop zélée, mais on ne lui avait laissé aucune chance. Elle n'avait été qu'un pion dans une partie qu'elle n'avait jamais comprise. Et c'était le gars qui était au fond de la fosse qui avait causé tous ces problèmes.

La corde qui était tombée lorsque Hahn l'avait coupée fut lancée, hors du trou, toujours enroulée. Elle atterrit sur le sol dur.

« Sortez-moi de là, dit Hahn. J'ai fait ce que vous vouliez. »

Il fallait que Luke aille au rapport, mais il ne pouvait le faire d'ici. Il devait remonter à la surface pour trouver du réseau. Kevin Hahn serait le témoin-clé des poursuites contre Pollux Gallo. Et quel meilleur endroit pour le garder au frais ?

« Daniels. Sortez-moi de là. »

Luke se détourna pour partir.

Hahn ne cessait d'appeler.

Il quitta la salle et emprunta le tunnel jusqu'aux marches pour remonter. Pour faire bonne mesure, il actionna l'interrupteur, plongeant tout dans le noir.

« Daniels ! s'écria Hahn, Daniels ! »
Luke monta l'escalier.

Cotton contemplait le spectacle depuis l'hélicoptère.

La citadelle ceinte de murs, de forme triangulaire, qu'était le Vatican fut bientôt en vue. Quarante-quatre hectares, avec une population de mille personnes. Au centre se dressait la façade à colonnes de la basilique Saint-Pierre, couronnée par son majestueux dôme qui luisait au soleil éclatant de midi. Sur le côté s'étendait l'excroissance des longues galeries en forme de H abritant les musées et la bibliothèque du Vatican. Ce complexe incluait la chapelle Sixtine, un simple rectangle à l'angle sud-ouest du palais, où les cardinaux allaient se rassembler. Elle avait été conçue pour être à la foi sacrée et défensive, comme le montraient ses austères murs extérieurs garnis d'un chemin de garde. Les bâtiments restants, disposés irrégulièrement et visiblement édifiés à des époques différentes sans souci d'harmonie particulière, constituaient le complexe administratif de l'Église catholique. Le centre du catholicisme triomphant.

De sa position élevée, il pouvait voir plus de la moitié de l'espace.

L'intérieur de l'enceinte était occupé par les jardins du Vatican. Un remarquable assemblage de peupliers, d'érables, d'acacias et de chênes où les papes de jadis chassaient les oiseaux, les cerfs, les chevreuils et les gazelles. L'hélicoptère passa directement au-dessus des arbres, et Malone aperçut ici et là des monuments et des fortifications variés, parmi les fleurs, les plantes topiaires et l'herbe. Une plaque de béton rectangulaire dans le coin ouest, près du mur léonin, servait d'héliport.

L'hélicoptère s'y posa.

Malone sauta à terre.

Un prêtre qui se tenait tout au bord de la piste s'avança et se présenta, ajoutant que Stéphanie Nelle l'attendait. Il traversa les jardins dans les pas du jeune homme, passant devant Radio Vatican, le Collège éthiopien et la gare, avant d'arriver sur la place Sainte-Marthe. Il n'avait jamais été dans la zone réservée du Vatican auparavant, bien qu'il ait visité les sections ouvertes au public. Pendant le vol, il avait pu voir que la place Saint-Pierre, bordée par les célèbres colonnes du Bernin, était noire de monde. Le prêtre prit à gauche et se dirigea droit vers la basilique, où était posté un garde de la sécurité en uniforme devant une porte de service.

Il était armé.

Ce qui était insolite pour un État religieux.

Mais Malone supposa que les temps changeaient.

Ils pénétrèrent dans la basilique.

Quelle que soit la religion du visiteur, et même s'il n'en avait aucune, il était difficile de ne pas être saisi de respect devant la majesté de la basilique Saint-Pierre. Mausolée de saint Pierre. Sanctuaire dédié au couronnement des papes et des empereurs. Première maison de Dieu au monde. Il y avait des monuments et des tombeaux partout, aussi bien dans la nef profonde que dans les bas-côtés. Le moindre recoin était consacré à un pape ou un saint. Les murs étaient marquetés de marbre somptueux, le plafond fait de caissons aux riches ornements de stuc et d'or. Son immensité semblait masquée par la claire symétrie de ses proportions. À peu d'exceptions près, les images que l'on voyait sur les murs étaient des mosaïques, exécutées avec tant de précision dans l'échelle et les teintes qu'elles en étaient presque irréelles. La liste des artistes donnait le vertige. Raphaël, Michel-Ange, Peruzzi, Vignola, Fontana, Maderno. Illustration parfaite de ce que cinq cents ans et des ressources illimitées pouvaient accomplir. Tout cela ressortait d'autant plus que l'édifice était désert.

Pas une âme à l'intérieur.

L'écho des pas sur le sol en marqueterie de marbre résonnait bruyamment.

Ils passèrent devant l'autel papal et son baldaquin de bronze doré, qui montait la garde au sommet de l'escalier menant au tombeau de saint Pierre. Celui-ci se trouvait au centre de la croix latine formée par l'édifice lui-même. Malone leva brièvement les yeux vers la grande coupole qui s'élevait jusqu'en haut du dôme de Michel-Ange. Des mosaïques couvraient ses panneaux, paraissant plus évanescentes vers le haut, comme si elles se fondaient dans le paradis.

Le prêtre ne semblait pas impressionné et marchait toujours.

Sur la droite, Malone aperçut le bronze de saint Pierre, statue de taille humaine assise, qui portait les clés du paradis tout en offrant sa bénédiction. Il savait qu'elle avait plus huit cents ans. Intacte, sauf à un endroit. Pendant des siècles, les pèlerins avaient embrassé le pied droit. Aujourd'hui, les gens se contentaient de l'effleurer. Un contact isolé n'avait que peu, ou pas d'impact. Mais toutes ces caresses, ajoutées les unes aux autres, avaient érodé le bronze, polissant et effaçant les contours des orteils. Il y avait sans doute là une leçon.

Ils parvinrent à l'extrémité de la nef et se dirigèrent vers une porte de sortie flanquée d'un autre garde armé, appartenant probablement à une société privée qui avait un contrat pour sécuriser les lieux pendant toute l'agitation liée à la mort d'un pape et à l'élection d'un autre. La porte s'ouvrit et Stéphanie Nelle apparut, accompagnée d'un homme vêtu de noir.

Il s'avança vers eux

« On a un gros problème », dit-elle.

68

Pollux entra dans la chapelle Sixtine avec les autres cardinaux de la procession qui marchaient deux par deux, dans leur splendeur écarlate, les mains jointes en prière. La chapelle faisait quarante mètres de long sur trente de large et vingt de haut, elle était divisée en deux parties inégales par une séparation de marbre aux motifs élaborés, libre interprétation d'une iconostase byzantine. De cette cloison à l'autel, on avait monté un dais de part et d'autre pour abriter deux travées de cardinaux assis côte à côte en longues rangées. Chacun avait un fauteuil et un emplacement de bureau. Tout ce dont Pollux avait besoin maintenant, c'était d'un peu de chance et des informations stockées sur la clé USB, qui était bien à l'abri dans la poche de son pantalon, sous sa soutane.

La chapelle Sixtine lui était familière, mais lors d'un conclave cet endroit revêtait une majesté particulière. Elle devait sa célébrité à ses fresques, dans lesquelles les grands maîtres des XVe et XVIe siècles avaient réalisé leurs plus belles œuvres. Ses yeux se fixèrent sur le mur le plus éloigné et *Le Jugement dernier* de Michel-Ange. La plus grande fresque du monde. À première vue, elle paraissait confuse et chaotique, mais une étude plus approfondie permettait d'en apprécier toute l'inspiration mystique.

Le chant s'arrêta. La procession se rompit.

Son regard passa sur les baies arrondies pour se poser sur le plafond à voûte aplatie. Il était d'accord avec les critiques. C'était peut-être là la plus belle œuvre d'art jamais créée. Lorsque le despotique Jules II avait ordonné que l'on change la décoration de la chapelle, Michel-Ange s'était insurgé. Il était sculpteur, et non peintre.

Mais une fois inspiré, il s'était investi dans sa mission avec un immense enthousiasme. Pendant quatre ans il avait travaillé dur, donnant le jour à une création époustouflante.

Pollux examina les panneaux.

L'Ivresse de Noé, le Déluge, la Création d'Ève, Dieu marchant sur les eaux, La Séparation des terres et des eaux. Son regard se fixa sur un panneau en particulier. *Le Serpent d'airain. Alors l'Éternel envoya contre le peuple des serpents brûlants ; ils mordirent le peuple, et il mourut beaucoup de gens en Israël,* et *Moïse fit un serpent d'airain, et le plaça sur une perche ; et quiconque avait été mordu par un serpent, et regardait le serpent d'airain, conservait la vie.* Le chapitre XXI des *Nombres* le réconfortait. Quelques-uns des cardinaux qui l'entouraient n'allaient pas tarder à regarder le serpent d'airain.

Le cardinal président appela depuis l'autel : « Mes frères, prenez place, afin que nous puissions commencer. »

Il trouva la place qui lui avait été assignée près du mur de gauche, sous le *Passage de la mer Rouge* de Rosselli. Il s'installa dans son fauteuil agrémenté d'un coussin rouge et d'un traversin pour le confort du dos. Jusqu'à présent, son simulacre avait parfaitement fonctionné. Quelques-uns des cardinaux s'étaient approchés de lui pour lui faire un brin de conversation. Certains étaient de toute évidence des amis de Kastor, d'autres étaient moins proches. Il s'était contenté de brefs et vagues commentaires, laissant entendre qu'il était étourdi par tout ce qui se passait autour de lui. Fort heureusement, la grande majorité l'avait ignoré.

Le cardinal président, un Italien, l'aîné de l'assemblée, se plaça devant l'autel et annonça à l'auditoire qu'ils allaient maintenant prêter serment, en jurant d'observer les normes prescrites par les diverses Constitutions apostoliques et les règles édictées par les papes précédents. Le processus prendrait un peu de temps, car chaque cardinal, selon l'ordre de la hiérarchie, devrait s'avancer, placer sa main sur l'Évangile et prononcer son serment.

Assister à ce spectacle allait grandement le divertir.

Cotton était avec Stéphanie et le cardinal Charles Stamm, un Irlandais, chargé de l'Organisme. C'était un homme maigre, aux joues creuses, au visage grêlé et au nez crochu. On ne voyait que la bordure de son plastron écarlate sous le col blanc clérical dépassant le dernier bouton de son austère soutane noire. Pas d'anneau au doigt. Une simple croix pectorale en cuivre était le seul signe de sa prestigieuse fonction. Bien que ce soit Danjel Spagna qui ait eu la haute main sur le contrôle opérationnel, cet homme était le président du Conseil, nommé depuis tant de pontificats qu'on ne les comptait plus. C'était un homme âgé, il avait clairement dépassé les quatre-vingts ans, ce qui le dispensait de participer activement au conclave.

« Luke m'a contactée », déclara Stéphanie.

Elle lui fit voir une photo sur son téléphone, qui montrait la tête et le torse d'un cadavre.

« C'est le cardinal Gallo, fit Cotton. Il est improbable que quelqu'un ait tué Pollux Gallo, lui ait coupé les cheveux et rasé la barbe avant de le larguer dans un trou. Le gars qui se trouve dans la chapelle Sixtine est un imposteur. »

Ils se concertaient dans la basilique, pas une âme en vue. Le garde en uniforme comme le prêtre qui l'avait escorté s'étaient retirés.

« Le chef de la Sécurité maltaise a confirmé à Luke que les frères Gallo ont échangé leurs rôles, dit Stéphanie. Cet homme était aussi de mèche avec Pollux Gallo.

Maintenant, Gallo est à l'intérieur de la chapelle Sixtine, où il se fait passer pour son frère.

– Il doit avoir un plan, dit Cotton.

– Il en a un, effectivement. »

Et elle expliqua l'histoire de la clé USB incriminante que Gallo avait obtenue de Spagna.

« Luke s'est montré extrêmement persuasif pour faire parler son prisonnier, dit-elle, il le garde au frais au fond de ce qu'il a appelé une *guva.* Il a dit que vous connaissiez bien. »

Malone étouffa un rire. « C'est une blague qui n'en finit pas. Mais c'est exact, j'ai bien visité l'endroit. »

– Je suis au courant de l'enquête interne de l'archevêque Spagna, déclara Stamm. Elle a été entreprise à la demande du pape lui-même. Mais on ne m'a jamais fait part des résultats. Spagna m'a menti en me disant que l'enquête était toujours en cours. Heureusement, je suis parvenu à la conclusion qu'il ne disait pas la vérité. Je le suspecte d'avoir projeté d'utiliser ce qu'il avait appris pour se faire élever à la dignité de cardinal et pour me remplacer, en s'appropriant les deux fonctions.

– On dirait que vous ne le portez pas dans votre cœur, fit Cotton. Pourquoi le gardiez-vous ?

– Parce qu'il était très efficace. Et qu'il était apprécié par le défunt pape. » Stamm haussa les épaules. « Le Vatican n'est pas une démocratie. Je n'ai rien pu faire. Sauf le supporter... Et le surveiller.

– C'est grâce au cardinal Stamm que la division Magellan est impliquée dans cette affaire, intervint Stéphanie.

– Vous saviez que Spagna était en train de devenir une crapule ?

– Je m'en doutais fortement. Lorsque certains de mes subordonnés m'ont confirmé qu'il était à Malte, j'ai compris qu'il y avait un problème. Mais quand j'ai découvert que le cardinal Gallo s'y rendait aussi, j'ai décidé de faire appel à une aide extérieure.

– Il m'a demandé discrètement d'envoyer un agent pour garder l'œil sur le cardinal, dit Stéphanie. Bien sûr, nous n'avions aucune idée de l'ampleur de ce qui allait se passer.

– C'est le moins qu'on puisse dire, ajouta Stamm. J'ai perdu mon responsable opérationnel et mon second.

– Je suis contente que vous soyez là, dit Stéphanie à Cotton. Tout ceci va demander de la prudence, de l'habileté et de l'expérience.

– Il faut neutraliser Gallo. Maintenant », répondit-il.

Stamm secoua la tête. « Le caractère sacré du conclave ne tolère aucune intrusion.

– L'intrusion a déjà eu lieu, observa Stéphanie. Tout est truqué. Il faut que ça cesse.

– Nous pourrions simplement attendre qu'ils achèvent leurs travaux du jour, puis nous occuper de Gallo », proposa Stamm.

Mais Cotton connaissait bien le déroulement d'un conclave. « Et qu'est-ce qu'on fera s'ils élisent le pape dès cet après-midi ? Ils vont voter aujourd'hui, non ? »

Stamm resta silencieux un moment, puis dit : « Oui. Probablement dans l'heure qui vient.

– Nous n'avons aucune idée de ce que Gallo a eu le temps de faire, reprit Cotton. Si les informations qu'il détient sont aussi compromettantes que vous le dites, il se peut qu'il ait déjà fait pression. Il est à Rome depuis plusieurs heures. Il faut interrompre ce conclave. Je suis désolé si c'est un désastre en termes de relations publiques, mais cet homme est un assassin. Les portes de la chapelle Sixtine sont-elles déjà fermées ?

– C'est imminent.

– Il faut y aller. »

Pollux contemplait les hommes en robe écarlate qui, l'un après l'autre, se plaçaient dans la file et s'approchaient du pupitre pour prêter serment. Lorsque vint son tour, il se tint debout, la main sur l'Évangile, et jura obéissance à la Constitution apostolique. Là encore, personne ne lui montra un intérêt particulier ni ne sembla se soucier de lui.

Mais d'ici demain soir, ils s'en soucieraient.

Après que le dernier cardinal eut prêté allégeance, le maître de cérémonie papal prononça les paroles sacramentelles.

« Extra omnes ! »

Sortez tous.

La partie publique du conclave était terminée, et les fonctionnaires qui se tenaient au fond, derrière la cloison de marbre – photographes capturant la prestation de serment, officiers de l'administration du Vatican, ainsi que les divers archevêques, prêtres et monsignores qui avaient concouru à la préparation de l'événement –, quittèrent les lieux. Alors les hautes portes de bois furent lentement refermées et verrouillées de l'intérieur, excluant les caméras. Pendant des siècles, c'était l'inverse. C'était l'époque où il y avait moins de cardinaux et où un électorat si restreint amplifiait considérablement le degré de corruption. Les conclaves duraient parfois des mois, et même des années. Les négociations entre les participants étaient tout sauf subtiles. Finalement, en 1274, Grégoire X ordonna que les électeurs soient enfermés, à l'isolement, et que leur nourriture soit sévèrement rationnée jusqu'à ce qu'ils parviennent au consensus. Inutile de dire que les choses commencèrent à aller plus vite.

Ce conclave allait être court, lui aussi.

Deux jours au plus.

Son élection devait être perçue comme émanant d'une inspiration divine, dans la mesure où la réputation de Kastor n'était pas exactement celle d'un *papabile*. Le choix serait choquant aux yeux du monde entier. Il se demanda si certains des cardinaux compromis lui résisteraient. C'était possible. Mais il ne leur cacherait pas qu'ils finiraient leur cardinalat en tant que princes de l'Église déchus, peut-être même en prison. Tous les médias de la planète seraient au courant, et le nouveau pape se verrait tenu de sanctionner leurs manquements. Alors, pourquoi ne pas avoir plutôt un ami sur le trône de saint Pierre ? Certes, un ami qui les aurait à sa merci. Mais un ami tout de même.

Nul doute que chacun d'entre eux avait eu conscience des risques qu'il prenait en décidant de transgresser non seulement la loi divine, mais les lois de toute nation civilisée. La dernière chose qu'ils souhaiteraient, c'était d'être démasqués, mais s'ils y tenaient, il serait fait selon leur désir. Au lieu d'être pape, il deviendrait lanceur d'alertes. Ceci devrait faire merveille pour rétablir l'image ternie du cardinal Kastor Gallo.

Mais qu'ils souhaitent s'engager dans cette voie lui paraissait douteux.

Rien qu'un simple vote, un vote secret, un vote qu'ils pourraient en fait renier plus tard s'ils le désiraient, et tout resterait en l'état.

Les cardinaux avaient l'esprit pratique, au moins.

Les portes de la chapelle Sixtine étaient fermées et verrouillées. Le conclave avait commencé. Il y aurait encore un sermon, puis on procéderait au premier vote. Devant lui, sur la table recouverte d'étoffe, se trouvaient quelques crayons, une feuille de relevé pour tenir le compte des votes, un exemplaire de l'*Ordo Rituum*, l'Ordre des rites du conclave, et une pile de bulletins en haut desquels étaient imprimés les mots ELIGO IN SUMMUM PONTIFICEM.

J'élis comme souverain pontife.

Il projetait d'écrire son nom sur le premier bulletin. Personne d'autre n'écrirait ce nom. Et personne n'y trouverait à redire, car beaucoup voteraient soit pour eux-mêmes, soit pour un ami. À l'époque moderne, aucun pape n'avait jamais été choisi avec une majorité des deux tiers dès le premier vote. Ceci était censé prévenir le péché d'orgueil.

Mais au moins, son nom serait jeté dans la bataille.

Et d'ici le crépuscule, plusieurs des hommes qui l'entouraient auraient pleinement conscience de son importance.

69

Avec le cardinal Stamm, Cotton se rendit à pied de la basilique à la chapelle Sixtine. Ils pénétrèrent dans une très grande pièce baptisée la Sala Regia, la Salle royale. C'était une vaste salle d'audience où les empereurs et les rois étaient autrefois reçus, et dont les murs étaient ornés de fresques gigantesques. Il lut rapidement quelques-unes de leurs légendes en latin. Le retour d'Avignon du pape Grégoire XI. La bataille de Lépante. La réconciliation du pape Alexandre III avec Frédéric Barberousse. Chacune décrivait un moment important de l'histoire de l'Église.

De la vantardise, tout ça, bien sûr.

C'étaient là des murs destinés à chanter la gloire de ces hommes.

Au-dessus de sa tête, le plafond dessinait une voûte élégante qui arborait les insignes ornementés des papes, parmi des figures bibliques. Comme tout ce qu'on pouvait voir au Vatican, les couleurs et le style agressaient les sens plus qu'ils ne les apaisaient. Tout au fond se trouvait l'entrée de la célèbre chapelle Pauline. Au milieu d'un des longs murs, on remarquait deux imposantes portes de bois, flanquées de deux gardes suisses portant des culottes bouffantes à rayures bleues, orange et rouges.

L'entrée de la chapelle Sixtine.

Fermée.

Du haut plafond voûté résonnait le murmure des quelque cinquante personnes qui allaient et venaient sur le sol de marbre. Quelques prêtres, quelques évêques, la plupart des hommes étant vêtus de costumes-cravates. Certains étaient munis d'appareils photo, leur carte de presse autour du cou.

« Nous arrivons trop tard, dit Stamm. Accordez-moi un moment. »

Le cardinal s'éloigna vers un groupe de costumes-cravates.

« Nous ne pouvons pas laisser les choses continuer, dit Cotton à Stéphanie.

– Malheureusement, c'est une affaire qui concerne le Vatican.

– Pollux Gallo a tenté de tuer Luke. C'est une affaire qui concerne les États-Unis.

– Vous poussez un peu loin.

– Mais ça pourrait suffire. »

Elle fit un geste pour montrer l'autre côté de la salle. « Ces deux gardes ne seront guère impressionnés par nos arguments juridiques, et je suis sûre que tout le palais fourmille d'agents de sécurité, prêts à gérer toute intrusion. »

Il comprit le message. Les prochaines étapes allaient requérir de la diplomatie, plutôt que l'usage de la force.

Stamm les rejoignit tranquillement, l'air tout à fait dégagé de quelqu'un qui prend son temps. « Les portes sont fermées depuis moins de dix minutes. Ils vont écouter un sermon d'ici quelques instants. C'est la tradition avant qu'on procède au premier scrutin. »

Cela signifiait qu'ils avaient le temps de réfléchir, et Cotton vit bien que le cardinal s'interrogeait sur la conduite à tenir. Des conversations s'élevaient dans la salle, amplifiées par le marbre qui les entourait.

« Il nous faut faire évacuer cette salle, déclara Stamm.

– Vous êtes décidé ? demanda Stéphanie.

– Je n'ai jamais porté le cardinal Gallo dans mon cœur. Je le considérais comme un vantard qui ne savait rien, ou presque, sur rien. Je n'ai jamais porté dans mon cœur l'archevêque Spagna non plus. Mais ce n'était pas mon rôle de les juger, l'un comme l'autre. Et personne ne mérite d'être assassiné. C'est mon devoir de protéger l'Église, ses prêtres et ses princes, et de préserver la procédure d'élection du nouveau pape de toute souillure. » Stamm s'interrompit. « Vous avez vu la *Nostra Trinità* des chevaliers ? »

Cotton fit oui de la tête. « Nous l'avons trouvée.

– J'ai vérifié, reprit Stamm. Le cardinal Gallo est arrivé à la Résidence Sainte-Marthe avec un gros sac de voyage. J'ai fait fouiller sa chambre il y a quelques minutes. On a trouvé trois vieux parchemins, dans un antique reliquaire.

– Avec des sceaux de cire à chaque bout, dont l'un est brisé ? » questionna Cotton.

Stamm opina.

« C'est ça, fit Cotton. Dans le reliquaire se trouvent les *Fondements théologiques de Constantin*. Je n'ai pas eu l'occasion de vérifier que c'est le cas. Mais si c'est bien le document de sept cents ans qui a été retrouvé, cela pourrait poser un problème.

– C'est important à ce point ?

– Si l'on en croit les rumeurs. »

Cotton sourit. C'était là un homme qui aimait à garder ses secrets.

« Notre imposteur veut être pape, déclara Stamm. J'imagine que la dernière chose qu'il désire, c'est que l'Église perde en prestige d'une manière ou d'une autre. Il projette d'accéder au trône de saint Pierre par la forfaiture. Votre hypothèse est juste, monsieur Malone. Nous ne pouvons pas permettre que ce premier scrutin ait lieu. Nous n'avons aucune idée de ce que Pollux Gallo a fait. Que nous mettions un terme à tout ceci maintenant ou plus tard, le préjudice en termes de relations publiques est le même. Aussi j'ai décidé d'agir. »

Pollux écouta le sermon, qui était verbeux et semblait destiné à inspirer le sens du devoir. Comme si les hommes qui étaient présents avaient besoin qu'on leur rappelle leurs responsabilités. C'était la première fois qu'il avait l'occasion de voir comment les cardinaux fonctionnaient en groupe, et il avait observé leurs visages. Certains étaient de toute évidence intéressés, mais la plupart essayaient de conserver un air stoïque, sans rien montrer des pensées qui les habitaient. Nul doute que des ententes avaient déjà été conclues, des alliances préliminaires établies. Personne ici, sauf les crétins, ne s'attendait à ce que le Saint-Esprit descende du ciel pour les inspirer.

Peut-être était-ce lui, le Saint-Esprit.

Peut-être la clé USB était-elle destinée à tomber entre ses mains.

Le monsignore allemand la ferma enfin, et le cardinal président se plaça devant l'autel. Le premier scrutin allait commencer. Pollux écouta le prélat qui expliquait la procédure, heureux d'entendre les instructions finales. Il avait lu tout ce qu'il avait pu, mais acceptait volontiers qu'on lui rafraîchisse la mémoire. Sur le bulletin placé devant lui, chaque cardinal écrirait un nom. Puis, par ordre de préséance, ils apporteraient leur vote à l'autel et le déposeraient dans un calice en or. Avant de remettre son bulletin, chaque cardinal prêterait un nouveau serment. En latin. *Le Seigneur Jésus-Christ qui sera mon juge m'est témoin que mon vote est donné à celui dont je pense devant Dieu qu'il doit être élu.*

Autrefois, chaque cardinal devait signer son bulletin et ajouter une petite marque, un symbole qui lui était propre. Le bulletin était alors plié pour cacher la signature et le symbole, puis scellé à la cire pour assurer la confidentialité. Mais les scrutateurs, ceux qui dépouillaient le scrutin, savaient tous qui avait voté pour qui. Pie XII avait mis fin à cette absurdité. Cette méthode était bien meilleure. Le secret, c'est le secret.

Le cardinal président termina ses explications et invita l'assemblée à procéder au vote. Certains des participants tendirent immédiatement la main vers leurs crayons, tandis que d'autres baissaient la tête pour prier. Il décida d'attendre un moment avant d'inscrire le nom de son frère.

Un bruit sourd rompit le silence.

Qui les surprit tous.

Il provenait de la double porte d'entrée.

D'autres coups résonnèrent.

Incroyable.

Quelqu'un frappait.

Il devint soudain très attentif et regarda le cardinal président descendre de l'autel pour s'engager solennellement dans l'allée centrale, les mains jointes devant lui. Tous les hommes avaient les yeux rivés sur la double porte massive, derrière la cloison de marbre. Un léger murmure s'éleva des rangs. Quelques-uns des cardinaux se levèrent et gagnèrent avec hésitation l'allée centrale. Il décida d'en faire autant. D'autres les rejoignirent, perplexes.

Le cardinal président s'approcha de la double porte, fit jouer la serrure intérieure et entrouvrit un battant, juste assez pour pouvoir se glisser à l'extérieur. Des soupçons s'insinuèrent dans son esprit. Ceci ne semblait rien présager de bon. On leur avait déjà signalé l'autre issue de la chapelle, une petite porte derrière l'autel qui menait soit aux chambres de Raphaël, soit, en bas, aux collections d'art religieux moderne du musée du Vatican. Les musées étaient fermés, leurs grandes salles d'exposition vides de tout visiteur. Il y avait des sanitaires aux deux étages pour le confort des cardinaux.

Mais ce chemin pouvait servir à s'échapper.

Pollux s'éloigna insensiblement des cardinaux dont l'attention restait fixée sur les portes. Lui non plus ne perdait pas de vue l'ouverture centrale dans la séparation de marbre, espérant que c'était une fausse alerte.

Les deux battants s'écartèrent violemment.

Cotton Malone entra.

70

Cotton était avec Stamm et Stéphanie tandis qu'ils s'adressaient au cardinal président.

Qui n'était pas content.

« Charles, êtes-vous conscient de ce que vous avez fait ? chuchota l'homme en anglais.

– Tout à fait, mon ami. Mais il y a un problème avec le conclave. Un problème qui exige qu'on l'interrompe. »

Ils avaient fait sortir de la Sala Regia tous les gens qui y attendaient en prétextant la nécessité d'un silence absolu pour les hommes rassemblés derrière la double porte. La foule avait donc été déplacée dans une salle adjacente dont on avait fermé les portes, il ne restait que deux gardes suisses. Leur chef avait été informé de tout ; on lui avait demandé avec insistance de garder le silence, et il avait obtempéré, car, ainsi que le fit remarquer Stamm, personne au Vatican, excepté le pape, ne discutait les ordres de l'Organisme. Cotton écouta le vieil homme expliquer la situation au cardinal responsable, dont la gêne grandissait à chaque révélation.

« Vous en êtes certain ? demanda-t-il quand Stamm eut fini.

– Il n'y a aucun doute. »

Et Stéphanie montra au cardinal la photographie du visage de Kastor Gallo, mort. « Nous devons placer l'imposteur en détention », déclara Stamm.

L'autre, visiblement bouleversé, acquiesça. « Bien sûr. Absolument. »

Stamm fit un geste ; Cotton poussa les deux battants et pénétra dans la chapelle Sixtine.

De l'autre côté de la séparation en marbre, un océan d'hommes vêtus de pourpre et de blanc les regardaient. Il s'avança jusqu'à un espace libre au centre de la foule, cherchant des yeux un visage. « Messieurs, il me faut le cardinal Gallo. »

Les prélats parurent d'abord perplexes, puis quelques-uns pointèrent une table du doigt.

« Voici sa place », fit l'un d'entre eux.

Vide.

Stamm et Stéphanie le rejoignirent.

« Un vrai courant d'air, cet homme, murmura Stamm.

– Je suppose qu'il y a une autre issue ?

– Derrière l'autel. Il y a un escalier qui monte, un autre qui descend, les deux mènent aux musées. Qui sont complètement fermés pour le conclave, et dont les sorties sont gardées par des agents de sécurité armés. Je peux les alerter pour qu'ils se joignent à nous.

– Non. Laissez-moi aller le chercher. Peut-être pouvons-nous régler tout ceci sans sortir des musées. Laissez les gardes à leur poste pour que Gallo ne puisse pas partir, mais alertez-les. Ils ont des talkies-walkies ? »

Stamm fit oui de la tête. « Les cardinaux ne sont pas censés quitter les musées. Ils sont consignés.

– J'entends bien. S'il essaie, qu'ils le retiennent. Et les caméras des musées ?

– Éteintes pendant le conclave pour préserver la confidentialité. Ce qui devrait aider à limiter l'impact de cette affaire. »

Il comprit le message. Stamm voulait que les caméras restent éteintes. « Je vais le trouver.

– Oui, allez-y. Je préférerais ne pas avoir à donner l'ordre d'appréhender un cardinal de l'Église.

– Il n'est pas cardinal.

– C'est pire. Je m'en remets à votre savoir-faire et à votre discrétion dans tout ceci, monsieur Malone.

– Cotton saura gérer ça », déclara Stéphanie.

Stamm fit un geste et l'un des gardes suisses en uniforme s'approcha d'eux vivement. Cotton regarda l'homme sortir le talkie-walkie fixé à l'intérieur de son uniforme ainsi que des écouteurs et un petit micro.

Stamm les lui passa.

« Retrouvez-le. »

Pollux descendit les escaliers et se retrouva dans une galerie pleine de tableaux, de sculptures et d'œuvres graphiques. Tous modernes. Hideux. Il ne s'arrêta pas, prit à gauche, franchit un seuil sans porte pour pénétrer dans l'ancienne bibliothèque du Vatican. Il traversa trois salles avant de déboucher dans la célèbre chapelle Sixtine, qui s'étendait sur quelque soixante mètres. Sept piliers rehaussés de fresques divisaient l'espace en deux allées latérales. Sur les murs et le plafond, une ornementation chatoyante et dorée évoquait davantage un reliquaire qu'une bibliothèque. Des tables avec des plateaux de mosaïque remplissaient l'espace entre les piliers, couvertes d'un assortiment de vases en porcelaine. Sur d'autres tables étaient exposés des objets précieux dans des caissons de verre, qui rappelaient les archives des chevaliers à Rapallo.

Il ne s'arrêta pas dans la salle Sixtine, passant d'un pilier à l'autre. Il était furieux d'avoir laissé derrière lui le précieux document de Constantin, surtout après tout ce qu'il avait enduré pour le trouver. Mais il n'avait pas le temps d'aller le récupérer dans sa chambre.

C'était sa liberté qui était en jeu maintenant.

Il n'entendait rien, ne voyait personne ni devant ni derrière. Malone était sans aucun doute à sa poursuite, mais l'Américain serait obligé de deviner si sa proie était descendue ou montée en quittant la chapelle Sixtine.

Il pouvait seulement espérer que Malone ait fait le mauvais choix.

Cotton quitta en hâte la chapelle Sixtine et s'engagea dans un long couloir qui menait au Palais apostolique et à un escalier.

Deux escaliers en fait.

L'un qui descendait, l'autre qui montait.

Où aller ? Bonne question.

Il décida de monter et grimpa les marches deux à deux, pour se retrouver dans une salle pleine d'allégories bibliques au plafond et, sur les murs, des fresques et encore des fresques.

«Je suis en haut, prévint-il dans le micro accroché à son épaule.

– Alors vous êtes dans la salle de l'Immaculée Conception», répondit Stamm à son oreille.

Il y avait une vitrine au centre. Il y jeta un coup d'œil et remarqua des volumes ornementés qui dataient du XIXe siècle et avaient sans aucun doute trait à l'Immaculée Conception.

«J'en sors et j'entre dans une petite salle où il y a des tapisseries, dit-il.

– L'appartement de Pie V», commenta Stamm.

Malone le traversa et pénétra dans la stupéfiante galerie des Cartes. Il connaissait bien ce lieu. Longue de cent vingt mètres, c'était une pièce qui s'étendait en ligne droite d'une extrémité du palais à l'autre. La voûte était ornée de stuc blanc et doré représentant une foule de personnages, de blasons, d'allégories et d'emblèmes. Mais c'étaient ses murs qui lui valaient sa réputation. D'énormes panneaux colorés qui alternaient avec de lumineuses fenêtres. Quarante cartes au total, qui prises ensemble décrivaient la topographie de toute la péninsule italienne au XVIe siècle. Exacte à quatre-vingts pour cent. Ce qui était remarquable étant donné l'état de la science de la cartographie à l'époque.

« Je suis dans la galerie des cartes, dit-il. Il n'y a personne. »

Il la traversa en courant sur le sol de marbre. Par les fenêtres, sur sa gauche, il entrevit les jardins du Vatican avec leurs fontaines et leurs arbres qui s'élevaient vers l'observatoire. Sur la droite s'étendait une cour intérieure avec un énorme bassin à débordement, pour l'instant déserté. Il y avait des caméras partout. Toutes éteintes, selon Stamm. Malone était au troisième étage, il y avait encore des galeries et des salles en dessous et dans l'aile du bâtiment qui se trouvait de l'autre côté de la cour. Les caméras pourraient se révéler utiles.

« Les issues sont toujours gardées, dit Stamm. Personne n'a annoncé que quelqu'un tentait de sortir.

– Je suis au bout de la galerie des cartes, répondit Malone dans le talkie-walkie. Il n'y a aucun moyen de passer d'ici à l'autre aile ?

– Pas depuis le deuxième étage. Vous avez la possibilité de traverser au premier étage, dit Stamm. Continuez. Au bout, dépassez la salle du Bige, qui est devant vous. Il y a aussi un escalier qui descend jusqu'au rez-de-chaussée. »

Malone se retrouva sous le dôme de la salle du Bige. Quatre niches séparées par des pilastres et quatre baies en arches formaient les murs d'une petite rotonde. Au centre se trouvait un char de triomphe. Romain, sans aucun doute. Un char complet, avec les roues, le timon et les chevaux. Mais pas de Gallo.

« Je commence à me dire que je n'ai pas pris le bon escalier », dit-il.

Pollux parvint à une intersection, avec sur sa droite une coursive plus courte qui menait à l'autre aile. La bibliothèque s'y prolongeait, comme devant lui, par une enfilade de petites salles renfermant des collections. À l'infini. Il devait y avoir une issue au bout de ces salles, où le palais se terminait. Il lui semblait plus avisé de prendre tout droit plutôt qu'à droite. Il ne pouvait pas se permettre de se tromper de direction. Il lui fallait quitter ce bâtiment, et le Vatican.

Vite, et sans se faire remarquer.

La foule de la place Saint-Pierre lui fournirait amplement la couverture nécessaire. Se perdre parmi des dizaines de milliers de gens serait facile. Mais il fallait d'abord parvenir jusqu'à eux. Toutes les portes de sortie seraient gardées. Sans aucun doute, la consigne d'arrêter un cardinal en fuite ne tarderait pas à être transmise par les talkies-walkies. Pollux poursuivit son chemin, passant par une série de galeries aux noms familiers. Pauline, Alexandrine, Clémentine. Au bout, il se retrouva à l'entrée de la salle des Quatre Grilles, où un escalier menait au rez-de-chaussée.

Il commença à descendre.

Sur le palier à mi-chemin, il se tourna et s'arrêta net.

Au rez-de-chaussée, il avait repéré un garde de la sécurité en uniforme qui surveillait la porte de sortie. Il évalua la situation et décida de la marche à suivre. S'armant de courage, il continua à descendre le large escalier de marbre, les mains cachées dans les vastes manches de sa soutane. Le garde lui tournait le dos, fixant les portes de verre, ce qui rendit l'approche facile.

L'homme se retourna

« Votre Éminence... »

Pas d'hésitation. Agir. Vite.

Il dégagea ses mains et attrapa le garde, son bras droit enveloppant le cou. Il cramponna sa main gauche à son poignet droit et resserra l'étau pour asphyxier l'homme. Celui-ci était plus jeune, mais plus lourd de quinze kilos, et n'avait pas anticipé une attaque de la part d'un cardinal. Pollux en déduisit qu'apparemment aucun ordre de l'arrêter ou de le retenir n'avait encore été donné.

L'homme cessa de se débattre.

Pollux lâcha le corps qui s'effondra sur le sol.

Sans perdre une seconde, il ôta sa mozette et sa calotte, puis déboutonna sa soutane. En dessous, il portait un maillot de corps et un pantalon. Ils étaient de couleur sombre, comme ceux du garde. Bleus et non noirs, mais ça ferait l'affaire. Il avait besoin de la chemise et de la casquette, ainsi que du talkie-walkie et de l'arme. Il enfila la chemise, un peu grande, mais en serrant bien les pans dans son pantalon, cela allait. Il fixa l'émetteur-récepteur à sa ceinture et accrocha l'écouteur à son oreille. Le micro alla dans sa poche. Peu de chances qu'il transmette quoi que ce soit. Il fixa l'étui du pistolet sur son ceinturon puis, attrapant les deux bras du garde, il le traîna hors du vestibule pour le laisser étendu face contre terre derrière une statue qui occupait tout un angle de la galerie la plus proche. Il se hâta de récupérer sa tenue ecclésiastique, qu'il jeta sur le corps inerte.

À nouveau près de la porte de sortie, il ajusta son uniforme.

Puis il quitta le palais.

71

Cotton était dans la salle du Bige et considérait les différentes solutions qui se présentaient à lui. Le mot *biga* signifiait « char » en italien. On n'aurait pu mieux nommer ce lieu étant donné la taille du char qui y occupait la presque totalité de l'espace.

Tout le sacré, le prodigieux, le miraculeux qui l'environnait ne réconfortait pas Malone. Il avait une mission à accomplir.

Qui ne s'annonçait pas si facile.

Cotton alla jusqu'à l'une des grandes fenêtres de la salle et contempla la vue, baignée par le soleil de l'après-midi. Devant lui, le dôme de Saint-Pierre, les jardins du Vatican et tout un ensemble d'autres édifices parmi les arbres. Directement au-dessous s'étendait une petite rue quasiment déserte. Normal, étant donné le conclave. Une ou deux voitures, quelques passants sur le trottoir. Le Vatican n'était pas fermé. Loin de là. La vie continuait. De l'autre côté du palais, des dizaines de milliers de gens occupaient la place Saint-Pierre, dans l'attente du nouveau pape. Les médias de tous les pays étaient déjà sur le pied de guerre.

Mais ici ? Personne.

C'était étrange de se trouver seul dans l'un des musées les plus vastes et les plus visités du monde.

Quelque chose accrocha son regard dans la rue.

Un homme.

Qui quittait le bâtiment.

Un des gardes en uniforme, semblable à ceux de Saint-Pierre.

Le gars s'arrêta un instant, jeta un coup d'œil autour de lui, puis mit sa casquette.

Il vit son visage.

Gallo.

Pollux longeait l'arrière du palais, marchant vers la basilique. Il n'était pas très sûr de sa direction, mais au moins il avait quitté le bâtiment – une prison – et s'était débarrassé de ses vêtements, aussi voyants qu'un signal lumineux. Tant que personne n'aurait découvert le corps du garde, l'uniforme qu'il portait à présent devrait lui ouvrir bien des portes.

Mais il fallait faire vite.

Il passa sous un portique et contourna une dépendance qui faisait saillie à l'arrière du palais. Il se retrouva sur une place ornée d'une fontaine – Sainte-Marthe, d'après ses souvenirs – et suivit la rue. La masse de la basilique se profilait devant lui. La journée était merveilleuse, avec un beau soleil dans un ciel où flottaient quelques nuages. Il faisait bon. L'apparition soudaine de Malone dans la chapelle Sixtine était le signe que les choses ne s'étaient pas bien passées à Malte. Kevin Hahn avait dû échouer. Il aurait mieux fait d'abattre cet imbécile avant de quitter l'île, mais il fallait bien enterrer les corps ; à aucun prix ils ne devaient être découverts. Pollux n'avait pas eu d'autre choix que de laisser Hahn en vie. Et puis, avoir un ami au poste de chef opérationnel de l'Organisme se serait révélé bien utile.

Mais tout ceci n'avait plus d'importance maintenant.

Il était démasqué.

Ce qui signifiait que Malone savait aussi pour Kastor.
Il devait disparaître.
Mais d'abord, sortir du Vatican.

Cotton descendit en trombe l'escalier et s'arrêta devant les portes de verre. Stamm avait affirmé que toutes les issues étaient gardées. Celle-ci ne l'était pas, et Gallo portait un uniforme. Il alla jusqu'au seuil sans porte de la première galerie et vit immédiatement dans un coin un tas de vêtements rouges et blancs qui recouvraient un corps. Il se précipita pour prendre le pouls de l'homme, qui avait été dépouillé de sa chemise.

Le cœur battait, mais faiblement.

Une décision s'imposait.

Gallo n'était plus en soutane, il portait un uniforme qui allait lui procurer une grande liberté de mouvement. C'était un vrai problème. Mais Stamm avait dit que tous les gardes étaient équipés de talkies-walkies ; or là, l'appareil manquait. Cela voulait dire que Gallo pouvait intercepter les consignes. Pas d'arme à la ceinture du garde. Donc Gallo était armé. L'homme allongé devant lui avait besoin de soins médicaux, mais Malone devait aller vite. Il ne pouvait pas laisser Gallo s'évanouir dans la nature, ce qui à chaque seconde devenait de plus en plus probable. Donner l'alerte nécessiterait non seulement une explication, mais l'envoi de la photo et, par-dessus le marché, une description. Il doutait du fait que les gardes soient capables de reconnaître Kastor Gallo en le voyant. Une alerte par talkie-walkie effraierait Gallo, qui l'entendrait.

Tout ceci signifiait qu'il était le seul à pouvoir faire le boulot.

«Je suis désolé», murmura-t-il à l'adresse de l'homme inconscient.

Il se releva et se dirigea vers la porte de sortie. À travers le panneau de verre, il aperçut à cinquante mètres Gallo qui contournait l'extrémité d'un bâtiment avant de disparaître.

Il sortit en courant dans le soleil.

Pollux était derrière la basilique, le palais du Gouvernorat s'élevant sur sa droite. Pour arriver sur la place Saint-Pierre, il lui faudrait continuer à contourner l'édifice, mais plus il s'approcherait, plus il rencontrerait de gens. Il ne faisait aucun doute que chaque centimètre carré du secteur était sous vidéosurveillance. Toutefois, jusqu'ici, personne n'avait pu encore donner l'alerte. Les choses ne changeraient qu'après la découverte du corps du garde.

Il serait loin alors.

Cotton courait en direction de l'endroit où il avait vu Gallo disparaître, entre le palais d'un côté et une pelouse avec des arbres de l'autre.

Ses pas résonnaient sur le trottoir.

Des pigeons, dérangés de leur perchoir, s'envolèrent bruyamment vers le ciel éclatant.

Il parvint à l'angle du bâtiment, jeta un coup d'œil circulaire et vit sa cible de l'autre côté d'une petite place.

Juste au moment où Gallo disparaissait derrière l'abside de la basilique.

Pollux continuait à marcher.

Parfaitement calme.

Un garde se rendant à son poste.

Malheureusement, des bastions élevés entouraient le Vatican de tous côtés. Pas question de les escalader. Il arriva sur une autre place, plus ouverte que les autres. À présent il apercevait tout un ensemble de bâtiments du XXe siècle. La Résidence Sainte-Marthe et la salle d'audience papale étaient toutes deux en vue.

Il s'arrêta, n'entendant rien que ses pensées.

Sois malin.

Mets à profit ton avantage.

À cent mètres, le salut. Un bâtiment de marbre blanc d'allure très simple, près du mur extérieur.

La gare.

Immédiatement sur la gauche se trouvait une ouverture dans le mur léonin, assez large pour laisser passer un train. Les armes papales, sculptées dans la pierre, la surmontaient. Les immenses portes d'acier coulissaient dans les profondeurs du bastion. Un train, semblable à une chenille brune, stationnait à l'autre bout de la gare, la plupart des wagons dépassant du côté droit de la gare. La locomotive ancienne tournait, lançant des volutes de vapeur, l'avant au ras de l'ouverture dans le mur. Il y avait un employé qui s'activait à décharger des conteneurs de plastique à grosses roues du dernier wagon.

Il examina le portail ouvert.

Deux gardes vêtus comme lui veillaient à ce que personne n'entre. Nul doute que, le train parti, les grandes portes coulisseraient, scellant l'ouverture.

Mais à cet instant, elles lui laissaient un moyen de fuir.

Cotton avait déjà poursuivi des tas de gens dans sa vie. Certains étaient des professionnels, d'autres non. Pollux Gallo semblait appartenir à la catégorie intermédiaire. Rusé, il fallait bien lui accorder ça, et audacieux. Il avait presque réussi son coup sur l'échange d'identités. Mais comme la plupart des psychopathes, il ne pensait pas que quelqu'un pourrait lui damer le pion.

Malone arriva à l'extrémité de la basilique et s'arrêta, surveillant les alentours ; il aperçut Gallo qui se dirigeait vers un bâtiment de marbre blanc de l'autre côté, percé d'un portail ouvert où il vit un train.

Devait-il le faire retenir en gare ?

Non.

Il pourrait y avoir des victimes.

Gallo était à deux doigts de s'enfuir, il était armé et n'avait plus rien à perdre.

Il allait s'en occuper lui-même.

72

Pollux, évitant l'intérieur de la gare, la contourna par la droite et s'approcha de la voie. Il y avait cinq wagons vides, aux portières grandes ouvertes. Plusieurs wagons de fret étaient chargés de caisses et de cartons. Un employé se trouvait là, qui faisait des signes en direction de la locomotive.

Pollux entendit le régime du puissant moteur qui s'amplifiait.

Enfin, une issue.

Il pointa du doigt le train et dit en italien à l'employé : « Il faut que je monte dans ce train, pour des raisons de sécurité. »

L'homme ne discuta pas.

Pollux se hâta de monter dans le deuxième wagon. Le train s'ébranla vers le portail dans le mur.

Il allait peut-être s'en sortir, après tout.

Une fois hors du Vatican, il sauterait du train et disparaîtrait dans Rome. Où aller ensuite ? Il trouverait bien un endroit.

Il n'avait pas l'intention de passer le restant de ses jours en prison.

Cotton décida de prendre par la gauche, puisque Gallo avait pris par la droite. À gauche de la gare, on pouvait se dissimuler plus facilement, il y avait un terre-plein gazonné avec des arbres et des buissons. Un chemin pavé séparait ce terre-plein de la gare et menait à la voie. Ce passage lui permettait aussi d'accéder à l'arrière du bâtiment sans être repéré par Gallo.

Malone entendit le régime du moteur s'amplifier et le sifflement des freins qu'on desserrait. La locomotive était à moins de sept mètres du portail et aurait franchi le mur dans moins de trente secondes. Il dénombra cinq wagons ouverts et aperçut un homme près d'une camionnette blanche à la queue du convoi. L'un des buissons, assez haut, offrait un parfait écran, et alors que le train avançait, il distingua Gallo dans le deuxième wagon.

Le train prenait de la vitesse.

Le troisième wagon passa.

Le quatrième.

Il n'avait pas le choix.

Il jaillit du chemin et courut vers le dernier wagon. La majeure partie du train était déjà au-delà du mur, les trois premières voitures engagées dans une courbe.

Il sauta dans le wagon vide.

Quelqu'un cria.

Ce devait être un des gardes du portail, qui soudain atterrit dans le wagon lui aussi. Malone ne lui laissa pas la moindre chance, s'élança et lui décocha un coup de poing dans le flanc droit. L'homme se plia en deux et Cotton en profita pour le pousser par la porte ouverte. Ils n'avaient pas encore pris de vitesse. Le garde heurta le sol et roula sur lui-même. Cotton observa la scène tandis que le train s'éloignait et vit que l'homme avait atterri sur l'herbe et qu'il était indemne. L'autre garde qui surveillait le portail avec lui accourut à son secours et l'aida à se relever. Ils allaient sans aucun doute donner l'alerte, et Stamm saurait alors où le localiser.

Il décida de garder le silence radio et s'élança au-dehors en s'accrochant à l'échelle d'acier, qu'il escalada pour atteindre le toit. Il y avait deux wagons entre lui et Gallo, alors il sauta sur le suivant. Le toit était couvert de creux et de bosses rendus plus périlleux par les cahots du train. Il écarta les pieds pour garder son équilibre ; il se sentait comme un marin sur le pont par gros temps.

Il sauta sur la voiture suivante.

Pollux commençait à éprouver un peu de soulagement.

Il avait quitté le Vatican et seul un homme à la gare, qui ne soupçonnait rien, l'avait vu. Quel dommage qu'il n'ait pas pu aller au bout de son projet. Il l'avait mis au point pendant des années et pensait avoir prévu tous les obstacles apparemment innombrables à son succès. Ses tentatives pour neutraliser les Américains s'étaient de toute évidence révélées insuffisantes. Mais il avait encore la clé USB et il pourrait s'en servir. Les cardinaux avaient des ressources qu'il pouvait exploiter, et il était courant, au Saint-Siège, d'emprunter la voie morale la plus douteuse.

Le train avançait toujours, dans un fracas incessant de bois et de métal rouillé qui se heurtaient. Il allait attendre encore un peu avant de sauter.

Soudain, il y eut un choc sourd sur le toit.

Un bruit de pas qui résonnaient d'une extrémité du wagon à l'autre.

Sa main remonta vers le pistolet accroché à sa ceinture.

Cotton se jeta sur l'échelle d'acier fixée au flanc du wagon. Il descendit deux barreaux et il sauta par la porte ouverte face à Gallo, qui tentait d'attraper son arme. Il se jeta de tout son poids sur lui, bien ferme sur ses deux pieds. Il agrippa le pistolet et lui décocha un uppercut tout en tirant sa main vers le bas, ce qui lui fit lâcher prise. L'arme heurta le sol à grand bruit et glissa avant de tomber par la porte ouverte. Gallo se ressaisit, se libéra d'une secousse et, sautant en l'air, donna un coup de poing plongeant qui rencontra l'épaule de Cotton ; Malone amortit le choc, pivota et répondit par un coup de talon droit au sternum, qui souleva Gallo et l'envoya valser. Il devait avoir plusieurs côtes fêlées, mais il se releva d'un bond et tenta un swing, que Cotton évita sans peine.

Cotton s'avança et lança un crochet du droit dans la mâchoire de l'autre.

Gallo cligna des yeux, puis cogna de nouveau, son poing serré traversant le vide.

Le fracas des roues continuait sous ses pieds.

Gallo fit un pas en avant.

Cotton frappa de nouveau, son poing s'écrasa en pleine face. Il sentit céder le nez. Gallo recula en chancelant, étourdi, mais ne donna aucun signe de faiblesse. Malone ne lui laisserait pas une chance de quitter le wagon.

Les freins gémirent.

Les roues crissèrent sur les rails.

Le train ralentit.

Apparemment, Stamm avait eu le message.

Il était temps d'en finir.

Gallo frappa encore.

Cotton esquiva et lui porta un coup à la glotte, puis un autre au plexus solaire. Il tordit les deux bras de Gallo dans son dos et envoya violemment la tête et le torse cogner contre la cloison de bois.

Une fois. Deux fois.

Le corps devint inerte.

Il lâcha Gallo qui s'effondra sur le plancher.

Le train s'arrêta.

Cela faisait longtemps qu'il n'avait pas livré un vrai corps à corps comme celui-là. C'était bon de constater qu'il n'avait rien perdu. Par la porte ouverte, il vit des ombres qui venaient dans sa direction. Puis il distingua le cardinal Stamm et Stéphanie au pied du wagon. Ils s'approchèrent et aperçurent Gallo étendu, immobile.

« Le rat a fini par trouver le piège, on dirait », déclara Stamm.

Stéphanie adressa un sourire reconnaissant à Malone.

« Bien joué. »

73

Cotton attendait dans le bureau du cardinal Stamm, situé dans l'un des nombreux bâtiments qui composaient le Vatican, ce bâtiment-ci se trouvant au nord du Palais apostolique, à côté de la poste, de la pharmacie, des agences de médias, de l'épicerie et de la caserne des gardes suisses. C'était une localisation insolite, pour le plus ancien des services de renseignement du monde, qui lui rappelait la division Magellan avec son QG logé dans un immeuble gouvernemental très quelconque d'Atlanta.

Stamm avait ordonné que le train fasse marche arrière pour retourner à la gare du Vatican. On avait débarrassé le quai de chargement de la camionnette blanche et des wagons de fret, il n'y avait personne sauf deux hommes qui, comme Stamm le leur expliqua, travaillaient pour lui. Gallo fut poussé en hâte dans une voiture qui attendait et emmené en détention. Le conclave avait été suspendu sous prétexte d'une panne mécanique qui affectait le système de climatisation et l'installation électrique dans la chapelle Sixtine. On avait évoqué un risque d'incendie, qui justifiait qu'on ordonne que les cardinaux s'interrompent. Par chance, il ne s'était encore rien passé concernant le vote, et l'on décida que le conclave se réunirait de nouveau le lendemain. La presse brûlait d'impatience de couvrir cette histoire, mais les cardinaux étaient confinés dans leurs chambres à la Résidence Sainte-Marthe, interdits d'interview, y compris le cardinal président, dont Stamm avait assuré qu'il ne dirait jamais rien.

Cotton et Stéphanie étaient revenus à pied avec lui au Vatican. Le garde agressé avait été retrouvé et transporté à l'hôpital. Il avait été partiellement asphyxié, mais s'en remettrait. On lui avait fait jurer le secret, comme à toute sa société. Cotton avait toujours des remords de ne rien avoir pu faire pour ce gars sur le moment, mais s'il avait perdu une minute de plus, il aurait manqué Gallo. Il était sûr que le garde comprendrait.

Cotton était fatigué, avait besoin de raser une barbe de plusieurs jours. Un peu de sommeil et un bon repas ne seraient pas de trop non plus. Le bureau de Stamm respirait l'efficacité. Aucune fantaisie. Seulement ce qu'il fallait pour bien faire son travail. Cela lui ressemblait. Terre à terre, mais pleinement compétent. Cotton était heureux que cette affaire soit terminée. Il était temps de filer dans le sud de la France passer quelques jours avec Cassiopée. Quelle chose étrange que de constater que ses pensées désormais incluaient quelqu'un d'autre ! Il avait trop longtemps été un solitaire. Mais c'était fini. À nouveau, une femme faisait partie de sa vie.

Ce qui n'était pas plus mal.

Stéphanie entra dans le bureau. « Je vous dois une fière chandelle.

– Je n'ai fait que mon travail et j'ai été payé.

– Puisqu'on parle de ça, le corps de James Grant a été retrouvé dans la mer de Ligurie, avec une balle dans la tête.

– Tué par Gallo ?

– Sans aucun doute.

– Ça fait beaucoup de morts.

– Je suis bien d'accord. Celui-là a été plus coûteux.

– Et les lettres de Churchill ?

– Envolées. Mais les chevaliers de Malte coopèrent et sont en train de fouiller les appartements de Gallo. Il est très probable qu'il les a cachées quelque part. Ils sont très choqués par ce qui s'est passé. Gallo avait monté une véritable entreprise crapuleuse. Il a recruté ses *Secreti* en leur promettant des postes importants au Vatican. Preuve qu'on peut embaucher n'importe qui pour faire n'importe quoi.

–Je comprends totalement ce concept, fit-il avec un sourire.

–Je m'en doute. »

Stamm revint et, passant derrière son bureau, s'installa sur une simple chaise en bois à haut dossier, qui devait être inconfortable. Mais l'homme paraissait parfaitement à son aise.

« La situation est sous contrôle. L'agence de presse du Vatican est en train de gérer l'interruption du conclave. Les cardinaux sont à l'abri. On a dit aux deux gardes de la gare que ceci était une affaire interne et que vous travaillez pour nous.

– Est-ce que le gars que j'ai poussé du wagon s'en est sorti ?

– Il va bien. » Stamm s'interrompit. « Nous avons eu de la chance aujourd'hui. Il a été mis fin à une situation insupportable. Grâce à vous, monsieur Malone.

– Et à un type nommé Luke Daniels à Malte, ajouta Cotton.

– C'est exactement ce que j'ai dit, intervint Stéphanie. Luke est en route pour nous rejoindre, avec un prisonnier. Ils ont atterri il y a deux heures. »

Cotton fut déconcerté. « Pourquoi ici ?

– À ma demande », répondit Stamm.

Cotton comprit ce que cela signifiait. Il se trouvait sur le sol souverain du Vatican. Stamm avait l'intention de traiter Gallo et Hahn comme des prisonniers du Vatican et de leur appliquer le droit canon.

« Pour des raisons évidentes, nous ne pouvons pas laisser la sanction de ces crimes aux Italiens, ni aux Maltais, ni aux Britanniques, ni... aux Américains. » Stamm se leva. « Voulez-vous me suivre ? »

Ils quittèrent le bureau pour aller à un ascenseur. Une fois à l'intérieur, Stamm inséra une clé dans le panneau de commande, puis poussa un bouton qui ne portait aucune indication. Le bâtiment comportait quatre étages et un sous-sol. Le bouton qui s'alluma était placé sous celui du sous-sol.

« Nous sommes dans un vieux bâtiment, fit remarquer Stamm. Construit dans les années 1970 sur une partie des grottes. »

Ils descendirent et l'ascenseur s'arrêta. Les portes s'ouvrirent. Ils étaient sous terre, et ils virent devant eux un long couloir haut de plafond et bien éclairé. Des parois de béton peint et un sol dallé.

« Ces chambres souterraines se sont avérées bien pratiques », dit Stamm.

Le cardinal les précéda jusqu'à une porte d'acier. Stamm y frappa deux fois. Une serrure fut actionnée et le vantail s'ouvrit brusquement vers l'intérieur. Ils entrèrent dans une pièce tout en longueur, dont un côté comportait des barreaux séparés par des piliers de pierre.

Des cellules.

Stamm renvoya l'homme qui montait la garde devant la porte.

Il y avait une table à l'intérieur de l'une des cellules. Le reliquaire de l'église Sainte-Magyar reposait sur cette table, avec ses parchemins à l'intérieur et un autre rouleau à côté. Cotton traversa la pièce pour voir Pollux Gallo derrière les barreaux. Le cardinal et Stéphanie le suivirent.

« Nous utilisons ces cellules depuis longtemps, dit Stamm. Mehmet Ali Ağca a été détenu ici à une époque, après avoir tenté d'assassiner Jean-Paul II en 1981. »

Cotton ne pouvait s'empêcher de songer à l'infâme prison de la Loubianka sous l'ancien quartier général du KGB à Moscou, où des dissidents politiques, des artistes, des écrivains et des journalistes avaient été torturés. Il se demanda pourquoi l'Église catholique romaine avait besoin de cellules avec accès restreint.

Malone désigna le parchemin. « C'est le *De Fundamentis Theologicis Constantini* ? voulut-il savoir.

– C'est cela, répondit Stamm.

– Je suppose que vous ne pouvez pas me dire pourquoi ce texte est si important.

– Il prouve que tout ceci est une imposture, intervint Gallo, s'approchant des barreaux. L'Église catholique romaine n'est qu'une imposture. Dites-lui, cardinal. Dites-lui la vérité. »

Cotton attendit la suite.

« Il existe un proverbe africain qui dit que *tant que les lions n'auront pas d'historien, les récits de chasse seront à la gloire des chasseurs.* C'est tellement vrai. Dans le cas présent, la gloire est allée à ceux qui avaient pris le commandement. » Stamm s'interrompit. « Constantin le Grand a changé la face du monde. Il a d'abord unifié l'Empire romain, puis l'a divisé en deux. Les empereurs régnaient sur la partie orientale. Les papes ont fini par dominer la partie occidentale. Mais seulement quand ils ont écouté ses conseils. »

Stamm pointa du doigt les parchemins.

« C'est un plan pour édifier une nouvelle religion, poursuivit Gallo. Des instructions pour mettre le christianisme au centre de tout. Pour l'inclure dans tous les aspects de la vie des individus. Pour l'utiliser afin de dominer les fidèles. Afin de les tuer même, si nécessaire, dans le but de préserver son existence. »

Stamm restait imperturbable. « Je l'ai lu, et il a raison. Constantin voulait une religion à sa façon, un mécanisme qui empêcherait les gens de se révolter. Tout ceci, bien sûr, sans qu'ils se rendent jamais compte qu'ils étaient dominés. Heureusement, ce projet ne s'est jamais réalisé de son vivant, ni même dans les siècles qui ont suivi. Seules quelques-unes de ses idées ont été ici ou là mises en œuvre. Pas de plan d'ensemble. Pas jusqu'à ce que ses *Fondements théologiques* soient redécouverts au IXe siècle. Les papes, à cette époque, avaient commencé à être dévorés d'ambition. Ils étaient plus que des chefs religieux. Ils avaient un pouvoir politique et militaire. Au XIe siècle, l'Église catholique était devenue l'institution la plus riche et la plus puissante du monde.

– Est-ce le seul exemplaire qui existe ? demanda Stéphanie.

– Pour autant que nous le sachions, oui. Les Hospitaliers en ont pris possession au début du XIIIe siècle. Les papes étaient terrifiés à l'idée que son contenu soit révélé, aussi ont-ils évité d'importuner les Hospitaliers, et les chevaliers en retour ont gardé le secret.

– Est-il authentique ? demanda Stéphanie.

– Après un examen préliminaire, les experts m'ont affirmé que le manuscrit est bien de la main de Constantin. Ils ont comparé avec des originaux que nous conservons dans nos archives. Il est en latin, ce qui est rare. Nous pouvons tenter la datation au carbone, mais je suis certain qu'elle confirmera qu'il est du IVe siècle. On m'a également certifié que l'encre est celle utilisée à l'époque. Ce document semble être tout ce qu'il y a de plus authentique. »

Cotton n'en doutait pas.

« Napoléon a tenté de le trouver. Mussolini aussi, et c'est lui qui a été le plus près de réussir, poursuivit Stamm. Les chevaliers l'ont conservé jusqu'en 1798, date à laquelle on l'a caché en hâte lors de l'invasion de Malte par les Français.

– Que pensez-vous que les rois et les empereurs auraient fait après l'avoir lu ? demanda Gallo d'un air dégoûté. En se rendant compte que la loi divine ne provenait pas de Dieu, mais des hommes, qui l'avaient conçue pour leurs propres objectifs égoïstes ? »

Le visage de Stamm ne trahit aucune émotion. Pas un muscle ne bougea pour révéler ce qu'il pouvait bien avoir en tête.

« Que penseraient les fidèles du péché originel inventé par l'Église ? poursuivit Gallo. Ce prix que nous sommes censés payer pour la chute d'Adam et Ève, pour le péché de désobéissance qui les a conduits à goûter le fruit défendu. Rien de vrai là-dedans. C'était juste une manière de recruter les gens au sortir du ventre maternel. Pas besoin de convertir. Il suffisait de décréter que l'on naît souillé et que le pardon ne peut venir que du baptême, exclusivement administré par l'Église. Bien sûr, si quiconque refuse ce pardon, il brûle en enfer, avec le diable, pour l'éternité. Mais ces deux choses-là aussi sont des créations de Constantin. Rien de tout cela n'est réel. Ce n'est là que pour susciter la peur et obtenir l'obéissance. Et quel meilleur moyen de contrôler les gens que la peur, irrationnelle, de choses impossibles à prouver ? »

Stamm demeura longtemps immobile et silencieux. Finalement, il déclara : « À mon idée, il n'y aurait pas eu d'Église. Les chrétiens auraient continué à se battre entre eux, se divisant en factions, sans rien accomplir ou presque. Sans l'Église, ils ne se seraient jamais rassemblés pour réaliser quoi que ce soit de significatif. Le christianisme aurait disparu peu à peu, et les rois, les reines, les empereurs se seraient combattus sans retenue. La civilisation que nous connaissons en aurait été considérablement changée. L'Église, malgré toutes ses imperfections, a permis une certaine stabilité qui a empêché le monde d'entrer dans une spirale incontrôlée. Sans elle, qui sait ce qu'il serait advenu de l'humanité.

– C'est ce dont vous essayez sans cesse de vous convaincre, marmonna Gallo.

– Mais le monde n'est plus peuplé d'illettrés, poursuivit Stamm. Aujourd'hui, on regarde la religion avec beaucoup plus de scepticisme qu'au XIIIe siècle. Cette révélation, si elle était faite maintenant, aurait un énorme impact.

– C'était précisément ce sur quoi mon frère comptait. Votre crainte lui aurait permis d'obtenir ce qu'il voulait. » Gallo lança un regard sévère à Cotton. « Ce parchemin contient une vraie révélation. Ne les laissez pas le détruire. »

Stamm fouilla dans sa soutane et en sortit quelque chose qu'il leur montra. « Ceci non plus ? »

La clé USB.

« L'archevêque Spagna était très méticuleux, déclara Stamm. Il a découvert toutes les fautes qui se commettaient depuis des lustres dans cette enceinte et a identifié les coupables. Son problème, c'était son propre ego. Et sa tendance à sous-estimer ses prétendus alliés.

– Spagna était un idiot, dit Gallo.

– Cela se peut, rétorqua Stamm. Mais c'était mon idiot utile.

– Qu'allez-vous faire de cette clé USB ? demanda Stéphanie.

– Nous châtierons tous les coupables. Contrairement à ce qui se serait produit si Spagna, ou notre imposteur ici présent avaient mené à bien leurs projets. »

Derrière lui, la porte d'acier s'ouvrit à grand bruit.

Luke entra, remorquant un autre homme. Tout juste débarqués de Malte.

« Le chef de la Sécurité maltaise, chuchota Stéphanie à l'oreille de Malone. Son nom est Kevin Hahn. »

Stamm conduisit le nouveau venu dans une cellule et l'y enferma. Cotton en profita pour serrer la main de Luke.

« Toute la bande est là. Du beau travail », lui dit-il. Il remarqua que Luke portait la même tenue qu'à Malte, short, chemise et chaussures de tennis. « Le vendredi, c'est décontracté, on dirait ?

– La journée a été longue. » Luke fit un grand sourire. « J'ai entendu dire que vous courez sur le toit des trains maintenant, comme dans *48 heures*. Ça fait plaisir de voir que Papy est encore d'attaque.

– Dieu merci, le train n'allait pas vite. »

Luke remarqua soudain Gallo dans sa cellule. « Bon sang. C'est la copie conforme du cardinal. Personne n'aurait pu se douter.

– Qu'est-ce que vous comptez faire de la *Nostra Trinità* ? demanda Gallo à Stamm.

– Les deux parchemins du reliquaire seront restitués aux chevaliers, à qui ils appartiennent. Mais le *De Fundamentis Theologicis Constantini* est la propriété de l'Église.

– Alors il va aller dans les archives du Vatican ? » demanda Stéphanie.

Stamm s'avança vers la table et saisit les parchemins roulés. Sa main droite se glissa dans sa soutane et ressortit sans la clé USB. À la place, il tenait un briquet. Il fit jaillir une flamme et l'approcha du parchemin friable.

Qui prit feu immédiatement.

Stamm lâcha le rouleau ; en quelques secondes, celui-ci se transforma en un petit tas de cendres incandescentes sur le sol.

« La question est maintenant résolue, commenta Stamm.

– Nous sommes toujours là, clama Gallo depuis sa cellule. Nous savons tout. Ce n'est pas fini ! »

Le cardinal Charles Stamm resta de marbre. Cotton n'aurait jamais cru que Stamm aurait l'audace de brûler ce rouleau. Mais il discerna quelque chose de nouveau dans les yeux de Stamm tandis qu'il regardait le parchemin en train de se consumer.

Du soulagement.

« L'archevêque Spagna, malgré toutes ses faiblesses, a toujours défendu l'Église, déclara Stamm. Et c'est ce que je fais aussi. »

Cotton s'imagina que des hommes comme Stamm avaient dû prendre des décisions difficiles depuis des siècles. Tous en pensant qu'ils faisaient le bon choix. Mais tous se trompaient. Un fragment d'histoire venait d'être anéanti. Un fragment qui aurait pu apporter une nouvelle lumière sur le fonctionnement de l'Église catholique.

« Et la clé USB ? demanda Stéphanie.

– Je châtierai les coupables. À ma façon. »

Cotton imagina sans peine ce que cela impliquerait. Selon toute probabilité, un certain nombre d'entretiens en privé, suivis de démissions rapides.

« Je dirai la vérité au monde entier, déclara Gallo. Ça, vous ne pouvez pas le brûler. Ce n'est pas fini, cardinal. Il y aura un procès. Je vous verrai démasqués, vous et les autres hypocrites en robe rouge. Je ferai en sorte que le monde entier sache ce qu'il y avait sur ce parchemin. »

Stamm ne répondit rien.

Mais Cotton réalisa que sans le document, tout ce qui restait à Gallo, c'était sa parole.

Stamm s'approcha des barreaux. « Vous me sous-estimez. *Défendre la foi en versant le sang est un devoir auquel nous ne devons jamais renoncer.* »

Il vit que Gallo avait bien compris la signification de ces mots.

« Ce sont des mots écrits par Constantin, poursuivit Stamm. Cela fait partie de son legs. La liberté de tuer pour *défendre la foi.* L'Église l'a réellement pris au mot. Nous avons tué des millions de gens. »

Gallo ne répondit rien.

« Qu'est-ce que vous dites ? » demanda Hahn depuis sa cellule.

Stamm recula de manière à être vu des deux prisonniers. « Vous ne quitterez cet endroit vivants ni l'un ni l'autre. Vous allez expier vos crimes atroces. Deux morts de plus pour la défense de la foi.

– Qu'est-ce que j'ai fait ? demanda Hahn.

– Vous avez fait assassiner Laura Price, répondit Luke.

– Et monseigneur Roy, ajouta Stamm. Vous êtes aussi complice que votre chef. »

Stamm désignait Gallo.

Puis il fit un signe voulant dire qu'il leur fallait quitter les lieux.

« Malone ! s'écria Gallo. Vous ne pouvez pas les laisser faire ça. »

Luke ouvrit la porte d'acier.

« Malone. Pour l'amour du ciel. Vous ne pouvez pas permettre ça. Nous avons droit à un procès. C'est un meurtre. »

Ils sortirent tous.

Une dernière bruyante supplication les accompagna encore.

« Malone ! »

Il poursuivit sa marche, mais un verset de la Bible lui traversa l'esprit.

Romains 12.19.

C'est à moi qu'appartient la vengeance, c'est moi qui donnerai à chacun ce qu'il mérite, dit le Seigneur.

NOTE DE L'AUTEUR

Les voyages que j'ai faits pour écrire ce roman ont été parmi les plus agréables qu'Elizabeth et moi ayons entrepris. Pour commencer, nous avons visité le lac de Côme et tous les sites associés à la tentative de fuite avortée de Mussolini et à son exécution. Quel coin extraordinaire! Ensuite, nous nous sommes aventurés deux fois à Malte, qui est vraiment un endroit époustouflant. Rome et le Vatican étaient des sites que nous avions déjà explorés à maintes reprises.

Maintenant, il est temps de distinguer la réalité de la fiction.

La fuite de Mussolini depuis Milan et sa tentative pour passer en Suisse telle que racontée dans le prologue, sont des faits historiques. Claretta Petacci est morte avec lui, sous les balles des partisans (chapitres 1 et 40). À ce jour, personne ne sait exactement qui a tiré. Néanmoins, nombreux sont ceux qui ont revendiqué avoir eu cet honneur. La plupart des paroles prononcées par Mussolini dans le prologue sont authentiques, ce sont des mots qu'il a dits vers la fin de sa vie, mais pas à la villa. L'arrivée d'un représentant des chevaliers de Malte est une invention de mon cru. Mussolini a bien emporté avec lui de l'or, des devises et deux cartables bourrés de documents (chapitre 3). Seule une minuscule quantité d'or a été retrouvée dans le lac de Côme par des pêcheurs de l'endroit. La plupart des affaires qu'il avait avec lui n'ont jamais été retrouvées. Il y a eu un procès dans les années 1950 où plusieurs personnes ont été accusées de vol, mais il s'est terminé brusquement, sans jugement, et aucune enquête supplémentaire n'a jamais été entreprise. Le lien entre le juge de ce procès et le propriétaire de la villa est fictif.

Cette histoire se déroule sur une multitude de sites fascinants. Le lac de Côme, lieu de l'exécution de Mussolini, et le Four Seasons à Milan sont fidèlement dépeints. À Rome, le Forum Mussolini (qui a été rebaptisé Foro Italico), l'Hôtel d'Inghilterra, le Palazzo di Malta et la Villa del Priorato di Malta sont tels que je les ai décrits. Je voulais que ce roman soit une vitrine de Malte, alors j'ai fait un effort particulier pour inclure autant de lieux que possible. La Valette, la cocathédrale, le palais du Grand Maître, le Grand Port, les tours de Madliena et Lippija, Marsaskala, la baie de Saint-Paul, Mdina, la vallée de Pwales, les grottes le long de la côte sud, les tunnels construits par les chevaliers sous La Valette (chapitre 17) et la station balnéaire de Westin Dragonara sont tous réels. Le parachute ascensionnel est un sport très pratiqué sur les côtes maltaises (chapitre 4) et qui m'a beaucoup plu (comme à Luke). Seule l'église Sainte-Magyar (chapitre 49) est une invention, mais la légende de la jeune fille que je lui ai associée est attestée (chapitre 32). La chapelle de cette église a été inspirée par l'église de Piedigrotta à Pizzo, en Italie.

Les *fasces* (chapitre 3) sont un antique symbole romain, et les fascistes italiens leur ont emprunté leur nom.

Mussolini a réellement laissé son empreinte sur Rome. Nombre de ses édifices et de ses avenues grandioses subsistent à ce jour (chapitre 29). À l'intérieur du Foro Italico (naguère nommé Forum Mussolini) se dresse l'obélisque décrit dans le récit. Il est vrai que le *Codex Fori Mussolini*, un manifeste consacré à la grandeur du fascisme et de ses chefs, fut scellé à l'intérieur dans les années 1930 (chapitres 28, 29, 34 et 36). Le fait est connu parce que le texte fut publié dans les journaux italiens de l'époque.

Contrairement à ce qui se passe dans mon récit, toutefois, le codex est encore scellé dans l'obélisque à ce jour. La médaille commémorant l'obélisque que Luke examine au chapitre 29 existe vraiment.

L'histoire de l'origine du croissant (chapitre 12) fait partie de ces délicieuses fables dont personne ne sait si elles sont véridiques ou non. Le symbole de Charlemagne, tel qu'il est décrit au chapitre 12, était sa signature. Je l'ai traité plus amplement dans *La Prophétie Charlemagne*[1]. Il est vrai que n'importe qui peut être élu pape (chapitre 10), mais la dernière fois que cela s'est produit, c'était en 1379. Les horloges *tal-lira* se trouvent partout à Malte (chapitre 10), tout comme les *dghajsa* aux couleurs chatoyantes (chapitre 32). Et l'histoire de Tom l'Écorché dont Luke se souvient au chapitre 60 est une légende populaire dans l'est du Tennessee.

Les Hospitaliers, aujourd'hui connus sous le nom de l'Ordre souverain militaire hospitalier de Saint-Jean de Jérusalem, de Rhodes et de Malte, ou plus simplement les chevaliers de Malte, existent depuis neuf cents ans. La croix maltaise à huit pointes (chapitre 7) est leur emblème depuis longtemps. Toute l'histoire que je leur attribue (chapitres 4, 12 et 16) et les lois citées au chapitre 44 sont exactes. De nos jours, les chevaliers sont une organisation humanitaire extrêmement efficace. Jadis, il y avait effectivement des *Secreti* parmi eux. La question de savoir si ce groupe existe toujours n'est pas résolue, dans la mesure où le fonctionnement interne est un secret bien gardé. Mes *Secreti* du récit sont des créations fictives.

Les deux villas à Rome – le Palazzo di Malta et la Villa del Priorato di Malta – forment ensemble le plus petit État souverain du monde (chapitre 16). La Villa Pagana à Rapallo sert de résidence d'été au Grand Maître (chapitre 19). Les archives à proximité de cet endroit sont

1. *La Prophétie Charlemagne*, le cherche midi éditeur, Paris.

le fruit de mon imagination. Naguère, Malte était parsemée de *guvas*, ces prisons souterraines propres aux chevaliers (chapitre 14). Aujourd'hui, il n'en reste qu'une, au fort Saint-Ange à La Valette. J'en ai créé deux autres. Le trou de serrure sur la colline de l'Aventin, à la Villa del Priorato di Malta, permet effectivement d'avoir une vue fabuleuse de la basilique Saint-Pierre (chapitre 28). On ignore si cela est fortuit ou intentionnel.

Nostra Trinità (chapitre 26) est entièrement fictive, mais deux de ses éléments, le *Pie Postulatio Voluntatis* et le *Ad Providam*, sont des documents qui existent réellement. Mais le *De Fundamentis Theologicis Constantini* est ma création, ainsi que son histoire (chapitre 48), bien que les concepts que ce texte évoque – le fait que la religion soit une création de l'homme et que l'Église catholique ait formulé le cœur de sa doctrine afin de survivre – soient exacts (chapitres 62, 63 et 64). Les historiens de la religion ont toujours étudié ce sujet avec une extrême minutie.

La cocathédrale de La Valette (chapitre 40) est somptueuse, en particulier le sol, qui est presque entièrement occupé par quatre cents tombes de marbre. Chacune est magnifique et unique. Toutes celles que j'ai mentionnées dans le roman existent (chapitres 41, 43 et 44), y compris la tombe de Bartolomeo di Cortona (chapitre 45) qui montre trois symboles, l'un d'entre eux étant le Chi Rhô qui est étroitement associé à Constantin. Il y a une horloge dépeinte sur la tombe, mais la version concrète de cette horloge dans la cathédrale est une invention (chapitre 46).

Malte fut assiégée par les Turcs en 1565 (chapitre 8), toutefois les chevaliers repoussèrent l'invasion. Cette victoire permit effectivement de stopper l'avancée turque dans la Méditerranée et sauva l'Europe. Après cela, l'île fut entourée d'une ceinture de treize tours de garde qui sont toujours debout. Toutes celles qui sont mentionnées dans le récit existent. Je me suis bien amusé à les intégrer à la chasse au trésor, et c'était un coup de chance que huit d'entre elles, lorsqu'on les relie, forment une croix (chapitres 47 et 48). L'apôtre Paul est bien venu à Malte, il a apporté le christianisme sur l'île, l'exploit étant relaté dans la Bible (chapitre 13).

Tous les sites du Vatican sont fidèlement décrits, y compris la chapelle Sixtine, le Palais apostolique, les musées, la Résidence Sainte-Marthe, les jardins du Vatican et la gare (chapitres 65, 67, 68, 69, 70 et 71). Le poste de préfet de la Signature apostolique, qu'occupe Kastor Gallo, est une fonction très ancienne.

La distinction juridique et politique entre la Cité-État du Vatican et le Saint-Siège (chapitre 13) vit le jour grâce au traité de Latran de 1929. La curie (chapitre 15) gère les deux, le pape étant le seul chef. Tenter de contenir la curie est depuis fort longtemps un problème. Malheureusement, toute la corruption détaillée dans la clé USB de Spagna (chapitres 15 et 18) est inspirée par des scandales réels qui ont secoué le Saint-Siège au cours de la dernière décennie. On trouvera un bon exposé sur ce sujet dans *Via Crucis* et *Sua Santità : Le carte segrete di Benedetto XVI* de Gianluigi Nuzzi. Le Vatican persiste à nier l'existence de scandales ou de problèmes internes, mais Nuzzi fait une démonstration convaincante du fait que la réalité est autre.

L'Organisme, ou la Sainte Alliance, est une organisation réelle. Elle a cinq cents ans, c'est le service de renseignement le plus ancien du monde. Le Vatican n'en a jamais reconnu l'existence, mais son histoire est longue et documentée (chapitre 20). Il y a aussi un chef des services secrets du pape dont l'identité est gardée secrète. Mon appellation de *Domino Suo* est fictive. Il existe un récit génial sur ce sujet, c'est *La Sainte Alliance*[1] d'Éric Frattini.

Les lettres de Churchill à Mussolini décrites dans le roman sont de l'ordre de la légende ; des rumeurs circulent

1. *La Sainte Alliance : la véritable histoire des services secrets du Vatican*, par Éric Frattini, éditions Flammarion, Paris, 2006.

sur leur existence, mais on ne les a jamais vues. L'histoire de Mussolini les emportant avec lui dans sa tentative de fuir l'Italie en 1945 est ma contribution à cette légende. Les lettres citées au chapitre 9 sont de mon invention, mais je me suis fortement inspiré de paroles authentiques de Churchill et de Mussolini. La signature de Churchill est réelle. En prenant ses fonctions de Premier ministre, Churchill voulait utiliser Malte comme monnaie d'échange pour dissuader l'Italie de s'aligner avec l'Allemagne. Mais le gouvernement de guerre britannique rejeta l'idée. Finalement, Malte s'avéra stratégique, et résista à un siège allemand et italien pendant plusieurs années, ce qui lui valut la croix de Saint-Georges décernée au pays entier (chapitre 9).

L'alliance de Mussolini avec les papes Pie XI et Pie XII (chapitre 38) a réellement été conclue. Aucun de ces deux pontifes n'était progressiste. À bien des égards ils étaient en phase avec l'ultraconservatisme de Mussolini. C'est un fait que le Duce est parvenu à tenir en respect l'Église catholique. Jamais le Vatican n'a pris position publiquement contre le fascisme. En 1939, Pie XI était cependant prêt à réviser sa stratégie, mais il est mort avant de pouvoir ouvertement défier le gouvernement. Pie XII n'a pas poursuivi dans cette voie. On ne pourra probablement jamais faire toute la lumière sur l'attitude de Pie XII vis-à-vis de l'Allemagne, de l'Holocauste, des nazis et de Mussolini. Pour en savoir plus, consultez *Le Pape et Mussolini*[1], de David Kertzer.

Napoléon a envahi Malte en 1798 et a conquis l'île sans rencontrer de résistance notable (chapitres 11 et 15). À cette époque, les chevaliers étaient en déclin, presque disparus. Napoléon n'avait pas encore réalisé son projet impérial, mais il ne fait aucun doute qu'il le préparait déjà. Une partie de ses plans grandioses consistait à éradiquer

1. *Le Pape et Mussolini*, par David Kertzer, éditions Les Arènes, Paris, 2016.

l'influence de l'Église catholique et à instaurer sa propre religion, dont il serait le chef (chapitre 26). Dans cette perspective, il finit par mettre à sac et piller le Vatican, par deux fois. Il pilla de même Malte, emportant tout son butin avec lui en Égypte, où ces trésors terminèrent au fond de la mer.

Les chevaliers de Malte étaient extrêmement impopulaires sur l'île (chapitre 25). Ils gouvernaient avec cruauté et arrogance. Mais les Français étaient plus haïs encore, et ils furent forcés de partir en 1800 après seulement deux années d'occupation, ce qui ouvrit la voie à une reprise de contrôle par les Britanniques en 1814. Malte fait toujours partie du Commonwealth britannique, mais a le statut de nation indépendante.

Le carré Sator me fascine depuis un bon moment (chapitre 12). Il existe depuis l'époque romaine et il y a un lien avec Constantin, mais pas celui que j'ai inventé. Ce que signifie ce palindrome de cinq mots n'est pas clair, mais il est à relier aux premiers chrétiens, en raison de l'anagramme possible *Pater Noster*, Notre Père, ce qui laisse de côté quatre lettres pour alpha et oméga (chapitre 26). Il ne saurait y avoir là une coïncidence. On trouve ces cinq mots gravés dans un certain nombre de sites de toute l'Europe, et il y a sur le marché des anneaux qui les portent (chapitre 19).

Le thème principal de ce roman est l'origine du christianisme. Le concile de Nicée fut le premier rassemblement œcuménique, convoqué par Constantin le Grand (chapitres 27 et 63). Un épais mystère entoure son déroulement, car il n'existe qu'un récit très succinct de ce qui s'est passé. Même le nombre d'évêques qui y assistèrent est douteux, bien que la liste partielle que je donne au chapitre 54 soit exacte. Ce que nous savons avec certitude, c'est que plusieurs désaccords dogmatiques furent résolus et qu'une profession de foi fut adoptée, le *credo* de Nicée, qui est cité avec exactitude au chapitre 59. Ce symbole, qui n'a été que peu modifié, demeure aujourd'hui la profession de foi principale de l'Église catholique.

Constantin est considéré avec beaucoup d'affection par l'Église catholique romaine. Dès le IVe siècle, le christianisme était bien implanté, bien qu'il fût plongé dans la persécution et le chaos. Une fois qu'il l'eut prise sous sa protection, l'empereur apporta de nombreuses contributions à la nouvelle religion. Celles-ci comprenaient la sanction officielle, des privilèges, de l'argent et des édifices. Parmi les innombrables églises qu'il fit construire, on trouve l'église du Saint-Sépulcre à Jérusalem et la première basilique Saint-Pierre de Rome.

C'est un fait attesté qu'il y eut un banquet à la fin du concile de Nicée, pendant lequel l'empereur remit des présents pour que les évêques les rapportent à leurs Églises respectives. En ce qui concerne un document qu'il aurait pu leur confier et que les évêques auraient signé – mon *De Fundamentis Theologicis Constantini* –, ceci n'a jamais eu lieu. La religion est un concept imaginé par des hommes et utilisé depuis longtemps par des hommes en vue d'obtenir un avantage politique. C'est là une chose historiquement attestée. Le fait que les notions de péché originel, de paradis, d'enfer et de diable furent des créations de l'Église est exact. Et avant de rejeter cette affirmation comme étant pure fantaisie, examinez de près ce qu'a dit le pape François en mars 2018. Lorsqu'on lui a posé une question sur l'enfer et ce qui arrive à l'âme des pécheurs, le pape a déclaré : *Ils ne sont pas punis, ceux qui se repentent obtiennent le pardon de Dieu et entrent dans les rangs de ceux qui le contemplent, mais ceux qui ne se repentent pas et auxquels par conséquent il ne peut être pardonné disparaissent. Il n'y a pas d'enfer, il y a la disparition des âmes pécheresses.*

Une déclaration de poids pour le chef de plus d'un milliard de catholiques. Peu de temps après la parution de ces propos dans *La Repubblica*, un grand quotidien italien, le Vatican a publié un communiqué selon lequel l'article n'était pas « une transcription fidèle », et la rencontre entre le pape François et l'auteur de l'article n'était qu'un entretien privé, non une interview officielle.

Mais il n'y a pas eu de rétractation catégorique.

Ce que beaucoup considèrent comme des dogmes sacrés de l'Église, d'origine divine, ont des fondements plus concrets et plus pratiques. Le problème, c'est que nous avons fort peu d'informations sur l'Église catholique primitive, et ce que ses pères fondateurs ont réellement fait. Ce que nous savons, nous le devons au premier chef à un homme, Eusèbe de Césarée, qui a vécu à l'époque de Constantin. Son *Histoire ecclésiastique* demeure une source capitale sur l'Église des premiers siècles. Sa *Vie de Constantin* est considérée comme une œuvre importante, mais clairement biaisée par son adoration pour l'empereur.

Qu'y a-t-il de vrai dans ce qu'il écrit ?

Nul ne le sait.

Des doutes similaires entourent une autre citation attribuée au pape François, telle qu'elle apparaît dans l'épigraphe de mon livre et au chapitre 5. Il en existe beaucoup de versions, ce qui est compréhensible étant donné sa nature controversée. Certains prétendent que les variantes ont été créées par le Vatican après que les propos d'origine ont été prononcés, dans une tentative pour atténuer leurs implications évidentes et noyer l'authenticité dans la confusion. Encore une fois, nul ne sait. Toutefois, ces remarques, sous quelque forme qu'on les trouve, sont insolites, venant d'un pape. Pour conclure, lisons-les une fois encore :

Il n'est pas nécessaire de croire en Dieu pour être une bonne personne. En un sens, la notion traditionnelle de Dieu est dépassée.
On peut être spirituel, mais pas religieux.
Il n'est pas nécessaire d'aller à l'église et de donner de l'argent.
Pour beaucoup, la nature est une église.
Quelques-unes des meilleures personnes de l'histoire ne croyaient pas en Dieu, tandis que certains des pires actes l'ont été en Son nom.

REMERCIEMENTS

À nouveau, mes sincères remerciements s'adressent à John Sargent, le président directeur général de Macmillan, et Sally Richardson qui n'a toujours que des mots gentils à mon égard ; à Jen Enderlin qui dirige St. Martin's et à mon éditeur chez Minotaur, Andrew Martin. J'ai aussi, comme toujours, une dette immense envers Hector Dejean à la publicité ; Jeff Dodes et l'équipe du marketing et des ventes, en particulier envers Paul Hochman ; Anne Marie Tallberg, la reine des éditions de poche ; David Rotstein qui a produit la couverture ; et Mary Beth Roche et ses collègues innovants au service audio.

Comme toujours, je m'incline devant Simon Lipskar, mon agent et ami, et devant mon éditrice Keeley Ragland, et son assistante Maggie Callan, qui sont toutes les deux merveilleuses.

À quelques autres personnes je dois également des remerciements : Meryl Moss et son extraordinaire équipe de publicitaires (en particulier Deb Zipf et Jeri Ann Geller), Jessica Johns et Esther Garver qui continuent à faire tourner Steve Berry Enterprises parfaitement bien, et Rachel Maurizio, qui fut, pour nous, un guide exceptionnel à Malte.

Il y a dix ans, j'ai dédié *La Conspiration du Temple* à ma nouvelle épouse, Elizabeth. Elle était alors novice dans le domaine de l'écriture et de l'édition, mais elle a vite appris, et elle est devenue une éditrice de premier ordre dont l'œil affûté s'est exercé à repérer le talent et les bonnes histoires. Aujourd'hui, elle possède (avec l'incomparable M. J. Rose) la moitié de 1001 Dark Nights, une entreprise d'édition et de commercialisation spécialisée dans les romans d'amour. Elle est également directrice exécutive de l'International Thriller Writers, une organisation de plus de 4 000 membres, dont 80 % se consacrent activement à l'écriture de thrillers.

Alors ce livre est dédié à Elizabeth, une femme extraordinaire qui a considérablement enrichi non seulement mes histoires, mais aussi ma vie.

Les papiers utilisés dans cet ouvrage
sont issus de forêts responsablement gérées.

Achevé d'imprimer sur Roto-Page
par l'Imprimerie Floch à Mayenne en juillet 2019.
N° d'édition : 6183 – N° d'impression : 94698
Imprimé en France